dtv

Daniel Golemans internationaler Bestseller zur Emotionalität hat die bislang gültige Erfolgsformel IQ von ihrem Sockel geholt: Nicht nur unsere Rationalität, der sprichwörtlich »kühle Kopf«, bürgt für beruflichen wie privaten Erfolg, mindestens ebenso wichtig sind die emotionalen Fähigkeiten. EQ, der »emotionale Quotient«, meint diejenige Intelligenz, die sich in unserem Verständnis und unserer Handhabung menschlicher Gefühle zeigt – einer komplexen Skala zwischen Angst und Wut, Liebe und Aggression, Verzweiflung und Freude. Goleman entwickelt seine Thesen anhand verschiedener Forschungsansätze und Ergebnisse der neueren Hirnforschung und Kognitionswissenschaft und veranschaulicht sie anhand von zahlreichen Alltagsszenarien und Fallbeispielen. Seine Botschaft: Ohne ein intaktes Gefühlsleben taugt der beste Intellekt nichts, denn beide Systeme, das emotionale und das rationale, stehen in beständiger, hochkomplexer Wechselwirkung, deren Erforschung neue spannende Perspektiven für uns alle bietet.

*Daniel Goleman*, 1946 in Stockton, Kalifornien, geboren, hat als klinischer Psychologe an der Harvard Universität gelehrt und war Herausgeber der Zeitschrift ›Psychology Today‹. Gegenwärtig ist er verantwortlicher Redakteur für Psychologie und Neurowissenschaften bei der ›New York Times‹. Veröffentlichungen auf deutsch: ›Lebenslügen‹ (1993) und ›Meditation: Wege nach innen‹ (1994).

Daniel Goleman

# Emotionale Intelligenz

Aus dem Englischen
von Friedrich Griese

Deutscher Taschenbuch Verlag

Von Daniel Goleman
sind im Deutschen Taschenbuch Verlag erschienen:
Die heilende Kraft der Gefühle (36178, herausgegeben von Daniel Goleman)
Kreativität entdecken (36136, zusammen mit Paul Kaufmann und Michael Ray)
EQ2. Der Erfolgsquotient (36211)

*Für Tara,*
*Quelle emotionaler Weisheiten*

Ungekürzte Ausgabe
Mai 1997
14. Auflage März 2001
Deutscher Taschenbuch Verlag GmbH & Co. KG, München
www.dtv.de

Titel der amerikanischen Originalausgabe:
Emotional Intelligence.
Why it can matter more than IQ
Bantam Books, New York 1995

ISBN 3-446-18526-7
Umschlaggestaltung: Peter-Andreas Hassiepen
unter Verwendung eines Fotos von Milena
Satz: Fotosatz Reinhard Amann, Aichstetten
Druck und Bindung: C. H. Beck'sche Buchdruckerei, Nördlingen
Gedruckt auf säurefreiem, chlorfrei gebleichtem Papier
Printed in Germany · ISBN 3-423-36020-8

# Inhalt

## Vierter Teil
## Fenster der Gelegenheit



## Fünfter Teil
## Emotionale Bildung



## Anhang

# Vorwort zur deutschen Ausgabe

Das Buch *Emotionale Intelligenz* verdankt sein Entstehen meiner unmittelbaren Erfahrung einer Krise in der amerikanischen Zivilisation, mit erschreckender Zunahme der Gewaltverbrechen, der Selbstmorde, des Drogenmißbrauchs und anderer Indikatoren für emotionales Elend, besonders unter der amerikanischen Jugend. Zur Behandlung dieser gesellschaftlichen Krankheit scheint es mir unerläßlich, der emotionalen und sozialen Kompetenz unserer Kinder und unserer selbst größere Aufmerksamkeit zuzuwenden und die Kräfte und Fähigkeiten des menschlichen Herzens energischer zu fördern.

Meine Freunde in Deutschland sagten mir zwar, daß es in der deutschen Gesellschaft keine derart krassen Krisenphänomene wie in Amerika gäbe, daß meine Vorschläge aber auch für Deutschland gelten könnten, nicht so sehr als akutes Gegenmittel, sondern als präventive Maßnahme.

Ich erfuhr von meinen deutschen Freunden, daß deren Gesellschaft von einer subtileren Form der Gewalt geprägt ist: den Anzeichen einer sozialen Entfremdung, die eines Tages durchaus zu ernstzunehmenden Rissen im sozialen Gewebe führen könnte, wenn man ihr nicht Einhalt gebietet.

Wie Wilhelm Heitmeyer von der Universität Bielefeld beobachtet hat, entwickelt sich die gesellschaftliche Dynamik zu mehr Individualisierung, zu mehr Autonomie, von dort zu größerem Konkurrenzkampf, vor allem in der Arbeitswelt und an den Universitäten, und zu weniger Solidarität, was schließlich zu wachsender Isolierung des einzelnen und zum Verfall der sozialen Integration führt. Diese schleichende Desintegration der Gemeinschaft und die Verstärkung eines rücksichtslosen Durchsetzungsstrebens geschehen dabei ausgerechnet zu einer Zeit, in der der ökonomische und soziale Druck, der aus der West-Ost-Einigung entstanden ist, mehr und keinesfalls weniger Kooperation und Fürsorglichkeit verlangt.

In dieser Atmosphäre einer beginnenden sozialen Malaise treten nun auch Anzeichen einer sich verschärfenden emotionalen Krise, besonders bei Kindern, auf. Empirische, die Situation in verschiedenen Ländern vergleichende Untersuchungen haben ergeben, daß deutsche

Kinder in ihrer emotionalen und sozialen Verfassung besser dran sind als ihre amerikanischen Altersgenossen. Sie sind vor allem weniger gewalttätig und weniger aggressiv. Somatische Beschwerden aber, bei Kindern häufig ein Barometer für unterdrückte Nöte und Ängste, reichen an die in Amerika recht nahe heran.

Offensichtlich ist, daß in Deutschland, wie in allen anderen Industrieländern auch, Depression als Krankheit beständig und langfristig zunimmt. Bei Menschen zum Beispiel, die nach 1944 geboren sind, ist die Wahrscheinlichkeit, irgendwann in ihrem Leben eine ernste Depression zu erleiden, dreimal größer als bei der Generation ihrer Großeltern.

Vor dem Hintergrund dieser bedrohlichen emotionalen und sozialen Entwicklung erscheinen dann vielleicht die vereinzelten Gewaltverbrechen und das Auftreten von Skinhead-Gruppen als frühe Warnzeichen für Gefahren und als beunruhigende Mahnungen.

All das macht es auch in Deutschland so dringlich, das emotionale Alphabet zu beherrschen. In unserem Zeitalter sind die Kräfte und Fähigkeiten des Herzens genauso lebenswichtig wie die des Kopfes. Rationalität und Mitgefühl müssen ins Gleichgewicht gebracht werden. Die Alternative wäre ein verelendeter Intellekt, ein Steuerruder, auf das in unserer sich so schnell und so komplex ändernden Gegenwart kein Verlaß mehr ist.

Heutzutage sind es die Neurowissenschaften, die so nachdrücklich darauf bestehen, daß die Emotionalität ernst genommen wird. Ihre Forschungsergebnisse sind ermutigend. Sie sind es, die uns darüber aufklären, daß die Zukunft hoffnungsvoller sein kann, wenn wir der emotionalen Intelligenz intensiver und systematischer unsere Aufmerksamkeit zuwenden: um das Bewußtsein von uns selbst zu vertiefen, um mit schmerzlichen Emotionen besser umgehen zu lernen, um trotz der vielen Frustrationen die Kraft zu Hoffnung und Ausdauer zu bewahren und um unsere Fähigkeiten zur Empathie und zur Fürsorge für andere, zu Kooperation und sozialer Bindung zu stärken.

# Die Forderung des Aristoteles

> Ebenso kann ein jeder leicht in Zorn geraten ... Das Wem, Wieviel, Wann, Wozu und Wie zu bestimmen, ist aber nicht jedermanns Sache und ist nicht leicht.
>
> *Aristoteles*, Nikomachische Ethik

Es war ein unerträglich schwüler Augustnachmittag in New York, es herrschte jene schweißtreibende Wetterlage, die den Menschen Unbehagen bereitet und sie reizbar macht. Auf dem Rückweg ins Hotel stieg ich an der Madison Avenue in einen Bus, dessen Fahrer mich verblüffte. Es war ein Schwarzer in mittlerem Alter, der ein strahlendes Lächeln zeigte und mir beim Einsteigen ein freundliches »Hey, wie geht's?« entgegenrief, ein Gruß, den er jedem neuen Fahrgast entbot, der während der Fahrt durch den dichten Innenstadtverkehr einstieg. Alle waren genauso verblüfft wie ich, und in der vorherrschenden mürrischen Stimmung gefangen, gab kaum einer den Gruß zurück.

Doch während der Bus sich durch die Straßen vorwärtsschob, vollzog sich eine allmähliche, ganz wundersame Verwandlung. Der Fahrer lieferte uns einen ständigen Monolog, einen anregenden Kommentar zu dem Geschehen, das an uns vorüberglitt: In dem Geschäft da kauft man ungeheuer günstig, in diesem Museum ist eine wundervolle Ausstellung zu sehen, haben Sie schon von dem neuen Film gehört, der in dem Kino da drüben gerade angelaufen ist? Die vielfältigen Möglichkeiten, die die Stadt bietet, entzückten ihn, und das war ansteckend. Als es ans Aussteigen ging, hatten alle die mürrische Schale, mit der sie eingestiegen waren, abgeworfen, und wenn der Fahrer ihnen »Byebye, viel Spaß heute!« zurief, lächelten sie zurück.

Seit fast zwanzig Jahren begleitet mich die Erinnerung an diese Begegnung. Ich hatte, als ich den Bus an der Madison Avenue nahm, gerade meinen Doktor in Psychologie gemacht, aber die damalige Psychologie interessierte sich kaum dafür, wie eine solche Verwandlung abläuft. Von den Mechanismen der Gefühle, der Emotion wußte die psychologische Forschung kaum etwas. Dieser Busfahrer, dessen Fahrgäste den Virus des positiven Gefühls in der Stadt verbreiteten, war in meinen Augen so etwas wie ein Friedensstifter, mit einer hexenmeisterhaften Fähigkeit, die mürrische Gereiztheit, die in seinen Fahrgästen kochte, zu verwandeln und ihre Herzen ein wenig zu besänftigen und zu öffnen.

Als Kontrast dazu hier einige Zeitungsmeldungen aus ebendieser Woche:

In einer Schule richtet ein Neunjähriger Verwüstungen an: Er schüttet Farbe über Tische, Computer und Drucker und beschädigt ein Auto auf dem Schulparkplatz. Grund: Kinder aus der dritten Klasse hatten ihn »Baby« genannt, und er wollte ihnen Eindruck machen.

Vor einem Rap-Club in Manhattan drängen sich Teenager; aus einem versehentlichen Anrempeln entsteht eine allgemeine Prügelei, die damit endet, daß einer der Angegriffenen mit einer Handfeuerwaffe Kaliber .380 in die Menge schießt und acht junge Leute verwundet. Wie es in dem Bericht heißt, haben solche Schießereien wegen scheinbarer Kränkungen, die als Ausdruck von Geringschätzung wahrgenommen werden, in den letzten Jahren zugenommen.

Bei Mordopfern unter zwölf Jahren sind die Täter in 57 Prozent der Fälle die Eltern oder Stiefeltern. Die Eltern geben in fast der Hälfte der Fälle an, sie hätten »bloß versucht, das Kind zu disziplinieren«. Das »Vergehen«, das die tödlichen Schläge auslöste, bestand beispielsweise darin, daß das Kind die Sicht auf den Fernseher versperrte, weinte oder die Windeln besudelte.

Ein deutscher Jugendlicher steht wegen Mordes vor Gericht, weil er Feuer an ein Haus legte, in dem fünf türkische Frauen und Mädchen schliefen. Mitglied einer Gruppe von Neonazis, gibt er an, immer wieder seine Stelle verloren zu haben und zu trinken, und er schiebt sein Pech den Ausländern in die Schuhe. Mit kaum hörbarer Stimme bringt er vor: »Was ich getan habe, tut mir entsetzlich leid, und ich schäme mich grenzenlos.«

Tagtäglich lesen wir solche Meldungen über den Verfall von Höflichkeit und Sicherheit, über entfesselte bösartige Impulse. Doch darin spiegelt sich bloß in größerem Maßstab der Eindruck wider, daß in unserem Leben und dem unserer Mitmenschen die Emotionen außer Kontrolle geraten sind. Vor dieser unberechenbaren Flut von Gefühlsausbrüchen und ihren bedauerlichen Folgen ist niemand sicher; auf die eine oder andere Weise dringt sie in unser aller Leben ein.

Das ständige Trommelfeuer solcher Berichte in den letzten zehn Jahren zeigt, daß die Unfähigkeit im Umgang mit den eigenen Emotionen, die Ratlosigkeit und Brutalität in unseren Familien, unseren Gemeinden und unserem kollektiven Gefühlsleben zunehmen. Wut und

Verzweiflung greifen um sich, sei es in der stillen Einsamkeit von Schlüsselkindern, die mit dem Fernseher als Babysitter alleingelassen werden, sei es im Leid von Kindern, die ausgesetzt, vernachlässigt oder mißbraucht werden, sei es in der häßlichen Intimität von Gewalttätigkeiten zwischen Eheleuten. Von einem sich ausbreitenden emotionalen Unbehagen zeugen die Zahlen, die einen Anstieg der Depressionen in der ganzen Welt belegen, und die Anzeichen einer steigenden Flut von Aggressionen: Teenager, die mit Waffen in die Schule kommen, Autounfälle, die in Schießereien enden, entlassene Angestellte, die aus Verärgerung ehemalige Kollegen umbringen. »Emotionale Mißhandlung«, »Schießerei im Vorüberfahren« und »posttraumatischer Stress« – das alles ist im letzten Jahrzehnt in den allgemeinen Wortschatz eingegangen, und wo man sich früher fröhlich einen »schönen Tag« wünschte, brummt man heute gereizt »Tag«.

Dieses Buch soll helfen, das Unbegreifliche faßbar zu machen. Als Psychologe und seit zehn Jahren als Journalist für die *New York Times* habe ich verfolgt, was die wissenschaftliche Forschung über den Bereich des Irrationalen zu sagen hat. Dabei sind mir zwei gegenläufige Trends aufgefallen, einerseits ein wachsendes Elend in unserem gemeinsamen Gefühlsleben, andererseits Entwicklungen, die Abhilfe versprechen.

## Warum diese Untersuchung jetzt

Außer den schlechten Nachrichten hat das letzte Jahrzehnt auch einen beispiellosen Aufschwung in der wissenschaftlichen Erforschung von Emotionen zu verzeichnen. Am eindrucksvollsten sind die Einblicke in das Funktionieren des Gehirns, die durch innovative Methoden wie die zerebralen Bildgebungsverfahren möglich wurden. Dadurch wurde erstmals in der menschlichen Geschichte sichtbar, was seit jeher ein tiefes Rätsel war: was in dieser verwickelten Anhäufung von Zellen geschieht, wenn wir denken, fühlen und träumen. Dank der Flut neurobiologischer Daten verstehen wir besser als je zuvor, wie die emotionalen Hirnzentren uns zu Wutanfällen reizen oder zu Tränen rühren und wie gattungsgeschichtlich ältere Teile des Gehirns, die uns zum Kriegführen wie zum Lieben anstacheln, in die eine oder andere Richtung steuern. Diese neue Einsicht in das Wirken der Emotionen und ihre Schwächen lenkt unsere Aufmerksamkeit auf ungenutzte Möglichkeiten, unserer kollektiven emotionalen Krise Herr zu werden.

Ich mußte bis jetzt warten, denn nun erst ist die wissenschaftliche Ernte so weit gereift, daß ich dieses Buch schreiben kann. Daß diese Erkenntnisse sich so verzögert haben, liegt vor allem daran, daß die Forschung den Stellenwert des Fühlens im mentalen Leben seit jeher erstaunlich gering veranschlagt hat, so daß die Emotionen für die wissenschaftliche Psychologie ein weitgehend unerforschter Kontinent blieben. Diese Lücke wurde gefüllt von allerlei Selbsthilfe-Büchern, gutgemeinten Ratschlägen, die sich bestenfalls auf klinische Gutachten stützten, aber zumeist ohne wissenschaftliche Grundlage waren. Jetzt ist die Wissenschaft endlich in der Lage, auf diese dringenden und verwirrenden Fragen der Psyche in ihren irrationalsten Aspekten begründete Antworten zu geben und das menschliche Herz mit leidlicher Genauigkeit kartographisch zu erfassen.

Diese Kartierung stellt die verengte Auffassung von Intelligenz in Frage, derzufolge der Intelligenzquotient (IQ) eine erbliche Gegebenheit ist, die nicht durch Lebenserfahrung verändert werden kann, und unser Schicksal weitgehend durch diese Fähigkeiten festgelegt ist. Diese Auffassung übergeht die drängendere Frage: Was können wir wirklich ändern, damit es unseren Kindern besser ergeht? Woran liegt es beispielsweise, wenn Menschen mit einem hohen IQ straucheln und solche mit einem bescheidenen IQ überraschend erfolgreich sind? Entscheidend sind nach meiner Ansicht sehr oft die Fähigkeiten, die ich hier als »emotionale Intelligenz« bezeichne; dazu gehören Selbstbeherrschung, Eifer und Beharrlichkeit und die Fähigkeit, sich selbst zu motivieren. Wie wir sehen werden, sind das Fähigkeiten, die man Kindern beibringen kann, so daß sie das intellektuelle Potential, das die genetische Lotterie ihnen vermittelt hat, besser nutzen können.

Es ist ein drängendes moralisches Gebot, das hinter dieser Möglichkeit steht. Wir leben in einer Zeit, in der der Zusammenhalt der Gesellschaft sich immer schneller aufzulösen scheint, in der Egoismus, Gewalt und Niedertracht die Qualität unseres Gemeinschaftslebens zu untergraben scheinen. Was die emotionale Intelligenz so wichtig macht, ist der Zusammenhang zwischen Gefühl, Charakter und moralischen Instinkten. Vieles spricht dafür, daß ethische Grundhaltungen im Leben auf emotionalen Fähigkeiten beruhen. Das Medium der Emotionen sind Impulse, und der Keim aller Impulse ist ein Gefühl, das sich unkontrolliert in die Tat umsetzt. Wer seinen Impulsen ausgeliefert ist – wer keine Selbstbeherrschung kennt –, leidet an einem moralischen Defizit: die Fähigkeit, Impulse zu unterdrücken, ist die Grundlage von Wille und Charakter. Auf der anderen Seite beruht der Altruismus auf Empathie, auf der Fähigkeit, die Gefühlsregungen anderer zu erkennen; wo das Gespür für die Not oder Verzweiflung eines anderen fehlt, gibt es keine Fürsorge. Und wenn in unserer Zeit zwei moralische Haltungen nötig sind, dann genau diese: Selbstbeherrschung und Mitgefühl.

## Unsere Reise

In diesem Buch diene ich als Führer auf einer Reise durch die wissenschaftlichen Einsichten in die Emotionen, einer Fahrt, die zu größerem Verständnis für die verwirrendsten Momente in unserem Leben führen soll. Die Reise hat zum Ziel, daß wir verstehen, was es heißt und wie man es anstellt, intelligent mit Emotionen umzugehen. Schon dieses Verstehen kann hilfreich sein; Erkenntnisse auf den Bereich des Gefühls anzuwenden, hat eine ähnliche Wirkung wie das Auftreten eines Beobachters in der Quantenphysik: das Beobachtete wird dadurch verändert.

Unsere Reise beginnt im Ersten Teil mit neuen Entdeckungen zur emotionalen Architektur des Gehirns, die eine Erklärung für die verwirrendsten Momente in unserem Leben bieten, in denen das Gefühl jegliche Rationalität hinwegfegt. Indem wir das Wechselspiel der Hirnstrukturen verstehen, die uns in Momenten des Zorns und der Furcht, der Leidenschaft oder der Freude beherrschen, lernen wir einiges über die emotionalen Gewohnheiten, die unsere besten Absichten zunichte machen können, und darüber, was wir tun können, um unsere destruktiveren oder kontraproduktiven Gefühlsimpulse zu zügeln. Wie die neurologischen Befunde zeigen, gibt es ein Fenster der Gelegenheit für die Formung der emotionalen Gewohnheiten unserer Kinder.

Beim nächsten größeren Halt auf unserer Reise, im Zweiten Teil, sehen wir, wie die neurologischen Gegebenheiten sich auf die für das Leben grundlegende Fähigkeit auswirken, die wir »emotionale Intelligenz« nennen: daß man beispielsweise seine emotionalen Impulse zu zügeln vermag; daß man die inneren Gefühle eines anderen deuten kann; daß man Beziehungen geschickt handhabt und etwa – um Aristoteles zu zitieren – die seltene Fähigkeit besitzt, »gegen die rechte Person, im rechten Maß, zur rechten Zeit, für den rechten Zweck und auf rechte Weise zornig zu sein«. (Wer sich nicht für die neurologischen Details interessiert, wird gleich zu diesem Abschnitt übergehen.)

Dieses erweiterte Modell dessen, was es heißt, »intelligent« zu sein, rückt die Emotionen in den Mittelpunkt der für das Leben notwendigen Fähigkeiten. Was diese Fähigkeiten bewirken können, wird im Dritten Teil untersucht: Sie können zur Erhaltung unserer wichtigsten Beziehungen beitragen, und wenn sie fehlen, können diese Schaden nehmen; die Marktkräfte, die in unser Arbeitsleben eingreifen, belohnen emotionale Intelligenz auf noch nie dagewesene Weise mit Erfolg am Arbeitsplatz; schädliche Emotionen gefährden unsere körperliche Gesundheit ebensosehr wie Kettenrauchen, und emotionale Hygiene kann zur Erhaltung von Gesundheit und Wohlbefinden beitragen.

Jeder von uns ist durch sein genetisches Erbe mit einer Reihe von emotionalen Sollwerten ausgestattet, die sein Temperament bestimmen. Doch die beteiligten zerebralen Schaltungen sind in weitem Umfang formbar; Temperament ist kein Schicksal. Die emotionalen Lektionen, die wir als Kinder zu Hause und in der Schule erteilt bekommen, prägen, wie aus dem Vierten Teil hervorgeht, die emotionale Schaltung und sorgen dafür, daß wir, was die Grundlagen der emotionalen Intelligenz angeht, mehr oder weniger fähig – oder unfähig – sind. Kindheit und Jugend sind daher entscheidende Fenster der Gelegenheit für die Festlegung der emotionalen Gewohnheiten, die unser Leben bestimmen werden.

Der Fünfte Teil geht auf die Gefahren ein, die demjenigen bevorstehen, der es in der Reifezeit versäumt, den emotionalen Bereich zu meistern – Defizite hinsichtlich der emotionalen Intelligenz verstärken eine Reihe von Risiken, die von der Depression über die Gewalttätigkeit bis zu Eßstörungen und zum Drogenkonsum reichen. Er zeigt ferner, wie Kinder in der Schule mit jenen emotionalen und sozialen Fertigkeiten vertraut gemacht werden, die sie brauchen, um ihr Leben im Griff zu behalten.

Die irritierendsten Erkenntnisse in diesem Buch gehen auf eine breitgestreute Befragung von Eltern und Lehrern zurück, aus der hervorgeht, daß die gegenwärtige Kindergeneration emotional stärker gestört ist als die vorige: einsamer und depressiver, reizbarer und aufsässiger, nervöser und ängstlicher, impulsiver und aggressiver.

Falls es eine Abhilfe gibt, dann kann sie, wie ich denke, nur darin bestehen, wie wir unsere Jugend auf das Leben vorbereiten. Derzeit überlassen wir die emotionale Bildung unserer Kinder dem Zufall, mit immer katastrophaleren Ergebnissen. Eine denkbare Lösung ist eine neue Auffassung davon, was die Schule für die Bildung des ganzen Schülers tun kann, indem sie Geist und Herz berücksichtigt. Am Ende unserer Reise stehen Besuche in innovativen Klassen, die den Kindern Grundkenntnisse der emotionalen Intelligenz vermitteln möchten.

Ich kann mir vorstellen, daß es eines Tages zur üblichen Bildung gehören wird, wesentliche menschliche Kompetenzen wie Selbsterkenntnis, Selbstbeherrschung und Empathie und dazu die Künste des Zuhörens, der Konfliktlösung und der Kooperation zu vermitteln.

In der *Nikomachischen Ethik,* seiner philosophischen Untersuchung über Tugend, Charakter und ein Leben in Güte, erhebt Aristoteles die Forderung, unser Gefühlsleben mit Intelligenz zu steuern. Unsere Leidenschaften besitzen, richtig angewandt, Weisheit; sie bestimmen unser Denken, unsere Werte, unser Überleben. Sie können aber leicht entgleisen und allzu oft tun sie es. Nicht die Emotionalität ist in Aristoteles' Augen das Problem, sondern die *Angemessenheit* der Emotion und ihres Ausdrucks. Die Frage ist: Wie läßt sich Intelligenz in unsere Emotionen bringen – und Höflichkeit auf unsere Straßen und gegenseitige Fürsorge in unser Gemeinschaftsleben?

Erster Teil

# Das emotionale Gehirn

# 1

# Wozu sind Emotionen da?

Richtig sieht man nur mit dem Herzen;
das Wesentliche ist für das Auge unsichtbar.
*Antoine de Saint-Exupéry*, Der kleine Prinz

Die letzten Augenblicke im Leben von Gary und Mary Jane Chauncey, einem Ehepaar, das mit ganzer Hingabe an ihrer elfjährigen Tochter Andrea hing, die durch eine Gehirnlähmung an den Rollstuhl gefesselt war. Die Chaunceys saßen in einem Zug, der von einer Brücke stürzte, deren Pfeiler im Mississippidelta von einem Lastkahn gerammt worden waren. Die Eheleute dachten zuerst an ihre Tochter, und als das Wasser durch die Fenster in den Wagen strömte, taten sie alles, um ihre Tochter zu retten; irgendwie schafften sie es, Andrea durch ein Fenster zu schieben, wo sie von Rettungsmannschaften in Empfang genommen wurde. Dann ging der Wagen unter, und sie ertranken.[1]

Andreas Geschichte, eine Geschichte von Eltern, deren letzte heroische Handlung darin besteht, für das Überleben des Kindes zu sorgen, hält einen Moment von geradezu mythischer Tapferkeit fest. Solche Fälle, in denen Eltern sich für ihren Nachwuchs opfern, hat es in der menschlichen Geschichte und Vorgeschichte sicher unzählige Male gegeben – und zahllose weitere im größeren Rahmen der Evolution unserer Spezies.[2] Aus der Sicht der Evolution geht es bei der Selbstaufopferung von Eltern um das, was die Evolutionsbiologen als »Fortpflanzungserfolg« bezeichnen, um die Weitergabe der eigenen Gene an künftige Generationen. Doch aus der Sicht eines Elternteils, der in einer äußersten Krise die verzweifelte Entscheidung trifft, ein Kind zu retten, handelt es sich um nichts anderes als Liebe.

Dieser beispielhafte Akt elterlichen Heroismus bietet uns einen Einblick in den Sinn und Zweck von Emotionen, und er bezeugt die Bedeutung, welche der altruistischen Liebe – und allen sonstigen Emotionen – im menschlichen Leben zukommt.[3] Er läßt vermuten, daß unsere tiefsten Gefühle, unsere Leidenschaften und Sehnsüchte, entscheidend für unser Überleben sind und daß unsere Spezies ihre Existenz weitgehend ihrem machtvollen Wirken in der menschlichen Lebenswelt verdankt. Was sonst, wenn nicht eine übermächtige Liebe, die darauf drängt, das geliebte Kind zu retten, könnte einen Vater oder eine Mutter veranlassen, nicht dem reflexartigen Selbsterhaltungstrieb nachzugeben?

Diese Wirkung haben die Soziobiologen im Auge, wenn sie darüber nachdenken, warum die Evolutionskräfte, welche die menschliche Psyche prägten, der Emotion eine so zentrale Rolle zugewiesen haben. Bei lebenswichtigen Entscheidungen und Aufgaben – angesichts von Gefahren, im Umgang mit einem schmerzlichen Verlust, bei der hartnäckigen, allen Frustrationen trotzenden Verfolgung eines Ziels, bei der Partnerbindung und beim Aufbau einer Familie – werden wir von unseren Emotionen geleitet. Jede Emotion weckt eine spezifische Handlungsbereitschaft, die uns in eine Richtung weist, welche sich in der Evolution angesichts von Umständen, die in jedem Menschenleben immer wieder vorkommen, gut bewährt hat.[4] Während unserer Evolution sind solche Situationen immer wieder aufgetreten, und so hat sich ein überlebenswichtiges Repertoire an Emotionen herausgebildet, die sich als angeborene, automatische Tendenzen des menschlichen Herzens in unsere Nerven eingeprägt haben.

## Wenn die Vernunft von Leidenschaften übermannt wird

Es war eine tragische Verkettung von Irrtümern. Die vierzehnjährige Matilda Crabtree wollte ihrem Vater bloß einen Streich spielen: Als ihre Eltern um ein Uhr in der Nacht vom Besuch bei Freunden heimkehrten, sprang sie aus einem Schrank und schrie »Buh!«

Doch Bobby Crabtree und seine Frau dachten, Matilda sei in dieser Nacht bei Freunden. Als er beim Betreten des Hauses Geräusche vernahm, griff Crabtree zu seiner Pistole Kaliber .357 und ging in Matildas Zimmer, um nach dem Rechten zu sehen. Als seine Tochter aus dem Schrank sprang, feuerte er und traf sie in den Hals. Zwölf Stunden später war Matilda tot.[5]

Der reflexartige Trieb, die eigene Familie vor Gefahren zu schützen, ist eine Erbschaft der Evolution; dieser Impuls brachte Bobby Crabtree dazu, nach seiner Waffe zu greifen und das Haus nach dem Eindringling zu durchsuchen, der sich, so glaubte er, dort herumschlich. Solche automatischen Reaktionen sind, wie Evolutionsbiologen annehmen, in unser Nervensystem eingebrannt, weil von ihnen während einer langen, entscheidenden Phase der menschlichen Vorgeschichte das Überleben abhing. Sie dienten, was noch wichtiger war, der Hauptaufgabe der Evolution: der Fähigkeit, Nachkommen hervorzubringen, die gerade diese genetischen Prädispositionen weitergeben würden – eine traurige Ironie angesichts der Tragödie im Hause Crabtree.

Doch während unsere Emotionen im langen Verlauf der Evolution weise Führer waren, sind die neuen Realitäten der Zivilisation so rasch entstanden, daß die langsame Gangart der Evolution nicht Schritt halten konnte. So können denn auch die ersten Gesetze und Proklamationen der Ethik – der Kodex des Hammurabi, die Zehn Gebote der Juden, die Edikte des Kaisers Aschoka – als Versuche gedeutet werden, das Gefühlsleben zu zügeln, zu bändigen und zu zähmen. Wie Sigmund Freud im *Unbehagen in der Kultur* schrieb, mußte die Gesellschaft von außen Regeln aufzwingen, um Wogen des Gefühlsüberschwangs zu bändigen, die innen allzu ungehemmt aufwallen.

Ungeachtet dieser sozialen Zwänge wird die Vernunft immer wieder von Leidenschaften übermannt. Diese Gegebenheit der menschlichen Natur beruht auf der elementaren Architektur des Seelenlebens. Die uns angeborene biologische Struktur – die grundlegenden neuralen Schaltungen der Emotion – ist das, was sich in den letzten 50 000 – und nicht nur in den letzten 500 – Generationen am besten bewährt hat. Die langsamen, bedächtigen Kräfte der Evolution, die unsere Emotionen formten, haben ihr Werk im Laufe von Millionen Jahren getan; die letzten zehntausend Jahre, in denen die menschliche Zivilisation einen rapiden Aufstieg erlebte und die Bevölkerung von fünf Millionen auf fünf Milliarden anschwoll, haben in den biologischen Grundformen unseres Gefühlslebens kaum eine Spur hinterlassen.

So sind denn unsere Einschätzungen jeder einzelnen persönlichen Begegnung und unsere Reaktionen darauf nicht bloß von unseren rationalen Urteilen und von dem persönlichen Blickwinkel unserer eigenen Geschichte geprägt, sondern auch von der Vergangenheit unserer fernen Vorfahren. Sie hat uns Neigungen hinterlassen, die sich bisweilen tragisch auswirken, wie der traurige Vorfall in der Familie Crabtree belegt. Kurz, allzu oft gehen wir an Probleme der Postmoderne mit einem emotionalen Repertoire heran, das auf die Bedürfnisse des Pleistozäns zugeschnitten war. Dieses Mißverhältnis bildet den Kern meiner Untersuchung.

Einmal fuhr ich im Frühling über einen Bergpaß in Colorado, als mir plötzlich ein Schneetreiben die Sicht auf das nur wenige Wagenlängen vor mir fahrende Auto verwehrte. Mein Blick bohrte sich in die Schneewolke, aber ich konnte nichts sehen; der wirbelnde Schnee war ein einziges blendendes Weiß. Während ich auf die Bremse stieg, spürte ich, daß Beklemmung meinen Körper überflutete, und ich hörte das Hämmern meines Herzens.

Meine Beklemmung steigerte sich zu voller Angst: Ich hielt am Straßenrand an und wartete auf das Ende des Schneetreibens. Nach einer halben Stunde war es vorüber, die Sicht wurde klar, und ich setzte meine Fahrt fort – doch ein paar hundert Meter weiter mußte ich halten, weil die Besatzung eines Rettungswagens dem Insassen eines Wagens zu Hilfe kam, der einen Felsblock am Straßenrand gerammt und sich quergestellt hatte. Hätte ich meine Fahrt in dem Schneetreiben fortgesetzt, wäre ich wahrscheinlich in das quergestellte Fahrzeug hineingefahren.

Die Vorsicht, zu der mich die Angst damals trieb, hat mir vielleicht das Leben gerettet. Wie ein Kaninchen, das beim Anblick eines vorbeiziehenden Fuchses vor Schreck erstarrt – oder wie ein Ursäuger, der sich vor einem räuberischen Dinosaurier verbirgt –, wurde ich von einem inneren Zustand übermannt, der mich zwang, aufmerksam zu sein, mich vor einer bevorstehenden Gefahr in acht zu nehmen.

Die spezifische Rolle, die sämtliche Emotionen in unserer evolutionären Vergangenheit gespielt haben müssen, läßt sich aus ihrer jeweiligen biologischen Eigenart ablesen. Die Wurzel des Wortes »Emotion« ist *movere,* lateinisch für »bewegen«, wobei das Präfix »e« »hinwegbewegen« bedeutet, was darauf hindeutet, daß jeder Emotion eine Tendenz zum Handeln innewohnt. Daß Emotionen zu Handlungen führen, sieht man ganz deutlich an Tieren und Kindern; nur bei »zivilisierten« Erwachsenen beobachten wir, was im Tierreich die große Ausnahme ist: daß Emotionen als Handlungsimpulse von einer manifesten Reaktion gelöst sind.[6]

Forscher sind dank neuer Methoden der Beobachtung von Körper und Gehirn auf weitere physiologische Details gestoßen, was die Einleitung von jeweils ganz spezifischen Reaktionen durch die einzelnen Emotionen angeht:[7]

Bei *Zorn* strömt Blut zu den Händen, was es erleichtert, zur Waffe zu greifen oder einen Feind zu schlagen; der Puls nimmt zu, und ein

Ausstoß von Hormonen wie Adrenalin erzeugt einen Energieschub, der für eine energische Aktion ausreicht.

Bei *Furcht* fließt Blut zu den großen Skelettmuskeln, vor allem in die Beine, und sorgt dafür, daß man leichter fliehen kann – und daß das Gesicht bleich wird, da das Blut von ihm fortgeleitet wird (was den Eindruck erzeugt, daß das Blut »in den Adern gefriert«). Gleichzeitig erstarrt der Körper, wenn auch nur für einen kurzen Augenblick, vielleicht um die Abwägung zu ermöglichen, ob man sich nicht besser verstecken sollte. Die zerebralen Schaltungen in den emotionalen Zentren lösen eine Woge von Hormonen aus, die den Körper in einen allgemeinen Alarmzustand versetzen, so daß er gereizt und handlungsbereit wird, während die Aufmerksamkeit sich auf die vorliegende Gefahr konzentriert, um besser abschätzen zu können, welche Reaktion die richtige ist.

Eine der wesentlichen biologischen Veränderungen im Zustand des *Glücks* ist eine Aktivierung in einem zerebralen Zentrum, das negative Gefühle hemmt und eine Steigerung der verfügbaren Energie fördert; ansonsten gibt es keine auffällige physiologische Veränderung, abgesehen von einer Beruhigung, die es dem Körper erlaubt, sich rascher von der biologischen Erregung durch unangenehme Emotionen zu erholen. Diese Konfiguration bietet dem Körper einerseits eine generelle Ruhepause und andererseits die Bereitschaft und die Begeisterung, jede Aufgabe anzupacken und vielfältige Ziele anzustreben.

*Liebe*, zärtliche Gefühle und sexuelle Befriedigung sind mit einer Erregung des Parasympathikus verbunden, des physiologischen Gegenspielers der bei Furcht und Zorn auftretenden Mobilisierung zum »Kämpfen oder Fliehen«. Das parasympathische Muster, »Entspannungsreaktion« genannt, ist ein den ganzen Körper erfassendes Mosaik von Einzelreaktionen, das einen allgemeinen Zustand der Gelassenheit und Zufriedenheit erzeugt und so die Kooperation erleichtert.

Das Heben der Augenbrauen bei der *Überraschung* erlaubt es, ein weiteres Blickfeld in sich aufzunehmen und mehr Licht auf die Netzhaut zu lenken. Dadurch erhalten wir mehr Informationen über das unerwartete Ereignis, die es uns erleichtern, genau herauszufinden, was vorgeht, und uns den angemessensten Aktionsplan auszudenken.

Der Ausdruck von *Abscheu* ist bei allen Menschen derselbe, und er vermittelt überall dieselbe Botschaft: irgendetwas schmeckt oder riecht im konkreten oder übertragenen Sinne widerwärtig. Der Ausdruck von Abscheu im Gesicht – die Oberlippe wird geschürzt, während die Nase gerümpft wird – erinnert, wie Darwin bemerkte, an einen ursprünglichen Versuch, die Nasenlöcher vor einem schädlichen Geruch zu verschließen oder eine giftige Nahrung auszuspeien.

Eine wesentliche Funktion der *Trauer* besteht darin, die Anpassung an einen großen Verlust, etwa den Tod eines geliebten Menschen oder eine größere Enttäuschung, zu unterstützen. Trauer läßt die Energie und Begeisterung für Aktivitäten des normalen Lebens, besonders für Zerstreuungen und Vergnügungen, sinken, und sie verlangsamt, wenn sie sich vertieft und an Depression grenzt, den Stoffwechsel des Körpers. Dieser innere Rückzug schafft die Gelegenheit, einen Verlust oder eine enttäuschte Hoffnung zu betrauern und bei zurückkehrender Energie einen Neuanfang zu planen. Dieser Energieverlust könnte bei den frühen Menschen dafür gesorgt haben, daß sie, wenn sie betrübt und dadurch verletzlich waren, in der Nähe ihrer Behausung blieben, wo sie sicherer waren.

Diese biologischen Handlungsbereitschaften werden zusätzlich durch unsere Lebenserfahrung und unsere Kultur geformt. So löst zum Beispiel der Verlust eines geliebten Menschen überall Trauer und Leid aus. Es ist aber von der Kultur abhängig, auf welche Weise wir unseren Kummer zeigen – ob die Emotionen herausgelassen oder zurückgehalten werden – und welche Menschen zu den »Geliebten« gehören, die wir betrauern.

Die lange Evolutionsphase, in der unsere emotionalen Reaktionen geformt wurden, war gewiß eine härtere Realität, als sie die Mehrzahl der menschlichen Gattung seit Beginn der schriftlich belegten Geschichte zu ertragen hatte. Nur wenige der Neugeborenen erreichten das Kindesalter, und von den Erwachsenen wurde kaum einer dreißig Jahre alt; Raubtiere konnten jederzeit zuschlagen, und Dürreperioden oder Überschwemmungen entschieden darüber, ob genug zu essen da war oder Hungersnot herrschte. Doch mit dem Aufkommen der Landwirtschaft und den Anfängen menschlicher Gesellschaft begannen sich die Überlebenschancen einschneidend zu verändern. In den letzten zehntausend Jahren, in denen diese Fortschritte sich in der ganzen Welt durchsetzten, ließ der unbarmherzige Druck, der die Bevölkerungszahl in Schach gehalten hatte, stetig nach.

Es war dieser Druck, der unsere emotionalen Reaktionen so überlebenswichtig gemacht hatte; als er schwand, ging auch die lebensentscheidende Bedeutung der Emotionen zurück. Evolutionär gesehen, mag ein aufbrausendes Temperament in grauer Vorzeit einen entscheidenden Vorsprung zum Überleben gewährt haben, doch heute, wo schon Dreizehnjährige über automatische Waffen verfügen können, hat diese Reaktion allzu oft verheerende Folgen.[8]

## *Unsere zwei Seelen*

Eine Freundin erzählte mir von ihrer Scheidung, einer schmerzlichen Trennung. Ihr Mann hatte sich am Arbeitsplatz in eine jüngere Frau verliebt und ihr unvermittelt angekündigt, er werde ausziehen und mit der anderen Frau zusammenleben. Der erbitterte Streit um Haus, Vermögen und elterliches Sorgerecht zog sich über Monate hin. Jetzt, einige Monate danach, sagte sie, daß sie an ihrer Unabhängigkeit Gefallen finde, daß sie froh sei, selbständig zu sein. »Ich denke gar nicht mehr an ihn – er ist mir wirklich gleichgültig geworden«, sagte sie. Doch während sie das sagte, traten ihr Tränen in die Augen.

Wir haben in einem ganz realen Sinne zwei Seelen, eine denkende und eine fühlende. Die unausgesprochene Erkenntnis, daß die feuchten Augen bedeuten, daß die Freundin traurig ist, auch wenn ihre Worte das Gegenteil behaupten, ist gewiß ebenso ein kognitiver Akt wie das Entschlüsseln des Sinnes von Wörtern auf einer Buchseite. Das eine ist ein Akt der emotionalen Seele, das andere einer der rationalen Seele.

Mit »Seele« meine ich hier, was die Psychologen als »Kognitionsweisen« bezeichnen und was praktisch gleichbedeutend ist mit »Erkennen«, in all den Formen, die das Verstehen annimmt. Die Wechselwirkung dieser grundverschiedenen Weisen des Erkennens macht unser Seelenleben aus. Die eine, die rationale Seele, ist jene Weise, derer wir uns stärker bewußt sind: im Zentrum unserer Wahrnehmung, besonnen, fähig, Dinge abzuwägen und zu reflektieren. Daneben gibt es aber ein anderes System des Erkennens: impulsiv und machtvoll, wenn auch bisweilen unlogisch – die emotionale Seele.

Die Dichotomie emotional / rational entspricht annähernd der landläufigen Unterscheidung zwischen »Herz« und »Kopf«; »im Herzen« zu wissen, daß etwas richtig ist, ist eine andere Art von Überzeugung – irgendwie eine tiefere Art von Gewißheit –, als wenn man es mit der rationalen Seele denkt. Die rationale Seele kann eine Gratifikation aufschieben und einen Impuls übergehen; die emotionale Seele folgt Launen und Begierden. Die rationale Seele kann langfristige Pläne machen; die emotionale Seele sieht nur den Augenblick.

Die Herrschaft über die Seele weist ein stetiges Gefälle von rational bis emotional auf: je intensiver das Gefühl, um so bestimmender wird die emotionale Seele – und um so machtloser die rationale. Diese Disposition scheint, wie gesagt, auf unsere Vorgeschichte zurückzugehen, in der es evolutionär von Vorteil war, wenn wir in Situationen, in denen unser Leben auf dem Spiel stand, unsere momentane Reaktion von Emotionen und Intuitionen leiten ließen – und in denen es uns das Leben hätte kosten können, wenn wir uns hätten überlegen müssen, was wir tun sollen.

Meistens arbeiten diese beiden Seelen, die emotionale und die rationale, harmonisch zusammen, und die Verflechtung ihrer ganz unterschiedlichen Erkenntnisweisen geleitet uns durch die Welt. Für die Alten war das Herz der Sitz der Seele; Herz und Seele waren für sie ein einziges Vermögen. Gewöhnlich besteht ein Gleichgewicht zwischen emotionaler und rationaler Seele; die Emotion wird einbezogen und durchdringt die Operationen der rationalen Seele, und die rationale Seele entwickelt die Eingaben der Emotionen weiter und legt dann und wann ihr Veto ein. Dennoch sind die emotionale und die rationale Seele halbwegs eigenständige Vermögen, in denen sich jeweils, wie wir sehen werden, die Wirkung von spezifischen, aber untereinander verbundenen Schaltungen im Gehirn niederschlägt. Meistens sind diese Seelen hervorragend koordiniert; Gefühle sind wichtig für das Denken, Gedanken wichtig für das Fühlen. Doch wenn Leidenschaften aufwallen, kippt das Gleichgewicht: Die emotionale Seele gewinnt die Oberhand, die rationale Seele geht unter. Über diese ewige Spannung zwischen Vernunft und Emotion schrieb Erasmus von Rotterdam, der Humanist des 16. Jahrhunderts, die folgenden satirischen Worte:[9]

*Wieviel mehr Leidenschaft als Vernunft gab aber Jupiter den Menschen, damit das menschliche Leben nicht völlig traurig und finster würde? Es ist soviel wie eine halbe Unze gegen ein As [also das Vierundzwanzigfache] ... Gleichsam zwei äußerst gewaltätige Tyrannen stellte er gegen einen: den Zorn ... dazu die Begierde ... Wieviel die Vernunft gegenüber diesen beiden Aufgeboten wert ist, beweist das gemeine menschliche Leben deutlich genug. Während sie sich beim Anpreisen des Ziemlichen und Ehrenhaften heiser schreit, legen jene ihrem König eine Schlinge und gehen mit allem Haß zu Werke, bis sie schließlich selbst müde wird, freiwillig weicht und sich gefangen gibt.*

## Wie das Gehirn größer wurde

Wie sehr die Emotionen den denkenden Geist im Griff haben, begreift man besser, wenn man einmal die Evolution des Gehirns betrachtet. Die rund anderthalb Kilo Nervenzellen und Kammerwasser; aus denen das menschliche Gehirn besteht, haben in etwa den dreifachen Umfang wie bei unseren nächsten Verwandten in der Evolution, den Primaten. Das Gehirn ist im Laufe von Jahrmillionen der Evolution von seiner Basis aus gewachsen, und seine höheren Zentren haben sich als Verfeinerungen aus älteren, niederen Teilen entwickelt. Die emotionalen Zentren sind aus der primitivsten Wurzel, dem Hirnstamm, hervorgegangen. Es hat Jahrmillionen gedauert, bis aus diesen emotionalen Bereichen das hervorging, was sich schließlich zum denkenden Gehirn entwickelte, dem »Neokortex«, der großen Masse gefältelter Gewebe, die die obersten Schichten bilden. In groben Umrissen wird dieser Ablauf der Evolution durch das Wachstum des Gehirns beim menschlichen Embryo noch einmal nachgezeichnet.

Der primitivste Teil des Gehirns, den wir mit allen Arten gemein haben, die über mehr als ein minimales Nervensystem verfügen, ist der Hirnstamm am oberen Ende des Rückenmarks. Dieses Stammhirn reguliert grundlegende Lebensfunktionen wie das Atmen und den Stoffwechsel der übrigen Körperorgane, und es kontrolliert stereotype Reaktionen und Bewegungsabläufe. Von diesem primitiven Gehirn kann man nicht sagen, daß es denkt oder lernt; es besteht aus einer Reihe von vorprogrammierten Regulatoren, die für das elementare Funktionieren des Körpers sorgen und in einer Weise reagieren, die das Überleben sichert. Das Zeitalter der Reptilien war die Hochzeit dieses Gehirns: Denken Sie an eine Schlange, die durch ihr Zischen einen bevorstehenden Angriff signalisiert.

Allmählich begann das Gehirn sich zu verfeinern. Primäre Sinneszellen bildeten in einer Art Protogehirn zusammen mit anderen, ähnlichen Zellen Lappen aus. Aus den Zellen, die Gerüche wahrnahmen, sie analysierten und eine Reaktion diktierten, wurde so der olfaktorische Lappen; aus denen, die dasselbe mit Gesichtswahrnehmungen machten, wurde der visuelle Lappen. Die evolutionäre Wurzel unseres Fensters der Gefühlsleben liegt im Geruchssinn, genauer, im olfaktorischen Lappen. Jedes Lebewesen, sei es nahrhaft, giftig, Sexualpartner, Raubfeind oder Beute, hat eine charakteristische molekulare Signatur, die vom Wind weitergetragen wird. In der Urzeit empfahl sich der Geruchssinn als jener Sinn, der für das Überleben von überragender Bedeutung war. Aus dem olfaktorischen Lappen begannen sich die ursprünglichen Zentren der Emotion zu entwickeln, die schließlich so groß wurden, daß sie den oberen Teil des Hirnstamms umringten. In seinen rudimentären Stadien bestand das olfaktorische Zentrum aus wenig mehr als dünnen Schichten von Neuronen, die zur Analyse von Gerüchen zusammenwirkten. Eine Zellschicht nahm Geruchswahrnehmungen auf und sortierte sie in einschlägige Kategorien: eßbar oder giftig, sexuell verfügbar, Feind oder Beute. Eine zweite Zellschicht schickte Nachrichten durch das Nervensystem und sagte dem Körper, was er zu tun hatte: beißen, ausspeien, annähern, flüchten, jagen.[10]

Mit dem Auftreten der ersten Säugetiere kamen die entscheidenden Schichten des emotionalen Gehirns. Sie umgeben den Hirnstamm und sehen aus wie ein Beigel, aus dem unten ein Stück herausgebissen ist, wo sich der Hirnstamm einfügt. Weil dieser Teil des Gehirns den Hirnstamm umringt und an ihn grenzt, nannte man ihn das »limbische« System, abgeleitet von »limbus«, dem lateinischen Wort für »Ring«. Dieses neue neurale Territorium bereicherte das Repertoire des Gehirns um Emotionen im eigentlichen Sinne.[11] Wenn heftiges Verlangen oder Wut uns packt, wenn wir bis über beide Ohren verliebt sind oder entsetzt zurückweichen, dann hat uns das limbische System im Griff.

Das limbische System verfeinerte – wichtig für Überleben und Evolution – zwei wirksame Hilfsmittel: Lernen und Gedächtnis. Das sind revolutionäre Fortschritte, denn dadurch wurde ein Tier in seinen für das Überleben wichtigen Entscheidungen sehr viel schlauer, und es konnte seine Reaktionen auf sich wandelnde Anforderungen abstimmen, statt automatisch und stets gleichartig zu reagieren. Führte ein Futter zu Übelkeit, konnte es das nächste Mal gemieden werden. Noch immer waren Entscheidungen wie die, was man fressen und was verschmähen sollte, weitgehend vom Geruch bestimmt; die Verbindungen zwischen dem Riechkolben und dem limbischen System übernahmen nun die Aufgabe, zwischen Gerüchen zu unterscheiden und sie zu erkennen, einen vorliegenden Geruch mit früheren Geruchswahrnehmungen zu vergleichen und so das Gute vom Schlechten zu scheiden. Das machte das »Rhinencephalon«, das »Riechhirn«, ein Teil der limbischen Verschaltung und die rudimentäre Basis des Kortex.

Vor rund hundert Millionen Jahren erfuhr das Gehirn der Säuger einen großen Wachstumsschub. Über den dünnen zweischichtigen Kortex – die Regionen, die Pläne machen, das Wahrgenommene begreifen und die Bewegungen koordinieren – stülpten sich bis zu sieben neue Schichten von Hirnzellen und bildeten den Neokortex. Gegenüber dem zweischichtigen Kortex des alten Gehirns bot die neue Intelligenz des Neokortex einen außergewöhnlichen intellektuellen Vorsprung.

Der Neokortex des Homo sapiens, der so viel größer ist als bei jeder anderen Art, hat all das mitgebracht, was spezifisch menschlich ist. Der

Neokortex ist der Sitz des Denkens; er enthält die Zentren, die all das, was die Sinne wahrnehmen, zusammenfügen und begreifen, und ein Gefühl um all das bereichert, was wir darüber denken, – und es zustande bringt, Vorstellungen über Ideen, Kunst, Symbole und Imaginationen zu entwickeln.

In der Evolution erlaubte der Neokortex eine kluge Feinabstimmung, die die Fähigkeit eines Organismus, widrige Umstände zu überstehen, ohne Zweifel enorm steigerte, womit die Wahrscheinlichkeit stieg, daß sein Nachwuchs seinerseits die Gene weitergab, die die entsprechenden neuralen Schaltungen enthielten. Der Überlebensvorteil beruht auf der Fähigkeit des Neokortex, Strategien zu entwerfen, langfristig zu planen und andere intellektuelle Tricks zu erfinden. Die Glanzpunkte von Kunst, Zivilisation und Kultur sind allesamt Früchte des Neokortex.

Dieser sprunghafte Zuwachs an Hirnstruktur ermöglichte eine Nuancierung des Gefühlslebens. Nehmen wir die Liebe. Limbische Strukturen erzeugen Gefühle der Lust und des sexuellen Begehrens, jene Emotionen, die eine sexuelle Leidenschaft ermöglichen. Durch das Hinzutreten des Neokortex und seine Verbindungen zum limbischen System wurde die Mutter-Kind-Bindung möglich, die die Grundlage des Familienzusammenhalts ist, und die langfristige Verpflichtung zur Kinderaufzucht, die eine menschliche Entwicklung ermöglicht. Beim Menschen erlaubt diese Bindung eine Entwicklung, die sich – statt einer Festlegung während der fötalen Entwicklung – über die ganze Kindheit erstreckt, während derer das Gehirn sich weiterentwickelt. Bei Arten ohne Neokortex wie den Reptilien gibt es keine Mutterliebe; die frisch ausgeschlüpften Jungen müssen sich verstecken, um nicht von den eigenen Eltern gefressen zu werden.

In der stammesgeschichtlichen Abfolge vom Reptil über den Rhesusaffen zum Menschen nimmt die bloße Masse des Neokortex zu, während die Zahl der Verbindungen innerhalb des Gehirns in geometrischer Reihe wächst. Je größer die Zahl dieser Verbindungen, desto vielfältiger die möglichen Reaktionen. Es ist der Neokortex, der die Verfeinerung und Komplexität des Gefühlslebens ermöglicht, so daß wir zum Beispiel Gefühle *wegen* unserer Gefühle haben können. Die Zahl der Bahnen zwischen Neokortex und Mandelkern ist bei Primaten größer als bei anderen Arten – und ungeheuer viel größer beim Menschen; deshalb können wir weit vielfältiger und nuancierter auf unsere Emotionen reagieren. Sind die typischen Reaktionen auf Angst beim Kaninchen oder beim Rhesusaffen begrenzt, so erlaubt der größere Neokortex des Menschen ein weit vielfältigeres Repertoire, darunter auch, die Notrufnummer 110 zu wählen. Je komplexer das soziale System, desto wichtiger ist eine solche Flexibilität – und es gibt keine komplexere soziale Welt als die unsere.[12]

Diese höheren Zentren bestimmen aber nicht das gesamte Gefühlsleben; in wesentlichen Herzensangelegenheiten – und ganz besonders in emotionalen Ausnahmezuständen – unterwerfen sie sich dem limbischen System. Weil aber die übrigen höheren Hirnzentren im Kortex aus den limbischen Strukturen hervorgegangen sind oder deren Wirkungsbereich erweitert haben, spielt diese Hirnregion eine entscheidende Rolle in der neuralen Architektur. Als die Wurzel, aus der das jüngere Gehirn entsproß, sind die emotionalen Bereiche über unzählige Verbindungen mit allen Teilen des Kortex und des Neokortex verflochten. Das verleiht den emotionalen Zentren enorme Macht, das Funktionieren des übrigen Gehirns einschließlich seiner höheren Zentren zu beeinflussen.

# 2

# Anatomie eines emotionalen Überfalls

Das Leben ist eine Komödie für diejenigen,
die nachdenken, und eine Tragödie für die,
die fühlen.
*Horace Walpole*

Es war ein heißer Augustnachmittag im Jahre 1963, ebender Tag, an dem Pastor Martin Luther King Jr. vor einem Bürgerrechtsmarsch nach Washington seine »I Have a Dream«-Rede hielt. An diesem Tag beschloß Richard Robles, ein gewohnheitsmäßiger Einbrecher, der gerade aus einer dreijährigen Haftstrafe für die über hundert Einbrüche, mit denen er seine Heroinsucht finanziert hatte, unter Auflagen entlassen worden war, einen weiteren Einbruch zu machen. Er wollte sich ja vom Verbrechen lossagen, behauptete Robles später, aber er brauchte unbedingt Geld für seine Freundin und ihre gemeinsame dreijährige Tochter.

Die Wohnung, in die er an diesem Tag einbrach, gehörte zwei jungen Frauen, Janice Wylie, Rechercheurin bei der Zeitschrift *Newsweek*, 21, und Emily Hoffert, Grundschullehrerin, 23. Robles hatte sich die Wohnung im schicken New Yorker Upper East Side zum Einbrechen ausgesucht, weil er dachte, daß niemand da sei, aber Wylie war zu Hause. Robles bedrohte sie mit einem Messer und fesselte sie. Als er gehen wollte, kam Hoffert nach Hause. Um seine Flucht zu sichern, begann Robles, auch sie zu fesseln.

Jahre später stellt Robles die Sache so dar, daß Janice Wylie ihm, während er dabei war, Hoffert zu fesseln, ankündigte, daß er mit diesem Verbrechen nicht ungestraft davonkommen werde; sie würde sich an sein Gesicht erinnern und der Polizei helfen, ihn aufzuspüren. Robles, der sich vorgenommen hatte, daß dies sein letztes Verbrechen sein sollte, geriet darüber in Panik und verlor die Kontrolle. Vollkommen außer sich, griff er nach einer Sprudelflasche und schlug damit die Frauen bis zur Bewußtlosigkeit, dann stach er, von Wut und Angst erfüllt, immer wieder mit einem Küchenmesser auf sie ein. Rund 25 Jahre später klagte Robles im Rückblick auf diesen Moment: »Ich bin einfach übergeschnappt. Ich hielt es im Kopf nicht mehr aus.«

Robles hat viel Zeit, diese paar Minuten hemmungsloser Wut zu bereuen. Während ich dies schreibe, sitzt er, rund drei Jahrzehnte später, noch immer im Gefängnis wegen der Tat, die unter dem Schlagwort »Career Girl Murders« bekannt wurde.

Solche emotionalen Explosionen sind neurale Überfälle. Untersuchungen zeigen, daß in solchen Augenblicken ein Zentrum im limbischen Gehirn den Ausnahmezustand erklärt und das übrige Gehirn für seine dringenden Angelegenheiten unter seine Befehlsgewalt stellt. Die Entgleisung geschieht überfallartig, so daß der Neokortex, das denkende Gehirn, gar nicht erst Gelegenheit bekommt, auch nur einen Blick auf das Geschehen zu werfen oder gar zu entscheiden, ob es eine gute Idee ist. Kennzeichen einer solchen Entgleisung ist, daß die Betroffenen hinterher nicht mehr wissen, was über sie gekommen ist.

Solche Entgleisungen sind durchaus keine Einzelfälle, wie man angesichts der brutalen »Career Girl Murders« meinen könnte. In weniger grauenhafter Form, aber nicht unbedingt weniger intensiv, stoßen sie uns ziemlich häufig zu. Überlegen Sie einmal, wann Sie sich das letzte Mal »vergessen« haben, wann Sie jemanden – Ihren Ehegatten oder Ihr Kind, vielleicht auch einen anderen Autofahrer – mit einer Heftigkeit angeschnauzt haben, die Ihnen nachträglich unangebracht erschien. Auch das war höchstwahrscheinlich eine solche Entgleisung, eine neurale »Machtübernahme«, die, wie wir sehen werden, ihren Ursprung im Mandelkern hat, einem Zentrum im limbischen Gehirn.

Nicht jede Mandelkern-Entgleisung ist bedauerlich. Wenn man einen Witz so umwerfend findet, daß man sich vor Lachen nicht mehr halten kann, dann ist auch das eine Reaktion des Mandelkerns. Er macht sich ferner in Momenten größter Freude bemerkbar: Dan Jansen hatte mehrmals vergeblich versucht, eine olympische Goldmedaille im Eisschnellauf zu ergattern (er hatte es seiner Schwester gelobt, die im Sterben lag), doch als er bei der Winterolympiade 1994 in Norwegen schließlich beim 1000-Meter-Lauf das Gold errang, wurde seine Frau von der Aufregung und dem Glück dermaßen überwältigt, daß die Notärzte im Stadion eingreifen mußten.

## Der Sitz jeder Leidenschaft

Beim Menschen ist der Mandelkern, auch Amygdala genannt (vom griechischen Wort für »Mandel«), ein mandelförmiges Gebilde oberhalb des Hirnstammes, nahe an der Unterseite des limbischen Ringes. Wir besitzen zwei Mandelkerne, je einen in jeder Hirnhälfte, zur Seite des Kopfes hin gelegen. Beim Menschen ist der Mandelkern im Vergleich zu unseren engsten evolutionären Verwandten, den Primaten, unverhältnismäßig groß.

Der Hippocampus und der Mandelkern waren die beiden entscheidenden Teile des primitiven »Riechhirns«, aus denen in der Evolution der Kortex und der Neokortex hervorgingen. Lernen und Erinnern sind bis heute weitgehend oder überwiegend auf diese beiden Strukturen angewiesen; der Mandelkern ist der Spezialist für emotionale Angelegenheiten. Wird der Mandelkern vom übrigen Gehirn abgetrennt, kommt es zu einer verblüffenden Unfähigkeit, die emotionale Bedeutung von Ereignissen zu erfassen; man spricht dann von »Affektblindheit«.

Begegnungen verlieren, da sie keine emotionale Bedeutung mehr haben, ihre Grundlage. Ein junger Mann, dessen Mandelkern operativ entfernt worden war, um schwere Epilepsieanfälle zu unterbinden, verlor jegliches Interesse an Menschen und blieb lieber für sich allein. Er konnte durchaus ein Gespräch führen, aber enge Freunde, Verwandte und sogar seine Mutter erkannte er nicht mehr, und ihr Schmerz über seine Teilnahmslosigkeit berührte ihn nicht. Mit dem Mandelkern schien ihm das Erkennen von Gefühlen und jedes Gefühl für Gefühle abhanden gekommen zu sein.[1] Der Mandelkern scheint als Speicher der emotionalen Erinnerung und damit der Sinngebung von Emotionen zu fungieren; ein Leben ohne Mandelkern ist ein Leben ohne persönliche Sinngehalte.

Am Mandelkern hängt nicht nur die Zuneigung – jegliche Leidenschaft hängt von ihm ab. Tiere, bei denen der Mandelkern entfernt oder abgetrennt wurde, kennen weder Furcht noch Wut, verlieren den Antrieb für Wettbewerb und Kooperation und erkennen nicht mehr ihre Stellung innerhalb der sozialen Ordnung ihrer Art. Ihre Emotionen sind matt oder fehlen ganz. Tränen, ein nur beim Menschen vorkommendes emotionales Signal, werden vom Mandelkern und einer benachbarten Struktur, dem Gyrus cinguli, ausgelöst; wird man in den Arm genommen, gestreichelt oder auf andere Weise getröstet, so werden diese Hirnregionen beruhigt, und das Weinen hört auf. Ohne Mandelkern gibt es keine Tränen, die man trocknen könnte.

## Der neurale Stolperdraht

Der Begriff der emotionalen Intelligenz bezieht sich vor allem auf jene Momente gefühlsmäßigen Handelns, die wir später bereuen, wenn sich die Aufregung gelegt hat; die Frage ist dann, weshalb wir so unvernünftig haben handeln können. Betrachten wir zum Beispiel den Fall der jungen Frau, die zwei Stunden Fahrt auf sich nahm, um mit ihrem Freund einen Brunch einzunehmen und den Tag mit ihm in Boston zu verbringen. Beim Brunch überreichte er ihr ein Geschenk, nach dem sie sich monatelang gesehnt hatte, einen schwer aufzutreibenden Kunstdruck, den er aus Spanien mitgebracht hatte. Doch die Freude verging ihr, als sie vorschlug, nach dem Brunch in eine Matineevorstellung eines Films zu gehen, den sie gern gesehen hätte. Ihr Freund verblüffte sie mit der Erklärung, er könne den Tag nicht mit ihr verbringen, weil er zum Softballtraining müsse. Fassungslos und gekränkt erhob sie sich, Tränen in den Augen, verließ das Cafe und warf, einem Impuls folgend, die Druckgraphik in einen Mülleimer. Als sie Monate später von dem Vorfall erzählt, bedauert sie nicht, daß sie gegangen ist, sondern daß sie die Graphik weggeworfen hat.

In solchen Momenten, wenn das impulsive Gefühl das rationale Denken verdrängt, hängt alles von der jetzt entdeckten Rolle des Mandelkerns ab. Die neuen Erkenntnisse schreiben dem Mandelkern eine einflußreiche Stellung im Seelenleben zu; er ist so etwas wie ein psychologischer Wachtposten, der jede Sekunde der Erfahrung, jede Situation, jede Wahrnehmung kritisch prüft, der aber nur eine Frage im Sinn hat, die allerprimitivste: »Ist das etwas, das ich nicht ausstehen kann, das mich kränkt, das ich fürchte?« Falls ja, reagiert der Mandelkern augenblicklich, wie ein neuraler Stolperdraht, und schickt eine Krisenbotschaft an alle Teile des Gehirns.

Joseph LeDoux, Neurowissenschaftler am Center for Neural Science der New York University, hat diese Stolperdrahtfunktion des Mandelkerns als erster entdeckt. LeDoux arbeitet, wie viele Neurowissenschaftler, auf mehreren Ebenen; so untersucht er zum Beispiel, wie bestimmte Läsionen im Gehirn einer Ratte sich auf deren Verhalten auswirken; sorgfältig geht er dem Verlauf einzelner Neurone nach; in komplizierten Experimenten konditioniert er Furcht bei Ratten, deren Gehirn operativ verändert wurde. Seine und andere, hier besprochene Entdeckungen sind neurowissenschaftliches Neuland und daher noch ein wenig spekulativ, besonders die Implikationen, die sich aus den rohen Daten für das Verständnis unseres Gefühlslebens zu ergeben scheinen. Doch die Erkenntnisse anderer Neurowissenschaftler, die ständig daran arbeiten, die neuralen Grundlagen der Emotionen aufzudecken, zielen in die gleiche Richtung wie die Forschungen von LeDoux.[2]

Diese neuen Erkenntnisse über die Schaltungen der Emotion räumen auf mit der alten Vorstellung über das limbische System, die dem

Mandelkern eine zentrale Rolle im emotionalen Gehirn zuschrieb und anderen limbischen Strukturen völlig andere Aufgaben zuwies. Wie LeDoux und andere Neurowissenschaftler herausgefunden haben, ist der Hippocampus, der lange als das wichtigste Gebilde des limbischen Systems galt, mehr damit beschäftigt, Wahrnehmungsmuster zu registrieren und zu deuten, als mit emotionalen Reaktionen. Die Hauptleistung des Hippocampus besteht, wie LeDoux herausfand, darin, ein eindeutiges Kontextgedächtnis beizusteuern, was für die emotionale Bedeutung weitreichende Folgen hat; der Hippocampus erkennt zum Beispiel, daß ein Bär im Zoo etwas anderes bedeutet als ein Bär in Ihrem Hinterhof. Um LeDoux zu zitieren: »Der Hippocampus ist entscheidend dafür, daß Sie ein Gesicht als das Ihrer Cousine erkennen. Es ist der Mandelkern, der dann hinzufügt, daß Sie sie eigentlich nicht mögen.«

Der Mandelkern ist ein Speicher für primitive emotionale Erinnerungen und Lektionen, während der Hippocampus zusammen mit Teilen des Kortex die Tatsachen und Details unseres Lebens speichert. Wenn wir bei einem Überholmanöver auf einer zweispurigen Landstraße nur knapp einem Frontalzusammenstoß entgehen, ist es der Hippocampus, der sich die Einzelheiten des Vorfalls merkt, etwa, auf welchem Straßenabschnitt wir uns befanden, wer mit uns fuhr, wie das andere Auto aussah. Es ist jedoch der Mandelkern, der fortan jedesmal, wenn wir unter ähnlichen Umständen ein Auto zu überholen versuchen, eine Woge der Angst durch unseren Körper jagt.[3] Mit anderen Worten: Der Hippocampus merkt sich die nüchternen Fakten, während der Mandelkern sich an den emotionalen Beigeschmack erinnert, der diesen Fakten anhaftet.[4]

## Der emotionale Wächter

Ein Freund erzählte mir von seinem Urlaub in England. In einem Café, das an einem Kanal lag, hatte er gefrühstückt und war anschließend auf der Treppe entlangspaziert, die zum Kanal hinunterführte. Plötzlich sah er ein Mädchen, das, starr vor Angst, ins Wasser schaute. Ehe er recht wußte, warum, sprang er – mit Anzug und Krawatte – ins Wasser. Erst im Wasser wurde ihm bewußt, daß das Mädchen verängstigt nach einem Kleinkind starrte, das hineingefallen war; er konnte es retten.

Was ließ ihn ins Wasser springen, ehe er wußte, warum? Es war sehr wahrscheinlich sein Mandelkern.

LeDoux – und das zählt zu den bedeutendsten Entdeckungen, die in den letzten zehn Jahren bezüglich der Emotionen gemacht wurden – klärte darüber auf, daß der Mandelkern im Aufbau des Gehirns eine Vorzugsstellung als emotionaler Wachtposten einnimmt.[5] Seine Forschungen haben ergeben, daß sensorische Signale vom Auge oder vom Ohr im Gehirn zunächst zum Thalamus wandern und von dort über eine einzige Synapse zum Mandelkern; vom Thalamus wird ein zusätzliches Signal zum Neokortex, dem denkenden Gehirn, entsandt. Diese Verzweigung erlaubt es dem Mandelkern, *vor* dem Neokortex zu reagieren, der die Information auf mehreren Ebenen zerebraler Schaltungen verarbeitet, ehe er die Dinge vollständig wahrgenommen hat und endlich seine feiner zugeschnittene Reaktion einleitet.

Die Untersuchung von LeDoux revolutioniert unser Verständnis des Gefühlslebens, weil sie neurale Bahnen für Gefühle aufgedeckt hat, die den Neokortex umgehen. Es sind unsere primitivsten und stärksten Gefühle, die den direkten Weg über den Mandelkern nehmen; etliche der besonderen Merkmale des emotionalen Gehirns, die wir im ersten Kapitel besprochen haben, werden durch diese Bahnung verständlich.

Nach der in der Neurowissenschaft bislang gängigen Auffassung senden das Auge, das Ohr und andere Sinnesorgane Signale zum Thalamus und von dort zu den sensorischen Verarbeitungsbereichen des Neokortex, wo die Signale zu den Objekten zusammengefügt werden, die wir wahrnehmen. Die Signale werden auf ihre Bedeutung hin analysiert, und so erkennt das Gehirn, mit was für einem Objekt es zu tun hat und was sein Vorhandensein zu bedeuten hat. Nach dieser alten Auffassung schickt der Neokortex die Signale zum limbischen Gehirn, und von dort werden die entsprechenden Reaktionen an Gehirn und Körper ausgeschickt. Dies ist der übliche Ablauf. LeDoux entdeckte jedoch ein kleineres Bündel von Neuronen, die vom Thalamus direkt zum Mandelkern verlaufen, zusätzlich zu jenen, die den längeren Weg zum Kortex nehmen. Diese kleinere und kürzere Bahn – so etwas wie ein neurales Seitengäßchen – erlaubt es dem Mandelkern, Inputs direkt von den Sinnesorganen zu empfangen und eine Reaktion einzuleiten, *bevor* sie vom Neokortex vollständig registriert sind.

Diese Entdeckung wirft die Vorstellung über den Haufen, wonach der Mandelkern völlig auf Signale vom Neokortex angewiesen ist, um seine emotionalen Reaktionen zu formulieren. Der Mandelkern kann über diesen Fluchtweg schon eine emotionale Reaktion auslösen, während zwischen Mandelkern und Neokortex noch Signale hin und her gehen. Der Mandelkern kann uns zum Handeln veranlassen,

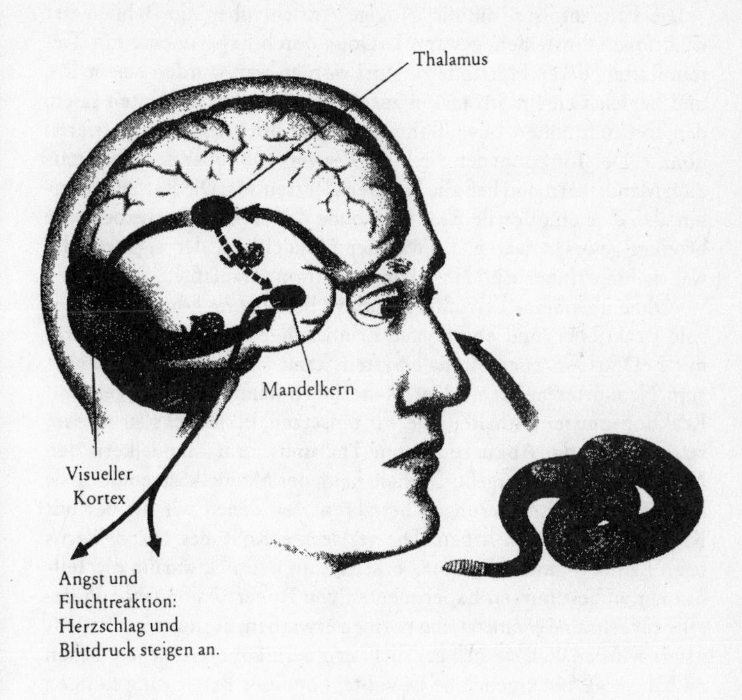


*Ein visuelles Signal gelangt von der Retina zuerst zum Thalamus, wo es in die Sprache des Gehirns übersetzt wird. Der größte Teil der Botschaft geht dann zum visuellen Kortex, wo diese analysiert und auf ihre Bedeutung und Reaktionsangemessenheit hin abgeschätzt wird. Ist diese Reaktion emotional, dann läuft ein Signal zum Mandelkern und aktiviert die emotionalen Zentren. Ein kleinerer Anteil des ursprünglichen Signals gelangt aber vom Thalamus direkt zum Mandelkern. Diese Transmission erfolgt schneller und erlaubt eine raschere (wenn auch weniger genaue) Reaktion. Auf diese Weise kann der Mandelkern eine Reaktion auslösen, noch bevor die kortikalen Zentren ganz verstanden haben, was vor sich geht.*

während der langsamere, aber vollständiger informierte Neokortex noch damit beschäftigt ist, seinen verfeinerten Plan für eine Reaktion aufzustellen.

Die Erkenntnisse, die die gängige Ansicht über die Bahnen der Emotionen umstießen, gewann LeDoux durch Experimente mit Tieren. Ratten, deren Hörrinde zerstört worden war, wurden einem Ton und zugleich einem Stromstoß ausgesetzt. Die Ratten lernten rasch, den Ton zu fürchten, obwohl ihr Neokortex ihn gar nicht registrieren konnte. Der Ton nahm den direkten Weg vom Ohr über den Thalamus zum Mandelkern und ließ alle höheren Zentren aus. Die Ratten erlernten also eine emotionale Reaktion, ohne daß höhere Kortexbereiche beteiligt gewesen wären. Es war der Mandelkern, der eigenständig wahrnahm, erinnerte und ihre Furchtreaktion veranlaßte.

»Ohne irgendeine bewußte, kognitive Beteiligung können emotionale Reaktionen und emotionale Erinnerungen entstehen«, erklärte mir LeDoux. »Das emotionale System kann anatomisch unabhängig vom Neokortex agieren.« Der Mandelkern kann Erinnerungen und Reaktionsmuster enthalten, die wir umsetzen, ohne recht zu wissen, warum, weil die Abkürzung vom Thalamus zum Mandelkern den Neokortex völlig übergeht. Deshalb kann der Mandelkern emotionale Eindrücke und Erinnerungen bewahren, von denen wir nie bewußt Kenntnis genommen haben. Die versteckte Rolle des Mandelkerns beim Erinnern, meint LeDoux, erklärt zum Beispiel, warum die Teilnehmer an bestimmten Experimenten von Robert Zajonc eine Präferenz für seltsame geometrische Formen erwarben, die nur so kurz projiziert wurden, daß sie sich gar nicht erinnern konnten, sie je gesehen zu haben. »Ohne irgendeine bewußte, kognitive Beteiligung können emotionale Reaktionen und emotionale Erinnerungen entstehen, weil das emotionale System anatomisch unabhängig vom Neokortex agieren kann«, sagt LeDoux. »Es kommt zwar vor, daß emotionale Erinnerungen ins Bewußtsein gelangen, doch viele führen zu Handlungen, ohne daß wir uns ihrer bewußt erinnerten.«[6]

## Der Spezialist für emotionale Erinnerung

*Eine Mutter verläßt mit ihrem Sohn das Haus. Sie wollen seinen Vater besuchen, der im Labor des örtlichen Krankenhauses arbeitet. Beim Überqueren einer verkehrsreichen Straße wird der Junge durch einen Unfall schwer verletzt – seine Füße werden abgetrennt. Man bringt ihn in die Notaufnahme des Krankenhauses, wo ein Röntgenbild eine schwere Gehirnblutung zeigt. Ein Operationsteam bemüht sich vier Stunden lang, seine Füße wieder anzunähen ...*

Diese spannende kleine Geschichte wurde bei einem Experiment benutzt, das den Mandelkern förmlich in den Mittelpunkt emotionsgeladener Erinnerungen rückt. Das Experiment enthüllte die einfache, aber schlaue Methode, mit der emotionale Erinnerungen so nachhaltig registriert werden: Sie bedient sich genau jener alarmierenden Systeme, die den Körper veranlassen, in lebensgefährlichen Situationen mit Kämpfen oder Fliehen zu reagieren.

Die Teilnehmer sahen eine Diaserie, die diese Geschichte erzählte, beziehungsweise eine langweilige Spielart, in der der Junge unversehrt seinen Vater besuchte. Vorher wurde einer Teilnehmergruppe Propanolol injiziert, ein Betablocker, der bekanntlich bei Hypertonie eingesetzt wird. Propanolol blockiert die Rezeptoren auf Zellen, die auf Adrenalin und Noradrenalin reagieren, zwei der wichtigsten Stresshormone, die den Körper zum Kämpfen oder Fliehen mobilisieren. Bei einem überraschenden Gedächtnistest ergab sich eine Woche später ein auffälliger Unterschied zwischen denen, die die Injektion erhalten hatten, und den anderen: Das Propanolol beeinträchtigte die Erinnerung an die beunruhigenden Teile der Geschichte, aber nicht an die harmlosen Details. Das Blockieren der Stresshormone unterband die emotionale Erinnerung.

Die Resultate »deuten darauf hin, daß das Gehirn zwei Gedächtnissysteme hat, eines für normale Informationen und eines für emotionsgeladene Informationen«, erklärte mir der Versuchsleiter Larry Cahill, Forscher am Zentrum für die Neurobiologie des Lernens und Erinnerns der Universität von Kalifornien in Irvine. Ein spezielles System für emotionale Erinnerungen, das dafür sorgt, daß Tiere sich an Dinge, die sie bedrohen, besonders lebhaft erinnern, ist unter evolutionärem Aspekt natürlich sehr einleuchtend.[7]

Ein Nerv, der vom Gehirn zur Nebenniere verläuft, löst unter Stress die Ausschüttung von Adrenalin und Noradrenalin aus, die sich im ganzen Körper ausbreiten und ihn auf eine Notfallreaktion vorbereiten. Diese Hormone aktivieren Rezeptoren auf dem Vagusnerv, der Signale vom Gehirn übermittelt, die der Regulierung des Herzschlags dienen, unter dem Einfluß von Adrenalin und Noradrenalin aber auch Signale ans Gehirn zurückübermittelt. Diese Signale laufen hauptsächlich im Mandelkern ein und aktivieren dort Neurone, die andere Hirnregionen beauftragen, die Erinnerung an das, was nun geschieht, zu verstärken.

Diese Mandelkern-Erregung scheint fast jede sonstige emotionale Erregung zu verstärken; deshalb ist es wahrscheinlicher, daß wir uns daran erinnern, wo wir unser erstes Rendezvous hatten oder was wir taten, als wir erfuhren, daß die Raumfähre »Challenger« explodiert war. Je heftiger die Mandelkern-Erregung, desto stärker der Eindruck; die Erlebnisse, die uns am meisten geängstigt haben, gehören zu unseren unauslöschlichsten Erinnerungen.

Eine Reihe weiterer Tatsachen spricht dafür, daß der Mandelkern ein Speicher emotionaler Erinnerungen ist. Wichtig ist der Mandelkern zum Beispiel dafür, daß man sich erinnert, wovor man sich zu fürchten hat; Sie brauchen einer Versuchsratte bloß den Mandelkern herauszuoperieren, und sie wird munter auf eine schlafende Katze losgehen und ihr am Ohr knabbern. Oft genügt ein Vorfall, um Sie ein für allemal das Fürchten zu lehren – wenn Sie mit drei Jahren einen glühendheißen Heizkörper angefaßt haben, werden Sie sich Ihr Leben lang vorsehen, nicht an einen heißen Heizkörper zu kommen. Dieses Lernen durch einmaligen Versuch ist äußerst nachhaltig und muß daher tief ins Gehirn eingeprägt werden.

Daß der Mandelkern ein wichtiger Sitz solcher Erinnerungseindrücke ist, hat Bruce Kapp gezeigt, ein Psychologe an der Universität von Vermont, der in den siebziger Jahren begonnen hat, die neuralen Schaltungen der Furcht aufzuspüren. Kapp brachte Kaninchen bei, einen bestimmten Ton zu fürchten, indem er sie schockte, während dieser Ton erklang. Bei anderen Tönen zeigten die Kaninchen keine Furcht, aber sowie der mit dem Schock verbundene Ton erklang, wurden die Kaninchen starr vor Schreck. Nachdem die Kaninchen die Furcht gelernt hatten, konnte Kapp bestimmte Neurone im Mandelkern identifizieren, die nur in Reaktion auf den bedrohlichen Ton feuerten. Diese Neurone waren zu neuralen Alarmzeichen für diese spezielle Gefahr geworden.

## Veraltete neurale Alarmzeichen

Ein Nachteil solcher neuralen Alarmzeichen ist, daß die dringliche Meldung, die der Mandelkern aussendet, gelegentlich, wenn nicht sogar öfter veraltet ist, besonders in der wandelbaren sozialen Welt, in der wir Menschen leben. Als Speicher emotionaler Erinnerungen prüft der Mandelkern die Erfahrung und vergleicht das jetzige Geschehen mit früheren Erlebnissen. Er geht beim Vergleichen assoziativ vor:

Ähnelt die gegenwärtige Situation auch nur in einem wichtigen Element der Vergangenheit, kommt es vor, daß er eine Übereinstimmung meldet – und deshalb ist diese Schaltung ungenau: sie tritt in Aktion, bevor die volle Bestätigung da ist. Sie gibt überstürzt den Befehl, auf die Gegenwart in einer Weise zu reagieren, die vor langer Zeit eingeprägt wurde, und zwar mit Gedanken, Emotionen und Reaktionen, die als Antwort auf Ereignisse erlernt wurden, die vielleicht nur eine schwache Ähnlichkeit mit der Gegenwart haben, aber ähnlich genug sind, um den Mandelkern zu alarmieren.

So wird eine frühere Lazarettschwester, traumatisiert durch die endlose Flut gräßlicher Wunden, die sie im Krieg versorgt hat, plötzlich von einer Mischung aus Angst, Ekel und Panik gepackt – eine Wiederholung ihrer Reaktion auf dem Schlachtfeld, die Jahre später erneut ausgelöst wird durch den Gestank beim Öffnen einer Schranktür, hinter der ihr Kleiner eine stinkende Windel versteckt hat. Es brauchen bloß einige kärgliche Elemente der Situation einer vergangenen Gefahr zu ähneln, und schon verkündet der Mandelkern seinen Ausnahmezustand. Das Dumme ist, daß mit den emotionsgeladenen Erinnerungen, die diese Krisenreaktion auszulösen vermögen, nicht minder überholte Formen der Reaktion darauf einhergehen können.

Zu der Ungenauigkeit des emotionalen Gehirns in solchen Momenten kommt die Tatsache hinzu, daß viele mächtige emotionale Erinnerungen auf die ersten Lebensjahre zurückgehen, auf die Beziehung zwischen dem Kleinkind und seinen Betreuern. Das gilt besonders für traumatische Ereignisse wie Schläge oder regelrechte Verwahrlosung. Andere Hirnstrukturen, speziell der Hippocampus, der für narrative Erinnerungen wichtig ist, und der Neokortex, Sitz des rationalen Denkens, sind in diesem frühen Lebensabschnitt noch nicht voll entwickelt. Beim Erinnern arbeiten Mandelkern und Hippocampus Hand in Hand, auch wenn der eine wie der andere seine spezielle Information unabhängig vom anderen speichert und ins Gedächtnis zurückruft. Während der Hippocampus die Information zurückruft, stellt der Mandelkern fest, ob diese Information eine emotionale Wertigkeit hat. Der Mandelkern reift beim Kleinkind aber sehr rasch, und schon bei der Geburt ist er seiner vollständigen Ausformung sehr viel näher.

Für LeDoux bestätigt die Rolle des Mandelkerns in der Kindheit einen alten Grundsatz des psychoanalytischen Denkens: daß die Interaktionen der ersten Lebensjahre, ausgehend von der Harmonie und den Verstimmungen im Kontakt zwischen dem Kleinkind und seinen Betreuern, eine Reihe von emotionalen Lektionen verankern.[8] Diese emotionalen Lektionen sind nach Ansicht von LeDoux so mächtig und dennoch vom Standpunkt des Erwachsenen aus so schwer zu verstehen, weil sie im Mandelkern als nackte, wortlose Blaupausen für das Gefühlsleben gespeichert sind. Da diese ersten emotionalen Erinnerungen festgelegt werden, bevor das Kleinkind Worte für seine Erlebnisse hat, finden sich später, wenn diese emotionalen Erinnerungen erneut wachgerufen werden, keine passenden artikulierten Gedanken für die Reaktion, die uns überkommt. Daß unsere emotionalen Ausbrüche uns so verwirren können, liegt also unter anderem daran, daß sie oft aus einem frühen Abschnitt unseres Lebens stammen, als alles verwirrend war und wir noch keine Worte hatten, um die Ereignisse zu begreifen. Wir haben die beginnenden Gefühle, aber nicht die Worte für die Erinnerungen, die sie formten.

## Wenn Emotionen schnell und ungenau sind

Es war gegen drei Uhr in der Frühe, als ein riesiges Objekt am anderen Ende meines Schlafzimmers durch die Decke krachte, und alles, was sich sonst noch auf dem Dachboden befand, rasselte hinterher und verteilte sich im Zimmer. In Sekundenschnelle sprang ich aus dem Bett und rannte aus dem Zimmer, aus Angst, daß die ganze Decke einstürzte. Als ich mich außer Gefahr wußte, spähte ich vorsichtig ins Zimmer, um herauszufinden, was den ganzen Schaden angerichtet hatte – und mußte feststellen, daß das Geräusch, das ich auf den Einsturz der Decke zurückgeführt hatte, in Wirklichkeit daher rührte, daß der hohe Stapel von Kisten, die meine Frau am Vortag beim Aufräumen ihres Schrankes übereinander getürmt hatte, umgekippt war. Die Decke war unversehrt, und auch mir fehlte nichts.

Daß ich im Halbschlaf aus dem Bett gesprungen war – wäre die Decke tatsächlich heruntergekommen, hätte es mich möglicherweise vor Verletzungen bewahrt –, zeigt, mit welcher Kraft uns der Mandelkern in Notfällen zum Handeln treiben kann, entscheidende Sekunden bevor der Neokortex vollständig registrieren kann, was wirklich los ist. Der Fluchtweg vom Auge oder Ohr über den Thalamus zum Mandelkern ist entscheidend: Im Notfall, wenn sofort reagiert werden muß, spart er Zeit. Diese Bahn vom Thalamus zum Mandelkern befördert jedoch nur einen Bruchteil der sensorischen Meldungen, während der überwiegende Teil den Hauptweg zum Neokortex nimmt. Was auf diesem Schnellweg beim Mandelkern ankommt, ist allenfalls ein grobes Signal, gerade ausreichend für eine Warnung. LeDoux sagt dazu: »Man braucht nicht genau zu wissen, was etwas ist, um zu wissen, daß es gefährlich sein könnte.«[9]

Der direkte Weg hat, wenn man die Gehirnzeit nimmt, die mit Tausendstelsekunden rechnet, einen ungeheuren Vorsprung. Bei der Ratte braucht der Mandelkern nur 12 Millisekunden – zwölf Tausendstel einer Sekunde –, um eine Reaktion auf eine Wahrnehmung einzuleiten. Der Weg vom Thalamus zum Neokortex und von dort zum Mandelkern dauert ungefähr doppelt so lange. Am menschlichen Gehirn hat man solche Messungen noch nicht gemacht, aber das Verhältnis dürfte in etwa das gleiche sein.

In der Evolution muß der Überlebenswert dieser direkten Route groß gewesen sein, ermöglicht sie doch eine Sofortreaktion, die bei Gefahr entscheidende Millisekunden an Reaktionszeit einspart. Es ist durchaus denkbar, daß diese Millisekunden so vielen unserer Ursäuger-Vorfahren das Leben gerettet haben, daß diese Vorkehrung heute in jedem Säugergehirn verankert ist, auch in Ihrem und in meinem. Diese Schaltung mag zwar im Seelenleben des Menschen eine begrenzte Rolle spielen und auf emotionale Krisen beschränkt sein, doch das Seelenleben von Vögeln, Fischen und Reptilien dreht sich weitgehend um sie, hängt doch ihr Überleben davon ab, daß sie die Umwelt ständig nach Raubfeinden oder Beute absuchen, jenen Wahrnehmungsschablonen, die ihr Mandelkern vermutlich benutzt. »Dieses primitive zerebrale System, das bei Säugern von untergeordneter Bedeutung ist, spielt bei Nichtsäugern die Hauptrolle«, sagt LeDoux. »Es bietet eine sehr schnelle Möglichkeit, Emotionen anzuschalten. Es arbeitet aber schnell und ungenau; die Zellen sind schnell, aber nicht sehr genau.«

Wenn Sie also aus dem Augenwinkel etwas erspähen, das eine Schlange sein könnte, treibt der Mandelkern Sie dazu, zur Seite zu springen, bevor der Neokortex entscheiden kann, ob es wirklich eine Schlange oder bloß ein zusammengerolltes Seil ist. Bei einem Eichhörnchen ist eine solche Ungenauigkeit in Ordnung, denn sie führt zu erhöhter Vorsicht und läßt es beim ersten Anzeichen, das auf einen lauernden Feind hindeuten könnte, fortspringen oder sich auf die Andeutung von etwas Eßbarem stürzen. Im Gefühlsleben des Menschen kann diese Ungenauigkeit jedoch verheerende Folgen für unsere Beziehungen haben, bedeutet sie doch im übertragenen Sinne, daß es uns passieren kann, daß wir auf die verkehrte Sache – oder Person – springen oder davor flüchten. (Denken Sie zum Beispiel an die Kellnerin, die ein Tablett mit sechs Gerichten fallen ließ, als sie eine Frau erblickte, die eine riesige rote Lockenmähne hatte, genau wie die Frau, deretwegen ihr Ehemann sie verlassen hatte.)

Solche vorschnellen emotionalen Irrtümer sind ein Beispiel für das, was LeDoux als »präkognitive Emotion« bezeichnet, als ein dem Denken vorauseilendes Gefühl. Die präkognitive Emotion beruht, wie LeDoux erläutert, auf neuralen Bruchstücken sensorischer Information, die noch nicht vollständig analysiert und zu einem erkennbaren Obiekt integriert worden sind. Es geht um eine sehr grobe Form sensorischer Information, denn ähnlich wie bei einem Ratespiel, wo man anhand weniger Töne schnell eine Melodie angeben muß, wird anhand weniger Bruchstücke eine ganze Wahrnehmung erfaßt. Wenn der Mandelkern ahnt, daß ein gewichtiges sensorisches Muster entsteht, zieht er sofort seine Schlüsse und löst seine Reaktionen aus, ehe die volle Bestätigung – oder überhaupt eine Bestätigung – da ist.

Kein Wunder, daß wir das Dunkel unserer explosiveren Emotionen kaum zu durchdringen vermögen, besonders, solange wir noch in ihrem Griff gefangen sind. Der Mandelkern kann in einem Delirium der Wut oder der Angst reagieren, bevor der Kortex weiß, was los ist, weil die grobe Emotion unabhängig vom Denken und zeitlich vor ihm ausgelöst wird.

## Der Manager der Emotionen

Jessica, Monas sechsjährige Tochter, schlief erstmals außer Haus bei einer Freundin, und es war unklar, wer aufgeregter war, Mutter oder Tochter. Mona versuchte zwar, Jessica nicht ihre heftige Angst merken zu lassen, doch gegen Mitternacht, als sie sich zum Schlafengehen fertigmachte und plötzlich das Telefon klingelte, erreichte ihre Spannung den Höhepunkt. Sie ließ die Zahnbürste fallen und rannte zum Apparat, ihr Herz hämmerte, und Vorstellungen von Jessica in schrecklicher Not schossen ihr durch den Kopf.

Mona schnappte nach dem Hörer und schrie »Jessica!« in die Sprechmuschel, als sie eine Frauenstimme sagen hörte: »Ach, ich muß mich wohl verwählt haben ...«

Daraufhin gewann Mona ihre Fassung wieder und fragte in höflichem, gemessenem Ton: »Welche Nummer wollten Sie denn?«

Während der Mandelkern eine ängstliche, impulsive Reaktion einleitet, denkt ein anderer Teil des emotionalen Gehirns über eine passendere, korrigierende Reaktion nach. Dcr Schalter des Gehirns, der die

Aufwallungen des Mandelkerns dämpft, scheint am anderen Ende einer wichtigen Bahn des Neokortex zu liegen, in den Präfrontallappen direkt hinter der Stirn. Der präfrontale Kortex scheint am Werk zu sein, wenn jemand ängstlich oder wütend ist, aber sein Gefühl unterdrückt oder zügelt, um sich effektiver mit der Situation auseinanderzusetzen, oder wenn eine Neubewertung eine völlig andere Reaktion verlangt wie in Monas Fall. Dieses neokortikale Hirnareal bringt eine analytischere oder angemessenere Reaktion in unsere emotionalen Impulse hinein, indem es den Mandelkern und andere limbische Bereiche dämpft.

Gewöhnlich beherrschen die präfrontalen Bereiche unsere emotionalen Reaktionen von Anfang an. Vom Thalamus geht die stärkste Projektion mit sensorischer Information nicht zum Mandelkern, sondern, wie Sie sich erinnern werden, zum Neokortex und seinen zahlreichen Zentren, die das Wahrgenommene aufnehmen und deuten; diese Information und unsere Reaktion auf sie wird koordiniert von den Präfrontallappen, wo zielgerichtete Handlungen, auch solche emotionaler Art, geplant und organisiert werden. Eine kaskadenartige Abfolge von Schaltungen im Neokortex registriert und analysiert diese Information, deutet sie und leitet durch die Präfrontallappen eine Reaktion ein. Ist eine emotionale Reaktion erforderlich, wird sie von den Präfrontallappen diktiert, die mit dem Mandelkern und anderen Schaltungen im emotionalen Gehirn Hand in Hand arbeiten.

Dieser Ablauf, der eine gewisse Mäßigung der emotionalen Reaktion erlaubt, ist der Normalfall, der nur von emotionalen Krisen durchbrochen wird. Wird eine Emotion ausgelöst, stellen die Präfrontallappen sogleich eine Art Kosten-Nutzen-Analyse aller erdenklichen Reaktionen auf und wetten, daß eine von ihnen die beste ist.[10] Bei Tieren geht es um die Abwägung, wann sie angreifen und wann sie weglaufen sollen. Bei uns Menschen geht es darum, wann wir angreifen und wann wir weglaufen sollen, aber auch darum, wann wir beschwichtigen, überreden, um Sympathie werben, Obstruktion betreiben, Schuldgefühle provozieren, jammern, Tapferkeit vortäuschen oder Verachtung zeigen sollen, kurz, um das ganze Repertoire der emotionalen Schliche.

Die neokortikale Reaktion dauert länger als der Entgleisungsmechanismus, weil mehr Schaltungen daran beteiligt sind. Sie kann auch umsichtiger und besonnener sein, weil das Denken dem Fühlen vorausgeht. Wenn wir nach einem Verlust traurig werden, wenn wir nach einem Sieg glücklich sind, wenn wir über etwas, das einer gesagt oder getan hat, nachdenken und dann gekränkt oder wütend werden, dann ist der Neokortex am Werk.

Entfallen die Funktionen der Präfrontallappen, dann verarmt, wie beim Ausfall des Mandelkerns, das Gefühlsleben; wenn man nicht begreift, daß etwas eine emotionale Reaktion verdient, kommt auch keine. Daß die Präfrontallappen an den Emotionen beteiligt sind, vermuteten Neurologen, seit in den vierziger Jahren die ziemlich verzweifelte – und äußerst unangebrachte – operative »Heilung« von Geisteskrankheiten aufkam, nämlich die präfrontale Lobotomie, bei der (oft schlampig) die Präfrontallappen entfernt oder anderweitige Verbindungen zwischem dem präfrontalen Kortex und tieferen Teilen des Gehirns durchtrennt wurden. Als man noch keine wirksamen Medikamente für Geisteskrankheiten kannte, wurde die Lobotomie als die Lösung für schwere emotionale Leiden freudig begrüßt: Man brauchte nur die Verbindungen zwischen den Präfrontallappen und dem übrigen Gehirn durchzutrennen, und die Not der Patienten war »gelindert«. Leider mußte man dafür in Kauf nehmen, daß auch das Gefühlsleben der Patienten weitgehend abhanden kam; sogar die emotionalen Entgleisungen ließen nach. Die entscheidende Schaltung war zerstört worden.

An emotionalen Entgleisungen sind also vermutlich zwei Vorgänge beteiligt: die Auslösung durch den Mandelkern *und* das Ausbleiben der Aktivierung jener neokortikalen Prozesse, die normalerweise die emotionale Reaktion zügeln – bzw. die Beschlagnahmung der neokortikalen Bereiche für den emotionalen Ausnahmezustand.

Ein genauerer Blick auf die Neuroanatomie zeigt, wie die Präfrontallappen als emotionaler Manager wirken. Vieles deutet darauf hin, daß eine bestimmte Stelle im präfrontalen Kortex der Ort ist, wo die meisten oder alle kortikalen Bahnen, die an einer emotionalen Reaktion beteiligt sind, zusammenlaufen. Beim Menschen verlaufen die stärksten Verbindungen zwischen Neokortex und Mandelkern zum linken Präfrontallappen und zum Temporallappen unterhalb und seitlich vom Frontallappen (der Temporallappen ist wichtig für die Identifikation eines Objekts). Beide Verbindungen werden von einer einzigen Projektion hergestellt, so daß eine schnelle und leistungsfähige Bahn besteht, eine richtige neurale Autobahn. Die von einem einzigen Neuron hergestellte Verbindung zwischen Mandelkern und präfrontalem Kortex mündet in einen Bereich, den man als »orbitofrontalen Kortex« bezeichnet.[11] Dies ist offenbar der entscheidende Bereich für die Bewertung von emotionalen Reaktionen, wenn wir uns mitten in ihnen befinden und Korrekturen vornehmen.

Der orbitofrontale Kortex empfängt Signale vom Mandelkern und schickt seinerseits ein dichtes, ausgedehntes Netz von Projektionen in das limbische Gehirn. Über dieses Netz wirkt er an der Regulierung emotionaler Reaktionen mit, zum Beispiel dadurch, daß er Signale aus dem limbischen Gehirn, die zu anderen Rindenbereichen gelangen, inhibiert und so ihre neurale Dringlichkeit herabstuft. Die Verbindungen des orbitofrontalen Kortex zum limbischen Gehirn sind so zahlreich, daß Neuroanatomen von einem »limbischen Kortex« sprechen, dem denkenden Teil des emotionalen Gehirns.[12]

Neuropsychologen haben bestätigt, daß eine der Aufgaben des linken Frontallappens darin besteht, als neuraler Schalter unangenehme Emotionen abzuschalten. In einer Versuchsserie wurde eine Maus in den Käfig von Versuchsratten gesetzt, die gelegentlich in einem Anfall von territorialer Aggression über den Eindringling herfallen. Wurde der linke Lappen durch einen geringfügigen operativen Eingriff außer Funktion gesetzt, neigten die Ratten zu besonders heftigen Wutanfällen, wenn die arme Maus in den Käfig kam, und oft töteten sie sie in rasender Wut. Befand sich die Läsion im rechten Lappen, reagierten die Ratten friedlicher und ließen die Maus meistens am Leben. War das Corpus callosum beschädigt, das den linken mit dem rechten Lappen verbindet, lief die Aggression ungehemmt ab. Logische Folgerung: Im Säugergehirn ist der rechte Präfrontallappen ein Sitz negativer Gefühle wie Furcht und Aggression, während der linke Lappen diese primitiven Emotionen in Schach hält, vermutlich durch Inhibition des rechten Lappens.[13]

Untersuchungen über Stimmungen bei Patienten mit Hirnverletzungen förderten Weiteres zutage. Patienten, deren linker präfrontaler Kortex durch einen Schlaganfall geschädigt war, neigten zu »katastrophalen« Sorgen und Ängsten; war die rechte Seite geschädigt, so waren sie »unangemessen fröhlich«, alberten bei neurologischen Untersuchungen herum und waren dermaßen außer sich, daß es ihnen offensichtlich egal war, wie gut es ihnen ging.[14] Und dann war da der Fall des glücklichen Ehemannes, bei dem ein Teil des rechten Präfrontallappens wegen einer zerebralen Mißbildung operativ entfernt worden war. Seine Frau berichtete den Ärzten, er habe nach der Operation eine einschneidende Persönlichkeitsveränderung gezeigt; er regte sich nicht mehr so leicht auf und war, wie sie glücklich mitteilte, zärtlicher geworden.[15]

Kurz, der linke Präfrontallappen scheint ein Bestandteil einer neuralen Schaltung zu sein, die fast die stärksten emotionalen Aufwallungen abzuschalten oder wenigstens zu dämpfen vermag. Wirkt der Mandelkern oft als Notfallauslöser, so scheint der linke Präfrontallappen ein Bestandteil des zerebralen »Aus«-Schalters für beunruhigende

Emotionen zu sein: Der Mandelkern schlägt vor, der Präfrontallappen entscheidet. Diese Verbindungen zwischen präfrontalem Kortex und limbischem System haben eine weit über die Feinabstimmung von Emotionen hinausreichende Bedeutung für das Seelenleben; sie geben uns bei unseren wichtigsten Lebensentscheidungen Navigationshilfe.

## Harmonisierung von Gefühl und Denken

Studien an Neurologie-Patienten, bei denen ein bestimmter Bereich des präfrontalen Kortex beschädigt ist, zeigen ein merkwürdiges Bild: Ihr Verstand ist unversehrt, aber ihre Fähigkeit, persönliche Entscheidungen zu treffen, ist beeinträchtigt. Das ist immer dann der Fall, wenn der ventromediale Teil des präfrontalen Kortex beschädigt ist, eine Stelle, die – wie die orbitofrontale Zone – mit dem limbischen Gehirn und speziell dem Mandelkern verbunden ist. Offenbar handelt es sich um wichtige Schaltstellen, wo Emotion und Vernunft sich überschneiden. Nach Ansicht des Neurologen Antonio Damasio, der von diesem merkwürdigen Bild berichtet, stützt sich das rationale Denken nicht nur auf den Neokortex, das denkende Gehirn, sondern auch auf ältere Hirnbereiche wie den Mandelkern und andere, mit ihm verbundene tiefere Regionen.[16] Wahre Rationalität entsteht erst aus der Abstimmung beider.

Diese Schaltung zwischen präfrontalem Kortex und Mandelkern ist ein wesentlicher Aufbewahrungsort fur die Neigungen und Abneigungen, die wir im Laufe unseres Lebens erwerben. Als Schnittstelle zwischen Tatsachen und Emotionen scheint eine ihrer Aufgaben darin zu bestehen, Assoziationen zwischen Tatsachen und Gefühlen zu speichern. Was bei den Patienten mit präfrontalen Läsionen beeinträchtigt ist, ist Damasio zufolge der Zugang zu genau diesem emotionalen Erfahrungsbereich: Von der emotionalen Erinnerung im Mandelkern abgeschnitten, lösen die Bilder, die zum Neokortex gelangen, nicht mehr die emotionalen Reaktionen aus, die einmal mit ihnen assoziiert waren – sie sind neutral. Der Reiz löst nicht mehr eine erlernte Zu- oder Abneigung aus; diese Patienten haben all ihre emotionalen Lektionen »vergessen«, weil sie keinen Zugang mehr zu ihnen haben.

Erkenntnisse wie diese lassen Damasio zu der kontraintuitiven Auffassung gelangen, daß Gefühle normalerweise für Rationalität *unerläßlich* sind; sie weisen uns zunächst in die richtige Richtung, wo dann die nüchterne Logik von größtem Nutzen sein kann. Während die

Welt uns oft vor kaum überschaubare Wahlmöglichkeiten stellt (Wie sollte man, zum Beispiel, seine Ersparnisse für den Ruhestand anlegen?), schickt der emotionale Erfahrungsspeicher, den wir im Leben erworben haben, Signale aus, die die Entscheidung vereinfachen, indem sie von vornherein gewisse Optionen ausschließen und andere hervorheben. In diesem Sinne, meint Damasio, ist das emotionale Gehirn am rationalen Denken genauso beteiligt wie das denkende Gehirn.

Die Emotionen besitzen demnach eine Intelligenz, die in praktischen Fragen von Gewicht ist. In dem Wechselspiel von Gefühl und Rationalität lenkt das emotionale Vermögen, mit der rationalen Seele Hand in Hand arbeitend, unsere momentanen Entscheidungen. Umgekehrt spielt das denkende Gehirn eine leitende Rolle bei unseren Emotionen. Dieses komplementäre Verhältnis von limbischem System und Neokortex, Mandelkern und Präfrontallappen bedeutet, daß all diese Instanzen vollberechtigt am Gefühlsleben mitwirken. Die Wirkungsweise dieser Hirnareale ist maßgebend für die Steuerung unseres Gefühlslebens, und von ihr hängt es ab, ob wir emotionale Intelligenz besitzen oder nicht.

Zweiter Teil

# Die Natur der emotionalen Intelligenz

## 3

# Schlau kann dumm sein

Warum genau David Pologruto, Physiklehrer an einer Highschool, von einem seiner besten Schüler mit einem Küchenmesser niedergestochen wurde, ist noch immer umstritten. Die allgemein bekannten Tatsachen sind folgende:

Jason H., im zweiten Jahr Schüler einer Highschool in Coral Springs, Florida, mit einem glatten Notendurchschnitt 1, hatte sich in den Kopf gesetzt, Medizin zu studieren, aber nicht irgendwo, sondern in Harvard. Doch Mr. Pologruto, sein Physiklehrer, gab Jason in einer Klassenarbeit 80 Punkte. Jason glaubte, die Note – bloß eine »2« – gefährde seinen Studientraum, nahm ein Schlachtermesser mit in die Schule und stach seinem Lehrer bei einer Konfrontation im Physiksaal ins Schlüsselbein, ehe er überwältigt wurde.

Ein Richter befand Jason für unschuldig, für während des Vorfalls vorübergehend unzurechnungsfähig; eine Kommission aus vier Psychologen und Psychiatern beschwor, daß Jason während des Kampfes psychotisch gewesen sei. Jason behauptete, er habe wegen der Benotung Selbstmord begehen wollen; er sei zu Pologruto gegangen, um ihm zu sagen, er werde sich wegen der schlechten Note umbringen. Pologruto stellte es anders dar: »Ich hatte den Eindruck, er wollte mich mit dem Messer erledigen«, weil er wütend über die schlechte Note war.

Nach dem Wechsel auf eine Privatschule schloß Jason zwei Jahre später als Klassenbester ab. Ein »sehr gut« in den Pflichtfächern hätte ihm zu einer glatten »1« verholfen, aber Jason kam durch zusätzliche Leistungskurse auf eine noch bessere Punktzahl und ein überragendes »1 plus«. Noch als Jason mit höchsten Ehren seine Abschlußprüfung bestand, beklagte sich Mr. Pologruto, sein ehemaliger Physiklehrer, daß er sich nicht entschuldigt und noch nicht einmal die Verantwortung für den Angriff auf sich genommen habe.[1]

Wie konnte ein Mensch von so unbestreitbarer Intelligenz so irrational handeln, eine so ausgesprochene Dummheit begehen? Die Antwort: Die akademische Intelligenz im Sinne schulischer Leistungen hat mit dem Gefühlsleben kaum etwas zu tun. Die Begabtesten unter uns können an den Klippen ungezügelter Leidenschaften und ungestümer Impulse scheitern; Menschen mit einem hohen IQ kommen in ihrem Privatleben manchmal erstaunlich schlecht zurecht.

Es ist eines der offenen Geheimnisse der Psychologie, daß Punktbewertungen – sei es der IQ oder der Schuleignungstest SAT – ungeachtet des Nimbus, der sie umgibt, kaum etwas über den späteren Erfolg im Leben vorhersagen können. Gewiß besteht für große Gruppen, insgesamt gesehen, ein Zusammenhang zwischen IQ und Lebensumständen: viele mit sehr niedrigem IQ enden in niedrigen Stellungen, und solche mit hohem IQ erreichen zumeist gutbezahlte Jobs – aber nicht immer.

Die Ausnahmen von der Regel, daß der IQ den Erfolg vorhersagt, sind zahlreicher als die Fälle, die der Regel entsprechen. Der IQ trägt höchstens 20 Prozent zu den Faktoren bei, die den Lebenserfolg ausmachen, so daß über 80 Prozent auf andere Kräfte zurückzuführen sind. Ein Beobachter bemerkt dazu: »Die gesellschaftliche Nische, in der man schließlich landet, hängt ganz überwiegend von anderen Faktoren als dem IQ ab, und die reichen von der Klassenzugehörigkeit bis zum Zufall.«[2]

Das geben sogar Richard Herrnstein und Charles Murray zu, die dem IQ in ihrem Buch *The Bell Curve* größte Bedeutung unterstellen, wenn sie schreiben: »Ein Erstsemester, der beim SAT in Mathe mit 500 abschneidet, sollte sein Herz vielleicht nicht daran hängen, Mathematiker zu werden; falls er aber wünscht, eine eigene Firma aufzumachen, US-Senator oder Millionär zu werden, sollte er seine Träume nicht begraben ... Der Zusammenhang zwischen Testergebnissen und den entsprechenden Leistungen verblaßt neben der Gesamtheit der Eigenschaften, die er sonst noch mitbringt ...«[3]

Mir geht es hier um eine wichtige Teilmenge dieser »sonstigen Eigenschaften«, die *Intelligenz der Gefühle*. Dazu gehören Fähigkeiten wie die, sich selbst zu motivieren und auch bei Enttäuschungen weiterzumachen; Impulse zu unterdrücken und Gratifikationen hinauszuschieben; die eigenen Stimmungen zu regulieren und zu verhindern, daß Trübsal einem die Denkfähigkeit raubt; sich in andere hineinzuversetzen und zu hoffen. Anders als der IQ, der seit fast hundert Jahren an Hunderttausenden untersucht wurde, ist die emotionale Intelligenz ein neues Konzept. Noch kann niemand genau sagen, in welchem Umfang sie für den unterschiedlichen Lebenserfolg der Menschen verantwortlich ist. Nach den vorliegenden Daten ist ihr Einfluß aber mindestens so groß oder größer als der des IQ. Und während vom IQ behauptet wird, daß sich durch Erfahrung oder Schulung nicht viel an ihm ändern lasse, werde ich im Fünften Teil zeigen, daß Kinder die wichtigsten emotionalen Kompetenzen tatsächlich erlernen und Fortschritte in ihnen machen können – sofern wir uns die Mühe machen, sie darin zu unterweisen.

## Emotionale Intelligenz und Lebensschicksal

Ich erinnere mich an meinen Studienkollegen am Amherst College, der vor der Immatrikulation beim SAT und anderen Leistungstests fünfmal die volle Punktzahl von 800 erreicht hatte. Trotz seiner beeindruckenden intellektuellen Fähigkeiten verbrachte er die meiste Zeit damit, herumzulungern, lange aufzubleiben und bis in die Puppen zu schlafen, so daß er den Unterricht versäumte. Es vergingen zehn Jahre, bis er schließlich den Abschluß schaffte.

Das unterschiedliche Lebensschicksal von Menschen, die hinsichtlich ihrer intellektuellen Fähigkeiten, ihrer Schulbildung und ihrer Chancen ungefähr gleichstehen, vermag der IQ kaum zu erklären. An 95 Harvard-Studenten aus den vierziger Jahren – damals war der IQ bei den Studenten an den Eliteuniversitäten breiter gestreut als heute – hat man den Lebensweg bis ins mittlere Alter verfolgt. Diejenigen mit den besten akademischen Testergebnissen waren im Vergleich zu ihren Kollegen mit schlechteren Ergebnissen nicht sonderlich erfolgreich, was das Einkommen, die Produktivität oder den Status in ihrem jeweiligen Bereich anging. Weder zeigten sie die größte Zufriedenheit mit dem Leben, noch waren sie in ihren freundschaftlichen, familiären oder romantischen Beziehungen die Glücklichsten.[4]

Eine ähnliche Langzeitstudie bis ins mittlere Lebensalter wurde mit 450 Jungen durchgeführt, überwiegend Söhne von Einwanderern, zu zwei Dritteln aus Familien, die von der Wohlfahrt lebten, die in Somerville, Massachusetts, aufgewachsen waren, seinerzeit eine verwahrloste Wohngegend ein paar Häuserblocks von Harvard entfernt. Ein Drittel von ihnen hatte einen IQ unter 90. Auch hier hatte der IQ kaum etwas mit dem Erfolg in der Arbeit oder im übrigen Leben zu tun. So waren sieben Prozent der Männer mit einem IQ unter 80 seit zehn oder mehr Jahren arbeitslos, aber arbeitslos waren auch sieben Prozent der Männer mit einem IQ über 100. Gewiß bestand (wie immer) ein allgemeiner Zusammenhang zwischen IQ und sozioökonomischem Status im

Alter von 47 Jahren. Wichtiger waren aber schon in der Kindheit vorhandene Fähigkeiten wie die, mit Frustrationen fertig zu werden, seine Emotionen zu zügeln und mit anderen gut auszukommen.[5]

Interessant sind auch die Ergebnisse einer fortlaufenden Studie über 81 Highschoolabsolventen des Jahrgangs 1981 im Bundesstaat Illinois, die bei den Abschlußfeiern die Begrüßungs- und Abschiedsreden gehalten hatten. Natürlich hatten alle an ihrer jeweiligen Schule den besten Notendurchschnitt erreicht. Während sie im Studium weiterhin gute Leistungen erbrachten und hervorragende Noten erzielten, hatten sie mit Ende zwanzig lediglich mittlere Erfolgsstufen erklommen. Zehn Jahre nach Absolvieren der Highschool hatte nur jeder vierte die höchste Stufe erreicht, die junge Leute dieses Alters in dem jeweiligen Beruf erreichen können, und etliche waren weit zurückgeblieben.

Karen Arnold, Pädagogik-Professorin an der Universität Boston, die an der Studie über die Abschiedsredner beteiligt war, erklärt: »Ich denke, wir haben die ›Angepaßten‹ gefunden, Menschen, die wissen, wie man in dem System vorankommt. Aber Abschiedsredner müssen genauso kämpfen wie wir alle. Wenn man weiß, jemand ist ein Abschiedsredner, dann weiß man bloß, daß er oder sie in den durch Noten gemessenen Leistungen überdurchschnittlich gut ist. Das sagt nichts darüber, wie sie mit den Wechselfällen des Lebens zurechtkommen.«[6]

Und das ist das Problem: Mit akademischer Intelligenz ist man auf das Durcheinander – und die Chancen –, die die Wechselfälle des Lebens mit sich bringen, praktisch überhaupt nicht vorbereitet. Doch obwohl ein hoher IQ keine Garantie für Wohlstand, Ansehen oder Glück im Leben ist, fixieren sich unsere Schulen und unsere Kultur auf akademische Fähigkeiten und ignorieren die *emotionale* Intelligenz, einen Merkmalskomplex – manche werden vielleicht von »Charakter« sprechen –, der für unser persönliches Schicksal ebenfalls von überragender Bedeutung ist. Das Gefühlsleben ist ein Bereich, der genau wie Rechnen oder Lesen mit mehr oder weniger Können gehandhabt werden kann und der spezifische Kompetenzen erfordert. Und wie geschickt einer darin ist, entscheidet darüber, ob er Erfolg im Leben hat, während ein anderer mit gleichen intellektuellen Fähigkeiten in einer Sackgasse landet: Die emotionale Intelligenz ist eine *Metafähigkeit*, von der es abhängt, wie gut wir unsere sonstigen Fähigkeiten, darunter auch den reinen Intellekt, zu nutzen verstehen.

Natürlich führen viele Wege zum Erfolg im Leben, und es gibt viele Bereiche, in denen andere Fähigkeiten belohnt werden. Eine davon ist in unserer zunehmend wissensbasierten Gesellschaft sicherlich technisches Geschick. Unter den Kindern gibt es einen Witz: »Wie nennt man einen Trottel fünfzehn Jahre später?« Die Antwort: »Boss«. Aber auch unter »Trotteln« bietet emotionale Intelligenz einen zusätzlichen Vorteil am Arbeitsplatz, wie wir im Dritten Teil sehen werden. Vieles deutet darauf hin, daß Menschen, die in emotionaler Hinsicht geschickt sind – die ihre eigenen Gefühle kennen und sie richtig zu handhaben wissen und die Gefühle anderer durchschauen und erfolgreich mit ihnen umzugehen wissen –, in jedem Lebensbereich im Vorteil sind, seien es Liebesaffären und intime Beziehungen, sei es die Erfassung der ungeschriebenen Regeln, die man beherrschen muß, um sich in Organisationen durchsetzen zu können. Emotional geschickte Menschen werden auch eher im eigenen Leben zufrieden und erfolgreich sein und die inneren Einstellungen beherrschen, die ihrer Produktivität förderlich sind; wer nicht eine gewisse Kontrolle über sein Gefühlsleben hat, muß innere Kämpfe ausfechten, die seine Fähigkeit zu konzentrierter Arbeit und zu klarem Denken sabotieren.

## Eine andere Art von Intelligenz

Dem flüchtigen Beobachter könnte die vierjährige Judy als ein Mauerblümchen unter ihren geselligen Spielkameraden erscheinen. An Spielen beteiligt sie sich nur zögernd, lieber hält sie sich am Rande auf, statt sich mitten hineinzustürzen. Doch in Wahrheit ist Judy eine genaue Beobachterin der sozialen Beziehungen innerhalb ihrer Vorschulklasse, erfaßt sie von allen Spielkameraden vielleicht am klügsten die wechselnden Gefühle der anderen.

Ihre Klugheit wird erst deutlich, als Judys Lehrerin die Vierjährigen um sich schart, um mit ihnen das »Klassenspiel« zu spielen, wie sie es nennen. Das Klassenspiel ist eine Puppenhaus-Nachbildung ihrer eigenen Vorschulklasse mit Holzfiguren, die statt Köpfen kleine Fotos der Schüler und Lehrer tragen; damit wird das soziale Wahrnehmungsvermögen getestet. Die Aufgabe der Lehrerin, alle Mädchen und Jungen in den Teil des Zimmers zu stellen, wo sie am liebsten spielen – in die Malecke, zu den Bausteinen usw. –, führt Judy völlig zutreffend aus. Aufgefordert, die einzelnen Jungen und Mädchen mit denen zusammenzustellen, mit denen sie am liebsten spielen, beweist Judy, daß sie von der ganzen Klasse weiß, wer mit wem am dicksten befreundet ist.

Die treffende Zuordnung zeigt, daß Judy eine vollständige Karte der sozialen Beziehungen in ihrer Klasse besitzt, Beweis eines Wahrnehmungsvermögens, das bei einer Vierjährigen ungewöhnlich ist. Mit diesen Fähigkeiten könnte Judith es im späteren Leben überall dort weit bringen, wo es auf »Menschenkenntnis« ankommt, vom Vertrieb über das Management bis zur Diplomatie.

Daß Judys soziale Begabung überhaupt entdeckt wurde – und dann auch noch so früh –, lag daran, daß sie die Eliot-Pearson-Vorschule auf dem Campus der Tufts-Universität besuchte, wo damals das »Project Spectrum« entwickelt wurde, ein Lehrplan, der ausdrücklich verschiedene Arten von Intelligenz fördern sollte. Das »Project Spectrum« geht davon aus, daß das Repertoire menschlicher Fähigkeiten weit über Lesen, Schreiben und Rechnen hinausreicht, jenes schmale Spektrum von Wort-und-Zahl-Fertigkeiten, auf das die Schulen sich traditionell konzentrieren. Es erkennt an, daß Fähigkeiten wie Judys soziales Wahrnehmungsvermögen Talente sind, die eine Erziehung pflegen kann, statt sie zu übergehen oder gar zu unterbinden. Indem sie die Kinder ermutigt, ein breites Spektrum jener Fähigkeiten zu entwickeln, die sie später einmal wirklich brauchen, um erfolgreich zu sein oder auch nur in dem, was sie tun, Erfüllung zu finden, wird die Schule zu einer Bildungsstätte für Lebenskenntnisse.

Der Visionär, der hinter dem »Project Spectrum« steht, ist Howard Gardner, Psychologe an der Harvard School of Education.[7] »Es ist an der Zeit«, erklärte mir Gardner, »unsere Vorstellung über das Spektrum der Talente zu erweitern. Das Wichtigste, was Erziehung zur Entwicklung eines Kindes beitragen kann, ist, ihm zu einem Bereich zu verhelfen, in dem seine Talente ihm am besten zustatten kommen, wo es zufrieden und kompetent sein wird. Das haben wir völlig aus den Augen verloren. Wir unterwerfen jeden einer Erziehung, bei der man sich, wenn man erfolgreich ist, am besten zum Professor eignet. Und dabei bewerten wir jeden danach, ob er diesem kleinkarierten Erfolgsmaßstab genügt. Wir sollten weniger Zeit darauf verwenden, die Kinder nach ihren Leistungen einzustufen, und ihnen statt dessen helfen, ihre natürlichen Kompetenzen und Gaben zu erkennen und diese zu pflegen. Es gibt Hunderte und Aberhunderte von Wegen zum Erfolg und viele, viele verschiedene Fähigkeiten, mit denen man ihn erreicht.«[8]

Wenn jemand die Grenzen der alten Auffassungen von Intelligenz erkennt, dann ist es Gardner. Die »Glanzzeit« der IQ-Tests begann, wie er ausführt, im Ersten Weltkrieg, als zwei Millionen Amerikaner durch die erste massenhafte Papier-und-Bleistift-Form des IQ-Tests sortiert wurden, den der Stanford-Psychologe Lewis Terman gerade entwickelt hatte. Es folgten Jahrzehnte des »IQ-Denkens«, wie Gardner es nennt: »daß Menschen entweder schlau sind oder nicht, daß sie so geboren sind, daß man daran nicht viel ändern kann und daß Tests einem sagen können, ob man zu den Schlauen gehört oder nicht. Die Aufnahmeprüfung für Studenten basiert ebenfalls auf dieser Vorstellung, daß es nur eine Art von Begabung gibt, die deine Zukunft bestimmt. Dieses Denken hat sich in der Gesellschaft durchgesetzt.«

Gardners 1983 erschienenes Buch *Frames of Mind* war ein Manifest, das die IQ-Denkweise widerlegte; nicht eine einzige, monolithische Art von Intelligenz sei entscheidend für den Lebenserfolg, sondern ein breites Spektrum von Intelligenzen mit sieben wesentlichen Spielarten. Er führt die beiden gängigen akademischen Arten an, die verbale und die mathematisch-logische Geschicklichkeit, nennt aber außerdem die räumliche Fähigkeit, die man etwa bei einem hervorragenden Maler oder Architekten antrifft, das kinästhetische Genie, das sich in der Flüssigkeit und Anmut der körperlichen Bewegung einer Martha Graham oder von Magic Johnson äußert, und die musikalischen Gaben eines Mozart oder YoYo Ma. Gardner rundet die Aufzählung ab mit zwei Facetten dessen, was er »die personale Intelligenz« nennt: interpersonale Fähigkeiten, wie sie sich bei einem großen Therapeuten wie Carl Rogers oder einer Führungspersönlichkeit von Weltrang wie Martin Luther King Jr. zeigen, und die »intrapsychische« Fähigkeit, die einerseits in den brillanten Einsichten von Sigmund Freud zutage tritt, andererseits und mit weniger Trara in der inneren Zufriedenheit, die daraus erwächst, daß man sein Leben so einrichtet, daß es mit den eigenen wahren Empfindungen übereinstimmt.

Das Wort, auf das es in dieser Auffassung von Intelligenz ankommt, ist *»multipel«*: Gardners Modell geht weit über die gängige Vorstellung hinaus, für die der IQ ein einziger, unwandelbarer Faktor ist. Die Tests, die uns auf unserem Weg durch die Schule tyrannisierten – von den Leistungstests, die uns sortierten in solche, die man auf die Berufsschule abschob, und andere, die für das Studium bestimmt waren, bis zu den Aufnahmeprüfungen, die darüber entschieden, ob wir und wenn ja, welches College wir besuchen durften –, beruhen diesem Modell zufolge auf einem eingeschränkten Begriff von Intelligenz, der nichts zu tun hat mit der wahren Bandbreite von Kenntnissen und Fähigkeiten, auf die es über den IQ hinaus im Leben ankommt.

Daß sieben eine aus der Luft gegriffene Zahl für die Spielarten von Intelligenz ist, räumt Gardner ein; die Mannigfaltigkeit der menschlichen Talente gehorcht nicht einer magischen Zahl. Einmal hatten Gardner und seine Forschungsmitarbeiter die Liste der verschiedenen Spielarten von Intelligenz von sieben auf zwanzig erweitert. Die interpersonale Intelligenz zerfiel zum Beispiel in vier gesonderte Fähigkeiten: Führungskunst, die Fähigkeit, Beziehungen zu pflegen und Freunde zu behalten, die Fähigkeit, Konflikte zu lösen, und die Art von sozialer Analyse, in der die vierjährige Judy glänzt.

Diese facettenreiche Auffassung von Intelligenz kann die Begabung und die Erfolgsaussichten eines Kindes detaillierter darstellen als der landläufige IQ. Als man »Spectrum«-Schüler sowohl dem Stanford-Binet-Test – einst der Goldstandard der IQ-Tests – als auch einem Test unterwarf, der Gardners Spektrum der Intelligenzen messen sollte, ergab sich zwischen den Ergebnissen der Kinder in den beiden Tests kein signifikanter Zusammenhang.[9] Die fünf Kinder mit den höchsten IQs (von 125 bis 133) zeigten in den zehn Stärken, die der Spectrum-Test maß, ein unterschiedliches Profil. Von den fünf Kindern zum Beispiel, die den IQ-Tests zufolge die »schlauesten« waren, war eines stark auf drei Gebieten, drei hatten Stärken auf zwei Gebieten, und ein »schlaues« Kind hatte bloß eine Spectrum-Stärke. Diese Stärken der Kinder verteilten sich auf die folgenden Gebiete: viermal auf die Musik, zweimal auf die visuellen Künste, einmal auf das soziale Verständnis, einmal auf die Logik und zweimal auf die Sprache. Von den fünf Kindern mit hohem IQ war keines stark in Bewegung, Zahlen oder Technik; Bewegung und Zahlen waren bei zweien von diesen fünf ausgesprochene Schwachpunkte.

Gardner kam zu dem Schluß: »Der Stanford-Binet-Test macht keine Aussage über das erfolgreiche Abschneiden in den Spectrum-Aktivitäten oder einer Teilmenge von ihnen.« Die Spectrum-Ergebnisse liefern den Eltern und Lehrern dagegen klare Hinweise auf jene Bereiche, an denen die Kinder ein spontanes Interesse zeigen werden und in denen sie gut genug sein werden, um jene Neigungen zu entwickeln, die eines Tages über gute Leistungen hinaus zur Meisterschaft führen könnten.

Gardner entwickelt seine Ansichten über die Mannigfaltigkeit der Intelligenz ständig weiter. Rund zehn Jahre nach der Veröffentlichung seiner Theorie gab er die folgenden Kurzcharakteristika der Formen personaler Intelligenz:[10]

*»Interpersonale Intelligenz ist die Fähigkeit, andere Menschen zu verstehen: was sie motiviert, wie sie arbeiten, wie man kooperativ mit ihnen zusammenarbeiten kann. Wer als Verkäufer, Politiker, Lehrer, Kliniker und Religionsführer erfolgreich ist, besitzt wahrscheinlich ein hohes Maß an interpersonaler Intelligenz. Intrapersonale Intelligenz ... ist die entsprechende, nach innen gerichtete Fähigkeit. Sie besteht darin, ein zutreffendes, wahrheitsgemäßes Modell von sich selbst*

*zu bilden und mit Hilfe dieses Modells erfolgreich im Leben aufzutreten.«*

In einer anderen Formulierung schrieb Gardner, der Kern der interpersonalen Intelligenz umfasse die »Fähigkeiten, die Stimmungen, Temperamente, Motivationen und Wünsche anderer Menschen zu erkennen und angemessen darauf zu reagieren«. Zur intrapersonalen Intelligenz, dem Schlüssel zur Selbsterkenntnis, rechnete er den »Zugang zu den eigenen Gefühlen und die Fähigkeit, zwischen ihnen zu unterscheiden und sein Verhalten von ihnen leiten zu lassen ...«[11]

## Spock gegen Data: Wenn Kognition nicht ausreicht

Es gibt eine Dimension der personalen Intelligenz, auf die in Gardners Ausführungen immer wieder verwiesen, die aber kaum untersucht wird: die Rolle der Gefühle. Das mag, wie Gardner mir zu verstehen gab, daran liegen, daß seine Arbeit stark von einem kognitiven wissenschaftlichen Modell des Geistes geprägt ist. Deshalb betont seine Auffassung von diesen Formen der Intelligenz die *Kognition*: daß man sich selbst und andere hinsichtlich der Motive, der Arbeitsgewohnheiten *versteht* und diese Einsicht nutzt, um sein eigenes Leben zu gestalten und mit anderen auszukommen. Doch genau wie der kinästhetische Bereich, in dem physische Brillanz sich nichtverbal manifestiert, geht auch der Bereich der Emotionen über die Sphäre von Sprache und Kognition hinaus.

Wo Gardner über Formen personaler Intelligenz schreibt, geht er ausführlich auf die Einsicht in das Spiel der Emotionen und auf die Meisterschaft im Umgang mit ihnen ein, doch mit der Rolle des *Gefühls* in diesen Formen der Intelligenz haben er und seine Mitarbeiter sich nicht näher befaßt und statt dessen stärker Kognitionen *über* Gefühle behandelt. Damit bleibt – vielleicht unbeabsichtigt – die Vielfalt der Emotionen, die das Innenleben und die Beziehungen so kompliziert, so unwiderstehlich und oft so verwirrend erscheinen läßt, unerforscht. Und es bleibt noch auszuloten, in welchem Sinne man sagen kann, daß Intelligenz *in* den Emotionen sei und daß Intelligenz *an* die Emotionen herangetragen werden kann.

Wenn Gardner die kognitiven Elemente der personalen Intelligenz betont, so ist das ein Ausdruck des Zeitgeists der Psychologie, der seine Ansichten formte. Daß die Psychologie selbst im Bereich der

Emotion allzu sehr die Kognition hervorhob, ist teilweise einem eigenartigen Umstand in der Geschichte dieser Wissenschaft zuzuschreiben. Um die Jahrhundertmitte waren in der akademischen Psychologie Behavioristen vom Schlage B. F. Skinners tonangebend, der überzeugt war, nur ein von außen objektiv beobachtbares Verhalten lasse sich mit wissenschaftlicher Genauigkeit untersuchen. Das Innenleben einschließlich der Emotionen wurde ausgesperrt.

Als dann Ende der sechziger Jahre die »kognitive Revolution« kam, beschäftigte die psychologische Forschung sich vornehmlich mit der Frage, wie der Geist Informationen registriert und speichert, und mit dem Wesen der Intelligenz. Die Emotionen blieben jedoch weiterhin ausgeschlossen. Unter den Kognitionswissenschaftlern herrschte die Meinung vor, Intelligenz sei gleichbedeutend mit einer kühlen, nüchternen Verarbeitung von Fakten. Sie ist hyperrational nach dem Vorbild von Mr. Spock aus der Serie »Raumschiff Enterprise«, dem Inbegriff trockener, durch keinerlei Gefühl getrübter Informationsbytes, der die Idee verkörpert, daß Emotionen in der Intelligenz nichts zu suchen haben, sondern bloß unser Bild vom Seelenleben trüben.

Die dieser Ansicht anhängenden Kognitionswissenschaftler waren der Vorstellung erlegen, der Computer sei das gültige Modell des Geistes, übersahen dabei aber die Tatsache, daß die *wetware* des Gehirns von einem pulsierenden Wirrwarr neurochemischer Substanzen erfüllt ist, das nichts gemein hat mit dem keimfreien, ordentlichen Silizium, das die maßgebende Metapher für den Geist abgab. Die unter Kognitionswissenschaftlern vorherrschenden Modelle von der Informationsverarbeitung des menschlichen Geistes gehen an der Tatsache vorbei, daß die Rationalität vom Gefühl geleitet wird – und von ihm überschwemmt werden kann. Das kognitive Modell ist insofern eine verarmte Vision des Geistes, die den Sturm und Drang der Gefühle, die dem Intellekt eine gewisse Würze verleihen, nicht zu erklären vermag. Um an dieser Auffassung festhalten zu können, mußten die Kognitionswissenschaftler darüber hinweggehen, daß ihre persönlichen Hoffnungen und Befürchtungen, ihre Ehestreitigkeiten und kollegialen Eifersüchteleien – kurz, der ganze Strudel der Gefühle, der dem Leben seine Würze und seine Dringlichkeit gibt und der in jedem Augenblick Einfluß darauf nimmt, wie (und wie gut oder schlecht) Information verarbeitet wird – für ihre Modelle des Geistes relevant sind.

Die einseitige Auffassung von einem emotionslosen Seelenleben, die in den letzten achtzig Jahren die Intelligenzforschung geleitet hat, weicht jetzt allmählich, denn die Psychologie trägt zunehmend der Tatsache Rechnung, daß das Gefühl im Denken eine wesentliche Rolle spielt. Ähnlich wie die an Spock erinnernde Figur des Commander Data in der neuen Serie »Raumschiff Enterprise: Das nächste Jahrhundert« weiß die Psychologie neuerdings die Macht und die Vorzüge der Emotionen im Seelenleben, aber auch ihre Gefahren, zu schätzen. Wie Data schließlich (zu seinem Entsetzen, wenn er denn Entsetzen empfinden könnte) einsieht, vermag seine kalte Logik nicht die richtige, *menschliche* Lösung zu bringen. Am deutlichsten tritt unsere Menschlichkeit in unseren Gefühlen zutage; Data wünscht sich Gefühle, denn er weiß, daß ihm etwas Wesentliches abgeht. Er möchte Freundschaft, Loyalität empfinden; ihm fehlt, wie dem Blechmann im *Zauberer von Oz*, ein Herz. Data kann technisch virtuos, aber ohne Leidenschaft musizieren und Gedichte schreiben; da ihm das lyrische Gespür fehlt, das mit dem Gefühl kommt, sind seine Hervorbringungen scheußlich. Aus Datas Sehnsucht nach der Sehnsucht lernen wir, daß die höheren Werte des menschlichen Herzens – Glaube, Hoffnung, Hingebung, Liebe – dem kühlen kognitiven Blick völlig entgehen. Emotionen bereichern; ein Modell des Geistes, das sie nicht berücksichtigt, ist ärmlich.

Als ich Gardner darauf ansprach, daß er den Gedanken über Gefühle, der Metakognition, mehr Gewicht gibt als den Emotionen selbst, räumte er ein, daß er dazu neige, die Intelligenz kognitiv aufzufassen, sagte mir aber: »Als ich anfing, über die Formen personaler Intelligenz zu schreiben, ging es doch um Emotionen, besonders in meiner Vorstellung von intrapersonaler Intelligenz, zu der es gehört, daß man sich emotional auf sich selbst einstellt. Bei der interpersonalen Intelligenz kommt es auf die instinktiven Gefühlssignale an, die man empfängt. In der Praxis hat sich die Theorie der multiplen Intelligenz allerdings mehr in Richtung auf die Metakognition entwickelt«, also das Bewußtsein der eigenen mentalen Prozesse, statt auf das volle Spektrum der emotionalen Fähigkeiten.

Dennoch ist Gardner sich darüber im klaren, wie wichtig diese emotionalen und Beziehungsfähigkeiten im Getümmel des Lebens sind. »Viele«, erklärt er, »die einen IQ von 160 haben, arbeiten für Leute mit einem IQ von 100, wenn die ersteren eine geringe und die letzteren eine hohe intrapersonale Intelligenz haben. Und im Alltag ist keine Form der Intelligenz so wichtig wie die interpersonale. Wer sie nicht hat, trifft keine gute Wahl, was den Ehepartner, den Beruf und dergleichen angeht. Wir müssen die Kinder in der Schule in den Formen personaler Intelligenz ausbilden.«

## Können Emotionen intelligent sein?

Um zu verstehen, wie eine solche Ausbildung aussehen könnte, müssen wir uns anderen Theoretikern zuwenden, die sich intellektuell an Gardner orientieren, vor allem Peter Salovey, einem Psychologen aus Yale, der die Möglichkeiten, Intelligenz in unsere Emotionen hineinzubringen, in aller Ausführlichkeit untersucht hat.[12] Das ist gar nichts Neues, denn im Laufe der Zeit haben selbst die eifrigsten IQ-Theoretiker hin und wieder versucht, die Emotionen in den Bereich der Intelligenz einzubeziehen, statt Gefühl und Intelligenz als absoluten Widerspruch aufzufassen. So meinte der bedeutende Psychologe E. L. Thorndike, der in den zwanziger und dreißiger Jahren selbst an der Popularisierung des IQ-Denkens mitgewirkt hat, in einem Artikel in *Harper's Magazine*, daß ein Aspekt der emotionalen Intelligenz, die »soziale« Intelligenz, also die Fähigkeit, andere zu verstehen und »in menschlichen Beziehungen klug zu handeln«, ebenfalls ein Aspekt des IQ sei. Andere Psychologen hatten von der sozialen Intelligenz eine eher zynische Auffassung, verstanden sie darunter doch die Fähigkeit, andere zu manipulieren – sie dahin zu bringen, das zu tun, was man will, gleichgültig, ob sie es selber wünschen. Doch bei den Theoretikern des IQ fand keine dieser Formulierungen der sozialen Intelligenz Anklang, und 1960 erklärte ein bedeutendes Lehrbuch über Intelligenztests die soziale Intelligenz zu einem »nutzlosen« Konzept.

Doch über die personale Intelligenz konnte man nicht hinweggehen, vor allem, weil sie intuitiv einleuchtet und dem gesunden Menschenverstand entspricht. Robert Sternberg, ein anderer Yale-Psychologe, bat Probanden, einen »intelligenten Menschen« zu beschreiben, und zu den wichtigsten Merkmalen, die genannt wurden, zählte praktische Menschenkenntnis. Systematischere Untersuchungen ließen ihn zu Thorndikes Feststellung gelangen: daß soziale Intelligenz sich von den akademischen Fähigkeiten unterscheidet und wichtig dafür ist, daß man in den praktischen Dingen des Lebens gut zurechtkommt. Zu den Formen praktischer Intelligenz, die am Arbeitsplatz sehr geschätzt werden, gehört jene Art von Sensibilität, dank derer tüchtige Manager auch Unausgesprochenes erfassen – ein wichtiges Stück »Menschenkenntnis« am Arbeitsplatz.[13]

In den letzten Jahren sind immer mehr Psychologen zu ähnlichen Schlußfolgerungen gekommen wie Gardner: daß die alten IQ-Vorstellungen sich auf ein schmales Spektrum von sprachlichen und mathematischen Fähigkeiten beschränken und ein gutes Abschneiden beim

IQ-Test am ehesten etwas über den künftigen Erfolg als Schüler oder als Professor aussagt, aber immer mehr an Aussagekraft verliert, je weiter sich die Lebenswege von der akademischen Welt entfernen. Diese Psychologen – zu ihnen gehören auch Sternberg und Salovey – fassen den Intelligenzbegriff weiter und versuchen das einzubeziehen, was man braucht, um ein gelungenes Leben zu führen. Auf diese Weise kommt man wieder zu der Erkenntnis, daß die »personale« oder emotionale Intelligenz entscheidend ist.

Salovey subsumiert Gardners Formen personaler Intelligenz unter seine grundlegende Definition von »emotionaler Intelligenz«, die diese Fähigkeiten in fünf Bereiche gliedert:[14]

1. *Die eigenen Emotionen kennen.* Selbstwahrnehmung – das Erkennen eines Gefühls, während es auftritt – ist die Grundlage der emotionalen Intelligenz. Wie wir im 4. Kapitel sehen werden, ist die Fähigkeit, seine Gefühle laufend zu beobachten, entscheidend für die psychologische Einsicht und das Verstehen seiner selbst. Wer die eigenen Gefühle nicht zu erkennen vermag, ist ihnen ausgeliefert. Wer sich seiner Gefühle sicherer ist, kommt besser durchs Leben, erfaßt klarer, was er über persönliche Entscheidungen wirklich denkt, von der Wahl des Ehepartners bis zur Berufswahl.

2. *Emotionen handhaben.* Gefühle so zu handhaben, daß sie angemessen sind, ist eine Fähigkeit, die auf der Selbstwahrnehmung aufbaut. Das 5. Kapitel befaßt sich mit der Fähigkeit, sich selbst zu beruhigen, Angst, Schwermut oder Gereiztheit, die einen beschleichen, abzuschütteln – und was geschieht, wenn man diese elementare emotionale Fähigkeit nicht beherrscht. Wer darin schwach ist, hat ständig mit bedrückenden Gefühlen zu kämpfen, wer darin gut ist, erholt sich sehr viel rascher von den Rückschlägen und Aufregungen des Lebens.

3. *Emotionen in die Tat umsetzen.* Emotionen in den Dienst eines Ziels zu stellen, ist, wie das 6. Kapitel zeigen wird, wesentlich für unsere Aufmerksamkeit, für Selbstmotivation und Könnerschaft sowie für Kreativität. Emotionale Selbstbeherrschung – Gratifikationen hinausschieben und Impulsivität unterdrücken – ist die Grundlage jeder Art von Erfolg. Wer sich in den »fließenden« Zustand versetzen kann, ist zu herausragenden Leistungen jeglicher Art imstande. Was er auch unternimmt, er macht es produktiver und effektiver.

4. *Empathie.* Zu wissen, was andere fühlen – eine weitere Fähigkeit, die auf der emotionalen Selbstwahrnehmung aufbaut – ist die Grundlage der »Menschenkenntnis«. Das 7. Kapitel untersucht die Wurzeln

der Empathie, die sozialen Kosten des mangelnden Unterscheidungsvermögens zwischen verschiedenen Emotionen und die Gründe, warum Empathie Altruismus hervorruft. Wer einfühlsam ist, vernimmt eher die versteckten sozialen Signale, die einem anzeigen, was ein anderer braucht oder wünscht. Er wird in den Pflegeberufen, als Lehrer, Verkäufer oder Manager erfolgreicher sein.

5. *Umgang mit Beziehungen.* Die Kunst der Beziehung besteht zum großen Teil in der Kunst, mit den Emotionen anderer umzugehen. Das 8. Kapitel ist der sozialen Kompetenz und Inkompetenz und den spezifischen Fähigkeiten gewidmet, um die es dabei geht. Sie sind die Grundlage von Beliebtheit, Führung und interpersonaler Effektivität. Diejenigen, die in diesen Fähigkeiten glänzen, sind erfolgreich in allem, was darauf beruht, reibungslos mit anderen zusammenzuarbeiten – sie sind »soziale Stars«.

Natürlich sind die Menschen nicht in jedem dieser Bereiche gleich gut; jemand mag zum Beispiel ganz geschickt mit der eigenen Angst umgehen können, aber ziemlich unfähig sein, die Aufregung eines anderen zu beschwichtigen. Das Niveau unserer Fähigkeit stützt sich ohne Zweifel auf eine neurale Grundlage, doch das Gehirn ist, wie wir sehen werden, von bemerkenswerter Plastizität und lernt ständig dazu. Mängel in den emotionalen Fähigkeiten lassen sich beheben: Diese Bereiche setzen sich weitgehend aus Gewohnheiten und Reaktionen zusammen, in denen man, wenn man sich nur rechte Mühe gibt, Fortschritte machen kann.

# 4

# Erkenne dich selbst

Ein kämpferischer Samurai, so heißt es in einer alten japanischen Legende, forderte einst einen Zenpriester auf, ihm Himmel und Hölle zu erklären. Doch der Priester erwiderte verächtlich: »Du bist nichts als ein Flegel, mit deinesgleichen vergeude ich nicht meine Zeit!«

In seiner Ehre getroffen, wurde der Samurai rasend vor Wut, zog sein Schwert aus der Scheide und schrie: »Für deine Frechheit sollst du mir sterben!«

»Das ist«, gab ihm der Priester gelassen zurück, »die Hölle.«

Verblüfft von der Erkenntnis der Wahrheit dessen, was der Priester über die Wut gesagt hatte, die sich seiner bemächtigt hatte, beruhigte sich der Samurai, steckte das Schwert in die Scheide und dankte dem Priester mit einer Verbeugung für die Einsicht.

»Und das«, sagte der Priester, »ist der Himmel.«

Die plötzliche Einsicht des Samurai in seinen eigenen Erregungszustand macht den entscheidenden Unterschied deutlich, ob man in seinem Gefühl befangen ist oder ob man erkennt, daß man von ihm fortgerissen wird. Sokrates' Ermahnung »Erkenne dich selbst« spricht diesen Grundpfeiler der emotionalen Intelligenz an, sich der eigenen Gefühle in dem Augenblick, da sie auftreten, bewußt zu werden.

Auf den ersten Blick scheinen unsere Gefühle etwas Offenkundiges zu sein, aber wenn wir es uns genauer überlegen, fällt uns ein, daß wir bisweilen gar nicht bemerkt haben, was wir wirklich empfanden, oder daß wir diese Gefühle erst nachträglich wahrnehmen. Psychologen benutzen den schwerfälligen Begriff »Metakognition« für das Wahrnehmen des Denkprozesses und »Metastimmung« für das Wahrnehmen der eigenen Emotionen. Ich benutze lieber den Begriff *»mindfulness«* (»Achtsamkeit«), der in einer bestimmten Bedeutung die fortwährende Wahrnehmung der eigenen inneren Zustände bezeichnet.[1] In asiatischen Traditionen ist diese Bedeutung seit über zweitausend Jahren geläufig. »Achtsamkeit« bezeichnet ein selbstreflexives Wahrnehmen, dessen Gegenstand, die Erfahrung selbst einschließlich der Emotionen, vom Geist beobachtet und erforscht wird; in diesem Sinne benutze ich den Ausdruck hier.

Jon Kabat-Zinn, der an der Medical School der Universität von Massachusetts mit dieser Methode Patienten behandelt, definiert es so: »Achtsamkeit bedeutet, auf eine bestimmte Weise aufmerksam zu sein: absichtlich, im gegenwärtigen Moment und nicht urteilend.«[2] Achtsamkeit ist verwandt mit jener Bewußtseinsqualität, die Freud als »neutral schwebende Aufmerksamkeit« bezeichnete und die er denen empfahl, die Psychoanalyse betreiben wollten. Eine solche Aufmerksamkeit verzeichnet alles, was die Wahrnehmung durchläuft, mit Unvoreingenommenheit, als ein interessierter, aber unbeteiligter Zeuge. Manche Psychoanalytiker sprechen vom »beobachtenden Ich« als jener Fähigkeit der Selbstwahrnehmung, die dem Analytiker erlaubt, seine eigenen Reaktionen auf das, was der Patient sagt, zu überwachen, und die den Prozeß der freien Assoziation beim Patienten fördert.[3]

Achtsamkeit scheint eine Aktivierung des Neokortex zu erfordern, besonders der Sprachzentren, um die auftretenden Emotionen zu erkennen und zu benennen. Achtsamkeit ist ein Bewußtsein, das sich nicht von Emotionen fortreißen läßt, das auf Wahrgenommenes nicht überreagiert und es nicht noch verstärkt. Sie ist vielmehr eine neutrale Einstellung, die auch in turbulenten Situationen die Selbstreflexion bewahrt. William Styron scheint in etwa diese geistige Fähigkeit zu beschreiben, wenn er von seiner tiefen Depression und einem Gefühl schreibt, »von einem zweiten Selbst begleitet zu sein – einem geisterhaften Beobachter, der, da er an dem Wahn seines Doppelgängers nicht teilhat, mit kühler Neugier beobachten kann, wie sein Gefährte ringt ...«[4]

Im besten Fall ermöglicht Achtsamkeit gerade ein solches gleichmütiges Wahrnehmen leidenschaftlicher oder stürmischer Gefühle. Mindestens äußert sie sich in einem gewissen Heraustreten aus dem Erleben, einem parallelen Bewußtseinsstrom, der »meta« ist – also über oder neben dem Hauptstrom schwebt – und das Geschehen wahrnimmt, statt darin eingetaucht und verloren zu sein. Der Unterschied ist der, ob man beispielsweise ungeheuer wütend auf jemanden ist oder ob man den selbstreflexiven Gedanken hat »Es ist Wut, was ich empfinde«, während man wütend ist. Diese geringfügige Verschiebung der mentalen Aktivität beruht wahrscheinlich darauf, daß neokortikale Schaltungen aktiv die Emotion beobachten – ein erster Schritt zur Erlangung einer gewissen Kontrolle. Achtsamkeit im Hinblick auf die Emotionen ist die grundlegende emotionale Kompetenz, auf der andere wie etwa die emotionale Selbstkontrolle aufbauen.

Kurz, Achtsamkeit bedeutet, »uns unserer Stimmung als auch unserer Gedanken über diese Stimmung bewußt zu sein«; so definiert es John Mayer, ein Psychologe an der Universität von New Hampshire, der zusammen mit Peter Salovey von der Yale-Universität die Theorie der emotionalen Intelligenz formuliert hat.[5] In der herkömmlichen Formulierung ist Achtsamkeit ein unbeteiligtes, nicht urteilendes Wahrnehmen innerer Zustände. Mayer findet jedoch, daß das moderne Empfinden weniger gleichmütig ist; bei emotionaler Selbstwahrnehmung tauchen meist Gedanken auf wie »Ich sollte dies nicht empfinden«, »Ich denke jetzt an etwas Schönes, um besser gelaunt zu werden« und, bei etwas eingeschränkter Selbstwahrnehmung, als Reaktion auf etwas sehr Aufregendes der flüchtige Gedanke »Bloß nicht daran denken«.

Zwischen dem Wahrnehmen von Gefühlen und ihrer aktiven Änderung besteht zwar ein logischer Unterschied, doch findet Mayer, daß beides praktisch Hand in Hand geht: Eine miese Stimmung erkennen heißt, sie loswerden wollen. Diese Erkenntnis ist jedoch etwas anderes als die Anstrengungen, die wir unternehmen, um nicht einem emotionalen Impuls zu folgen. Wenn wir einem Kind, das sich im Zorn dazu hinreißen ließ, einen Spielkameraden zu schlagen, »Laß das!« zurufen, hört es vielleicht auf zu schlagen, aber der Zorn kocht weiter. Die Gedanken des Kindes bleiben auf den Auslöser des Zorns fixiert – »Er hat mir doch mein Spielzeug geklaut!« –, und der Zorn hält ungemildert an. Achtsamkeit hat eine stärkere Wirkung auf heftige negative Gefühle: Die Einsicht »Es ist Zorn, was ich empfinde« bietet ein größeres Maß an Freiheit – nicht bloß die Option, auf den Zorn einzuwirken, sondern die zusätzliche Option, daß man versucht, ihn loszuwerden.

Nach Mayers Feststellungen gibt es unter den Menschen charakteristische Stile des Umgangs mit den eigenen Emotionen:[6]

*Achtsam.* Menschen dieses Typs nehmen ihre eigenen Stimmungen wahr und zeigen verständlicherweise eine gewisse Kultiviertheit im Umgang mit ihrem Gefühlsleben. Die Klarheit über ihre Emotionen kann andere Persönlichkeitsmerkmale stützen: Sie sind autonom und ihrer eigenen Grenzen bewußt, seelisch gesund und haben meistens eine positive Lebenseinstellung. Wenn sie in schlechte Stimmung geraten, grübeln und quälen sie sich nicht damit, und sie kommen schneller davon los. Kurz, ihre Achtsamkeit hilft ihnen, mit ihren Emotionen fertigzuwerden.

*Überwältigt.* Menschen dieses Typs fühlen sich oft von ihren Emotionen überflutet, fühlen sich ihnen hilflos ausgeliefert, so als seien sie

Sklaven ihrer Stimmungen. Sie sind anfällig für sprunghafte, heftige Stimmungswechsel, und da sie nicht sonderlich auf ihre Gefühle achtgeben, verlieren sie sich in ihnen, statt eine gewisse Übersicht zu behalten. Sie tun daher kaum etwas, um eine schlechte Stimmung loszuwerden, weil sie denken, auf ihr Gefühlsleben keinen Einfluß zu haben. Oft fühlen sie sich überwältigt und nicht mehr Herr ihrer Emotionen.

*Hinnehmend.* Menschen dieses Typs sind sich über ihre Gefühle meistens im klaren, neigen aber auch dazu, ihre Stimmungen hinzunehmen, und versuchen sie daher nicht zu ändern. Der hinnehmende Typ kommt in zwei Varianten vor: Die einen sind meistens in guter Stimmung und haben daher wenig Anlaß, sie zu ändern; die anderen sind, trotz der Klarheit über ihre Stimmungen, anfällig für schlechte Stimmungen, nehmen sie aber mit einer Laissez-faire-Haltung hin und tun nichts, um sie zu ändern, obwohl sie darunter leiden – ein Muster, das man etwa bei depressiven Menschen findet, die sich resigniert mit ihrer Verzweiflung abgefunden haben.

## Der Leidenschaftliche und der Gleichgültige

Stellen Sie sich vor, Sie fliegen von New York nach San Francisco. Bislang verlief der Flug problemlos, aber beim Anflug auf die Rocky Mountains meldet sich der Flugkapitän: »Meine Damen und Herren, wir fliegen in eine Turbulenz hinein. Begeben Sie sich bitte zu Ihren Sitzen und schnallen Sie sich an.« Die Turbulenz, in die das Flugzeug dann gerät, ist heftiger, als Sie je eine erlebt haben; die Maschine wird hochgeschleudert und niedergedrückt, nach links und rechts geworfen, wie ein Wasserball auf den Wellen.

Was tun Sie in diesem Fall? Gehören Sie zu denen, die sich in ihr Buch oder ihre Zeitschrift vergraben, die sich weiterhin den Film ansehen und die Turbulenz ignorieren? Oder holen Sie die Notfallanweisungen hervor und studieren die Vorsichtsmaßregeln, beobachten Sie die Stewardessen, ob sie Anzeichen von Panik zeigen, und spitzen Sie die Ohren, ob Sie an den Triebwerken irgendetwas Beunruhigendes bemerken?

Unsere bevorzugte Aufmerksamkeitshaltung unter Druck erkennen wir daran, zu welcher dieser Reaktionen wir eher neigen. Das Flugzeug-Szenarium ist ein Item eines psychologischen Tests, den Suzanne Miller, eine Psychologin von der Temple-Universität, entwickelt hat, um herauszufinden, ob der Proband dazu neigt, wachsam zu sein und sorgfältig auf jedes Detail einer beunruhigenden Situation zu achten, oder ob er mit solchen bedrängenden Momenten eher in der Weise umgeht, daß er sich abzulenken sucht. Diese beiden Aufmerksamkeitshaltungen angesichts einer Notsituation wirken sich ganz unterschiedlich darauf aus, wie Menschen ihre eigenen Gefühlsreaktionen erleben. Diejenigen, die sich auf die Notlage konzentrieren, können gerade durch ihre gespannte Aufmerksamkeit ungewollt ihre eigenen Reaktionen verstärken, besonders wenn sie sich ohne Achtsamkeit darauf einstellen. Ihre Emotionen scheinen dadurch um so heftiger zu sein. Diejenigen, die abschalten, die sich ablenken, bemerken weniger von ihren eigenen Reaktionen und minimieren dadurch das Erleben ihrer eigenen Reaktionen, wenn nicht gar die Stärke der Reaktion selbst.

In den Extremfällen heißt das, daß die emotionale Selbstwahrnehmung für einige überwältigend ist, während sie für andere kaum existiert. Nehmen wir den Fall des Studenten, der eines Abends in seinem Wohnheim ein Feuer bemerkt, den Feuerlöscher holt und das Feuer löscht. Nichts Ungewöhnliches, außer daß er den Weg zum Feuerlöscher und zurück zum Brandherd nicht rennend, sondern ruhig zurücklegt. Warum? Er hat nicht das Gefühl, daß es dringend ist.

Diese Begebenheit erzählte mir Edward Diener, ein Psychologe an der Universität von Illinois, der die *Intensität* untersucht hat, mit der Menschen ihre Emotionen erleben.[7] In seiner Sammlung von Fallbeispielen ragt der Student als einer der am wenigsten intensiven heraus, denen Diener begegnet ist. Er war praktisch ein Mensch ohne Leidenschaften, einer, der durchs Leben geht und dabei kaum etwas oder gar nichts empfindet, nicht einmal bei einem Notfall wie einem Brand.

Am anderen Ende von Dieners Spektrum steht eine Frau, die tagelang außer sich war, weil sie ihren Lieblingsfüller verloren hatte. Ein anderes Mal wurde sie von einer Anzeige für einen Ausverkauf in einem teuren Schuhgeschäft dermaßen in Erregung versetzt, daß sie alles stehen und liegen ließ, ins Auto sprang und drei Stunden Fahrt zu dem Geschäft in Chicago auf sich nahm.

Nach Dieners Feststellungen empfinden Frauen insgesamt positive wie negative Emotionen stärker als Männer. Und abgesehen von geschlechtlichen Unterschieden haben diejenigen, die mehr bemerken, ein reicheres Gefühlsleben. Die gesteigerte emotionale Empfänglichkeit bedeutet, daß die geringste Provokation bei diesen Menschen Gefühlsstürme auslöst, während diejenigen am anderen Extrem selbst unter den gräßlichsten Umständen kaum etwas empfinden.

## Der Mann ohne Gefühle

Gary machte seine Verlobte Ellen wütend, weil er, obwohl intelligent, aufmerksam zu ihr und als Chirurg erfolgreich, gefühlsstumpf war und auf Gefühle, die sie zeigte, überhaupt nicht reagierte. Über Wissenschaft und Kunst konnte Gary glänzend plaudern, aber wenn es um seine Gefühle – auch die gegenüber Ellen – ging, verstummte er. Sie versuchte alles, um ihm eine Leidenschaft zu entlocken, doch Gary blieb ungerührt, teilnahmslos. »Normalerweise äußere ich meine Gefühle nicht«, erklärte er dem Therapeuten, den er auf Ellens Drängen hin aufsuchte. Als die Sprache auf sein Gefühlsleben kam, bemerkte er: »Ich weiß nicht, wovon ich reden sollte; ich habe keine starken Gefühle, weder positive noch negative.«

Ellen war nicht die einzige, die von Garys Reserviertheit frustriert war; wie er seinem Therapeuten anvertraute, hatte er noch nie mit jemandem offen über seine Gefühle sprechen können. Der Grund: Er wußte gar nicht, was er empfand; Zorn, Trauer und Freude kannte er anscheinend nicht.[8]

Diese emotionale Leere läßt Gary und andere, die ihm ähneln, nach den Feststellungen seines Therapeuten farblos und fad erscheinen: »Sie langweilen jeden. Deshalb schicken ihre Frauen sie zur Behandlung.« Garys emotionale Stumpfheit ist ein Beispiel für das, was die Psychiater »Alexithymie« nennen – aus dem Griechischen »a« für »Mangel«, »lexis« für »Wort« und »thymos« für Gefühl. Solchen Menschen fehlen die Worte für ihre Gefühle. Ihnen scheinen sogar die Gefühle selbst zu fehlen, doch kann dieser Eindruck auf dem Unvermögen beruhen, ihre Emotionen auszudrücken, statt auf dem gänzlichen Fehlen von Emotionen. Psychoanalytiker wurden als erste auf solche Menschen aufmerksam, da ihnen gewisse Patienten zu schaffen machten, die mit ihrer Methode nicht zu heilen waren, weil sie von keinerlei Gefühlen und Phantasien und nur von langweiligen Träumen berichteten, also kein inneres Gefühlsleben erkennen ließen, über das man hätte sprechen können.[9] Zu den klinischen Merkmalen der Alexithymiker gehören Schwierigkeiten mit der Beschreibung von – eigenen oder fremden – Gefühlen und ein stark eingeschränktes Gefühlsvokabular.[10] Außerdem fällt es ihnen schwer, zwischen den einzelnen Emotionen sowie zwischen Emotionen und körperlichen Empfindungen zu unterscheiden; es kann vorkommen, daß sie von einem flauen Gefühl im Magen, von Herzklopfen, Schwitzen und Benommenheit berichten, aber nicht wissen, daß sie Angst empfinden.

»Sie vermitteln den Eindruck, andersartige, fremde Wesen zu sein, die aus einer ganz anderen Welt kommen und in einer Gesellschaft leben, die von Gefühlen beherrscht ist«, schreibt Peter Sifneos, der Harvard-Psychiater, der 1972 den Begriff »Alexithymie« prägte.[11] Alexithymiker weinen zum Beispiel selten, aber wenn, dann fließen die Tränen reichlich. Sie sind aber verwirrt, wenn man sie fragt, weshalb sie weinen. Eine Patientin mit Alexithymie war nach einem Film, in dem eine Frau mit acht Kindern an Krebs starb, dermaßen aufgewühlt, daß sie sich in den Schlaf weinte. Als ihr Therapeut andeutete, daß sie möglicherweise erregt war, weil der Film sie an ihre eigene Mutter erinnerte, die tatsächlich mit einem Krebsleiden im Sterben lag, saß die Frau reglos da, verwirrt und stumm. Als der Therapeut sie daraufhin fragte, was sie in diesem Augenblick empfinde, sagte sie, sie fühle sich »schrecklich«, konnte aber darüber hinaus ihre Gefühle nicht näher schildern. Dann und wann, fügte sie hinzu, ertappe sie sich beim Weinen, wisse aber nie genau, weshalb sie weine.[12]

Und das ist der springende Punkt. Nicht, daß Alexithymiker nichts empfinden, sie sind nur außerstande, ihre Gefühle genau zu erkennen und vor allem, sie in Worte zu fassen. Was ihnen völlig fehlt, ist die grundlegende Fähigkeit der emotionalen Intelligenz, die Selbstwahrnehmung – zu wissen, was man empfindet, wenn Emotionen einen aufwühlen. Alexithymiker widerlegen die landläufige Ansicht, daß es vollkommen klar sei, was wir empfinden; sie haben keinen Schimmer. Wenn etwas oder, was wahrscheinlicher ist, jemand sie doch dazu bringt, etwas zu empfinden, dann ist das für sie eine verwirrende und überwältigende Erfahrung, die sie um jeden Preis zu vermeiden suchen. Gefühle kommen ihnen, wenn sie überhaupt vorkommen, als eine riesige verwirrende Qual vor; sie fühlen sich, wie es die Patientin ausdrückte, die nach dem Film weinte, »schrecklich«, können aber nicht genau sagen, welcher *Art* der Schreck ist, den sie empfinden.

Diese elementare Unklarheit hinsichtlich der Gefühle bringt sie anscheinend öfter dazu, über unklare gesundheitliche Beschwerden zu klagen, während sie in Wirklichkeit emotionale Not leiden – ein Phänomen, das die Psychiater als »Somatisieren« kennen, als Verwechslung eines emotionalen Schmerzes mit einem körperlichen (dies ist etwas anderes als ein »psychosomatisches« Leiden, bei dem emotionale Probleme echte Gesundheitsprobleme verursachen können). Psychiater befassen sich mit Alexithymikern vielfach mit dem Ziel, sie aus der Schar derer herauszufiltern, die bei den Ärzten Hilfe suchen, denn diese neigen dazu, sich hartnäckig – und vergeblich – um eine ärztliche

Diagnose und die Behandlung eines in Wirklichkeit emotionalen Problems zu bemühen.

Über die Ursache der Alexithymie kann bislang niemand etwas Genaues sagen, doch denkt Sifneos, daß die Verbindung zwischen dem limbischen System und dem Neokortex unterbrochen sein könnte; das paßt gut mit dem zusammen, was wir nach und nach über das emotionale Gehirn in Erfahrung bringen. Patienten mit schweren Anfällen, bei denen zur Linderung der Symptome diese Verbindung chirurgisch gekappt wurde, wurden nach Sifneos' Beobachtungen gefühlsstumpf wie Patienten mit Alexithymie, waren nicht fähig, ihre Gefühle in Worte zu fassen, und hatten auf einmal keine Phantasien mehr. Kurz, die Schaltungen des emotionalen Gehirns mögen zwar mit Gefühlen reagieren, doch kann der Neokortex diese Gefühle nicht einordnen und ihnen die Nuancen der Sprache hinzufügen. Über diese Fähigkeit der Sprache bemerkt Henry Roth in seinem Roman *Call It Sleep*: »Wenn du dem, was du fühltest, Worte geben konntest, war es deines.« Daraus ergibt sich zwanglos das Dilemma des Alexithymikers: Daß er keine Worte für die Gefühle hat, bedeutet, daß er sie nicht zu seinen eigenen machen kann.

## Lob des Gefühls aus dem Bauch

Elliot hatte direkt hinter der Stirn einen Tumor von der Größe einer kleinen Orange, der operativ vollständig entfernt wurde. Die Operation galt als gelungen, doch wer ihn gut gekannt hatte, sagte hinterher: »Elliot war nicht mehr derselbe« – er hatte eine einschneidende Persönlichkeitsveränderung erlitten. Elliot, zuvor ein erfolgreicher Rechtsberater in einer Firma, konnte sich in keiner Stellung mehr halten. Seine Frau verließ ihn. Nachdem er seine Ersparnisse mit fruchtlosen Investitionen vergeudet hatte, fristete er sein Dasein im Gästezimmer seines Bruders.

Elliots Problem hatte etwas Rätselhaftes: Intellektuell war er genauso auf der Höhe wie vorher, aber er konnte seine Zeit überhaupt nicht einteilen und verlor sich in unbedeutenden Einzelheiten; offenbar war ihm jedes Gefühl für das, was wichtig war, abhanden gekommen. Auch Rügen seiner Vorgesetzten bewirkten nichts; in verschiedenen Firmen wurde er als Rechtsberater gefeuert. Ausführliche Tests zeigten zwar keine Defizite, was Elliots geistige Fähigkeiten anging, doch suchte er einen Neurologen auf, weil er hoffte, die Feststellung eines neurologischen Problems werde ihm die Erwerbsunfähigkeitsrente verschaffen, auf die er einen Anspruch zu haben glaubte. Andernfalls mußte man ja annehmen, er sei ein Simulant.

Antonio Damasio, dem von Elliot konsultierten Neurologen, fiel auf, daß in Elliots mentalem Repertoire etwas fehlte: Das logische Denken, das Gedächtnis, die Aufmerksamkeit und alle sonstigen kognitiven Fähigkeiten waren einwandfrei, nur hatte Elliot praktisch kein Gefühl für das, was mit ihm geschah.[13] Am auffälligsten war, daß Elliot völlig leidenschaftslos von den tragischen Ereignissen seines Lebens erzählen konnte, als hätte er die Verluste und Fehlschläge seiner Vergangenheit wie ein Zuschauer erlebt – ohne einen Hauch von Bedauern oder Traurigkeit, Ärger oder Zorn über die Ungerechtigkeit des Lebens. Seine eigene Tragödie machte ihm keinen Kummer; Damasio regte sich über Elliots Geschichte mehr auf als dieser selbst.

Damasio führte diese Gefühlsblindheit darauf zurück, daß mit dem Hirntumor ein Teil von Elliots Präfrontallappen entfernt worden war. Bei der Operation waren tatsächlich Verbindungen zwischen tieferen Hirnzentren, speziell dem Mandelkern und angrenzenden Schaltungen, und den Denkfähigkeiten des Neokortex durchtrennt worden. Elliot begann wie ein Computer zu denken, konnte in einem Entscheidungskalkül jeden einzelnen Schritt vollziehen, war aber außerstande, den differierenden Möglichkeiten *Werte* zuzuweisen. Jede Option bedeutete ihm gleich viel. Und in diesem übertrieben leidenschaftslosen Denken bestand Elliots Problem: Seine logischen Überlegungen wurden falsch, weil er zu wenig beachtete, was die Dinge für ihn selbst bedeuteten.

Selbst bei trivialen Entscheidungen zeigte sich dieses Handikap. Wenn Damasio Tag und Stunde für den nächsten Termin mit Elliot ausmachen wollte, kam es zu einem unschlüssigen Gewurstel: Bei jedem Tag und jeder Stunde, die Damasio vorschlug, fand Elliot Argumente dafür und dagegen, aber er konnte sich nicht zwischen ihnen entscheiden. Rational gab es durchaus »gute Gründe«, praktisch jeden vorgeschlagenen Termin abzulehnen oder zu akzeptieren. Elliot hatte aber überhaupt kein Gespür dafür, was er von den genannten Terminen halten sollte. Da er seine eigenen Gefühle nicht erkannte, hatte er überhaupt keine Präferenzen.

Aus Elliots Unschlüssigkeit können wir etwas lernen: Um uns in dem endlosen Strom der persönlichen Entscheidungen, die wir immer wieder treffen müssen, zurechtzufinden, kommt es entscheidend auf das Gefühl an. Starke Gefühle können sich zwar verheerend auf das logische Denken auswirken, doch die fehlende Wahrnehmung der eigenen Gefühle kann nicht minder ruinös sein, speziell bei der Abwägung der Entscheidungen, von denen unser Lebensweg in hohem Maße abhängt: welchen Beruf wir wählen, mit wem wir gehen und wen wir heiraten, wo wir leben, welche Wohnung wir mieten oder welches Haus wir kaufen und dergleichen mehr das ganze Leben hindurch. Mit bloßer Rationalität kann man solche Entscheidungen nicht richtig treffen; dazu braucht man Instinkt – das Gefühl im Bauch – und die Gefühlsklugheit, die man mit der Lebenserfahrung erwirbt. Wenn es darum geht, wen wir heiraten, wem wir vertrauen oder auch nur, welche Stelle wir annehmen sollen, kommt man allein mit formaler Logik nicht aus; dies sind Bereiche, in denen die Vernunft ohne Gefühl blind ist.

Die intuitiven Signale, die uns in diesen Situationen leiten, sind limbische Impulse aus dem Bauch – Damasio spricht von einem »somatischen Warnzeichen«, buchstäblich dem Gefühl im Bauch. Das somatische Warnzeichen ist so etwas wie ein automatischer Alarm, der unsere Aufmerksamkeit in der Regel auf eine Gefahr lenkt, die mit einer bestimmten Handlungsweise verbunden ist. Diese Warnzeichen halten uns meistens von einer Entscheidung ab, die wir nach aller Erfahrung meiden sollten, doch können sie uns auch auf eine einmalige Gelegenheit aufmerksam machen. Im jeweiligen Moment ist uns gewöhnlich nicht klar, auf welche Erfahrungen dieses negative Gefühl sich im einzelnen stützt; alles, was wir brauchen, ist das Signal, daß eine mögliche Handlungsweise verheerend sein könnte. Meldet sich ein solches instinktives Gefühl, können wir die erwogene Handlungsweise sofort mit größerer Sicherheit entweder aufgeben oder weiterverfolgen und so das Spektrum unserer Wahlmöglichkeiten auf eine leichter handhabbare Entscheidungsmatrix einengen. Der Schlüssel zu vernünftigeren persönlichen Entscheidungen ist, kurz gesagt, auf unsere Gefühle zu achten.

## Ausloten des Unbewußten

Elliots emotionale Leere läßt vermuten, daß die Fähigkeit, die eigenen Emotionen wahrzunehmen, eine gewisse Bandbreite aufweist. Nach der Logik der Neurowissenschaft folgt aus der Tatsache, daß das Fehlen einer neuralen Schaltung zum Ausfall einer Fähigkeit führt, daß bei unversehrtem Gehirn die relative Stärke oder Schwäche dieser Schaltung mit einer entsprechenden Kompetenz in dieser Fähigkeit einhergeht. Daraus folgt, weil die präfrontalen Schaltungen an der Einstellung auf die Emotionen beteiligt sind, daß manche von uns aus neurologischen Gründen eine Regung von Freude oder Furcht leichter erkennen als andere, also eine gesteigerte emotionale Selbstwahrnehmung haben.

Die Gabe der psychologischen Introspektion hängt möglicherweise auch von dieser Schaltung ab. Manche sind von Natur aus stärker auf die spezifischen symbolischen Formen des emotionalen Geistes eingestellt: Metapher und Gleichnis, Dichtung, Lied und Fabel, sie alle sind in der Sprache des Herzens verfaßt. Dies gilt auch für Träume und Mythen, deren Erzählfluß, der Logik des emotionalen Geistes gehorchend, von losen Assoziationen bestimmt ist. Wer von Natur aus auf die Stimme seines Herzens – die Sprache der Emotion – eingestellt ist, wird seine Botschaften mit größerem Geschick artikulieren, sei es als Romanautor, als Songdichter oder als Psychotherapeut. Diese innere Einstimmung geht vermutlich mit einer stärkeren Begabung einher, der »Weisheit des Unbewußten« Ausdruck zu geben: den erspürten Bedeutungen unserer Träume und Phantasien, den Symbolen, die unsere tiefsten Wünsche verkörpern.

Selbstwahrnehmung ist grundlegend für die psychologische Einsicht, und oft ist es das Ziel der Psychotherapie, diese Fähigkeit zu stärken. Howard Gardners Vorbild der intrapsychischen Einsicht ist denn auch Sigmund Freud, der große Erforscher der geheimen Dynamik der Seele. Ein Großteil des Gefühlslebens ist, wie Freud deutlich gemacht hat, unbewußt; nicht alle Gefühle, die sich in uns regen, überschreiten die Schwelle zum Bewußtsein. Empirisch wird dieses psychologische Axiom etwa durch Experimente über unbewußte Emotionen belegt, darunter die bemerkenswerte Feststellung, daß Menschen eindeutige Vorlieben für Dinge entwickeln, von denen sie nicht einmal wissen, ob sie sie jemals vorher gesehen haben. Jede Emotion kann unbewußt sein – und oft ist sie es auch.

Die physiologischen Anfänge einer Emotion treten in der Regel auf, ehe der Mensch das Gefühl selbst bewußt wahrnimmt. Zeigt man Probanden, die sich vor Schlangen fürchten, Bilder von Schlangen, so registrieren auf der Haut angebrachte Sensoren einen Schweißausbruch, der auf Angst schließen läßt, obwohl sie sagen, sie empfänden keine Angst. Man stellt bei ihnen Schweiß auch dann fest, wenn das Bild einer Schlange so kurz gezeigt wird, daß sie davon keinen bewußten Eindruck erhalten. Gibt man fortgesetzt solche vorbewußten emotionalen Anstöße, werden sie schließlich so stark, daß sie ins Bewußtsein dringen. Es gibt also zwei Ebenen der Emotion, eine bewußte und eine unbewußte. In dem Moment, da eine Emotion ins Bewußtsein dringt, wird sie im frontalen Kortex registriert.[14]

Emotionen, die unterhalb der Bewußtseinsschwelle gären, können unsere Wahrnehmungen und Reaktionen mächtig beeinflussen, auch wenn wir von ihrem Wirken nichts ahnen. Jemand hat beispielsweise am Morgen einen heftigen Zusammenstoß erlebt und ist danach stundenlang gereizter Stimmung, nimmt Dinge, die gar nicht so gemeint waren, krumm und schnauzt grundlos die Leute an. Es kann durchaus sein, daß er von seiner anhaltenden Gereiztheit nichts weiß und überrascht ist, wenn man ihn darauf aufmerksam macht, obwohl sie dicht unterhalb seiner Wahrnehmungsschwelle am Brodeln ist und seine schroffen Reaktionen diktiert. Ist diese Reaktion ihm aber bewußt geworden, ist sie erst einmal im Kortex registriert, so kann er die Dinge einer neuen Bewertung unterziehen, sich entschließen, über die vom Morgen zurückgebliebenen Gefühle achselzuckend hinwegzugehen und seine Einstellung und Stimmung zu ändern. Emotionale Selbstwahrnehmung ist in diesem Sinne der Baustein für das nächste Grundelement der emotionalen Intelligenz, die Fähigkeit, eine schlechte Stimmung abzuschütteln.

# 5

# Sklaven der Leidenschaft

Denn du warst ...
Ein Mann, der Stöß' und Gaben vom Geschick
Mit gleichem Dank genommen ...
Gebt mir den Mann, den seine Leidenschaft
Nicht macht zum Sklaven, und ich will ihn hegen
Im Herzensgrund, ja in des Herzens Herzen
Wie ich dich hege ...

*Hamlet zu seinem Freund Horatio*

Eine gewisse Selbstbeherrschung, die Fähigkeit, den Gefühlsstürmen, die die Stöße des Schicksals hervorrufen, zu widerstehen, statt ein »Sklave der Leidenschaft« zu sein, ist seit den Zeiten Platons als Tugend gepriesen worden. Die alten Griechen hatten dafür das Wort *sophrosyne*, von dem Gräzisten Page DuBois übersetzt als »Sorgfalt und Klugheit der Lebensführung; eine maßvolle Ausgeglichenheit und Weisheit«. Die Römer und die frühen Christen nannten es *temperantia*, Mäßigkeit, die Zügelung des Gefühlsüberschwangs. Das Ziel ist Ausgeglichenheit, nicht Unterdrückung der Gefühle: Jedes Gefühl hat seinen Wert und seine Bedeutung. Ein Leben ohne Leidenschaft wäre eine öde Wüste der Gleichgültigkeit, abgeschnitten vom Reichtum des Lebens selbst. Gewünscht ist, wie Aristoteles bemerkte, die *angemessene* Emotion, das den Umständen entsprechende Gefühl. Werden Emotionen allzu sehr gedämpft, entsteht Langeweile und Distanz; geraten sie außer Kontrolle, sind sie allzu extrem und wollen sie nicht vergehen, so werden sie pathologisch, wie in der lähmenden Depression, der überwältigenden Angst, dem rasenden Zorn, der manischen Unruhe.

Der Schlüssel zum emotionalen Wohlbefinden liegt denn auch darin, unsere bedrängenden Emotionen in Schach zu halten; Extreme – Emotionen, die zu intensiv werden oder zu lange anhalten – untergraben unsere Stabilität. Natürlich sollten wir nicht bloß eine Art von Emotion empfinden; ständig glücklich zu sein, erinnert an die langweiligen Anstecker mit einem herablassenden »lächelnden Gesicht«, die in den siebziger Jahre eine flüchtige Mode waren. Es spricht manches dafür, daß Leiden konstruktiv zu einem schöpferischen und spirituellen Leben beiträgt; Leid kann die Seele mäßigen.

Tiefen und Höhen verleihen dem Leben Würze, müssen aber ausgeglichen sein. Im Kalkül des Herzens hängt das Wohlbefinden vom Verhältnis zwischen positiven und negativen Emotionen ab – das ist zumindest das Ergebnis von Stimmungs-Untersuchungen, bei denen Hunderte von Männern und Frauen zu den unterschiedlichsten Zeiten durch Piepstöne aufgefordert wurden, festzuhalten, was sie gerade empfanden.[1] Es geht nicht darum, daß man negative Emotionen meiden muß, um zufrieden zu sein, sondern darum, daß man stürmischen Gefühlen nicht erlaubt, alle angenehmen Stimmungen zu verdrängen. Wer episodisch heftigen Zorn oder tiefe Depressionen erlebt, kann sich dennoch wohlfühlen, wenn er zum Ausgleich ebenso fröhliche oder glückliche Zeiten erlebt. Diese Untersuchungen bestätigen auch, daß die emotionale Intelligenz von der akademischen Intelligenz unabhängig ist: Zwischen Zeugnisnoten oder IQ und dem emotionalen Wohlbefinden besteht kein oder kaum ein Zusammenhang.

So wie sich im Geist ein ständiges Gemurmel von Hintergrundgedanken findet, so gibt es auch einen konstanten emotionalen Hintergrund; ob einer um sechs Uhr morgens oder um sieben Uhr abends angepiepst wird – stets wird er sich in dieser oder jener Stimmung befinden. Natürlich wird die morgendliche Stimmung an zwei beliebigen Tagen nicht gleich sein; wenn man aber die Stimmungen eines Menschen über Wochen und Monate mittelt, ergibt sich doch ein Gesamtbild seines Wohlbefindens. Es zeigt sich, daß extrem intensive Gefühle bei den meisten relativ selten sind; die meisten von uns liegen im grauen mittleren Bereich, mit sanften Höckern in unserem emotionalen Auf und Ab.

Dennoch ist der Umgang mit unseren Emotionen so etwas wie eine Ganztagsbeschäftigung; vieles, was wir – besonders in unserer Freizeit – tun, zielt darauf, unsere Stimmung zu lenken. Alles, vom Lesen eines Romans oder vom Fernsehen bis zu den Aktivitäten und Freunden, für die wir uns entscheiden, kann als ein Bemühen aufgefaßt werden, zu erreichen, daß wir uns besser fühlen. Die Kunst, uns selbst zu beruhigen, ist eine grundlegende Fertigkeit; für psychoanalytische Denker wie John Bowlby und D. W. Winnicott ist sie eines der wichtigsten psychischen Instrumente. Emotional gesunde Kinder, so die Theorie, lernen, sich selbst zu beruhigen, indem sie sich selbst so behandeln, wie ihre Betreuungspersonen sie behandelt haben; sie sind dadurch weniger anfällig für die Stürme des emotionalen Gehirns.

Wie wir gesehen haben, folgt aus dem Aufbau des Gehirns, daß wir keinen oder kaum einen Einfluß darauf haben, *wann* uns eine Emotion erfaßt und *welcher Art* diese Emotion ist. Das ist kein Problem, solange es um Kummer, Sorge oder Ärger der üblichen Spielart geht; solche Stimmungen vergehen meist, wenn man nur Geduld hat. Sind diese Emotionen aber von großer Intensität und halten sie sich länger als eine angemessene Zeit, so gehen sie allmählich in ihre bedrängenden Extremformen über – chronische Angst, unbezähmbarer Zorn, Depression. Und in den schwersten und hartnäckigsten Fällen kann zu ihrer Aufhebung medikamentöse Behandlung, Psychotherapie oder beides erforderlich sein.

Es kann in diesen Fällen ein Zeichen der Fähigkeit zu emotionaler Selbstregulierung sein, daß man erkennt, wann die chronische Unruhe des emotionalen Gehirns zu stark ist, um ohne pharmakologische Unterstützung überwunden zu werden. Beispielsweise sind zwei Drittel derer, die an manischer Depression leiden, nie deswegen in Behandlung gewesen. Mit Lithium oder neueren Medikamenten läßt sich aber der typische Kreislauf von lähmender Depression und manischen Phasen durchbrechen, bei denen chaotische Hochstimmung und bombastisches Selbstgefühl sich mit Gereiztheit und Wut mischen. Eines der Probleme der manischen Depression besteht darin, daß die Menschen, während sie von der Manie beherrscht werden, oft so übertrieben selbstsicher sind, daß sie trotz der verheerenden Entscheidungen, die sie treffen, keinerlei Bedarf für irgendeine Art von Hilfe sehen. Bei derart schweren emotionalen Störungen bietet die psychiatrische Medikation ein Mittel, um besser damit fertig zu werden.

Wenn es aber darum geht, schlechte Stimmungen der üblichen Art zu überwinden, sind wir auf uns selbst angewiesen. Die eigenen Mittel sind jedoch leider nicht in allen Fällen wirksam – zu diesem Schluß kommt jedenfalls Diane Tice, Psychologin an der Case Western Reserve-Universität, die über 4000 Männer und Frauen nach den Strategien befragt hat, mit denen sie schlechten Stimmungen zu entgehen suchen, und nach deren Erfolg.[2]

Nicht jeder stimmt der philosophischen Prämisse zu, daß man an schlechten Stimmungen etwas ändern sollte; es gibt, wie Tice herausfand, rund fünf Prozent »Stimmungspuristen«, die angaben, keinerlei Versuche zu machen, ihre Stimmung zu ändern, weil alle Emotionen aus ihrer Sicht »natürlich« sind und einfach hingenommen werden sollten, wie entmutigend sie auch sein mögen. Außerdem gibt es solche, die aus pragmatischen Gründen immer wieder bestrebt sind, sich in eine unangenehme Stimmung zu versetzen: Ärzte, die sich melancholisch geben müssen, um ihren Patienten etwas Unerfreuliches mitzuteilen; soziale Aktivisten, die ihren Zorn über eine Ungerechtigkeit anfachen, um sie wirksamer bekämpfen zu können; ein junger Mann steigerte sich sogar in eine Wut hinein, um seinem kleinen Bruder zu helfen, der auf dem Spielplatz von anderen schikaniert wurde. Manche manipulieren sogar ihre Stimmung ganz machiavellistisch, etwa die Schuldeneintreiber, die sich künstlich in Wut versetzen, um energischer bei faulen Kunden auftreten zu können.[3] Doch abgesehen von diesen seltenen Fällen der vorsätzlichen Kultivierung einer unangenehmen Stimmung klagten fast alle, ihren Stimmungen ausgeliefert zu sein. Ihren Bemühungen, eine schlechte Stimmung abzuschütteln, war kein eindeutiger Erfolg beschieden.

## Die Anatomie der Wut

Angenommen, Sie fahren auf der Autobahn und ein anderes Fahrzeug schneidet Sie in gefährlicher Weise. Wenn Sie reflexartig denken: »So ein Arschloch!«, kommt es für den Verlauf der Wut sehr darauf an, ob Sie sich anschließend weiteren Gedanken der Empörung und der Rache hingeben: »Fast hätte er mich gerammt! Dieser Schweinehund – so kommt er mir nicht davon!« Sie umklammern das Lenkrad so fest, daß die Knöchel weiß werden, eine Ersatzhandlung dafür, ihm die Kehle abzudrücken. Ihr Körper macht für den Kampf, nicht für die Flucht mobil – Sie zittern, Schweißperlen treten auf die Stirn, Ihr Herz hämmert, Ihre Gesichtsmuskeln verkrampfen sich zu einer drohenden Grimasse. Sie möchten den Kerl umbringen. Wenn dann ein anderer Fahrer hinter Ihnen hupt, weil Sie nach dem Beinahezusammenstoß Ihre Fahrt verlangsamt haben, könnten Sie vor Wut auch über diesen Fahrer in die Luft gehen. So kommt es zu Hypertonie, rücksichtslosem Fahren und sogar zu Schießereien auf der Autobahn.

Statt sich so immer mehr in eine Wut hineinzusteigern, könnten Sie dem Fahrer, der Sie geschnitten hat, aber auch nachsichtiger begegnen: »Vielleicht hat er mich nicht gesehen, oder er hatte einen triftigen Grund, so achtlos zu fahren, vielleicht mußte er dringend zum Arzt.« Auf diese Weise wird die Wut durch Großmut gedämpft, zumindest wird der Kopf etwas klarer, so daß die Wut nicht mehr unaufhaltsam wächst. Das Problem ist – und darauf verweist uns auch Aristoteles' Ermahnung, uns nur *angemessen* zu ärgern –, daß unsere Wut meistens außer Kontrolle gerät. Benjamin Franklin hat das schön formuliert: »Wir sind nie grundlos wütend, aber selten aus einem guten Grund.«

Natürlich gibt es verschiedene Arten von Ärger und Wut. Die plötzlich aufflammende Wut über den Fahrer, dessen Achtlosigkeit uns in Gefahr bringt, kann ihre Quelle durchaus im Mandelkern haben. Eher kalkulierte Formen der Wut wie die kaltblütige Rache oder die Empörung über Ungerechtigkeit werden aber höchstwahrscheinlich vom anderen Ende der emotionalen Schaltung, dem Neokortex, geschürt. Solche überlegten Formen der Wut haben am ehesten, um Franklin zu zitieren, »gute Gründe«.

Von allen Stimmungen, denen Menschen zu entrinnen trachten, scheint die Wut am unnachgiebigsten zu sein; Tice fand heraus, daß die Wut jene Stimmung ist, die die Menschen am schlechtesten unter Kontrolle bringen. Die Wut ist von allen negativen Emotionen die verführerischste; der selbstgerechte innere Monolog, der sie antreibt, liefert uns die überzeugendsten Argumente dafür, unserer Wut freien Lauf zu lassen. Wut wirkt, anders als die Traurigkeit, anspornend, ja sogar belebend. Die verlockende, verführererische Macht der Wut erklärt vielleicht schon einige der Ansichten, die häufig über sie geäußert werden: daß die Wut unbeherrschbar sei oder daß man sie gar nicht beherrschen *sollte* und daß es nur heilsam sei, wenn wir der Wut in einer »Katharsis« freien Lauf lassen. Nach einer anderen Ansicht, die möglicherweise eine Reaktion auf das düstere Bild dieser beiden anderen ist, läßt Wut sich von vornherein unterbinden. Hält man sich jedoch an die Forschungsresultate, so sind all diese geläufigen Ansichten über die Wut irrig, wenn nicht sogar regelrechte Mythen.[4]

In der Kette zorniger Gedanken, die den Zorn anfachen, steckt zugleich der Schlüssel zu einem der wirksamsten Mittel, den Zorn zu entschärfen: Man muß die Überzeugungen untergraben, die dem Zorn überhaupt erst Nahrung geben. Je länger wir darüber nachgrübeln, was uns zornig gemacht hat, desto mehr »gute Gründe« und Selbstrechtfertigungen fürs Zornigsein finden wir. Brüten schüttet Öl in die Flammen des Zorns, während es sie löscht, wenn wir die Dinge anders betrachten. Eine der wirksamsten Methoden, Zorn zu beschwichtigen, besteht, wie Tice herausfand, darin, einer Situation eine positivere Deutung zu geben.

Dieses Resultat steht im Einklang mit den Feststellungen des Psychologen Dolf Zillmann von der Universität von Alabama, der in einer langen Reihe sorgfältiger Experimente den Zorn und die Anatomie der Wut genau vermessen hat.[5] Da der Zorn dem »Kampf«aspekt der Kampf-oder-Flucht-Reaktion entspringt, ist Zillmanns Feststellung, ein universaler Auslöser für den Zorn sei das Gefühl, gefährdet zu sein, nicht überraschend. Ein Gefährdungssignal kann nicht bloß von einer direkten körperlichen Bedrohung ausgehen, sondern auch – und das ist häufiger der Fall – von einer symbolischen Bedrohung der Selbstachtung oder der Würde: wenn man ungerecht oder schroff behandelt wird, wenn man beleidigt oder erniedrigt wird, wenn die Verfolgung eines wichtigen Ziels vereitelt wird. Diese Wahrnehmungen wirken als Auslöser einer limbischen Aufwallung, die sich auf das Gehirn zweifach auswirken. Zum einen werden Katecholamine ausgeschüttet, die für einen raschen »kurzfristigen« Kräftestoß sorgen, ausreichend, wie Zillmann schreibt, für »eine energische Tat wie bei Kampf oder Flucht«. Dieser Kräftestoß hält einige Minuten an, in denen er den Körper in die Lage versetzt, tüchtig zu kämpfen oder rasch zu flüchten, je nachdem, wie das emotionale Gehirn den Gegner einschätzt.

Währenddessen erzeugt eine andere, vom Mandelkern ausgehende Woge durch den adrenokortikalen Zweig des Nervensystems einen allgemeinen »tonischen« Hintergrund der Handlungsbereitschaft, der sehr viel länger anhält als der durch Katecholamine bewirkte Kraftstoß. Diese generalisierte adrenale und kortikale Erregung kann Stunden und sogar Tage anhalten; sie hält das emotionale Gehirn in einem speziellen Erregbarkeitszustand und wird zur Grundlage, auf der weitere Reaktionen besonders rasch aufbauen können. Die durch die adrenokortikale Erregung herbeigeführte Gereiztheit erklärt, warum Menschen sehr viel stärker zu wütenden Reaktionen neigen, wenn sie bereits durch etwas anderes provoziert oder leicht verärgert wurden. Stress jeder Art ruft eine adrenokortikale Erregung hervor und senkt die Schwelle für mögliche Wutauslöser. Wer in der Arbeit einen »schweren Tag« hinter sich hat, kann dann zu Hause leichter in Wut geraten, wenn beispielsweise die Kinder zu laut sind, was aber unter anderen Umständen nicht ausreichen würde, um ein emotionales Entgleisen auszulösen.

Zillmann hat diese Erkenntnisse über den Zorn durch sorgfältige

Experimente gewonnen. In einer Untersuchung ließ er beispielsweise Versuchspersonen, die sich freiwillig gemeldet hatten, von einem Assistenten, mit dem er sich abgesprochen hatte, durch höhnische Bemerkungen über sie provozieren. Anschließend sahen die Probanden einen Film, und zwar entweder einen angenehmen oder einen unerfreulichen. Schließlich erhielten die Probanden Gelegenheit, sich für die abfälligen Bemerkungen des Assistenten zu rächen: Sie sollten über ihn ein Urteil abgeben, das – so machte man sie glauben – bei der Entscheidung, ob er eingestellt werden sollte, berücksichtigt würde. Die Intensität ihrer Vergeltung war der Erregung durch den kurz zuvor betrachteten Film direkt proportional; nach dem unerfreulichen Film waren sie wütender und gaben die schlechtesten Bewertungen über ihn ab.

## *Zorn nährt Zorn*

Zillmanns Untersuchungen bieten offenbar eine Erklärung für die Dynamik eines vertrauten Familiendramas, dessen Zeuge ich einmal beim Einkaufen wurde. Über den Gang des Supermarkts ertönte die Stimme einer jungen Mutter, die ihren etwa drei Jahre alten Sohn energisch aufforderte: »Leg das wieder hin!«

»Ich will das aber *haben*!« quengelte er und umklammerte noch fester eine Ninja-Turtles-Cornflakesschachtel.

»Leg das wieder hin!« Lauter, nunmehr zornig.

In diesem Moment ließ die Kleine im Kindersitz des Einkaufswagens das Geleeglas fallen, das sie in den Mund genommen hatte. Als es am Boden zerschellte, schrie die Mutter »Jetzt reicht's!«, gab der Kleinen wütend einen Klaps, entriß dem Jungen die Schachtel und schleuderte sie ins erstbeste Regal, packte ihn um die Hüfte, hob ihn hoch und eilte den Gang hinunter, vor sich den gefährlich schwankenden Einkaufswagen mit dem Baby, das nun anfing zu weinen, während ihr Sohn mit den Beinen strampelte und verlangte: »Laß mich runter, laß mich runter!«

Ist der Körper, so Zillmanns Feststellung, bereits in einem gereizten Zustand (wie hier die Mutter) und löst irgendetwas ein emotionales Entgleisen aus, dann ist die folgende Emotion, sei es Zorn oder Angst, besonders intensiv. Diese Dynamik ist im Spiel, wenn man in Zorn gerät. Der sich aufschaukelnde Zorn ist Zillmann zufolge »eine Abfolge von Provokationen, die jeweils eine exzitatorische Reaktion auslösen, die sich nur langsam legt«. Jeder weitere zornerregende Gedanke, jede Wahrnehmung in dieser Abfolge wird zu einem Miniauslöser für vom Mandelkern angetriebene Ausschüttungen von Katecholaminen, die die hormonale Wucht der vorangegangenen Ausschüttungen verstärken. Ehe die erste abgeklungen ist, kommt schon die nächste, darauf türmt sich eine dritte und so weiter; jede Woge überlagert sich den Nachwirkungen der vorangegangenen, so daß das physiologische Erregungsniveau des Körpers rasch eskaliert. In diesem sich aufschaukelnden Prozeß löst ein Gedanke, der später auftaucht, einen weit heftigeren Zorn aus als einer, der zu Anfang auftaucht. Zorn nährt Zorn, das emotionale Gehirn erhitzt sich. Durch keine Vernunft mehr gefesselt, kann Zorn jetzt leicht in Gewalt ausarten.

An diesem Punkt sind die Menschen unversöhnlich, sie lassen nicht mehr mit sich reden; ihre Gedanken kreisen um Rache und Vergeltung, ungeachtet der Folgen. Dieses hohe Erregungsniveau, so Zillmann, »fördert eine Illusion der Macht und der Unverletzlichkeit, die Aggression anstacheln und erleichtern kann«, denn »in Ermangelung einer kognitiven Lenkung« greift der wütende Mensch auf die primitivsten Reaktionen zurück. Der limbische Antrieb herrscht vor; die übelsten Lektionen, die uns die Brutalität des Lebens beigebracht hat, werden Ratgeber für das Handeln.

## *Balsam für den Zorn*

Angesichts dieser Anatomie des Zorns sieht Zillmann zwei Punkte, wo man eingreifen kann. Zum einen kann man auf die Gedanken, die die Zornesaufwallungen auslösen, eingehen und sie in Frage stellen. Es ist ja die ursprüngliche Einschätzung einer Interaktion, welche den ersten Zornesausbruch bestärkt und ermutigt, während die anschließenden Einschätzungen zusätzlich Öl ins Feuer gießen. Es kommt auf das Timing an; je früher man in den Zornzyklus eingreift, desto größer die Wirkung. Man kann den Zorn sogar völlig ausschalten, wenn die besänftigende Information gegeben wird, bevor der zornige Impuls befolgt wird.

Daß man Zorn durch Verständnis entschärfen kann, zeigt ein anderes Experiment von Zillmann. Die freiwilligen Versuchsteilnehmer, die auf einem Heimtrainer strampelten, wurden von einem rüpelhaften Assistenten (sein Verhalten war abgesprochen) beleidigt und provoziert. Sie erhielten Gelegenheit, sich an ihm zu rächen, indem sie ein schlechtes Urteil über ihn abgaben, von dem sie glaubten, es falle bei der Entscheidung über seine Stellenbewerbung ins Gewicht, und sie nahmen die Gelegenheit freudig wahr. Bei einer Abwandlung dieses Experiments trat jedoch eine weitere, in die Sache eingeweihte Assistentin auf, kurz bevor die Probanden Gelegenheit erhielten, sich für die Beleidigungen zu rächen; sie rief den Provokateur in einen anderen Raum ans Telefon. Im Hinausgehen machte er auch zu ihr eine abfällige Bemerkung. Sie nahm es jedoch gelassen auf und erklärte, nachdem er gegangen war, er stehe unter furchtbarem Druck wegen seiner bevorstehenden mündlichen Abschlußprüfung. Als die zornigen Probanden anschließend Gelegenheit bekamen, sich an dem unverschämten Kerl zu rächen, ließen sie es sein, ja, sie brachten sogar Mitgefühl und Verständnis für ihn zum Ausdruck.

Solche abschwächenden Informationen gestatten es, die Vorgänge, die den Zorn erregt haben, in einem neuen Licht zu betrachten. Allerdings gibt es für diese Deeskalation ein bestimmtes Fenster der Gelegenheit. Es funktioniert gut, wie Zillmann feststellte, bei mäßigem Zorn; bei äußerster Wut spielt es keine Rolle, wegen der »kognitiven Unfähigkeit« der Leute – sie können nicht mehr klar denken. Von Leuten, die äußerst aufgebracht waren, wurde die abschwächende Information abgetan mit Bemerkungen wie »Das ist doch zu dumm!« oder mit »den vulgärsten Ausdrücken, die die englische Sprache bereithält«, wie Zillmann es vornehm umschreibt.

## Wie man sich abregt

*Ich war ungefähr dreizehn, als ich in einem Wutanfall das Haus verließ und mir schwor, nie wieder zurückzukehren. Es war ein schöner Sommertag, und ich wanderte weit durch liebliche Gefilde, bis die Stille und Schönheit mich nach und nach beruhigte und besänftigte, und nach einigen Stunden kehrte ich reumütig und beinahe gerührt zurück. Wenn ich jetzt einmal wütend bin, mache ich es genauso, wenn es möglich ist, und ich finde, das ist das beste Heilmittel.*

Die Schilderung stammt aus einer der allerersten wissenschaftlichen Untersuchungen über den Zorn, aus dem Jahre 1899.[6] Sie ist noch immer ein Beispiel für die zweite Methode, den Zorn zu deeskalieren, sich physiologisch abzuregen, indem man das Ende des Adrenalinstoßes in einer Umgebung abwartet, in der mit weiteren Zornauslösern nicht zu rechnen ist. Bei einem Streit heißt das zum Beispiel, sich für einige Zeit von dem anderen zu entfernen. Während der Abkühlungsphase kann der Verärgerte das Rad der eskalierenden feindseligen Gedanken anhalten, indem er Zerstreuung sucht. Zerstreuung, meint Zillmann, ist ein sehr wirksames Mittel des Stimmungswandels, aus einem einfachen Grunde: Es fällt schwer, zornig zu bleiben, wenn wir uns vergnügen. Der Haken dabei ist natürlich, daß der Zorn erst einmal so weit abgekühlt sein muß, daß es überhaupt möglich wird, sich zu vergnügen.

Zillmanns Analyse der Eskalation und Deeskalation des Zorns macht manches verständlich, was Diane Tice über die Strategien herausgefunden hat, mit denen viele Menschen ihren Zorn beschwichtigen. Eine ziemlich wirksame Strategie besteht darin, wegzugehen, um während der Abkühlungsphase allein zu sein. Viele Männer benutzen dazu das Auto – ein Resultat, das einem als Autofahrer zu denken gibt (und Tice dazu veranlaßte, noch defensiver zu fahren). Da ist es vielleicht ungefährlicher, einen langen Spaziergang zu machen; auch körperliche Bewegung ist gut gegen Zorn. Geeignet sind auch Entspannungsmethoden wie tiefes Einatmen und Muskelentspannung, vielleicht weil sie den Körper physiologisch von der hohen Erregung des Zorns auf einen niedrigen Erregungszustand herunterholen, vielleicht auch, weil sie von allem, was den Zorn ausgelöst haben könnte, ablenken. Aus dem gleichen Grunde könnte körperliche Bewegung den Zorn abkühlen: Nachdem er während der Übung auf ein hohes Niveau der physiologischen Aktivierung gebracht wurde, springt der Körper, sobald sie endet, auf ein niedriges Niveau zurück.

Eine Abkühlungsphase hilft jedoch nicht, wenn man währenddessen weiterhin den zornerregenden Gedanken nachhängt, denn jeder dieser Gedanken ist schon ein kleiner Auslöser für weitere Kaskaden des Zorns. Eine Zerstreuung ist deshalb wirksam, weil sie die Kette der zornigen Gedanken unterbricht. In ihrer Untersuchung über Strategien des Umgangs mit Zorn fand Tice heraus, daß Zerstreuungen im allgemeinen helfen, Zorn zu beschwichtigen: Fernsehen, Kino, Lesen und dergleichen hindert einen an den zornigen Gedanken, die die Wut anfachen. Wenig erreicht man jedoch, wenn man sich etwas kaufen geht oder ißt, denn beim Bummel durchs Einkaufszentrum oder beim Verzehr einer Schokoladentorte kann man allzu leicht seinen empörten Gedanken nachhängen.

Ferner gibt es noch die Strategien, die Redford Williams, Psychiater an der Duke-Universität, entwickelt hat, damit Menschen mit einer feindseligen Einstellung, die einem höheren Herzinfarktrisiko ausgesetzt sind, ihre Reizbarkeit unter Kontrolle bringen können.[7] Er empfiehlt unter anderem eine aufmerksame Selbstbeobachtung, um zynische oder feindselige Gedanken, sobald sie auftauchen, zu erfassen und niederzuschreiben. Auf diese Weise festgehalten, kann man die zornigen Gedanken in Frage stellen und einer neuen Bewertung unterziehen. Wie Zillmann herausfand, funktioniert diese Methode jedoch besser, bevor sich der Zorn zur Wut gesteigert hat.

### *Die irrige Entladungshypothese*

Als ich mich in ein New Yorker Taxi setze, bleibt ein junger Mann, der die Straße überqueren will, vor dem Wagen stehen und wartet ab, bis die Autos vorbei sind. Der Taxifahrer möchte losfahren, hupt ungeduldig und gibt dem jungen Mann durch Zeichen zu verstehen, daß er aus dem Weg gehen soll. Die Antwort ist eine Grimasse und eine obszöne Gebärde.

»Du Scheißkerl!« brüllt der Fahrer und läßt das Taxi bedrohliche Sprünge machen, indem er gleichzeitig auf Gaspedal und Bremse tritt. Auf diese lebensgefährliche Bedrohung hin tritt der junge Mann widerwillig ein Stück zur Seite und schlägt mit der Faust aufs Dach des Taxis, das sich zentimeterweise in den Verkehr einfädelt. Daraufhin schleudert der Fahrer dem Mann eine lange Reihe übelster Kraftausdrücke ins Gesicht.

Während der Fahrt erklärt mir der Fahrer, immer noch sichtlich erregt: »Man kann sich doch nicht alles gefallen lassen. Da muß man einfach zurückbrüllen – jedenfalls fühlt man sich hinterher besser.«

Die Katharsis – das Herauslassen der Wut – wird von manchen als Methode gepriesen, mit dem Zorn umzugehen. Nach der gängigen Theorie »fühlt man sich hinterher besser«. Folgt man jedoch Zillmanns Resultaten, so spricht etwas gegen die Katharsis. Dies weiß man schon seit den fünfziger Jahren, als Psychologen daran gingen, die Wirkungen der Katharsis experimentell zu überprüfen, und jedesmal feststellten, daß es den Zorn keineswegs zerstreut, wenn man ihm freien Lauf läßt (da der Zorn aber etwas Verführerisches hat, kann es natürlich sein, daß man sich befriedigt *fühlt*).[8] Unter bestimmten Bedingungen mag es tunlich sein, wenn man im Zorn vom Leder zieht: wenn es direkt gegen die Person gerichtet wird, die Zielscheibe des Zorns ist, wenn es eine gewisse Kontrolle wiederherstellt oder eine Ungerechtigkeit behebt, wenn es dem anderen ein »angemessenes

Leid« zufügt, das ihn dazu bringt, eine ärgerliche Handlungsweise aufzugeben, ohne Vergeltung zu üben. Doch dies ist vielleicht, wegen der explosiven Natur des Zorns, leichter gesagt als getan. [9]

Dem Zorn freien Lauf zu lassen ist, wie Tice herausfand, eine der schlechtesten Methoden, sich abzukühlen: Wutausbrüche treiben die Erregung des emotionalen Gehirns zumeist in die Höhe, so daß man sich hinterher noch zorniger fühlt – und nicht weniger zornig. Wird die Wut an demjenigen, der sie provoziert hat, ausgelassen, so wird die Stimmung dadurch im Endeffekt nicht beendet, sondern verlängert. Sehr viel wirksamer ist es, wenn man sich zunächst einmal abkühlt und sich dann konstruktiver oder selbstsicherer dem anderen stellt, um den Streit beizulegen. Chogyam Trungpa, ein tibetanischer Lehrer, wurde einmal gefragt, wie man am besten mit Zorn umgeht, und er antwortete: »Unterdrücke ihn nicht. Aber gib ihm nicht nach.«

## Beschwichtigung der Angst: Was, ich mir Sorgen machen?

*Auch das noch! Das Geräusch vom Auspufftopf ist bedenklich ... Wenn er nun in die Werkstatt muß? ... Das kann ich jetzt gar nicht bezahlen ... Ich müßte auf Jamies Studiengeld zurückgreifen ... Aber könnte ich dann seinen Unterricht bezahlen? ... Das schlechte Zeugnis letzte Woche ... Wenn seine Noten nun noch schlechter werden, und er schafft's nicht aufs College? ... Dieser Auspuff klingt bedenklich ...*

So kreist die Besorgtheit in einer endlosen Schleife eines leisen Melodramas, eine Sorge führt zur nächsten, und von dort wieder zurück. Das obige Beispiel stammt von Lizabeth Roemer und Thomas Borkovec, Psychologen an der Pennsylvania State-Universität, die mit ihrer Untersuchung über die Besorgtheit – den Kern aller Angst – das Thema von einer Kunst des Neurotikers zur Wissenschaft erhoben haben.[10] Unproblematisch ist natürlich die Besorgtheit, die leistet, was sie leisten soll; das Nachdenken über ein Problem, also eine konstruktive Überlegung, die wie eine Besorgtheit erscheinen mag, kann eine Lösung zutage fördern. Die Reaktion, die der Besorgtheit eigentlich zugrunde liegt, die Achtsamkeit auf eine potentielle Gefahr, war in der Evolution zweifellos überlebenswichtig. Wenn Furcht das emotionale Gehirn in Gang bringt, fixiert ein Teil der resultierenden Angst die

Aufmerksamkeit auf die vorliegende Bedrohung und zwingt den Geist, sich ausschließlich damit zu befassen, wie sie zu beseitigen ist, und bis dahin alles andere zu ignorieren. Das Sichsorgen ist gewissermaßen ein stummes Durchprobieren dessen, was schiefgehen könnte, und der Möglichkeiten, damit fertig zu werden; die Sorge soll positive Lösungen für die Risiken des Lebens präsentieren, indem sie Gefahren antizipiert, bevor sie auftauchen.

Problematisch sind dagegen die chronischen, repetitiven Sorgen, die sich endlos im Kreis drehen und einer positiven Lösung kein bißchen näherkommen. Bei näherer Betrachtung zeigt sich, daß die chronische Besorgtheit alle Attribute eines nicht sehr ausgeprägten emotionalen Entgleisens hat: Die Sorgen scheinen aus dem Nichts zu kommen, entziehen sich jeder Kontrolle, erzeugen einen beständigen Hintergrund der Angst, sind der Vernunft unzugänglich und zwingen den sich sorgenden Menschen, sich unablässig mit dem Gegenstand seiner Sorge zu befassen. Wenn dieser Sorgenkreislauf sich verstärkt und zum Dauerzustand wird, überschreitet er die Grenze zu den regelrechten neuralen Entgleisungen, den Angstneurosen: den Phobien, Obsessionen, Zwangshandlungen und Panikanfällen. Jede dieser Störungen zeigt eine spezifische Fixierung der Besorgtheit: Beim Phobiker heften sich die Ängste an die gefürchtete Situation; beim Obsessiven fixieren sie sich darauf, ein befürchtetes Unglück zu vermeiden; bei Panikanfällen können die Ängste sich auf den gefürchteten Tod oder sogar auf die Aussicht beziehen, wieder einen Anfall zu bekommen.

Der gemeinsame Nenner all dieser Zustände ist, daß die Besorgtheit Amok läuft. Bei einer Frau, die wegen Zwangsneurose in Behandlung war, füllte eine Reihe von Ritualen den größten Teil ihres Tages aus: mehrmals täglich 45minütige Duschbäder, zwanzigmal täglich oder öfter fünfminütiges Händewaschen. Sie setzte sich auf keinen Stuhl, bevor sie ihn nicht mit Spiritus sterilisiert hatte. Kinder und Tiere rührte sie nicht an – sie waren ihr »zu schmutzig«. All diesen Zwängen lag eine krankhafte Furcht vor Keimen zugrunde; sie war ständig besorgt, sich ohne ihr Waschen und Sterilisieren eine Krankheit zuzuziehen und zu sterben.[11]

Eine Frau, die wegen »generalisierter Angstneurose« – die psychiatrische Bezeichnung für Leute, die ständig besorgt sind – in Behandlung war, reagierte auf die Aufforderung, eine Minute lang ihre Sorgen laut auszusprechen, folgendermaßen:

*»... Vielleicht mache ich es nicht richtig. Vielleicht wird es so gekünstelt, daß es keinen Hinweis auf das eigentliche Problem liefert, und an das*

*eigentliche Problem müssen wir doch herankommen ... Wenn wir nicht an das eigentliche Problem herankommen, werde ich nicht gesund. Und wenn ich nicht gesund werde, werde ich niemals glücklich sein ...«*[12]

In dieser virtuosen Darbietung der Besorgtheit über die Besorgtheit war die bloße Aufforderung, eine Minute lang über ihre Sorgen zu sprechen, innerhalb weniger Sekunden in die Betrachtung einer lebenslänglichen Katastrophe ausgeufert: »Ich werde niemals glücklich sein«. Dies ist der typische Verlauf des besorgten Denkens, ein Selbstgespräch, das von einer Besorgnis zur nächsten springt und häufig das Ausmalen von Katastrophen, von schrecklichen Tragödien einschließt. Sorgen werden fast durchweg dem inneren Ohr, nicht dem inneren Auge vorgetragen, also in Wörtern, nicht in Bildern – ein Umstand, der für die Eindämmung der Besorgtheit bedeutsam ist.

Borkovec und seine Kollegen begannen, sich mit der Besorgtheit als solcher zu befassen, weil sie nach einer Behandlungsmethode für Schlaflosigkeit suchten. Die Angst kommt, wie andere Forscher festgestellt hatten, in zwei Formen vor: einer kognitiven, bei der man sich sorgenvolle Gedanken macht, und einer somatischen, bei der die körperlichen Symptome der Angst wie Schwitzen, Herzrasen oder Muskelspannung auftreten. Die Hauptschwierigkeit bei Schlaflosen war, wie Borkovec herausfand, nicht die somatische Erregung. Was sie wachhielt, waren aufdringliche Gedanken. Es waren chronisch Besorgte, die nicht aufhören konnten, sich Sorgen zu machen, egal wie müde sie waren. Das einzige, was ihnen zum Schlaf verhalf, war die Ablenkung von ihren Sorgen durch eine Entspannungsmethode, die ihre Aufmerksamkeit auf die dadurch erzeugten Empfindungen lenkte. Kurz, die Sorgen ließen sich durch eine Verlagerung der Aufmerksamkeit unterbinden.

Das können, wie es scheint, die meisten Sorger nicht. Der Grund ist, wie Borkovec glaubt, daß das Sichsorgenmachen eine gewisse Belohnung enthält, die diese Gewohnheit sehr verstärkt. Sorgen haben anscheinend etwas Positives: Sie sind eine Art, mit potentiellen Bedrohungen umzugehen, mit Gefahren, die einem begegnen könnten. Ihre Leistung besteht im günstigen Fall darin, diese Gefahren probeweise zu erkunden und Wege zu finden, um mit ihnen fertig zu werden. Doch das schafft die Besorgtheit kaum, zumal nicht die chronische Besorgtheit: selten bringt sie neue Lösungen, sieht sie ein Problem im neuen Licht. Statt Lösungen für diese potentiellen Probleme zu finden, grübeln die Besorgten zumeist über die Gefahr als solche nach, versenken sich in die damit verbundene Angst und kleben an ihren sich endlos wiederholenden Gedankengängen. Chronisch Besorgte machen sich Sorgen über alle möglichen Dinge, deren Eintrittswahrscheinlichkeit bei Null liegt; sie deuten in die Lebensreise Gefahren hinein, von denen andere nie etwas bemerken.

Dennoch sagen die chronisch Besorgten Borkovec zufolge, daß es ihnen hilft, wenn sie sich Sorgen machen. Dabei kreisen ihre Sorgen immer wieder um dieselben angstbesetzten Gedanken. Woran kann es liegen, wenn die Besorgtheit zu so etwas wie einer mentalen Sucht wird? Merkwürdigerweise ist, wie Borkovec darlegt, die gewohnheitsmäßige Besorgtheit in demselben Sinne verstärkend, wie es abergläubische Vorstellungen sind. Die Sorgen drehen sich um viele Dinge, die eine sehr geringe Eintrittswahrscheinlichkeit haben – daß ein geliebter Mensch bei einem Flugzeugabsturz umkommt, daß man Bankrott macht usw. –, und das hat zumindest für das primitive limbische Gehirn etwas Magisches. Wie einem Amulett, das ein befürchtetes Übel abwehrt, wird es der Sorge zugute gehalten, daß sie die Gefahr, um die sie kreist, unterbindet. Sorgen sind, wie gesagt, ebenso selbstverstärkend, wie es persönliche abergläubische Bräuche sind, etwa bei dem Baseballspieler, der sich nicht von dem Schläger trennt, mit dem er einmal einen Homerun erzielt hat.

## Die Leistung der Sorge

*Sie war aus dem Mittleren Westen nach Los Angeles gezogen, angelockt von einer Stelle in einem Verlag. Doch der Verlag wurde kurz darauf von einem anderen aufgekauft, und sie war die Stelle los. Sie wurde freiberufliche Autorin, eine unsichere Sache, denn mal ging sie in Arbeit unter, mal konnte sie nicht ihre Miete bezahlen. Oft mußte sie das Telefonieren rationieren und erstmals war sie ohne Krankenversicherung. Dieser fehlende Versicherungsschutz machte ihr besonders zu schaffen; sie erging sich in katastrophalen Vorstellungen über ihre Gesundheit, vermutete hinter jedem Kopfweh einen Hirntumor und malte sich, wenn sie irgendwo hinfahren mußte, einen Unfall aus, den sie erleiden würde. Oft gab sie sich ausgedehnten Grübeleien hin, einem Potpourri des Kummers. Dennoch erklärte sie, sie sei beinahe süchtig nach ihren Sorgen.*

Borkovec entdeckte einen anderen unerwarteten Vorteil der Besorgtheit. Ganz ihren sorgenvollen Gedanken hingegeben, bemerken die

Menschen nicht die subjektiven Phänomene der Angst, die von diesen Sorgen hervorgerufen werden – den beschleunigten Puls, die Schweißperlen, das Zittern –, und anhaltende Besorgtheit scheint tatsächlich die Angst ein wenig zurückzudrängen, jedenfalls soweit sie sich im Pulsschlag auswirkt. Den Ablauf wird man sich etwa so vorstellen können: Der Besorgte bemerkt irgendetwas, das die Vorstellung von einer potentiellen Bedrohung oder Gefahr heraufbeschwört; diese vorgestellte Katastrophe löst ihrerseits einen gewissen Angstanfall aus. Daraufhin stürzt sich der Besorgte in eine lange Reihe beunruhigender Gedanken, deren jeder einen weiteren Gegenstand der Besorgnis hervorbringt; während die Aufmerksamkeit sich an dieser Kette der Besorgnis entlanghangelt und sich mit den einzelnen Gedanken befaßt, ist der Geist von der Katastrophenvorstellung abgelenkt, die anfangs die Angst ausgelöst hat. Bildhafte Vorstellungen vermögen nach Borkovec' Feststellung leichter die physiologische Angst auszulösen als Gedanken, und wer sich ganz den Gedanken hingibt – so Katastrophenvorstellungen ausschließend – mildert zum Teil sein Angsterlebnis. Und im selben Maße wird die Besorgtheit verstärkt, als ein gewisses Gegengift gegen die Angst, die sie heraufbeschworen hat.

Aber chronische Sorgen sind auch kontraproduktiv insofern, als sie die Form stereotyper, rigider Ideen annehmen, statt kreativer Durchbrüche, die tatsächlich auf eine Lösung des Problems hinzielen. Diese Rigidität wird nicht nur in dem manifesten Inhalt des besorgten Denkens sichtbar, das bloß die nahezu immergleichen Ideen unablässig wiederholt. Vielmehr scheint auf der neurologischen Ebene eine kortikale Rigidität vorzuliegen, ein Defizit in der Fähigkeit des emotionalen Gehirns, flexibel auf veränderte Umstände zu reagieren. Kurz, chronische Besorgtheit zeigt gewisse Wirkungen, bleibt aber wirkungslos in der entscheidenden Hinsicht: sie vermag Angst bis zu einem gewissen Grade zu lindern, löst aber kein Problem.

Das eine, was chronisch Besorgte nicht können, ist, den Rat zu befolgen, der ihnen am häufigsten gegeben wird: »Hör einfach auf, dir Sorgen zu machen« (oder, schlimmer, »Mach dir keine Sorgen – sei glücklich«). Da chronische Sorgen anscheinend leise Mandelkern-Episoden sind, kommen sie unaufgefordert. Und wenn sie sich einmal eingeschlichen haben, setzen sie sich fest, wie es nun einmal ihre Art ist. Borkovec hat jedoch nach ausgiebigen Experimenten einfache Schritte entdeckt, die selbst dem hartnäckigsten chronisch Besorgten helfen können, die Gewohnheit unter Kontrolle zu bringen.

Der erste Schritt ist Achtsamkeit; die beunruhigenden Episoden müssen möglichst nah an ihrem Beginn erkannt werden, im Idealfall sofort, wenn die flüchtige Katastrophenvorstellung den Sorge-Angst-Zyklus auslöst, oder unmittelbar danach. Borkovec bringt den Leuten bei, auf Anhaltspunkte für Angst zu achten; vor allem lernen sie, Situationen zu erkennen, die Sorge auslösen, sowie die flüchtigen Gedanken und Vorstellungen, mit denen die Besorgtheit einsetzt, und die damit einhergehenden Angstempfindungen im Körper. Bei einiger Übung gelingt es den Leuten, die Sorgen an einem immer früheren Punkt der Angstspirale zu identifizieren. Sie erlernen außerdem Entspannungsmethoden, die sie in dem Moment, da sie erkennen, daß die Sorge einsetzt, anwenden können, und sie üben die Entspannungsmethode täglich, damit sie sie sogleich verwenden können, wenn sie sie am dringendsten brauchen.

Die Entspannungsmethode allein reicht aber nicht aus. Besorgte müssen außerdem aktiv die beunruhigenden Gedanken bekämpfen, sonst geraten sie immer wieder in die Sorgenspirale. Der nächste Schritt ist daher, gegenüber den eigenen Annahmen eine kritische Haltung einzunehmen: Ist es sehr wahrscheinlich, daß das gefürchtete Ereignis eintreten wird? Besteht notwendigerweise nur eine oder gar keine Alternative dazu, es geschehen zu lassen? Gibt es konstruktive Schritte, die man ergreifen könnte? Hilft es denn wirklich, immer wieder dieselben angstvollen Gedanken durchzugehen?

Diese Kombination von Achtsamkeit und gesunder Skepsis wirkt vermutlich bremsend auf die neurale Aktivierung, die der leisen Angst zugrunde liegt. Das aktive Erzeugen solcher Gedanken könnte die Schaltung aufbauen, die den limbischen Antrieb der Besorgtheit zu hemmen vermag; gleichzeitig wirkt das aktive Herbeiführen eines entspannten Zustands den Angstsignalen entgegen, die das emotionale Gehirn in den ganzen Körper schickt.

Diese Strategien begründen, wie Borkovec ausführt, ein mentales Verhalten, das mit Besorgtheit unvereinbar ist. Eine Sorge, der man gestattet, unangefochten wiederzukehren, gewinnt an Überzeugungskraft; wenn man sie in Frage stellt, indem man eine Reihe von ebenso plausiblen Standpunkten in Erwägung zieht, verhindert man, daß der eine besorgte Gedanke naiv als wahr unterstellt wird. Auf diese Weise wurden sogar Leute, bei denen das Ausmaß der Besorgtheit eine psychiatrische Diagnose rechtfertigte, von der Gewohnheit befreit, sich ständig Sorgen zu machen.

Andererseits kann es in ganz schweren Fällen, wo die Sorgen sich zu Phobien, Zwangsneurose oder Panik entwickelt haben, ratsam, ja sogar ein Zeichen der Selbsterkenntnis sein, wenn man Medikamente einsetzt, um den Zyklus zu durchbrechen. Dennoch ist Umsteuern der emotionalen Bahnung durch Therapie erforderlich, um die Wahrscheinlichkeit zu verringern, daß Angstneurosen erneut auftreten, wenn die Medikamente abgesetzt werden.[13]

## Vom Umgang mit der Melancholie

Die Stimmung, die loszuwerden man generell die größten Anstrengungen unternimmt, ist die Traurigkeit; wie Diane Tice herausfand, sind die Leute am erfinderischsten, wenn es darum geht, der Melancholie zu entrinnen. Natürlich sollte man nicht jeglicher Trauer zu entkommen suchen; die Melancholie hat, wie jede andere Stimmung, ihre positiven Seiten. Die Trauer, die ein Verlust nach sich zieht, hat bestimmte, gleichbleibende Auswirkungen: Sie läßt unser Interesse an Ablenkungen und Vergnügungen schrumpfen, fixiert unsere Aufmerksamkeit auf das Verlorene und schwächt unsere Energie für neue Unternehmungen, zumindest zeitweilig. Kurz, sie erzwingt so etwas wie eine besinnliche Abkehr vom geschäftigen Treiben des Lebens und läßt uns in einem Schwebezustand, in dem wir den Verlust betrauern, über seinen Sinn nachgrübeln und schließlich die psychologischen Umstellungen und neuen Pläne machen, die es ermöglichen, daß unser Leben weitergeht.

Sinnvoll ist die Trauer – eine regelrechte Depression dagegen nicht. William Styron gibt eine beredte Schilderung »der vielen schrecklichen Manifestationen der Krankheit«, darunter Selbsthaß, ein Gefühl der Wertlosigkeit, eine »dumpfe Freudlosigkeit« und eine »Schwermut, die auf mich eindringt, ein Gefühl des Entsetzens und der Fremdheit und vor allem eine erstickende Angst«.[14] Hinzu kommen die geistigen Anzeichen: »Verwirrtheit, Konzentrationsunfähigkeit und Ausfälle des Gedächtnisses«; in einem späteren Stadium war sein Geist »dominiert von anarchischen Verzerrungen«, und er hatte »ein Gefühl, daß meine Denkprozesse verschlungen wurden von einer giftigen und namenlosen Flut, die jede erfreuliche Reaktion auf die lebendige Welt zunichte machte«. Dann sind da die physischen Auswirkungen: Schlaflosigkeit, das Gefühl, so teilnahmslos wie eine Maschine zu sein, »eine Art Betäubung, eine Entkräftung, genauer, eine merkwürdige Zerbrechlichkeit«, zusammen mit einer »zappligen Rastlosigkeit«. Der Genuß kommt einem abhanden: »Das Essen war, wie alles andere im Bereich der Sinneswahrnehmung, vollkommen reizlos.« Schließlich schwindet die Hoffnung, der »graue Nieselregen des Entsetzens« geht über in eine Verzweiflung, die so fühlbar war, daß sie einem körperlichen Schmerz gleichkam, einem Schmerz, der so unerträglich war, daß der Selbstmord als eine mögliche Lösung erschien.

Bei einer so tiefen Depression ist das Leben gelähmt; Neuanfänge sind nicht zu sehen. Die Symptome der Depression zeugen von einem gleichsam »auf Eis gelegten« Leben. Bei Styron halfen weder Medikamente noch Therapie; es waren der Zeitablauf und das Refugium eines Krankenhauses, die schließlich die Verzweiflung wegräumten. Doch in den meisten, besonders den weniger schweren Fällen kann die Psychotherapie helfen, ebenso wie die Medikation – Prozac ist das gegenwärtig bekannteste Mittel von über einem Dutzend anderer Präparate, die eine gewisse Hilfe bieten – besonders bei schwerer Depression hilfreich sein kann.

Mein Thema hier ist die geläufigere Form der Traurigkeit, die an der Obergrenze übergeht in eine »subklinische Depression«, also die gewöhnliche Melancholie. Es handelt sich um eine Mutlosigkeit unterschiedlichen Grades, mit der die Menschen, wenn sie die nötige innere Kraft haben, selbst fertig werden können. Leider können einige der Strategien, auf die am häufigsten zurückgegriffen wird, nach hinten losgehen, und danach geht es den Menschen schlechter als vorher. Eine davon ist, einfach für sich zu bleiben, und oft erscheint das reizvoll, wenn man sich deprimiert fühlt; die Folge ist aber meistens, daß zu der Traurigkeit noch ein Gefühl der Einsamkeit und Isolation hinzutritt. Das mag teilweise erklären, warum nach den Feststellungen von Tice die beliebteste Taktik zur Bekämpfung der Depression darin besteht, unter die Leute zu gehen – man geht essen, besucht eine Sportveranstaltung oder geht ins Kino, kurz, man macht etwas zusammen mit Freunden oder der Familie. Das funktioniert gut, wenn der Betroffene von seiner Traurigkeit abgelenkt wird. Es verlängert die Stimmung aber nur, wenn er die Gelegenheit bloß dazu benützt, über den Anlaß, der ihn so deprimiert hat, nachzugrübeln.

Ob eine depressive Stimmung bleibt oder vergeht, hängt denn auch vorwiegend davon ab, wie stark einer grübelt. Wenn man sich darüber, was uns deprimiert, Gedanken macht, wird die Depression nur um so stärker und langwieriger. In der Depression nimmt die Sorge die eine oder andere Form an, aber immer geht es um einen Aspekt der Depression selbst – wie erschöpft wir uns fühlen, wie wenig Energie oder Motivation wir haben oder wie schlecht uns die Arbeit von der Hand geht. Solche Gedanken sind in der Regel nicht von konkreten Handlungen begleitet, die das Problem beheben könnten. Häufiger Gegenstand der Sorge ist außerdem, »daß man sich isoliert, daß man darüber nachdenkt, wie schlecht man sich fühlt, daß der eigene Ehegatte einen ablehnen könnte, weil man deprimiert ist, und daß man sich fragt, ob man wieder eine schlaflose Nacht vor sich hat«, schreibt die Stanford-Psychologin Susan Nolen-Hoeksma, die sich mit den Grübeleien deprimierter Menschen befaßt hat.[15]

Zur Begründung dieser Art von Grübelei führen deprimierte Menschen manchmal an, sie versuchten, »sich selbst besser zu verstehen«; tatsächlich nähren sie die melancholischen Gefühle, ohne irgendetwas zu unternehmen, das ihre Stimmung heben könnte. Während es in der Therapie durchaus hilfreich sein kann, über die Ursachen einer Depression gründlich nachzudenken, sofern das zu Einsichten oder Handlungen führt, die etwas an den Bedingungen ändern, die die Depression verursacht haben, wird die Sache nur schlimmer, wenn man sich passiv der Melancholie überläßt.

Grübeln kann die Depression auch dadurch verstärken, daß es Bedingungen schafft, die noch deprimierender sind. Nolen-Hoeksma führt das Beispiel einer Kauffrau an, die deprimiert wird und sich stundenlang darüber Gedanken macht, daß sie nicht dazu kommt, wichtige Verkaufsgespräche zu führen. Daraufhin gehen ihre Umsätze zurück, sie fühlt sich wie eine Versagerin, und das nährt ihre Depression. Würde sie jedoch etwas gegen die Depression tun, indem sie versuchte, sich abzulenken, könnte es durchaus passieren, daß sie auf die Verkaufsgespräche als eine Möglichkeit stieße, sich von der Traurigkeit abzubringen. Das würde wahrscheinlich dazu beitragen, daß ihre Umsätze nicht zurückgehen, und die Erfahrung, einen Umsatz zu tätigen, könnte ihr Selbstvertrauen stärken und die Depression ein wenig lindern.

Frauen neigen nach den Feststellungen von Nolen-Hoeksma im deprimierten Zustand weit stärker zum Grübeln als Männer. Sie meint, daß dies zumindest teilweise die Tatsache erklären könnte, daß bei Frauen doppelt so häufig wie bei Männern eine Depression diagnostiziert wird. Natürlich können auch noch andere Faktoren mit im Spiel sein, zum Beispiel, daß Frauen eher bereit sind, von ihrem Kummer zu sprechen, oder daß sie mehr reale Gründe haben, deprimiert zu sein. Und Männer könnten ihre Depression im Alkoholismus verschleiern, der bei ihnen doppelt so häufig vorkommt wie bei Frauen.

Bei der Behandlung einer milden klinischen Depression hat sich, einigen Untersuchungen zufolge, eine kognitive Therapie mit dem Ziel, diese Denkgewohnheiten zu verändern, als genauso wirksam erwiesen wie die Medikation, und in der Vorbeugung der Wiederkehr einer milden Depression war sie ihr überlegen. Zwei Strategien sind in diesem

Kampf besonders wirksam.[16] Die eine besteht darin, daß man lernt, die Gedanken, um die das Grübeln kreist, in Frage zu stellen, ihre Gültigkeit anzuzweifeln und an positivere Alternativen zu denken. Die andere besteht darin, sich zielgerichtet angenehme, zerstreuende Erlebnisse vorzunehmen.

Ein Grund dafür, daß Zerstreuung funktioniert, ist, daß deprimierende Gedanken sich automatisch, unaufgefordert einstellen. Auch bei dem Versuch, deprimierende Gedanken zu unterdrücken, kommen deprimierte Menschen oft nicht auf bessere Alternativen; wenn die depressive Gedankenflut einmal begonnen hat, hat sie eine starke magnetische Wirkung auf die Kette der Assoziationen. Deprimierte Menschen, die man aufforderte, durcheinandergeworfene kurze Sätze zu entziffern, konnten die deprimierenden Botschaften (»Die Zukunft sieht sehr düster aus«) sehr viel besser verstehen als die optimistischen (»Die Zukunft sieht sehr günstig aus«).[17]

Die Tendenz der Depression, sich zu verewigen, färbt sogar auf die Zerstreuungen ab, die man wählt: Aus einer Liste mit fröhlichen und besinnlichen Möglichkeiten, sich von etwas Traurigem wie der Beerdigung eines Freundes abzulenken, wählten deprimierte Menschen häufiger die melancholischen Aktivitäten. Richard Wenzlaff, der Psychologe von der Universität von Texas, der diese Untersuchungen durchführte, kommt zu dem Schluß, daß Menschen, die schon deprimiert sind, sich einen Ruck geben müssen, um ihre Aufmerksamkeit auf etwas zu richten, das ganz und gar optimistisch ist, und aufpassen müssen, nicht versehentlich etwas zu wählen – einen rührseligen Film, einen tragischen Roman –, das ihre Stimmung wieder herabzieht.

### *Wie man die Stimmung hebt*

*Stellen Sie sich vor, Sie fahren auf einer steilen, gewundenen Straße, die Sie nicht kennen, durch den Nebel. Plötzlich taucht nur wenige Meter vor Ihnen aus einer Zufahrtsstraße ein Wagen auf, zu knapp, um Ihr eigenes Fahrzeug noch rechtzeitig zum Stehen zu bringen. Sie steigen mit Wucht auf die Bremse, geraten ins Schleudern und schlittern dem anderen in die Seite. Sie sehen gerade noch, daß der andere Wagen voller Kinder ist – eine Fahrgemeinschaft auf dem Weg zur Vorschule –, bevor die Windschutzscheibe krachend zerspringt und Metall sich in Metall bohrt. Dann bricht aus der Stille, die nach dem Zusammenstoß eingetreten ist, ein Chor weinender Kinderstimmen los. Sie schaffen es, zu dem anderen Wagen zu laufen, und sehen, daß eines der Kinder reglos daliegt. Sie werden überschwemmt von Gewissensbissen und Trauer angesichts dieser Tragödie ...*

Dieses herzzerreißende Szenarium benutzte Wenzlaff bei einem seiner Experimente, um freiwillige Versuchsteilnehmer aus der Fassung zu bringen. Die Versuchsteilnehmer sollten anschließend neun Minuten lang den Strom ihrer Gedanken aufzeichnen und dabei versuchen, nicht an die Szene zu denken. Wenn die Szene sich doch in ihre Gedanken drängte, sollten sie in ihre Notizen ein Merkzeichen setzen. Je weiter die Zeit fortschritt, desto weniger dachten die meisten an die erschütternde Szene, doch bei denjenigen, die stärker deprimiert waren, mehrten sich auffällig die störenden Gedanken an die Szene und nahmen sogar bei den Gedanken, die vermeintlich von ihr ablenken sollten, indirekt auf sie Bezug.

Überdies verwendeten die depressionsanfälligen Versuchsteilnehmer andere bedrückende Gedanken, um sich abzulenken. Wenzlaff erklärte mir: »Nicht der Inhalt verknüpft die Gedanken untereinander, sondern die Stimmung. Die Leute haben so etwas wie einen fertigen Satz von Gedanken, die einer schlechten Stimmung entsprechen und die ihnen leichter einfallen, wenn sie niedergeschlagen sind. Wer leicht in eine deprimierte Stimmung gerät, neigt dazu, sehr starke Assoziationszusammenhänge zwischen diesen Gedanken herzustellen, so daß es schwerer fällt, sie zu unterdrücken, wenn man erst einmal in einer schlechten Stimmung ist. Zu allem Überfluß scheinen deprimierte Menschen ein deprimierendes Thema zu benutzen, um sich von einem anderen abzulenken, was nur noch negativere Emotionen aufrührt.«

Weinen, so vermutet eine Theorie, ist der natürliche Weg, den Spiegel der Hirnsubstanzen, die den Kummer auslösen, zu senken. Es kommt schon vor, daß Weinen den Bann der Traurigkeit sprengt, aber es ist auch möglich, daß der Betroffene hinterher genauso besessen den Gründen der Verzweiflung nachhängt. Die Vorstellung, daß man sich nur »tüchtig auszuweinen« braucht, ist trügerisch; wenn das Weinen die Grübelei verstärkt, verlängert es bloß das Elend. Zerstreuungen zerreißen die Kette der Gedanken, die die Traurigkeit nähren; nach einer maßgeblichen Theorie ist die Elektrokrampf-Therapie bei den schwersten Depressionen deshalb wirksam, weil sie einen Verlust des Kurzzeitgedächtnisses bewirkt – die Patienten fühlen sich besser, weil sie sich nicht mehr erinnern, warum sie so traurig waren. Um eine landläufige Traurigkeit abzuschütteln, gaben jedenfalls viele der von Diane Tice Befragten an, daß sie zu Zerstreuungen greifen; sie nennen

Lesen, Fernsehen und Filme, Videospiele und Puzzles, Schlafen und Tagträumen, zum Beispiel das Planen einer Traumreise. Wenzlaff würde hinzufügen, daß die wirksamsten Zerstreuungen jene sind, die die Stimmung verändern: ein spannendes Sportereignis, ein lustiger Film, ein Buch, das einem Auftrieb gibt. (Doch eine Warnung: Es gibt Zerstreuungen, die als solche eine Depression verlängern können; bei starken Fernsehkonsumenten wurde festgestellt, daß sie nach dem Fernsehen im allgemeinen deprimierter sind als vorher!)

Aerobic-Übungen zählen, wie Tice herausfand, zu den wirksameren Taktiken, um eine milde Depression und andere schlechte Stimmungen zu beheben. Einschränkend muß man aber sagen, daß die aufmunternde Wirkung der Gymnastik am ehesten bei den Faulen eintritt, die sich sonst nicht viel bewegen. Bei denen, die täglich üben, war die stimmungshebende Wirkung wahrscheinlich am stärksten, als sie mit den Übungen begannen. Bei denen, die gewohnheitsmäßig üben, kann sogar die Stimmung beeinträchtigt werden, denn an den Tagen, an denen sie ihre Übung auslassen, fühlen sie sich schlecht. Die Wirkung von Gymnastik beruht offenbar darauf, daß sie den physiologischen Zustand, den die Stimmung hervorruft, verändert: Depression ist ein niedriger Erregungszustand, und Aerobic treibt den Körper in eine hohe Erregung. Aus diesem Grunde funktionieren Entspannungstechniken, die den Körper in einen niedrigen Erregungszustand versetzen, gut bei Angst, einem hochgradigen Erregungszustand, nicht so gut dagegen bei Depressionen. Die Wirkung beider Methoden – den Zyklus der Depression bzw. der Angst zu durchbrechen –, besteht offenbar darin, daß sie das Gehirn auf ein Aktivitätsniveau bringen, das mit dem emotionalen Zustand, der es im Griff hatte, unvereinbar ist.

Ein anderes, recht verbreitetes Mittel gegen den Trübsinn besteht darin, sich durch Genüsse und Sinnesfreuden aufzuheitern. Man nimmt, wenn man sich niedergeschlagen fühlt, ein heißes Bad, greift zu seiner Lieblingsspeise, hört Musik oder macht Sex. Sich ein Geschenk zu machen oder sich ein gutes Essen zu gönnen, um aus einer schlechten Stimmung herauszukommen, ist besonders bei Frauen beliebt, wie das Einkaufen überhaupt, und sei es nur ein Schaufensterbummel. Unter Collegestudenten fand Tice, daß Essen bei Frauen dreimal so häufig wie bei Männern als Strategie benutzt wird, um sich über eine trübe Stimmung hinwegzutrösten, während Männer fünfmal häufiger zu Alkohol oder Drogen greifen, wenn sie niedergeschlagen sind. Übermäßiges Essen und Alkohol haben als Gegenmittel freilich den Haken, daß sie leicht das Gegenteil bewirken können: Wer übermäßig ißt, bereut es hinterher, und da Alkohol dämpfend auf das Zentralnervensystem wirkt, verstärkt er nur die Effekte der Depression als solcher.

Eine konstruktivere Methode, die Stimmung zu heben, besteht Tice zufolge darin, einen kleinen Triumph oder einen mühelosen Erfolg einzufädeln: eine seit langem aufgeschobene Arbeit im Haushalt in Angriff zu nehmen oder sich an eine andere Aufgabe zu machen, die schon erledigt sein sollte. Aufmunternd wirkt es auch, wenn man etwas für sein Selbstbild tut, und sei es auch nur, daß man sich feinmacht oder Make-up auflegt.

Eines der wirksamsten – und außerhalb der Therapie kaum genutzten – Mittel gegen die Depression ist es, die Dinge in einem neuen Licht zu sehen. Es ist naheliegend – und verstärkt auf jeden Fall das Gefühl der Verzweiflung –, das Ende einer Beziehung zu betrauern und sich voll Selbstmitleid in dem Gedanken zu ergehen, daß man nun »für immer allein« sein wird. Man kann sich jedoch gegen die Traurigkeit wehren, indem man Abstand nimmt und darüber nachdenkt, in welcher Hinsicht die Beziehung nicht so sonderlich geklappt hat, in welcher Hinsicht man nicht so gut mit dem Partner zusammenpaßte, indem man also den Verlust in einem anderen, positiveren Licht betrachtet. Aus dem gleichen Grunde sind Krebspatienten ungeachtet der Schwere ihres Leidens in besserer Stimmung, wenn sie es schaffen, an einen anderen Patienten zu denken, der in noch schlechterer Verfassung ist (»So übel geht's mir gar nicht – ich kann immerhin noch laufen«); diejenigen, die sich mit gesunden Menschen vergleichen, sind am stärksten deprimiert.[18] Solche »Vergleiche nach unten« wirken erstaunlich aufmunternd: Was vorher völlig entmutigend erschien, sieht auf einmal gar nicht so schlimm aus.

Ein anderes wirksames Mittel, sich aus der Depression herauszureißen, ist, anderen, die in Not sind, zu helfen. Die Depression lebt ja davon, daß man sich ausschließlich mit sich selbst beschäftigt, und wenn wir anderen helfen, reißt uns das aus diesen Grübeleien heraus und macht uns frei, uns in Menschen hineinzufühlen, die selbst Kummer haben. Sich in gemeinnützige Tätigkeiten zu stürzen – den Sportnachwuchs zu trainieren, als Laienbruder zu wirken oder Obdachlose zu speisen –, war nach Tices Untersuchung eines der wirksamsten Mittel, die eigene Stimmung zu verändern. Es war allerdings auch eines der seltensten.

Schließlich finden zumindest einige Befreiung von ihrer Melancholie, indem sie sich an eine transzendente Instanz wenden. Tice erklärte mir: »Wenn man sehr religiös ist, hilft Beten bei allen Stimmungen, speziell bei der Depression.«

## Die Verdränger: Optimistische Verleugnung

»Er trat seinem Zimmergenossen in den Bauch ...« beginnt der Satz, und er endet: »...aber er wollte bloß das Licht anmachen.«

Diese Umwandlung einer Aggressionshandlung in einen harmlosen, wenn auch einigermaßen unplausiblen Irrtum ist eine *in vivo* eingefangene Verdrängung. Sie stammt von einem Studenten, der sich freiwillig zu einer Untersuchung von »Verdrängern« gemeldet hatte – von Menschen, die gewohnheitsmäßig und automatisch eine emotionale Störung aus ihrer Wahrnehmung zu tilgen scheinen. Das Anfangsfragment »Er trat seinem Zimmergenossen in den Bauch ...« wurde dem Studenten in einem Satzergänzungstest vorgegeben. Andere Tests ergaben, daß dieser unscheinbare Akt mentaler Vermeidung Bestandteil eines umfassenderen Musters in seinem Leben war, nämlich fast alles, was ihn emotional verstimmen konnte, auszublenden.[19] Zunächst wurden die Verdränger als erstklassige Beispiele der Unfähigkeit, Emotionen zu empfinden, aufgefaßt, vielleicht verwandt mit den Alexithymikern, doch aus heutiger Sicht sind sie recht geschickt darin, Emotionen zu regulieren. Sie sind offenbar so geübt darin, sich gegen negative Gefühle abzuschirmen, daß sie das Negative nicht einmal bemerken. Während es unter den Forschern üblich war, sie als »Verdränger« zu bezeichnen, sollte man sie vielleicht besser »die Unerschütterlichen« nennen.

Aus der Forschung – sie geht hauptsächlich auf den Psychologen Daniel Weinberger zurück, der jetzt an der Case Western Reserve-Universität arbeitet – ergibt sich, daß solche Menschen zwar ruhig und gelassen wirken mögen, bisweilen aber von einer physiologischen Unruhe erfüllt sind, von der sie nichts merken. Beim Satzergänzungstest wurde auch das physiologische Erregungsniveau der Versuchsteilnehmer überwacht. Die äußere Gelassenheit der Verdränger wurde von der Unruhe ihres Körpers Lügen gestraft: Konfrontiert mit dem Satz über den gewalttätigen Zimmergenossen und andere, ähnliche Sätze, zeigten sie alle Anzeichen der Angst wie Herzrasen, Schwitzen und steigenden Blutdruck. Auf Befragen sagten sie jedoch, sie fühlten sich völlig gelassen.

Dieses ständige Ausblenden von Emotionen wie Zorn und Angst ist nicht ungewöhnlich; Weinberger zufolge zeigt etwa jeder sechste dieses Muster. Theoretisch sind mehrere Wege denkbar, auf denen Kinder lernen, unerschütterlich zu werden. Zum einen könnte es eine Strategie sein, eine unangenehme Situation zu überleben, beispielsweise, wenn sie mißbraucht werden innerhalb einer Familie, in der der Mißbrauch als solcher verleugnet wird. Sie könnten es auch von einem Elternteil oder von Eltern lernen, die ihrerseits Verdränger sind und so das Vorbild immerwährender Fröhlichkeit oder von Selbstbeherrschung angesichts verwirrender Gefühle weitergeben. Es kann sich auch einfach um ein angeborenes Temperament handeln. Bislang kann noch niemand sagen, wie ein solches Muster zustande kommt, doch wenn Verdränger das Erwachsenenalter erreichen, sind sie unter Zwang kühl und gesammelt.

Offen bleibt natürlich, wie kühl und gelassen sie wirklich sind. Kann es sein, daß sie die körperlichen Anzeichen bedrängender Emotionen wirklich nicht bemerken, oder täuschen sie bloß Gelassenheit vor? Diese Frage wurde durch eine raffinierte Untersuchung des Psychologen Richard Davidson von der Universität von Wisconsin geklärt, eines früheren Mitarbeiters von Weinberger. Er ließ Menschen, die das Muster des Unerschütterlichen zeigen, zu einer Liste von überwiegend neutralen Wörtern, unter denen aber auch einige waren, die mit ihrer feindseligen oder sexuellen Bedeutung bei fast jedem Angst erregen, freie Assoziationen entwickeln. Und wie ihre körperlichen Reaktionen verrieten, hatten sie bei den Reizwörtern alle Anzeichen der Beunruhigung, auch wenn die von ihnen assoziierten Wörter fast stets von dem Bemühen zeugten, die beunruhigenden Wörter zu verwässern, indem sie eine harmlose Nuance assoziierten. War beispielsweise das Reizwort »Haß«, dann lautete die Reaktion »Liebe«.

Davidson machte sich die Tatsache zunutze, daß ein wichtiges Zentrum für die Verarbeitung von negativen Emotionen bei Rechtshändern in der rechten Hirnhälfte sitzt, das Zentrum für Sprechen aber in der linken. Erkennt die rechte Hemisphäre, daß ein Wort beunruhigend ist, übermittelt sie diese Information über das Corpus callosum, den großen Balken zwischen den Hirnhälften, an das Sprachzentrum, und als Reaktion wird ein Wort ausgesprochen. Davidson konnte ein Wort mittels einer raffinierten Anordnung von Linsen so darbieten, daß es nur von der Hälfte des Gesichtsfeldes zu sehen war. Wurde es der linken Hälfte des Gesichtsfeldes dargeboten, so wurde es wegen des Verlaufs der Sehbahn zuerst von der rechten Hirnhälfte mit ihrer Sensibilität für Beunruhigendes erkannt. Wurde es der rechten Hälfte des Gesichtsfeldes dargeboten, so ging das Signal, ohne auf Beunruhigendes geprüft worden zu sein, an die linke Hirnhälfte.

Als die Wörter der rechten Hemisphäre präsentiert wurden, äußerten die Unerschütterlichen ihre Reaktion mit einem zeitlichen Verzug – aber nur, wenn das Wort zu den beunruhigenden gehörte. Ihre Assoziationen zu neutralen Wörtern kamen ohne Verzug. Der Verzug trat nur auf, wenn die Wörter der rechten Hemisphäre präsentiert wurden, nicht der linken. Ihre Unerschütterlichkeit scheint auf einem neuralen Mechanismus zu beruhen, der die Weiterleitung von beunruhigender Information verlangsamt oder stört. Demnach tun sie wirklich nicht so, als bemerkten sie nicht, wie aufgeregt sie sind – ihr Gehirn hält diese Information von ihnen fern. Genauer gesagt: Die Schicht sanfter Gefühle, die sich über so beunruhigende Wahrnehmungen legt, könnte dem Wirken des linken Präfrontallappens zuzuschreiben sein. Bei der Messung des Aktivitätsniveaus in den Präfrontallappen stellte Davidson zu seinem Erstaunen fest, daß der linke, das Zentrum für Wohlgefühl, eindeutig gegenüber dem rechten, dem Zentrum für Unangenehmes, dominierte.

Die Betreffenden »präsentieren sich in einem positiven Licht, mit optimistischer Stimmung«, erklärte mir Davidson. »Sie leugnen, daß Stress sie beunruhigt. Und sie zeigen ein Muster linker frontaler Aktivierung, während sie bloß ruhig dasitzen; dies ist, wie viele andere Studien zeigen, mit positiven Gefühlen verbunden. Diese Hirnaktivität könnte die Erklärung für ihre positiven Behauptungen sein, trotz der physiologischen Erregung, die auf Beunruhigung hinzudeuten scheint.« Davidsons Theorie ist, daß es unter dem Aspekt der Hirnaktivität energieverschlingende Arbeit ist, beunruhigende Realitäten in einem positiven Licht zu erleben. Die erhöhte physiologische Erregung könnte auf dem nachhaltigen Bemühen der neuralen Schaltung beruhen, positive Gefühle aufrechtzuerhalten bzw. negative zu unterdrücken oder zu hemmen.

Kurz, Unerschütterlichkeit ist eine Art optimistischer Verleugnung, eine positive Dissoziation – und möglicherweise ein Hinweis auf neurale Mechanismen, die bei den ernsteren dissoziativen Zuständen im Spiel sind, die etwa bei einer Störung aufgrund eines posttraumatischen Stresses auftreten können. Wenn es um nichts anderes als Gleichmut geht, dann, sagt Davidson, »scheint sie eine erfolgreiche Strategie der emotionalen Selbstregulierung zu sein«.

# 6

# Die übergeordnete Fähigkeit

*Ich war nur einmal in meinem Leben von Furcht gelähmt. Der Anlaß war eine Mathematikklausur im ersten Studienjahr, für die ich mich aus irgendwelchen Gründen nicht vorbereitet hatte. Ich weiß noch, wie ich an diesem Frühlingsmorgen mit einem Gefühl des nahenden Verhängnisses und mit düsteren Vorahnungen im Herzen den Raum betrat. Ich war schon zu vielen Vorlesungen in diesem Hörsaal gewesen. Doch an diesem Morgen sah ich nichts hinter den Fenstern, und den Saal nahm ich überhaupt nicht wahr. Mein Blickfeld verengte sich auf das Stück Fußboden unmittelbar vor mir, während ich mich zu dem Platz in der Nähe der Tür begab. Als ich den blauen Deckel des Prüfungsheftes aufschlug, dröhnte der Herzschlag in meinen Ohren, und in der Magengrube spürte ich Angst.*

*Ich warf nur einen kurzen Blick auf die Prüfungsfragen. Aussichtslos. Eine Stunde lang starrte ich auf diese Seite, und im meinem Kopf überschlugen sich die Gedanken an die Folgen, die ich würde erdulden müssen. Es waren immer dieselben Gedanken, die sich endlos wiederholten, ein Endlosband von Furcht und Zittern. Ich saß reglos da, wie ein Tier, das mitten im Lauf durch Curare gelähmt worden war. Was mir an diesem schrecklichen Moment am meisten auffällt, war, wie sich mein Denken verengte. Ich habe nicht eine Stunde lang verzweifelt versucht, so etwas wie den Anschein einer Lösung für die einzelnen Aufgaben zusammenzustoppeln. Ich habe mich nicht Tagträumen hingegeben. Ich saß einfach da, fixiert auf meine Angst, und wartete, daß die Qual endlich vorüberginge.*[1]

Diese Schilderung eines Martyriums der Angst stammt von mir; sie ist für mich bis heute der überzeugendste Beweis für die verheerende Wirkung emotionaler Not auf die geistige Klarheit. Meine Qual – so sehe ich es heute – war sehr wahrscheinlich ein Zeugnis für die Kraft des emotionalen Gehirns, das denkende Gehirn zu überwältigen, ja sogar zu lähmen.

Das Ausmaß, in dem emotionale Verstimmungen die geistige Aktivität beeinträchtigen können, ist für Lehrer nichts Neues: Schüler, die ängstlich, verärgert oder deprimiert sind, lernen nichts; wer sich in diesen Zuständen verfangen hat, nimmt Informationen nicht richtig auf oder setzt sich nicht richtig mit ihnen auseinander. Starke negative Emotionen lenken, wie wir im vierten Kapitel gesehen haben, die Aufmerksamkeit auf ihre Fixierungen und machen es schwer, sich auf etwas anderes zu konzentrieren. Es ist sogar eines der Kennzeichen, daß Gefühle die Grenze zum Pathologischen überschritten haben, daß sie sich einem dermaßen aufdrängen, daß sie jeden anderen Gedanken beiseite schieben und jeden Versuch, sich auf eine vorliegende Aufgabe zu konzentrieren, vereiteln. Die Gedanken desjenigen, der eine schwere Scheidung durchlebt, oder die seines Kindes verweilen nicht lange bei den relativ banalen Problemen der Arbeit oder der Schule; bei einem, der an klinischer Depression leidet, verdrängen Gedanken des Selbstmitleids und der Verzweiflung, der Hoffnungs- und der Hilflosigkeit alle anderen.

Auf der anderen Seite weiß man, wie wichtig die positive Motivation – die Mobilisierung von Gefühlen der Begeisterung, des Eifers und der Zuversicht – ist, wenn man Großes erreichen will. Was Olympiasportler, Musiker von Weltrang und Schachgroßmeister gemeinsam auszeichnet, ist die Fähigkeit, sich selbst zu schonungslosem Training zu motivieren.[2] Und da die Leistungsanforderungen an Weltklassesportler ständig steigen, verschiebt sich der Beginn der strengen Trainingsroutine immer mehr in die Kindheit; die zwölfjährigen Kunstspringer aus China, die 1992 bei der Olympiade auftraten, hatten ebensoviele Übungssprünge absolviert wie die amerikanischen Springer mit Anfang zwanzig – sie hatten ihr rigoroses Training mit vier Jahren begonnen. Die besten Geigenvirtuosen des 20. Jahrhunderts haben ebenfalls mit rund fünf Jahren begonnen, ihr Instrument zu erlernen; internationale Schachmeister haben im Durchschnitt mit sieben Jahren mit dem Spiel begonnen, diejenigen, die es bloß zu nationaler Meisterschaft gebracht haben, mit zehn. Der frühe Beginn sichert einen lebenslangen Vorsprung: Die erstklassigen Geigenschüler des besten Berliner Konservatoriums hatten mit Anfang zwanzig 10 000 Übungsstunden hinter sich, die zweitklassigen nur durchschnittlich 7500 Stunden.

Diejenigen, die in Konkurrenzaktivitäten ganz nach oben kommen, unterscheiden sich von anderen, die in etwa genauso begabt sind, offenbar durch die Ausdauer, mit der sie Jahr für Jahr einer anstrengenden Übungsroutine nachgehen. Und diese Hartnäckigkeit beruht vor allem auf emotionalen Eigenschaften: Enthusiasmus und Beharrlichkeit auch bei Rückschlägen.

Daß Motivation, von anderen angeborenen Fähigkeiten einmal abgesehen, sich in Lebenserfolg auszahlt, sieht man daran, wie asiatische Schüler in amerikanischen Schulen und Universitäten abschneiden. Eine gründliche Prüfung des vorliegenden Materials ergibt, daß amerikanische Kinder asiatischer Herkunft gegenüber Weißen einen IQ-Vorsprung von allenfalls zwei oder drei Punkten haben.[3] Geht man jedoch davon aus, daß viele Amerikaner asiatischer Herkunft in akademischen Berufen wie Jura und Medizin landen, dann verhalten sie sich als Gruppe so, als hätten sie einen weit höheren IQ – Amerikaner japanischer Herkunft erreichen das Äquivalent eines IQ von 110, Amerikaner chinesischer Herkunft von 120.[4] Das scheint daran zu liegen, daß asiatische Kinder von den ersten Schuljahren an fleißiger sind als weiße Kinder. Sanford Dorenbusch, eine Soziologin aus Stanford, fand bei einer Untersuchung von über 10 000 Highschoolschülern, daß die Asiaten vierzig Prozent mehr Zeit für Hausarbeiten aufwenden als andere Schüler. »Die meisten amerikanischen Eltern sind bereit, die Schwächen eines Kindes zu akzeptieren und seine Stärken herauszustreichen, doch die Asiaten haben eine andere Einstellung: Wenn man nicht gut abschneidet, muß man eben abends länger lernen, und wenn man dann immer noch nicht gut abschneidet, muß man morgens früher aufstehen und lernen. Sie glauben, wenn man sich nur richtig Mühe gibt, kann jeder in der Schule gut abschneiden.« Kurz, eine strenge kulturelle Arbeitsethik setzt sich um in höhere Motivation, Eifer und Beharrlichkeit – ein emotionaler Vorteil.

In dem Maße, wie die Emotionen unsere Fähigkeit, zu denken und zu planen, für ein fernes Ziel zu üben, Probleme zu lösen und dergleichen, beeinträchtigen oder fördern, bestimmen sie die Grenzen unserer Fähigkeit, unsere angeborenen geistigen Fähigkeiten zu nutzen, und damit entscheiden sie über unseren Lebenserfolg. Und in dem Maße, wie uns Gefühle des Enthusiasmus und der Freude an dem, was wir tun, motivieren – manchmal genügt auch ein optimales Maß an Angst –, treiben sie uns zu Höchstleistungen an. In diesem Sinne ist emotionale Intelligenz eine übergeordnete Fähigkeit, eine Fähigkeit, die sich – fördernd oder behindernd – zutiefst auf alle anderen Fähigkeiten auswirkt.

## Impulskontrolle: der Marshmallow-Test

Stellen Sie sich vor, Sie sind vier Jahre alt, und jemand macht Ihnen den folgenden Vorschlag: Wenn du wartest, bis ich eine Besorgung erledigt habe, bekommst du zwei Bonbons. Wenn du nicht so lange warten kannst, bekommst du nur einen, aber den bekommst du sofort. Das ist sicherlich eine Herausforderung, die das Herz eines jeden Vierjährigen auf eine harte Probe stellt, ein Mikrokosmos des ewigen Kampfes zwischen Impuls und Zurückhaltung, Es und Ich, Begehren und Selbstbeherrschung, Gratifikation und Aufschub. Aus der Entscheidung des Kindes kann man einiges entnehmen; sie gibt raschen Aufschluß nicht gerade über seinen Charakter, aber doch über den Weg, den dieses Kind vermutlich im Leben nehmen wird.

Wohl keine psychologische Fähigkeit ist grundlegender als die, einem Impuls zu widerstehen; sie ist die Wurzel jeglicher emotionalen Selbstbeherrschung, da alle Emotionen ihrem Wesen nach in den einen oder anderen Handlungsimpuls münden. Die Grundbedeutung von »Emotion« ist, wie Sie sich erinnern werden, »bewegen«. Die Fähigkeit, diesem Handlungsimpuls zu widerstehen, den Ansatz einer Bewegung zu unterdrücken, wird auf der Ebene der Hirnfunktion höchstwahrscheinlich in eine präfrontale Hemmung limbischer Signale umgesetzt, die zur motorischen Rinde gelangt sind; diese Deutung ist aber einstweilen bloße Spekulation.

Eine bemerkenswerte Studie, bei der Vierjährige vor die Marshmallow-Probe gestellt wurden, zeigt jedenfalls, wie grundlegend die Fähigkeit ist, die Emotionen zu zügeln und so den Impuls hinauszuschieben. Die Studie wurde in den sechziger Jahren von dem Psychologen Walter Mischel in einer überwiegend von Kindern von Professoren, graduierten Studenten und Universitätsangestellten besuchten Vorschule auf dem Universitätscampus von Stanford begonnen und bis zu dem Zeitpunkt fortgesetzt, als diese die Highschool beendeten.[5]

Einige der Vierjährigen konnten die ihnen sicherlich endlos erscheinenden 15 bis 20 Minuten bis zur Rückkehr des Experimentators abwarten. Um sich in ihrem Kampf zu stärken, hielten sie sich die Augen zu, damit sie nicht auf die Versuchung starren mußten, oder sie legten den Kopf auf die Arme, führten Selbstgespräche, sangen, spielten mit Händen und Füßen oder versuchten gar, sich schlafen zu legen. Diese tapferen Vorschüler erhielten die aus zwei Marshmallows bestehende Belohnung. Andere jedoch, die impulsiver waren, schnappten sich den einen Bonbon, fast durchweg innerhalb von Sekunden, nachdem der Experimentator das Zimmer zu seiner »Besorgung« verlassen hatte.

Was der Umgang mit dieser impulsiven Situation an diagnostischer Kraft besaß, wurde rund zwölf bis vierzehn Jahre später deutlich, als man dieselben Kinder nunmehr als Jugendliche untersuchte. Zwischen denen, die sich den Bonbon geschnappt hatten, und den anderen, die die Gratifikation aufgeschoben hatten, zeigte sich ein auffälliger emotionaler und sozialer Unterschied. Diejenigen, die mit vier der Versuchung widerstanden hatten, zeigten jetzt als Jugendliche größere soziale Kompetenz: sie waren durchsetzungsfähig, selbstbewußt und besser in der Lage, mit den Frustrationen des Lebens fertig zu werden. Sie neigten unter Stress weniger dazu, zusammenzubrechen, starr zu werden oder zu regredieren oder nervös und fahrig zu werden, wenn sie unter Druck gesetzt wurden; Herausforderungen nahmen sie bereitwillig an und stellten sich ihnen, und selbst bei Schwierigkeiten gaben sie nicht auf; sie waren selbstsicher und zuversichtlich, vertrauenswürdig und verläßlich; sie ergriffen die Initiative und stürzten sich in Projekte. Und sie waren über ein Jahrzehnt später noch immer in der Lage, eine Gratifikation aufzuschieben, um ihr Ziel weiterzuverfolgen.

Das runde Drittel der Untersuchten, die nach dem Marshmallow gegriffen hatten, zeigte dagegen eine Tendenz, diese Vorzüge in geringerem Maße zu besitzen, und das psychologische Bild war problematischer. Bei ihnen beobachtete man eher das Gegenteil: sie schreckten vor sozialen Kontakten zurück, waren störrisch und unschlüssig; sie ließen sich von Frustrationen leicht umwerfen, hielten sich für »schlecht« und unwürdig; sie regredierten oder wurden von Stress gelähmt; sie waren argwöhnisch und ärgerten sich, daß sie »nicht genug« bekamen; sie neigten zu Eifersucht und Neid; auf Irritationen reagierten sie gereizt und provozierten dadurch Streitereien. Und sie waren nach all diesen Jahren noch immer unfähig, eine Gratifikation aufzuschieben.

Was sich früh in Ansätzen zeigt, entfaltet sich später im Leben zu einer weitgespannten sozialen und emotionalen Kompetenz. Die Fähigkeit, einem Impuls einen Aufschub aufzuerlegen, ist die Wurzel einer Fülle von Leistungen, angefangen vom Durchhalten einer Diät bis hin zum Anstreben eines medizinischen Doktorgrades. Manche Kinder hatten das Wesentliche schon mit vier begriffen: sie waren in der Lage, die Situation als eine zu deuten, in der Aufschub vorteilhaft war, ihre Aufmerksamkeit auf etwas anderes zu lenken, statt auf die greifbare Versuchung zu starren, und sich abzulenken, dabei aber die nötige Ausdauer im Hinblick auf ihr Ziel, die beiden Marshmallows, aufrechtzuerhalten.

Noch überraschender war, daß die Kinder, die mit vier geduldig gewartet hatten, sich gegenüber denen, die ihrer Laune nachgegeben hatten, beim Abschluß der Highschool als weit bessere Schüler erwiesen. Nach dem Urteil ihrer Eltern besaßen sie größere intellektuelle Kompetenz: sie konnten ihre Ideen besser in Worte fassen, sie konnten besser logisch argumentieren und auf Argumente reagieren, konnten sich besser konzentrieren, besser Pläne machen und sie verwirklichen, und sie zeigten größeren Lerneifer. Das Erstaunlichste war: sie erreichten beim SAT-Test entschieden höhere Punktzahlen. Im verbalen und im quantitativen (auch »mathematischen«) Test erreichte das Drittel der Kinder, die mit vier am eifrigsten nach dem Marshmallow gegriffen hatten, durchschnittlich 524 bzw. 528 Punkte; das Drittel, das am längsten gewartet hatte, kam im Mittel auf 610 bzw. 652 Punkte – zusammengenommen eine Differenz von 210 Punkten.[6]

Das Abschneiden der Kinder im Alter von vier Jahren bei diesem Test des Gratifikationsaufschubs ist als Vorhersagemaßstab für ihre künftigen SAT-Ergebnisse doppelt so leistungsfähig wie ihr IQ mit vier (der IQ wird erst zu einem starken Vorhersagemaßstab für die SAT-Ergebnisse, nachdem die Kinder lesen gelernt haben).[7] Die Fähigkeit, eine Gratifikation aufzuschieben, trägt demnach ganz unabhängig vom IQ erheblich zur intellektuellen Leistungsfähigkeit bei. Von manchen wird, wie wir im Sechsten Teil sehen werden, die Ansicht vertreten, der IQ sei nicht zu beeinflussen und stelle daher eine unabänderliche Beschränkung der späteren Leistungsfähigkeit eines Kindes dar, doch spricht vieles dafür, daß emotionale Fähigkeiten wie die Impulskontrolle und das Verstehen dessen, was in einer sozialen Situation verlangt wird, tatsächlich erlernt werden können.

Was Walter Mischel, der die Untersuchung durchführte, mit der ziemlich ungeschickten Wendung »zielgerichteter selbstauferlegter Gratifikationsaufschub« bezeichnet, ist vielleicht der Kern der emotionalen Selbstregulierung: die Fähigkeit, dem Impuls zu widerstehen, um einem Ziel zu dienen, ob man nun ein Buch schreibt, eine algebraische Gleichung löst oder den Stanley Cup, die Meisterschaft der National Hockey League, zu erringen sucht. Sein Ergebnis unterstreicht die Bedeutung der emotionalen Intelligenz als einer Meta-Fähigkeit, von der es abhängt, wie gut oder schlecht man seine sonstigen geistigen Fähigkeiten nutzen kann.

*»Ich mache mir Sorgen um meinen Sohn. Er spielt jetzt in der Football-Mannschaft der Uni mit, und das heißt, daß er sich irgendwann zwangsläufig eine Verletzung holt. Es ist so nervenaufreibend, ihm beim Spielen zuzuschauen, daß ich gar nicht mehr hingehe. Für meinen Sohn ist es bestimmt enttäuschend, daß ich nicht zuschaue, aber ich halte es einfach nicht aus.«*

Die Sprecherin ist wegen Angst in therapeutischer Behandlung; ihr ist klar, daß ihre Besorgtheit sie daran hindert, das Leben zu führen, das sie gern führen würde.[8] Doch wenn es um eine so einfache Entscheidung wie die geht, ob sie ihrem Sohn beim Football zuschauen soll, wird sie von Katastrophenvorstellungen überwältigt. Sie kann sich nicht frei entscheiden; ihre Sorgen machen jede vernünftige Überlegung unmöglich.

Die Besorgtheit ist, wie wir gesehen haben, der Kern der schädlichen Auswirkungen der Angst auf geistige Leistungen jeglicher Art. Man kann durchaus sagen, daß die Besorgtheit eine fehlgelaufene sinnvolle Reaktion ist – man stellt sich innerlich mit übertriebenem Eifer auf eine vorweggenommene Gefährdung ein. Diese innere Vorwegnahme wird jedoch zu einer verheerenden kognitiven Störung, wenn sie sich in einen fruchtlosen Trott verrennt, der die Aufmerksamkeit fesselt und alle Versuche, an etwas anderes zu denken, scheitern läßt.

Angst untergräbt den Verstand. Bei Fluglotsen zum Beispiel, die unter hohem Druck eine komplexe, intellektuell anspruchsvolle Aufgabe zu lösen haben, kann man, wenn sie chronisch an großer Angst leiden, fast mit Sicherheit davon ausgehen, daß sie in der Ausbildung oder in der Praxis irgendwann Fehler machen werden. Die Ängstlichen machen eher Fehler, obwohl sie bei Intelligenztests besser abschneiden, wie eine Untersuchung an 1790 Auszubildenden für diesen Posten herausfand.[9] Angst sabotiert außerdem akademische Leistungen jeglicher Art: In 126 verschiedenen Untersuchungen an mehr als 36000 Personen wurde festgestellt, daß die akademische Leistung – egal, ob man Klausurnoten, Notendurchschnitte oder Leistungstests zugrundelegt – um so schlechter ausfällt, je mehr einer zu Ängsten neigt.[10]

Bei der kognitiven Aufgabe, mehrdeutige Objekte in eine von zwei Kategorien einzuordnen und zu erzählen, was ihnen dabei durch den Kopf geht, werden Menschen, die zur Besorgtheit neigen, ganz unmittelbar durch negative Gedanken wie »Das schaffe ich nicht« oder »Ich eigne mich nicht für einen solchen Test« in ihrer Entscheidungsfindung beeinträchtigt. Bei einer Vergleichsgruppe von Unbesorgten, die aufgefordert wurden, sich fünfzehn Minuten lang absichtlich Sorgen zu machen, ging die Fähigkeit, diese Aufgabe zu erledigen, schlagartig zurück. Und als man die Besorgten eine viertelstündige Entspannungsübung machen ließ, die ihre Besorgtheit dämpfte, bevor sie sich an die Aufgabe machten, hatten sie keine Probleme damit.[11]

Die erste wissenschaftliche Untersuchung der Prüfungsangst wurde in den sechziger Jahren von Richard Alpert durchgeführt, der mir gestand, sein Interesse an diesem Thema sei durch die Tatsache geweckt worden, daß er als Student wegen seiner Aufregung bei Prüfungen oft schlecht abgeschnitten habe, während sein Kollege Ralph Haber im Gegenteil meinte, der Druck vor einer Prüfung habe ihm zu besseren Ergebnissen verholfen.[12] Die beiden fanden unter anderem heraus, daß es zwei Arten von ängstlichen Studenten gibt: solche, bei denen die Angst die akademische Leistung zunichte macht, und solche, die trotz des Stresses – oder vielleicht seinetwegen – gute Leistungen erbrachten.[13] Die Ironie an der Prüfungsangst ist, daß gerade die Sorge, ob man gut abschneiden werde, die im Idealfall einen Studenten wie Haber motivieren kann, sich fleißig vorzubereiten und infolgedessen gut abzuschneiden, bei anderen den Erfolg vereiteln kann. Bei Menschen, die wie Alpert allzu ängstlich sind, beeinträchtigt die vorauseilende Befürchtung das für ein effektives Lernen erforderliche klare Denken und das Gedächtnis, und während der Prüfung verhindert die Angst die geistige Klarheit, die für ein gutes Abschneiden unerläßlich ist.

Je mehr besorgte Gedanken einem während einer Prüfung durch den Kopf gehen, desto schlechter fällt das Ergebnis aus.[14] Was man der einen kognitiven Aufgabe – den Sorgen – an geistigen Ressourcen zuwendet, fehlt einfach für die Verarbeitung anderer Informationen; wenn uns die Sorge beschäftigt, wir könnten bei der Prüfung, in der wir gerade sind, durchfallen, ist die Aufmerksamkeit, die wir der Beantwortung der Fragen widmen können, entsprechend geschmälert. Unsere Sorgen werden zu sich selbst erfüllenden Prophezeiungen und jagen uns genau in das Verderben, das sie vorhersagen.

Wer dagegen seine Emotionen einzuspannen versteht, kann seine Angst – etwa vor einer Rede, die er halten muß, oder vor einer Prüfung – nutzen, um sich selbst zu motivieren, sich gut darauf vorzubereiten, und dadurch seinen Erfolg sichern. In der klassischen psychologischen Literatur wird der Zusammenhang zwischen Angst und Leistung, auch geistiger Leistung, durch ein umgekehrtes U beschrieben. An der Spitze des umgekehrten U ist das Verhältnis zwischen Angst und Leistung optimal: eine gewisse Nervosität treibt zu herausragenden Leistungen an. Zu wenig Angst – der linke Arm des U – führt jedoch zu Apathie oder zu allzu geringer Motivation, um hinreichend für ein gutes Abschneiden zu lernen, während zuviel Angst – der rechte Arm des U – alle Erfolgsbemühungen sabotiert.

Eine leichte Hochstimmung – »Hypomanie« lautet der Fachausdruck – scheint der optimale Zustand für Schriftsteller und andere in kreativen Berufen zu sein, die eine Beweglichkeit des Denkens und ein reiches Vorstellungsvermögen verlangen; er liegt irgendwo in der Nähe des Gipfels des umgekehrten U. Gerät diese Euphorie aber außer Kontrolle und wächst sie sich zu einer regelrechten Manie aus, wie es bei den Stimmungsschwankungen der Manisch-Depressiven der Fall ist, dann untergräbt die Erregung die Fähigkeit, hinreichend zusammenhängend zu denken, um gut schreiben zu können, auch wenn die Ideen frei fließen – sie fließen sogar viel zu frei, als daß man auch nur einer von ihnen hinreichend lange nachgehen könnte, um ein fertiges Produkt hinzukriegen.

Kurz, unkontrollierte Emotionen beeinträchtigen den Verstand. Doch wir können, wie wir im 5. Kapitel gesehen haben, unkontrollierte Emotionen wieder auf Vordermann bringen; diese emotionale Kompetenz ist die übergeordnete Fähigkeit, die allen sonstigen Arten von Intelligenz zugute kommt. Betrachten wir einige treffende Beispiele: die Vorteile von Hoffnung und Optimismus und die erhabenen Momente, wenn Menschen sich selbst übertreffen.

## Die Büchse der Pandora und die Kraft des positiven Denkens

Man stellte Studenten vor die folgende hypothetische Situation:[15]

*»Sie haben sich vorgenommen, eine Zwei zu erreichen, aber in der ersten Prüfungsarbeit, deren Bewertung mit 30 Prozent in die Gesamtnote eingeht, erhalten Sie eine Vier. Es ist jetzt eine Woche her, daß Sie von der Vier erfahren haben. Was machen Sie?«*

Worauf es entscheidend ankommt, ist die Hoffnung oder Zuversicht. Studenten mit großer Zuversicht antworteten, sie würden noch mehr lernen und sich Verschiedenes ausdenken, womit sie ihre Gesamtnote verbessern könnten. Studenten mit einer gewissen Zuversicht dachten über mehrere Möglichkeiten nach, wie sie ihre Note verbessern könnten, waren aber längst nicht so entschlossen, sie auch umzusetzen. Und Studenten mit geringer Zuversicht gaben – verständlicherweise – entmutigt in beiden Punkten auf.

Die Frage ist jedoch nicht bloß hypothetisch. Beim Vergleich der akademischen Leistungen von Studienanfängern mit großer bzw. geringer Zuversicht entdeckte C. R. Snyder, der Psychologe an der Universität von Kansas, der diese Untersuchung durchführte, daß die Hoffnung ein besserer Vorhersagemaßstab für ihre Noten im ersten Semester war als der SAT-Test, dem man angeblich entnehmen kann, wie es den Studenten auf dem College ergehen wird. Wieder sind es, bei intellektuellen Fähigkeiten, die sich ungefähr im gleichen Rahmen bewegen, emotionale Fähigkeiten, auf die es entscheidend ankommt.

Snyders Erklärung: »Studenten mit großer Zuversicht setzen sich höhere Ziele und sind imstande, fleißig zu lernen, um sie zu erreichen. Vergleicht man Studenten mit gleichwertiger intellektueller Begabung hinsichtlich ihrer akademischen Erfolge, so ist es die Zuversicht, worin sie sich unterscheiden.«[16]

Der Legende zufolge erhielt Pandora, eine Prinzessin im alten Griechenland, von Göttern, die sie um ihre Schönheit beneideten, eine geheimnisvolle Büchse geschenkt. Ihr wurde eingeschärft, das Geschenk niemals zu öffnen. Doch eines Tages konnte Pandora der Verlockung der Neugier nicht länger widerstehen und hob den Deckel, um hineinzuspähen, und dabei entwichen die großen Beschwerden: Krankheit, Unzufriedenheit, Bosheit. Doch ein mitfühlender Gott ließ sie die Büchse gerade noch rechtzeitig schließen, um das einzige Gegenmittel festzuhalten, das das Elend des Lebens erträglich macht: die Hoffnung.

Hoffnung bietet, wie moderne Forscher feststellen, mehr als nur ein bißchen Trost inmitten des Elends. Sie spielt eine erstaunlich mächtige Rolle im Leben, und die Vorteile, die sie vermittelt, reichen von den schulischen Leistungen bis zum tapferen Ertragen mühseliger beruflicher Tätigkeiten. Hoffnung bedeutet, formal gesehen, mehr als bloß die sonnige Ansicht, daß alles irgendwie gut ausgehen wird. Snyder definiert sie enger als »die Überzeugung, daß man sowohl den Willen als auch die Möglichkeit hat, seine Ziele zu erreichen, worin sie auch bestehen mögen.«

Das generelle Ausmaß, in dem Menschen Hoffnung in diesem Sinne besitzen, ist unterschiedlich. Für manche ist es bezeichnend, daß sie sich für fähig halten, sich aus einer Klemme zu befreien oder Möglichkeiten zu finden, Probleme zu lösen. Andere haben nach ihrem Selbstverständnis nicht die Kraft, die Fähigkeit oder die Mittel, ihre Ziele zu verwirklichen. Hoffnungsvolle Menschen haben, wie Snyder feststellte, einige gemeinsame Merkmale: sie sind fähig, sich selbst zu motivieren; sie sind überzeugt, so einfallsreich zu sein, daß sie Wege finden werden, ihre Ziele zu erreichen; in bedrängter Lage beruhigen sie sich damit, daß es schon wieder besser werden wird; sie sind so flexibel, daß sie den einen oder anderen Weg finden, ihre Ziele zu erreichen, oder die Ziele zu wechseln, wenn das eine unmöglich wird; sie sind so vernünftig, eine riesige Aufgabe in kleinere, handliche Teilaufgaben zu zerlegen.

Aus der Sicht der emotionalen Intelligenz bedeutet Hoffnung haben, einer erdrückenden Angst, einer defätistischen Haltung oder einer Depression angesichts schwerer Herausforderungen oder Rückschläge nicht nachzugeben. Tatsächlich zeigen hoffnungsvolle Menschen, die sich in Verfolgung ihrer Ziele durchs Leben lavieren, weniger Depressionen als andere, sind generell weniger ängstlich und leiden weniger emotionale Not.

## Optimismus: der große Motivator

Amerikanische Anhänger des Schwimmsports setzten große Hoffnungen in Matt Biondi, der 1988 der nationalen Olympiamannschaft angehörte. Manche Sportjournalisten tippten darauf, daß Biondi den Rekord von Mark Spitz, der 1972 sieben Goldmedaillen geholt hatte, einstellen könne. Doch Biondi endete in seiner ersten Disziplin, dem Zweihundert-Meter-Freistil, auf einem kläglichen dritten Platz. In seiner nächsten Disziplin, dem Einhundert-Meter-Butterfly, trennten Biondi nur wenige Zentimeter vom Gold, weil ein anderer Schwimmer auf dem letzten Meter noch einmal zulegte.

Sportreporter spekulierten, die Niederlagen würden Biondi in den folgenden Wettbewerben entmutigen. Ein Zuschauer, der von Biondis Comeback nicht überrascht war, war Martin Seligman, ein Psychologe an der Universität von Pennsylvania, der Biondi im Verlauf dieses Jahres auf Optimismus getestet hatte. In einem zusammen mit Seligman eingefädelten Experiment sagte der Trainer während eines speziellen Wettbewerbs, der Biondis Bestleistung groß herausstellen sollte, zu seinem Schützling, er habe eine schlechtere Zeit geschwommen, als es tatsächlich der Fall war. Er forderte Biondi auf, sich auszuruhen und es noch einmal zu versuchen, und nun war seine Leistung, die bereits sehr gut war, trotz der pessimistischen Rückmeldung noch besser. Anderen

Teammitgliedern, deren Testergebnisse zeigten, daß sie pessimistisch waren, nannte man ebenfalls eine falsche schlechtere Zeit, und als sie es erneut versuchten, schnitten sie noch schlechter ab.[17]

Optimismus bedeutet, daß man, wie bei der Hoffnung, die feste Erwartung hat, daß sich trotz Rückschlägen und Enttäuschungen letztlich alles zum Besten wenden wird. Aus der Sicht der emotionalen Intelligenz ist Optimismus eine Haltung, die die Menschen davor bewahrt, angesichts großer Schwierigkeiten in Apathie, Hoffnungslosigkeit oder Depression zu verfallen. Und Optimismus zahlt sich im Leben aus, genau wie die eng mit ihm verwandte Hoffnung (es muß natürlich ein realistischer Optimismus sein – ein allzu naiver Optimismus kann verheerend sein).[18]

Seligman definiert Optimismus anhand dessen, wie Menschen sich ihre Erfolge und Niederlagen erklären. Optimisten führen eine Niederlage auf etwas zurück, das sich ändern läßt, so daß sie beim nächsten Mal Erfolg haben können; Pessimisten nehmen die Schuld an der Niederlage auf sich und schreiben sie einem bleibenden Merkmal zu, an dem sie nichts ändern können. Diese unterschiedlichen Erklärungen wirken sich erheblich darauf aus, wie Menschen auf das Leben reagieren. Auf eine Enttäuschung wie zum Beispiel die, bei einer Stellenbewerbung abgelehnt worden zu sein, reagieren Optimisten in der Regel aktiv und zuversichtlich, indem sie etwa einen Aktionsplan aufstellen oder sich um Rat und Hilfe bemühen; sie sehen das als eine Sache an, die sich ändern läßt. Pessimisten reagieren auf solche Rückschläge ganz anders. Sie glauben, daß sie nichts tun können, damit es beim nächsten Mal besser läuft, und deshalb tun sie auch nichts gegen das Problem; sie führen den Rückschlag auf einen persönlichen Mangel zurück, der ihnen ewig anhaften wird.

Optimismus ist, wie die Hoffnung, ein guter Vorhersagemaßstab für akademischen Erfolg. In einer Untersuchung an 500 Studienanfängern der Universität von Pennsylvania zeigte sich, daß ihr Abschneiden bei einem Optimismus-Test ihre Noten im ersten Studienjahr besser vorhersagte als ihre SAT-Ergebnisse oder ihre Highschool-Noten. Seligman, der die Untersuchung durchführte, sagt dazu: »Die Aufnahmeprüfungen der Universität messen die Begabung, während die Art der Erklärung uns verrät, wer aufgeben wird. Was zum Erfolg führt, ist die Kombination aus leidlicher Begabung und der Fähigkeit, angesichts der Niederlage weiterzumachen. Was in den Eignungstests nicht berücksichtigt wird, ist die Motivation. Was man wissen muß, ist, ob einer weitermacht, wenn es frustrierend wird. Ich vermute, daß der Erfolg bei gegebenem Intelligenzniveau nicht bloß von der Begabung abhängt, sondern auch von der Fähigkeit, eine Niederlage zu ertragen.«[19]

Wie sehr der Optimismus Menschen zu motivieren vermag, beweist eine Untersuchung, die Seligman mit Versicherungsvertretern der Met Life-Versicherung durchführte. Verkäufer müssen generell fähig sein, eine Zurückweisung mit Anstand einzustecken, und das gilt erst recht bei einem Produkt wie Versicherungen, wo man entmutigend viele Absagen erfahren kann. Deshalb geben rund drei Viertel aller Versicherungsvertreter in den ersten drei Jahren auf. Seligman fand heraus, daß neue Vertreter mit optimistischem Naturell in den ersten zwei Jahren 37 Prozent mehr Versicherungen verkauften als Pessimisten. Und im ersten Jahr gaben von den Pessimisten doppelt so viele auf wie von den Optimisten.

Außerdem konnte Seligman die Versicherung dazu bewegen, eine spezielle Gruppe von Bewerbern einzustellen, die bei einem Optimismus-Test sehr gut abgeschnitten hatten, aber bei den üblichen Einstellungstests (die ihre Haltung mit einem Standardprofil verglichen, das sich aus den Antworten erfolgreicher Verkäufer ergab) durchgefallen waren. Diese Gruppe übertraf die Verkäufe der Pessimisten im ersten Jahr um 21, im zweiten um 57 Prozent.

Daß der Optimismus sich so stark im Verkaufserfolg niederschlägt, spricht dafür, daß er eine emotional intelligente Haltung ist. Für einen Verkäufer ist jedes »Nein« eine kleine Niederlage. Wie er emotional auf diese Niederlage reagiert, ist entscheidend für die Fähigkeit, genügend Motivation zum Weitermachen aufzubringen. Wenn die Ablehnungen sich häufen, kann die Moral sinken, so daß es immer schwerer wird, zum Hörer zu greifen und den nächsten Anruf zu tätigen. Diese Ablehnung zu ertragen, fällt besonders einem Pessimisten schwer, der sie sich so zurechtlegt: »Ich bin ein Versager – ich werde nie etwas verkaufen« – eine Interpretation, die mit Sicherheit Apathie und Defätismus auslöst, wenn nicht gar Depression. Optimisten sagen sich dagegen: »Ich muß die Leute anders ansprechen« oder »Der letzte Kunde war einfach schlecht gelaunt«. Weil sie den Grund des Scheiterns nicht bei sich suchen, sondern in der Situation, können sie beim nächsten Anruf anders auftreten. Die innere Haltung des Pessimisten mündet in Verzweiflung, die des Optimisten erzeugt Hoffnung.

Eine positive oder negative Einstellung kann, wie wir im vierten Kapitel gesehen haben, auf dem angeborenen Temperament beruhen; manche Menschen neigen von Natur aus in die eine oder andere Richtung. Doch das Temperament kann, wie wir im sechzehnten Kapitel sehen werden, durch Erfahrung gemildert werden. Optimismus und

Hoffnung lassen sich, genauso wie Hilflosigkeit und Verzweiflung, erlernen. Beiden liegt eine Einstellung zugrunde, welche die Psychologen Selbstvertrauen [»self-efficacy«] nennen, die Überzeugung, man habe die Geschehnisse des eigenen Lebens im Griff und sei neu auftretenden Herausforderungen gewachsen. Man braucht nur irgendeine Kompetenz zu entwickeln, um das Selbstvertrauen zu stärken, das die Bereitschaft erhöht, Risiken einzugehen und sich anspruchsvollere Herausforderungen zu suchen. Besteht man diese Herausforderungen, so stärkt das wiederum das Selbstvertrauen. Diese Einstellung macht es wahrscheinlicher, daß man von den Fähigkeiten, die man besitzt, den besten Gebrauch macht – oder daß man tut, was nötig ist, um sie zu entwickeln.

Albert Bandura, ein Psychologe aus Stanford, der viel über das Selbstvertrauen geforscht hat, faßt es gut zusammen: »Was die Menschen über ihre Fähigkeiten denken, wirkt sich stark auf diese Fähigkeiten aus. Befähigung ist keine feststehende Eigenschaft; das, was einer leisten kann, bewegt sich in einem breiten Spielraum. Menschen mit Selbstvertrauen kommen nach Niederlagen rasch wieder auf die Beine; sie nehmen die Dinge einfach in die Hand und machen sich keine Gedanken darüber, was schiefgehen kann.«[20]

## Fließen: die Neurobiologie der Höchstleistung

Ein Komponist beschreibt die Phasen seiner Arbeit, in denen er in Höchstform ist:

*»Man ist in einem derart ekstatischen Zustand, daß man fast das Gefühl hat, nicht zu existieren. Ich habe das immer wieder erlebt. Meine Hand scheint nicht zu mir zu gehören, und mit dem, was da geschieht, habe ich nichts zu tun. Ich sitze einfach in einem Zustand ehrfürchtigen Staunens da und schaue zu. Und es fließt von ganz allein.«*[21]

Seine Schilderung ähnelt bemerkenswert dem, was Hunderte von Männern und Frauen – Felskletterer, Schachmeister, Chirurgen, Basketballspieler, Ingenieure und Manager, ja sogar Registraturangestellte – erzählen, wenn sie davon berichten, wie sie sich in einer Lieblingsaktivität selbst übertroffen haben. Mihaly Csikszentmihalyi, der Psychologe von der Universität Chicago, der solche Schilderungen von Spitzenleistungen in zwanzigjähriger Forschung zusammengetragen hat, nennt den Zustand, den sie beschreiben, »Fließen«.[22] Sportler kennen diesen begnadeten Zustand, in dem die Höchstleistung mühelos wird, während Zuschauer und Konkurrenten in einem seligen, nicht endenden Aufgehen im gegenwärtigen Augenblick verschwinden, als »den Bereich« [»the zone«]. Diane Roffe-Steinrotter, die bei der Winterolympiade 1994 eine Goldmedaille im Skilaufen gewann, sagte hinterher, sie könne sich an nichts erinnern, außer daß sie ganz in Entspannung versunken gewesen sei: »Ich fühlte mich wie ein Wasserfall.«[23]

Sich auf das Fließen einlassen zu können, ist die höchste Form von emotionaler Intelligenz; Fließen ist vielleicht das Äußerste, wenn es darum geht, die Emotionen in den Dienst der Leistung und des Lernens zu stellen. Beim Fließen sind die Emotionen nicht bloß beherrscht und kanalisiert, sondern positiv, voller Spannung und auf die vorliegende Aufgabe ausgerichtet. Wer in der Langeweile der Depression oder der Erregung der Angst gefangen ist, der ist vom Fließen ausgeschlossen. Dabei ist das Fließen (oder ein sanfteres »Mikro-Fließen«) eine Erfahrung, die fast jeder dann und wann macht, besonders wenn man Höchstleistungen vollbringt oder seine bisherigen Grenzen überschreitet. Es läßt sich vielleicht am besten vergleichen mit einem ekstatischen Liebesakt, bei dem zwei zu einem fließend harmonischen Einen verschmelzen.

Das ist eine wunderbare Erfahrung: Kennzeichen des Fließens ist ein Gefühl spontaner Freude, ja sogar der Verzückung. Das Fließen trägt, weil es sich so gut anfühlt, seinen Lohn in sich. Es ist ein Zustand, in dem man ganz in dem aufgeht, was man tut, ihm seine ungeteilte Aufmerksamkeit schenkt, wo das Bewußtsein nicht mehr vom Handeln getrennt ist. Das Fließen wird sogar unterbrochen, wenn man allzu sehr darüber nachdenkt, was geschieht – der bloße Gedanke »Das mache ich wunderbar« kann das Gefühl des Fließens zerstören. Die Aufmerksamkeit wird dermaßen konzentriert, daß man nur noch den schmalen Wahrnehmungsbereich wahrnimmt, der mit der unmittelbaren Aufgabe zusammenhängt, und Zeit und Raum vergißt. Ein Chirurg erinnerte sich zum Beispiel an eine schwierige Operation, bei der er im Zustand des Fließens war. Als sie vorüber war, bemerkte er Schutt auf dem Boden des Operationssaals, und er fragte, was passiert sei. Zu seiner Verblüffung berichtete man ihm, daß, während er so in die Operation vertieft war, ein Teil der Decke heruntergekommen sei – er hatte nichts davon bemerkt.

Das Fließen ist ein Zustand der Selbstvergessenheit, das Gegenteil von Grübeln und Sorgen: Statt sich in aufgeregten Gedanken zu verlieren, gehen Menschen im Zustand des Fließens so vollständig in der vorliegenden Aufgabe auf, daß sie jegliches Bewußtsein von sich selbst verlieren und die kleinen Alltagssorgen – Gesundheit, Rechnungen, sogar der Erfolg – von ihnen abfallen. Erlebnisse des Fließens sind in diesem Sinne ichlos. Paradoxerweise zeigen Menschen beim Fließen eine meisterhafte Kontrolle dessen, was sie tun, und ihre Reaktionen sind vollkommen auf die wechselnden Anforderungen der Aufgabe eingestellt. Und obwohl Menschen im Zustand des Fließens ihre Höchstleistungen vollbringen, kümmert es sie nicht, wie sie abschneiden, denken sie nicht an Erfolg oder Versagen – es ist die reine Freude am Tun, was sie motiviert.

Es gibt mehrere Wege, in den Zustand des Fließens einzutreten. Einer besteht darin, seine volle Aufmerksamkeit bewußt auf die vorliegende Aufgabe zu konzentrieren – ein hochgradig konzentrierter Zustand ist das Wesen des Fließens. Am Eingang zu diesem Bereich scheint es eine Rückkoppelung zu geben: Es kann beträchtliche Mühe kosten, hinreichend ruhig und konzentriert zu werden, um mit der Aufgabe zu beginnen – dieser erste Schritt erfordert einige Disziplin. Hat sich die Konzentration aber einmal eingestellt, so gewinnt sie eine eigene Kraft, die zum einen von emotionaler Unruhe befreit und zum anderen die Aufgabe mühelos werden läßt.

Man kann auch dadurch in diesen Zustand gelangen, daß man eine Aufgabe findet, in der man bewandert ist, und sich in einem Maße darauf einläßt, das die eigenen Fähigkeiten ein wenig auf die Probe stellt. Csikszentmihalyi erklärte mir dazu: »Am besten scheinen sich die Menschen zu konzentrieren, wenn sie ein bißchen stärker als gewöhnlich gefordert werden und wenn sie mehr als gewöhnlich geben können. Werden sie zu wenig gefordert, langweilen sie sich, sind sie den Anforderungen nicht gewachsen, werden sie ängstlich. Das Fließen ereignet sich in dem heiklen Bereich zwischen Langeweile und Angst.«[24]

Die spontane Freude, das Engagement und die Effektivität, die für das Fließen charakteristisch sind, lassen sich nicht in Einklang bringen mit emotionalen Entgleisungen, bei denen limbische Aufwallungen den Rest des Gehirns mit Beschlag belegen. Im Zustand des Fließens ist die Aufmerksamkeit entspannt und dennoch hochkonzentriert. Es ist eine Konzentration ganz anderer Art, als wenn wir uns, müde oder gelangweilt, um Aufmerksamkeit bemühen oder wenn aufdringliche Gefühle wie Angst oder Zorn unsere Aufmerksamkeit fesseln. Das Fließen ist ein Zustand ohne störende Emotionen; das einzige, was man empfindet, ist ein unwiderstehliches, hochgradig motivierendes Gefühl milder Ekstase.

Diese Ekstase scheint ein Nebenprodukt der hochgespannten Konzentration unserer Aufmerksamkeit zu sein, die eine Voraussetzung des Fließens ist. In der klassischen Literatur meditativer Traditionen werden Zustände beschrieben, in denen das gänzliche Aufgehen in der Kontemplation als reine Glückseligkeit erfahren wird: ein Fließen, das durch nichts anderes erzeugt wird als durch intensive Konzentration. Wenn man einen Menschen im Zustand des Fließens beobachtet, erhält man den Eindruck, als sei das Schwierige leicht; die Höchstleistung erscheint als etwas Natürliches und Gewöhnliches.

Dieser Eindruck findet seine Entsprechung im zerebralen Geschehen, wo sich ein ähnliches Paradoxon abspielt: Die schwierigsten Aufgaben werden mit minimaler geistiger Energie erledigt. Beim Fließen befindet das Gehirn sich in einem »gelassenen« Zustand, Erregung und Hemmung seiner neuralen Schaltungen sind auf die Forderungen des Augenblicks abgestimmt. Wenn Menschen sich mit Tätigkeiten befassen, die mühelos für eine Weile ihre Aufmerksamkeit fesseln, »beruhigt sich« ihr Gehirn in dem Sinne, daß die kortikale Erregung nachläßt.[25] Das ist eine bemerkenswerte Entdeckung, wenn man bedenkt, daß das Fließen den Menschen erlaubt, die schwierigsten Aufgaben anzugehen, ob es nun darum geht, gegen einen Schachmeister zu spielen oder ein kompliziertes mathematisches Problem zu lösen. Man würde ja erwarten, daß solche schwierigen Aufgaben eine *erhöhte* und nicht eine geringere kortikale Aktivität erfordern. Es ist aber ein wesentliches Merkmal des Fließens, daß es nur im Umkreis des Gipfels der Fähigkeit stattfindet, wo die neuralen Schaltungen am effizientesten sind.

Eine angestrengte, von Sorge angefachte Konzentration führt zu einer erhöhten kortikalen Aktivität. Der Bereich des Fließens und der optimalen Leistung scheint dagegen eine Oase kortikaler Effizienz zu sein, wo nur ein Minimum an geistiger Energie verausgabt wird. Das leuchtet ein, wenn man an die eingeübte Geschicklichkeit denkt, dank derer man in den Zustand des Fließens gelangen kann: Wenn man die einzelnen Schritte einer Aufgabe gemeistert hat, sei es eine physische wie das Felsklettern oder eine geistige wie das Computerprogrammieren, kann das Gehirn sie effizienter ausführen. Längst eingeübte Bewegungen erfordern weit weniger Hirntätigkeit als solche, die man gerade erst erlernt oder die noch zu schwierig sind. Wenn das Gehirn aufgrund von Erschöpfung und Nervosität, wie sie am Ende eines langen, aufreibenden Tages vorkommen, weniger effizient arbeitet, verwischt sich die Präzision der kortikalen Aktivität, weil allzu viele überflüssige Bereiche aktiviert sind – ein neuraler Zustand, der als hochgradige Beunruhigung erlebt wird.[26] Dasselbe passiert bei Langeweile. Wenn das Gehirn aber mit höchster Effizienz arbeitet wie im Zustand des Fließens, besteht eine präzise Relation zwischen den aktiven Arealen und den Anforderungen der Aufgabe. Selbst harte Arbeit kann einem in diesem Zustand erfrischend statt ermüdend vorkommen.

## Lernen und Fließen: ein neues Modell für die Erziehung

Da das Fließen in dem Bereich auftritt, wo die Menschen mit all ihren Fähigkeiten in Anspruch genommen werden, bedarf es bei wachsender Geschicklichkeit einer erhöhten Herausforderung, um in den Zustand des Fließens zu kommen. Eine allzu einfache Aufgabe ist langweilig, eine allzu schwierige führt zu Angst statt zum Fließen. Es spricht einiges dafür, daß Meisterschaft in einem Beruf oder einer Fertigkeit von der Erfahrung des Fließens angesporn wird, daß die Motivation, in einer Betätigung – sei es Schach- oder Geigenspiel, Tanzen oder Genspleißen – immer besser zu werden, zumindest teilweise darin besteht, bei dieser Betätigung im Zustand des Fließens zu bleiben. In einer Untersuchung, die Csikszentmihalyi an 200 Künstlern achtzehn Jahre nach Verlassen der Kunstakademie durchführte, zeigte sich denn auch, daß diejenigen, die als Studenten die Freude am Malen als solchem ausgekostet hatten, zu ernstzunehmenden Malern geworden waren. Diejenigen, die der Traum von Ruhm und Reichtum während des Studiums bewegt hatte, waren der Kunst nach dem Studium zum größten Teil untreu geworden.

Csikszentmihalyi folgert daraus: »Maler müssen vor allem malen wollen. Wenn der Künstler sich vor der Leinwand zu fragen beginnt, für wieviel er sie verkaufen wird oder was die Kritiker davon halten werden, kann er keine originellen Wege beschreiten. Kreative Leistungen beruhen auf zielstrebiger Vertiefung.«[27]

Das Fließen ist eine Vorbedingung der Meisterschaft in Beruf und Kunst, und Gleiches gilt für das Lernen. Schüler, die beim Lernen in den Zustand des Fließens geraten, sind erfolgreicher, ganz unabhängig von ihrem durch Leistungstests gemessenen Begabungsniveau. Schüler einer speziellen naturwissenschaftlichen Highschool in Chicago, die nach der Auswertung eines mathematischen Leistungstests zu den besten fünf Prozent zählten, wurden durch ihre Mathematiklehrer als Erfolgstypen bzs. Nicht-Erfolgstypen eingestuft. Um festzustellen, wie sie ihre Zeit verbringen, erhielten sie einen Piepser, der sie irgendwann im Laufe des Tests aufforderte, schriftlich festzuhalten, was sie gerade taten und wie ihre Stimmung war. Die Nicht-Erfolgstypen verwendeten, was nicht überrascht, nur rund fünfzehn Wochenstunden auf das Lernen zu Hause, die Erfolgstypen dagegen siebenundzwanzig Stunden. Die Zeit, die sie nicht auf das Lernen verwendeten, verbrachten die Nicht-Erfolgstypen überwiegend auf gesellige Art, sei es, daß sie mit Freunden, sei es, daß sie mit ihrer Familie zusammen waren.

Die Analyse ihrer Stimmungen erbrachte ein aufschlußreiches Ergebnis. Die Erfolgstypen wie die Nicht-Erfolgstypen verbrachten viel Zeit mit langweiligen Beschäftigungen wie Fernsehen, die keine Anforderungen an ihre Fähigkeiten stellten. So ergeht es ja den Teenagern generell. Der markante Unterschied lag darin, wie sie die Lerntätigkeit erlebten. Den Erfolgstypen vermittelte das Lernen während 40 Prozent der Zeit, die sie damit verbrachten, das angenehme, packende Gefühl des Fließens. Bei den Nicht-Erfolgstypen erzeugte das Lernen dagegen nur während 16 Prozent der darauf verwendeten Zeit den Zustand des Fließens; meistens erzeugte es Angst, weil die Anforderungen ihre Fähigkeiten überstiegen. Die Nicht-Erfolgstypen fanden Vergnügen und das Erlebnis des Fließens nicht im Lernen, sondern im geselligen Umgang. Kurz, Schüler, deren Leistungen ihrer Begabung entsprechen oder gar darüber liegen, fühlen sich häufiger vom Lernen angezogen, weil es sie in den Zustand des Fließens versetzt. Die Nicht-Erfolgstypen versäumen es leider, an den Fertigkeiten zu feilen, die sie in den Zustand des Fließens bringen würden, und damit verlieren sie die Freude am Lernen, und sie laufen Gefahr, das Niveau der intellektuellen Aufgaben, an denen sie künftig Freude haben könnten, zu beschränken.[28]

Howard Gardner, der Harvard-Psychologe, der die Theorie der multiplen Intelligenzen entwickelte, hat sich mit dem Leben kreativer Genies wie Igor Strawinsky und Martha Graham befaßt. Das Fließen und die damit einhergehenden positiven Zustände sind für ihn Elemente des vernünftigsten Weges, Kindern etwas beizubringen; man motiviert sie innerlich, statt durch Drohung oder das Versprechen einer Belohnung. »Wir sollten die positiven Zustände der Kinder nutzen, um ihnen das Lernen auf den Gebieten schmackhaft zu machen, auf denen sie Kompetenzen entwickeln können«, erklärte er mir. »Das Fließen ist ein innerer Zustand, der signalisiert, daß ein Kind sich mit einer Aufgabe beschäftigt, die ihm entspricht. Man muß etwas finden, das einem Spaß macht, und dabei muß man dann bleiben. Die Kinder fangen an, sich zu prügeln und Theater zu machen, wenn sie sich in der

Schule langweilen, und sie machen sich Sorgen wegen ihrer schulischen Leistungen, wenn die Anforderungen zu hoch geschraubt werden. Am besten lernt man doch, wenn man sich für etwas interessiert und wenn die Beschäftigung damit einem Spaß macht.«

In vielen Schulen, die Gardners Modell der multiplen Intelligenz in die Praxis umsetzen, bemüht man sich, das Profil der angeborenen Kompetenzen des Kindes zu erkennen, seine Stärken hochzuspielen, es aber zugleich auf den Gebieten, wo es schwach ist, zu fördern. Wenn ein Kind ein natürliches Talent für Musik oder für Rhythmus hat, wird es auf diesen Gebieten leichter den Zustand des Fließens erreichen als dort, wo es weniger begabt ist. Wenn der Lehrer das Profil des Kindes kennt, kann er die Darbietung des Stoffes darauf abstimmen und den Unterricht auf das Niveau einstellen – vom Förderunterricht bis zum Leistungskurs –, das eine optimale Herausforderung für das Kind bedeutet. Dadurch macht das Lernen mehr Spaß; es macht weder Angst, noch langweilt es. »Es besteht die Hoffnung, daß Kinder, die beim Lernen die Erfahrung des Fließens machen, dadurch ermutigt werden, sich den Schwierigkeiten auf anderen Gebieten zu stellen«, sagt Gardner, und er fügt hinzu, daß die Erfahrung dies bestätigt.

Generell legt das Modell des Fließens nahe, daß das Erreichen der Meisterschaft in irgendwelchen Fertigkeiten oder Kenntnissen sich zwanglos vollziehen sollte, da das Kind sich zu den Dingen hingezogen fühlt, die es spontan fesseln, die es recht verstanden liebt. Diese anfängliche Zuneigung kann der Ausgangspunkt für hochgradige Könnerschaft sein, denn irgendwann erkennt das Kind, daß eifriges Üben, egal, ob es um Tanz, Mathematik oder Musik geht, ihm die Freude des Fließens vermittelt. Und da die Grenzen der eigenen Fähigkeit immer weiter vorangetrieben werden müssen, wenn das Fließen aufrechterhalten werden soll, wird dies zu einem primären Motiv, immer besser zu werden – es macht das Kind glücklich. Dies ist natürlich ein positiveres Modell der Erziehung und Bildung, als die meisten von uns in ihrer Schulzeit kennengelernt haben. Wer hätte die Schule nicht zumindest teilweise als eine nicht endende Langeweile in Erinnerung, unterbrochen durch Momente großer Angst? Durch das Lernen einen Zustand des Fließens anzustreben, ist ein humanerer, natürlicherer und sehr wahrscheinlich effektiverer Weg, Emotionen in den Dienst der Erziehung zu stellen.

Das bestätigt in einem umfassenderen Sinne, daß die Fähigkeit, die Emotionen auf ein produktives Ziel zu lenken, eine übergeordnete Fähigkeit ist. Ob wir unsere Impulse kontrollieren und eine Gratifikation aufschieben, ob wir unsere Stimmungen so regulieren, daß sie das

Denken erleichtern, statt es zu behindern, ob wir uns selbst motivieren, beharrlich zu bleiben und es auch bei Rückschlägen noch einmal zu versuchen, oder ob wir Wege finden, in den Zustand des Fließens einzutreten und dadurch höhere Leistungen zu erzielen – in jedem Fall zeigt sich, daß die Emotion ein effektives Handeln anzuleiten vermag.

# 7

# Die Wurzeln der Empathie

Zurück zu Gary, dem glänzenden, aber alexithymischen Chirurgen, der seiner Verlobten Ellen solchen Kummer machte, weil er nicht nur für seine eigenen Gefühle, sondern auch für die ihren blind war. Wie den meisten Alexithymikern fehlte es ihm sowohl an Empathie wie an Einsicht. Wenn Ellen davon sprach, daß sie deprimiert sei, versäumte Gary, ihr sein Mitgefühl auszudrücken, wenn sie von Liebe sprach, wechselte er das Thema. Gary pflegte an diesem oder jenem, was Ellen tat, »hilfreiche« Kritik zu üben, merkte aber nicht, daß sie das nicht als Hilfe empfand, sondern als Angriff auf sich selbst.

Die Grundlage der Empathie ist Selbstwahrnehmung; je offener wir für unsere eigenen Emotionen sind, desto besser können wir die Gefühle anderer deuten.[1] Alexithymiker wie Gary, die keine Ahnung davon haben, was sie selbst empfinden, sind ganz und gar ratlos, was die Gefühle der Menschen ihrer Umgebung betrifft. Sie sind nicht in der Lage, unterschiedliche Emotionen wahrzunehmen. Die emotionalen Töne und Akkorde, die sich durch die Worte und Taten anderer ziehen – der vielsagende Klang einer Stimme, die aufschlußreiche Änderung einer Körperhaltung, das beredte Schweigen oder ein verräterisches Zittern –, entgehen ihnen völlig.

Über ihre eigenen Gefühle im unklaren, sind Alexithymiker nicht minder verwirrt, wenn andere ihnen gegenüber ihre Empfindungen zum Ausdruck bringen. Dieses Unvermögen, Gefühle anderer wahrzunehmen, ist ein großer Mangel an emotionaler Intelligenz und ein tragisches Defizit an Menschlichkeit. Denn der psychische Kontakt, der jeder mitmenschlichen Regung zugrunde liegt, beruht auf Empathie, der Fähigkeit, sich emotional auf andere einzustellen.

In vielen Lebensbereichen kommt diese Fähigkeit, zu erkennen, was ein anderer empfindet, ins Spiel: im Verkauf wie im Management, in der Liebesbeziehung wie in der Kinderbetreuung, im Mitgefühl für das Leid anderer wie im politischen Handeln. Auch das Fehlen von

Empathie ist aufschlußreich: Man beobachtet es bei straffälligen Psychopathen, Vergewaltigern und Kindesbelästigern.

Nur selten fassen Menschen ihre Emotionen in Worte; meistens drücken sie sie auf andere Weise aus. Um die Gefühle eines anderen zu erfassen, muß man nonverbale Zeichen zu deuten wissen: den Klang der Stimme, eine Geste, den Gesichtsausdruck und dergleichen. Die wohl umfangreichsten Forschungen zu der Fähigkeit, solche nonverbalen Mitteilungen zu deuten, hat der Harvard-Psychologe Robert Rosenthal mit seinen Studenten zusammengetragen. Rosenthal entwickelte einen Empathie-Test, genannt PONS (Profile of Nonverbal Sensitivity), der sich auf Videoaufnahmen einer jungen Frau stützt, die verschiedene Gefühle vom Ekel bis zur Mutterliebe zum Ausdruck bringt.[2] Die Szenen umfassen das ganze Spektrum von wütender Eifersucht bis zur Bitte um Verzeihung, vom Ausdruck der Dankbarkeit bis zu einer Verführung. In jeder Darstellung wurden ein oder mehrere Kanäle der nonverbalen Kommunikation systematisch ausgeblendet; in manchen Szenen wurde zum Beispiel nicht nur der Ton weggenommen, sondern alle sonstigen Signale bis auf den Gesichtsausdruck wurden ausgespart, während andere Szenen nur die Körperbewegungen zeigen, und in dieser Weise verfuhr man mit allen wichtigen Kanälen der nonverbalen Kommunikation, so daß der Betrachter die Emotion aus dem einen oder anderen nonverbalen Signal entschlüsseln muß.

Aus den Tests, die man mit über siebentausend Menschen in den USA und achtzehn weiteren Ländern durchführte, ergab sich, daß die Fähigkeit, Gefühle aus nonverbalen Hinweisen abzulesen, verschiedene Vorteile mit sich bringt: Diejenigen, die sie besitzen, sind emotional besser angepaßt, beliebt, extrovertiert und, was wohl nicht überrascht, sensibel. Frauen sind in dieser Art von Empathie den Männern generell überlegen. Und diejenigen, deren Leistungen sich während des dreiviertelstündigen Tests verbesserten – ein Zeichen dafür, daß sie an Einfühlsamkeit dazulernten –, kamen auch besser mit dem anderen Geschlecht zurecht. Es wird wohl niemanden überraschen: Empathie ist dem Liebesleben förderlich.

Es bestand – und das ist im Einklang mit Feststellungen über andere Elemente der emotionalen Intelligenz – nur ein schwacher Zusammenhang zwischen dem Abschneiden bei dieser Messung des Einfühlungsvermögens und dem Erfolg beim SAT, beim IQ-Test oder bei schulischen Leistungstests. Die Unabhängigkeit der Empathie von der akademischen Intelligenz wurde auch bei einer auf Kinder zugeschnittenen Version des PONS gefunden. Unter 1011 getesteten Kindern waren diejenigen, die nonverbal Gefühle zu deuten verstanden, die beliebtesten in ihrer Klasse und die emotional stabilsten.[3] Sie waren auch in der Schule erfolgreicher, obwohl ihr IQ im Durchschnitt nicht höher war als der von Kindern, die im Deuten nonverbaler Mitteilungen weniger gut waren; vermutlich erleichtert die Beherrschung dieser Empathiefähigkeit den Lernerfolg (oder sorgt schlicht dafür, daß diese Kinder bei den Lehrern beliebter sind).

Während die rationale Seele sich durch Worte ausdrückt, ist die Sprache der Emotionen nonverbal. Wenn die Worte eines Menschen nicht mit dem Klang seiner Stimme, seiner Körperhaltung oder anderen nonverbalen Äußerungen übereinstimmen, liegt die emotionale Wahrheit in dem, *wie* er es sagt, und nicht in dem, *was* er sagt. Nach einer Faustregel der Kommunikationsforscher ist eine emotionale Mitteilung zu 90 oder mehr Prozent nonverbal. Was auf diese Weise mitgeteilt wird, sei es die Angst, die aus dem Ton der Stimme herauszuhören ist, sei es Verärgerung, die aus einer kurzen Geste spricht, wird fast immer unbewußt aufgenommen, ohne daß man der Mitteilung besondere Aufmerksamkeit schenkt; man nimmt es einfach stillschweigend auf und reagiert darauf. Die entsprechenden Fähigkeiten, dank derer wir dies mehr oder weniger gut können, werden ebenfalls zum größten Teil stillschweigend erlernt.

## Wie Empathie sich entfaltet

In dem Augenblick, als Hope, gerade neun Monate alt, ein anderes Baby hinfallen sah, traten ihr Tränen in die Augen, und sie krabbelte fort, um sich von ihrer Mutter trösten zu lassen, so als sei sie es, die sich weh getan hatte. Und der fünfzehn Monate alte Michael holte seinen eigenen Teddybär für seinen weinenden Freund Paul; als Paul nicht aufhörte zu weinen, schaffte Michael ihm seine Decke herbei. Diese kleinen Akte der Sympathie und der Fürsorge wurden von Müttern beobachtet, die dazu angeleitet worden waren, solche Fälle praktischer Empathie festzuhalten.[4] Dieser Untersuchung zufolge lassen sich die Wurzeln der Empathie bis ins Kleinkindalter zurückverfolgen. Kleinkinder erregen sich praktisch vom ersten Lebenstag an, wenn sie ein anderes Kind weinen hören – eine Reaktion, in der manche den ersten Vorboten der Empathie sehen.[5]

Kleinkinder empfinden, wie Entwicklungspsychologen herausfanden, Mitgefühl mit anderen, bevor sie richtig erfaßt haben, daß sie eigenständig existieren. Schon wenige Monate nach der Geburt reagieren Kinder auf die Aufregungen anderer, als wären sie selbst betroffen, und weinen, wenn sie bei einem anderen Kind Tränen sehen. Mit etwa einem Jahr beginnen sie zu begreifen, daß der Kummer nicht ihr eigener ist, aber sie wissen noch immer nicht recht, was sie tun sollen. In einer Untersuchung von Martin L. Hoffman an der New Yorker Universität holte ein Einjähriger zum Beispiel seine Mutter, damit sie einen weinenden Freund tröste, und ignorierte die ebenfalls anwesende Mutter des Freundes. Diese Unklarheit liegt auch vor, wenn Einjährige den Kummer eines anderen nachahmen, vielleicht um besser zu verstehen, was der andere empfindet. Eine Einjährige steckt sich zum Beispiel die Finger in den Mund, um zu sehen, ob es auch ihr weh tut, als sie sieht, daß ein anderes Baby sich die Finger weh getan hat. Ein Baby rieb sich die Augen, obwohl es keine Tränen hatte, als es seine Mutter weinen sah.

Man spricht hier von »motorischer Mimikry«, und das ist die ursprüngliche wissenschaftliche Bedeutung, in der der amerikanische Psychologe E. B. Titchener das Wort »Empathie« erstmals in den zwanziger Jahren benutzte. Diese Bedeutung weicht ein wenig ab von jener, mit der das Wort, abgeleitet vom griechischen *empatheia* für »Einfühlung«, ins Englische eingeführt wurde; zunächst bezeichneten Theoretiker der Ästhetik damit die Fähigkeit, das subjektive Erleben einer anderen Person wahrzunehmen. Nach Titcheners Theorie ging die Empathie auf eine Art physischer Nachahmung des Kummers eines anderen zurück, die dann bei einem selbst die entsprechenden Gefühle hervorruft. Er suchte nach einem Wort, das sich unterscheiden sollte von »Sympathie«, Mitgefühl, das man für das Schicksal eines anderen empfinden kann, ohne auch nur im geringsten die Gefühle des anderen zu teilen.

Die motorische Mimikry verschwindet aus dem Repertoire der Kleinen, wenn sie zweieinhalb werden, denn nun erkennen sie, daß das Leid des anderen etwas anderes ist als als ihr eigenes Leid, und können ihn besser trösten. Ein typisches Beispiel, aus dem Tagebuch einer Mutter:

*»Der Kleine einer Nachbarin weint... und Jenny geht zu ihm und möchte ihm ein paar Plätzchen geben. Sie läuft ihm nach und fängt selbst an zu wimmern. Dann versucht sie, ihm übers Haar zu streichen, aber er weicht aus... Er beruhigt sich, aber Jenny wirkt immer noch bekümmert. Sie fährt fort, ihm Spielsachen zu bringen und ihm Kopf und Schultern zu tätscheln.«*[6]

An diesem Punkt ihrer Entwicklung beginnt die Sensibilität der Kleinen für die emotionale Erregung anderer zu divergieren; einige nehmen sie deutlich wahr, wie Jenny, andere schalten ab. Marian Radke-Yarrow und Carolyn Zahn-Waxler vom National Institute of Mental Health haben in einer Reihe von Untersuchungen gezeigt, daß dieser Unterschied in der empathischen Anteilnahme stark damit zusammenhing, wie Eltern ihre Kinder erzogen. Kinder, so fanden sie heraus, entwickelten mehr Empathie, wenn ihre Eltern sie dazu anhielten, den Kummer, den sie durch ihr Fehlverhalten einem anderen bereitet hatten, zu beachten, und sie nicht schalten: »Das war unartig!«, sondern sie ermahnten: »Schau mal, wie traurig du sie gemacht hast«. Die Empathie wird bei den Kindern auch davon geformt, daß sie beobachten, wie andere reagieren, wenn jemand Kummer hat; indem sie das Beobachtete nachahmen, entwickeln Kinder ein Repertoire von empathischen Reaktionen, speziell der Hilfe für andere, die Kummer haben.

## Das gut abgestimmte Kind

Sarah war 25, als sie die Zwillinge Mark und Fred gebar. Mark ähnele mehr ihr, meinte sie, Fred mehr seinem Vater. An dieser Wahrnehmung mochte es liegen, daß sie in der Behandlung der beiden Jungen einen kleinen, aber bedeutsamen Unterschied machte. Als die Jungen gerade drei Monate alt waren, versuchte Sarah des öfteren, Freds Blick zu erhaschen, und wenn er sein Gesicht abwandte, versuchte sie es noch einmal, woraufhin Fred sich noch entschiedener abwandte. Wenn sie dann fortschaute, suchte Fred seinerseits ihren Blick zu erhaschen, und der Kreislauf von Insistieren und Abwendung begann erneut – und ließ Fred oft in Tränen zurück. Bei Mark versuchte Sarah praktisch nie, einen Blickkontakt zu erzwingen, wie sie es bei Fred tat. Er konnte den Blickkontakt abbrechen, wann immer er wollte, und sie insistierte nicht.

Ein unscheinbarer, aber bedeutsamer Akt. Ein Jahr später war Fred merklich furchtsamer und abhängiger als Mark; seine Ängstlichkeit äußerte sich auch darin, daß er den Blickkontakt mit anderen abbrach, wie er es mit drei Monaten bei seiner Mutter gemacht hatte, indem er den Blick senkte und fortschaute. Mark dagegen schaute den Leuten gerade ins Gesicht; wenn er den Blickkontakt abbrechen wollte, hob er ein wenig den Kopf und drehte ihn zur Seite, mit einem gewinnenden Lächeln.

Diese eingehende Beobachtung der Zwillinge und ihrer Mutter erfolgte im Rahmen einer Untersuchung von Daniel Stern, damals Psychiater an der Cornell Medical School.[7] Was Stern fasziniert, ist der unscheinbare, wiederholte Austausch von Blicken zwischen Mutter und Kind; in diesen intimen Momenten werden nach seiner Ansicht die grundlegenden Lektionen des Gefühlslebens erlernt. Dabei kommt es darauf an, daß das Kind erfährt, daß seine Emotionen mit Empathie aufgenommen, akzeptiert und erwidert werden; diesen Vorgang nennt Stern »Abstimmung«. Mit Mark hatte die Mutter der Zwillinge diese Abstimmung hergestellt, während die emotionale Abstimmung mit Fred fehlte. Stern behauptet, daß die unzähligen Momente der Abstimmung bzw. Fehlabstimmung zwischen Mutter und Kind die emotionalen Erwartungen prägen, mit denen Erwachsene an ihre engen Beziehungen herangehen, und daß sie sie vielleicht stärker prägen als die dramatischeren Ereignisse der Kindheit.

Die Abstimmung erfolgt stillschweigend im Verlauf der Beziehung. Stern hat sie anhand stundenlanger Videoaufzeichnungen von Müttern und ihren Kindern mit mikroskopischer Präzision studiert. Durch die Abstimmung, so Stern, lassen die Mütter ihre Kleinen wissen, daß sie spüren, was das Kleine empfindet. Wenn zum Beispiel ein Baby vor Freude quietscht, bekräftigt die Mutter diese Freude, indem sie das Baby sanft wiegt oder gurrt oder sich mit der Höhe ihrer Stimme auf das Quietschen des Babys einstellt. Die bestätigende Botschaft besteht bei dieser Interaktion darin, daß die Mutter sich in etwa auf das Erregungsniveau des Babys einstellt. Solche unscheinbaren Abstimmungen geben dem Kind das beruhigende Gefühl, emotional verbunden zu sein – eine Botschaft, die, wie Stern herausfand, Mütter ungefähr im Minutenabstand abschicken, wenn sie mit ihren Kleinen interagieren.

Abstimmung ist etwas ganz anderes als bloße Nachahmung, wie Stern mir erklärte. »Wenn Sie ein Baby lediglich imitieren, so zeigt das nur, daß Sie wissen, was es getan hat, nicht, was es empfunden hat. Damit es merkt, daß Sie spüren, was es empfindet, müssen Sie seine inneren Gefühle auf andere Weise zum Ausdruck bringen. Dann weiß das Baby, daß es verstanden wurde.«

Die Liebesvereinigung ist vielleicht das, was dieser innigen Abstimmung zwischen Kind und Mutter im Erwachsenenleben am nächsten kommt. Sie schließt, schreibt Stern,[8] »die Erfahrung ein, den subjektiven Zustand des anderen zu erspüren: das gemeinsame Verlangen, die gleichgerichteten Intentionen und die aufeinander bezogenen Zustände gleichzeitig steigender Erregung«, wenn die Liebenden mit einer Gleichzeitigkeit aufeinander reagieren, die das wortlose Gefühl einer tiefen seelischen Übereinstimmung vermittelt. Im Idealfall ist der Liebesakt ein Akt wechselseitiger Einfühlung; im schlimmsten Fall fehlt ihm diese emotionale Wechselseitigkeit ganz.

## Die Kosten der Fehlabstimmung

Wiederholte Abstimmungen, so Stern, lassen beim Kleinkind das Empfinden entstehen, daß andere an seinen Gefühlen teilhaben können und wollen. Dieses Empfinden kommt mit etwa acht Monaten auf, wenn das Kind zu erkennen beginnt, daß es etwas von anderen Getrenntes ist, und es wird im weiteren Verlauf des Lebens immer wieder von intimen Beziehungen geprägt. Eine Fehlabstimmung zwischen Eltern und Kind wirkt zutiefst verstörend. In einem Experiment ließ Stern die Mütter ganz bewußt auf ihre Kinder über- bzw. zu schwach reagieren, statt sich abgestimmt auf sie einzustellen; die Kinder reagierten sofort mit Bestürzung und Kummer.

Ein längeres Ausbleiben der Abstimmung zwischen Mutter und Kind fordert einen ungeheuren emotionalen Tribut vom Kind. Zeigt die Mutter beharrlich keinerlei Einfühlung in bestimmte Emotionen des Kindes – seien es Freuden oder Tränen, sei es das Schmusebedürfnis –, so fängt das Kind an, die Äußerung, vielleicht sogar das Empfinden dieser Emotionen zu meiden. Auf diese Weise können vermutlich ganze Empfindungsbereiche aus dem Repertoire für intime Beziehungen getilgt werden, besonders wenn diese Gefühle während der Kindheit weiterhin versteckt oder offen entmutigt werden.

Außerdem kann es passieren, daß Kinder einen bedauerlichen Bereich von Emotionen verstärken, je nachdem, welche Stimmungen erwidert werden. Auch Kleinkinder können Stimmungen »mitkriegen«: So spiegelten zum Beispiel drei Monate alte Babys von Müttern, die an Depression litten, die Stimmungen ihrer Mütter, während sie mit ihnen spielten, in der Weise wider, daß sie öfter Gefühle des Zorns und der Trauer und sehr viel seltener spontane Neugier und Interesse zeigten als Kinder, deren Mütter keine Depression hatten.[9]

Eine Mutter in Sterns Untersuchung reagierte durchweg zu schwach auf das Aktivitätsniveau ihres Kindes; das Baby lernte schließlich, passiv zu werden. »Ein Kind, das so behandelt wird, lernt: Wenn ich aufgeregt bin, kann ich nicht erreichen, daß meine Mutter genauso aufgeregt ist, also brauche ich es gar nicht erst zu versuchen«, behauptet Stern. Es besteht aber die Hoffnung, daß dies durch andere Beziehungen »geheilt« wird: »Unser ganzes Leben hindurch wird unser Beziehungsmodell ständig durch unsere Beziehungen – zum Beispiel zu Freunden oder Verwandten oder in der Psychotherapie – umgeformt. Eine Störung, die einmal entstanden ist, kann später korrigiert werden – das ist ein beständiger Prozeß, der sich durch unser ganzes Leben zieht.«

Mehrere Theorien der Psychoanalyse verstehen denn auch die therapeutische Beziehung als ein solches emotionales Korrektiv, als heilende Erfahrung der Abstimmung. Mit dem Terminus »Widerspiegelung« bezeichnen psychoanalytische Denker die Tatsache, daß der Therapeut den Patienten wissen läßt, daß er seinen inneren Zustand verstanden hat, so wie es eine abgestimmte Mutter mit ihrem Kleinkind macht. Die emotionale Übereinstimmung wird nicht thematisiert und nicht bewußt wahrgenommen, und dennoch kann der Patient das Gefühl genießen, zutiefst anerkannt und verstanden worden zu sein.

Mangelnde Abstimmung in der Kindheit kann später hohe emotionale Kosten nach sich ziehen – und nicht nur für das Kind. Kriminelle, die die grausamsten und gewalttätigsten Verbrechen begangen hatten, unterschieden sich, wie eine Untersuchung herausfand, von anderen Kriminellen in dem einzigen Punkt, daß sie in ihrer Jugend von einer Pflegestelle zur anderen gewechselt oder in Waisenhäusern aufgewachsen waren; sie waren vermutlich emotional vernachlässigt worden und hatten kaum Gelegenheit zur Abstimmung gehabt.[10]

Während es den Anschein hat, daß emotionale Vernachlässigung die Empathie stumpf werden läßt, führt längere, intensive emotionale Mißhandlung – grausame, sadistische Drohungen, Demütigungen und unverhüllte Bösartigkeit – zu einem paradoxen Resultat. Kinder, die eine solche Mißhandlung erleiden, können eine übermäßige Wachsamkeit für die Emotionen ihrer Mitmenschen entwickeln, eine Art posttraumatischer Vigilanz für Signale, die Gefahr bedeuten. Eine solche obsessive Beschäftigung mit den Gefühlen anderer ist typisch für psychisch mißhandelte Kinder, die dann als Erwachsene an den heftigen sprunghaften Stimmungsschwankungen leiden, die gelegentlich als »Borderline-Persönlichkeitsstörung« diagnostiziert werden. Die Betroffenen haben durchweg ein hochentwickeltes Gespür für das, was andere empfinden, und ziemlich häufig geben sie an, in der Kindheit emotionale Mißhandlung erlitten zu haben.[11]

## Die Neurologie der Empathie

Wie es in der Neurologie des öfteren vorkommt, gaben sonderbare Krankengeschichten die ersten Hinweise darauf, daß die Empathie eine zerebrale Basis hat. So wurden 1975 in einem Bericht mehrere Fälle besprochen, in denen Patienten mit Läsionen im rechten temperoparietalen Bereich der Frontallappen ein merkwürdiges Defizit aufwiesen: Sie waren außerstande, die emotionale Botschaft im Tonfall einer Stimme zu verstehen, obwohl sie die Worte sehr wohl verstanden. Ein sarkastisches »Danke«, ein dankbares »Danke« und ein ärgerliches »Danke« hatten für sie dieselbe neutrale Bedeutung. Ein Bericht von 1979 sprach dagegen von Patienten mit Schäden in anderen Teilen der rechten Hemisphäre, die in ihrer emotionalen Wahrnehmung eine ganz andere Lücke aufwiesen. Sie waren außerstande, ihre eigenen Emotionen durch den Tonfall ihrer Stimme oder durch Gesten auszudrücken. Sie waren sich ihrer Empfindungen bewußt, konnten sie aber einfach nicht vermitteln. Die betreffenden kortikalen Bereiche hatten, wie die Autoren feststellten, allesamt starke Verbindungen zum limbischen System.

Leslie Brothers, Psychiater am California Institute of Technology, zog diese Studien heran, als er einen zukunftsweisenden Artikel zur Biologie der Empathie verfaßte.[12] Auf neurologische Befunde und auf vergleichende Untersuchungen an Tieren gestützt, sieht Brothers die neurale Grundlage der Empathie im Mandelkern und seinen Verbindungen zum Assoziationsbereich der Sehrinde.

Die einschlägige neurologische Forschung beruht großenteils auf der Arbeit mit Tieren, speziell Primaten. Daß Primaten Empathie – oder »emotionale Kommunikation«, wie Brothers lieber sagt – zeigen, geht nicht nur aus anekdotischen Schilderungen hervor, sondern auch aus Untersuchungen wie der folgenden: Man brachte Rhesusaffen bei, einen bestimmten Ton zu fürchten, indem man ihnen einen Elektroschock versetzte, wenn dieser Ton erklang. Anschließend brachte man ihnen bei, den Stromstoß dadurch zu vermeiden, daß sie einen Hebel betätigten, sobald der Ton erklang. Schließlich setzte man je einen Affen in zwei getrennte Käfige, zwischen denen nur eine Fernsehverbindung bestand, so daß die Affen das Gesicht des jeweils anderen sehen konnten. Dem ersten Affen, nicht aber dem zweiten, wurde sodann der gefürchtete Ton vorgespielt, und ein Ausdruck der Furcht trat auf sein Gesicht. Im selben Augenblick betätigte der zweite Affe, der die Furcht im Gesicht des ersten sah, den Hebel, der den Elektroschock verhinderte – ein Akt der Empathie, wenn nicht des Altruismus.

Nachdem geklärt war, daß Primaten tatsächlich Emotionen vom Gesicht ihrer Artgenossen ablesen, führten die Forscher lange, dünne Elektroden in das Gehirn der Affen ein, mit denen die Aktivität eines einzelnen Neurons gemessen werden konnte; auf diese Weise wurde die Spannung von Neuronen in der Sehrinde und im Mandelkern abgegriffen. Als dann der eine Affe das Gesicht des anderen sah, führte diese Information dazu, daß zunächst das Neuron in der Sehrinde und dann das im Mandelkern feuerte. Nun ist diese Bahn natürlich eine übliche Route für emotional erregende Informationen. Doch ergab sich noch etwas Überraschendes. Es gibt in der Sehrinde offenbar Neurone, die *ausschließlich* in Reaktion auf bestimmte Gesichtsausdrücke oder Gesten feuern, zum Beispiel ein drohendes Maulaufsperren, eine furchtsame Grimasse oder eine unterwürfige geduckte Haltung. Diese Neurone sind verschieden von anderen in derselben Region, die vertraute Gesichter erkennen. Daraus kann man schließen, daß die Reaktion auf bestimmte emotionale Ausdrucksformen von vornherein im Aufbau des Gehirns angelegt ist; die Empathie ist demnach eine biologische Gegebenheit.

Auf die entscheidende Rolle der Bahn zwischen Mandelkern und Kortex beim Erkennen von und Reagieren auf Emotionen deutet Brothers zufolge auch eine andere Untersuchung hin, bei der man frei lebende Affen einfing, um die Verbindungen zwischen Mandelkern und Kortex zu durchtrennen. Wieder freigelassen und zu ihrer Horde zurückgekehrt, wurden diese Affen mit gewöhnlichen Aufgaben wie der Nahrungsbeschaffung und dem Klettern in Bäumen durchaus fertig. Die bedauernswerten Affen hatten aber kein Gespür mehr dafür, wie sie emotional auf andere Affen ihrer Horde reagieren sollten. Selbst bei einer freundlichen Annäherung ergriffen sie die Flucht, und schließlich wurden sie zu Einzelgängern, die den Kontakt mit ihrer eigenen Horde mieden.

Genau die Rindenbereiche, in denen die emotionsspezifischen Neurone sitzen, sind, wie Brothers vermerkt, zugleich diejenigen, die die stärkste Verbindung zum Mandelkern aufweisen. Das Gehirn ist also so aufgebaut, daß die Deutung der Emotionen sich der Mandelkern-Kortex-Schaltung bedient, die bei der Einleitung der entsprechenden Reaktionen eine wichtige Rolle spielt. »Der Überlebenswert eines solchen Systems für Primaten liegt auf der Hand«, schreibt Brothers. »Die Wahrnehmung, daß sich ein anderes Individuum nähert, löst vermutlich ein bestimmtes [physiologisches Reaktions-] Muster aus, das sehr rasch darauf abgestimmt wird, ob die Absicht besteht, zu beißen, eine friedliche Fellpflegesitzung abzuhalten oder zu kopulieren.«[13]

Eine ähnliche physiologische Grundlage der Empathie bei uns Menschen legt eine Untersuchung des Psychologen Robert Levenson von der Universität von Kalifornien nahe, bei der Ehepaare erraten sollten, was der Partner während einer hitzigen Diskussion empfindet.[14] Die Methode ist einfach: Während die Ehepartner über ein Problem sprechen, das ihnen zu schaffen macht – wie die Kinder erzogen werden sollen, wie das Geld verwendet werden soll usw. –, werden sie mit der Videokamera gefilmt, und ihre physiologischen Reaktionen werden aufgezeichnet. Anschließend sieht sich jeder Partner das Band an und schildert, was er jeweils empfunden hat, um bei einem weiteren Durchgang zu erraten, was der *andere* empfunden haben mag.

Die zutreffendste Einfühlung wurde bei jenen Ehepartnern verzeichnet, *die physiologisch genau so reagierten wie der beobachtete Ehegatte*. Hatte der Partner eine erhöhte Schweißabsonderung, dann sie auch; sank der Herzschlag beim Partner, dann verlangsamte sich auch ihr Herz. Kurz, bei ihnen ahmte der Körper die kaum merklichen, raschen physischen Reaktionen des Ehegatten nach. Wiederholten sich dagegen beim Betrachten der Videoaufzeichnung lediglich die physiologischen Reaktionen, die sie schon bei der Diskussion gezeigt hatten, dann errieten sie nur unzulänglich, was der Partner empfand. Einfühlung fand nur dann statt, wenn ihre Körper in Übereinstimmung waren.

Daraus folgt: Wenn das emotionale Gehirn eine starke Reaktion, zum Beispiel eine Zornesaufwallung, im Körper auslöst, ist Empathie nicht oder kaum möglich. Empathie setzt eine gewisse Gelassenheit und Aufnahmebereitschaft voraus, damit das emotionale Gehirn die subtilen Signale des Empfindens eines anderen Menschen aufnehmen und nachahmen kann.

## Empathie und Ethik: die Wurzeln des Altruismus

»Never send to ask for whom the bell tolls; it tolls for thee«, lautet eine der berühmtesten Zeilen englischer Dichtung. John Donnes Gedanke spricht direkt den Zusammenhang zwischen Empathie und Anteilnahme an: Das Leid eines anderen ist unser eigenes Leid. Mit einem anderen zu fühlen heißt, an ihm Anteil zu nehmen; das Gegenteil von »Empathie« ist insofern die »Antipathie«. Die empathische Haltung sieht sich immer wieder mit moralischen Urteilen konfrontiert, denn bei moralischen Entscheidungen geht es um potentielle Opfer: Soll man lügen, um die Gefühle eines Freundes nicht zu verletzen? Soll man das Versprechen, einen kranken Freund zu besuchen, halten, oder soll man eine kurzfristige Einladung zu einer Abendgesellschaft annehmen? Sollte man ein lebenserhaltendes System, an das ein Todkranker angeschlossen ist, auf alle Fälle in Gang halten, oder wann darf es abgestellt werden?

Diese moralischen Fragen stellt der Empathie-Forscher Martin Hoffman, der der Meinung ist, die Wurzeln der Moral seien in der Empathie zu suchen, denn es sei die Einfühlung in die potentiellen Opfer, denen Leid, Gefahr oder Entbehrung drohe, und infolgedessen die Anteilnahme an ihrer Pein, was Menschen dazu bewege, tätig zu werden und ihnen zu helfen.[15] Über diesen unmittelbaren Zusammenhang zwischen Empathie und Altruismus in persönlichen Begegnungen hinaus ist es nach Hoffmans Ansicht ebendiese Fähigkeit zu empathischem Empfinden, dazu, sich in einen anderen hineinzuversetzen, was Menschen veranlaßt, bestimmten moralischen Prinzipien zu folgen.

Hoffman sieht eine natürliche Entfaltung der Empathie von Kindheit an. Wie wir gesehen haben, empfindet das einjährige Mädchen Kummer, wenn es ein anderes Kind hinfallen sieht, und fängt an zu weinen; seine Betroffenheit ist so stark und unmittelbar, daß es den Daumen in den Mund steckt und den Kopf im Schoß der Mutter verbirgt, so als habe es sich selbst weh getan. Nach dem ersten Lebensjahr werden Kinder sich deutlicher dessen bewußt, daß sie von anderen verschieden sind, und sie ergreifen selbst die Initiative und versuchen, ein weinendes Kind zu trösten, indem sie zum Beispiel ihren Teddybären anbieten. Schon mit zwei Jahren beginnen Kinder zu erkennen, daß die Gefühle anderer sich von ihren eigenen unterscheiden, und so werden sie empfänglich für Signale, die zeigen, was ein anderer wirklich empfindet; nun könnten sie zum Beispiel erkennen, daß ein anderes Kind durch seinen Stolz dazu gebracht wird, seine Tränen niederzukämpfen, weil es nicht die Aufmerksamkeit der anderen auf sich lenken möchte.

In der späten Kindheit wird das höchste Maß an Einfühlungsvermögen erreicht, denn nun sind Kinder in der Lage, auch über die unmittelbare Situation hinaus den Kummer eines anderen zu begreifen und einzusehen, daß die Stellung, die ein Mensch im Leben einnimmt, eine Ursache ständigen Leides sein kann. Nun können sie sich in die Not ganzer Gruppen wie etwa der Armen, der Unterdrückten oder der Ausgestoßenen hineinversetzen. Dieses Verständnis im Jugendalter kann moralische Überzeugungen stützen, die dem Bedürfnis entspringen, Unglück und Ungerechtigkeit zu lindern.

Empathie liegt vielen Aspekten des moralischen Urteilens und Handelns zugrunde. Einer davon ist der »empathische Zorn«, den John Stuart Mill beschrieb als »das natürliche Verlangen nach Vergeltung... das von Verstand und Mitgefühl geäußert wird und sich auf jene Kränkungen bezieht, die uns verletzen, indem sie andere verletzen«; dieses Empfinden sei, so Mill, der »Hüter der Gerechtigkeit«. Ein anderer Fall, in dem Empathie zu moralischem Handeln führt, liegt vor, wenn Umstehende bewogen werden, zugunsten eines Opfers einzugreifen; wie die Forschung zeigt, werden Umstehende um so eher eingreifen, je stärker sie Empathie für das Opfer empfinden.

Anzeichen sprechen dafür, daß die Stärke der Empathie auch auf die moralischen Urteile der Menschen abfärbt. So fand man zum Beispiel in Deutschland und den USA heraus, daß mit steigender Empathie das moralische Prinzip unterstützt wird, daß die Mittel entsprechend dem Bedarf verteilt werden sollten; je weniger Empathie die Menschen empfinden, desto stärker befürworten sie das Prinzip, daß die Entlohnung sich ungeachtet des Bedarfs nach der Leistung richten sollte.[16]

## Leben ohne Empathie: die Denkweise des Belästigers, die Moral des Soziopathen

Eric Eckardt war in ein übles Verbrechen verwickelt. Als Leibwächter der Eiskunstläuferin Tonya Harding fädelte er es ein, daß Schläger über Nancy Kerrigan herfielen, Hardings Hauptrivalin um die Goldmedaille im Eiskunstlauf der Damen bei der Olympiade von 1994. Bei dem Überfall wurde Kerrigans Knie zerschmettert, was sie während der entscheidenden Trainingsmonate außer Gefecht setzte. Doch als Eckardt das Bild der weinenden Kerrigan im Fernsehen sah, befielen ihn plötzlich Gewissensbisse, und er suchte einen Freund auf, um ihm sein Geheimnis zu offenbaren, was letztlich zur Festnahme der Schläger führte. So groß ist die Macht der Empathie.

Sie fehlt aber in der Regel und tragischerweise bei jenen, die die gemeinsten Verbrechen begehen. Vergewaltiger, Kindesbelästiger und auch viele, die Gewalt gegen ihre eigenen Kinder verüben, haben eine psychologische Verwerfungslinie gemeinsam: sie sind unfähig zur Empathie. Diese Unfähigkeit, das Leid ihrer Opfer nachzuempfinden, erlaubt ihnen, sich selbst etwas einzureden, das sie zu ihrem Verbrechen ermutigt. Vergewaltiger reden sich zum Beispiel ein: »Im Grunde wollen Frauen doch vergewaltigt werden« oder »Wenn sie sich wehrt, dann tut sie nur so, als ob sie schwer rumzukriegen sei«; Belästiger sagen: »Ich tue dem Kind doch nichts, ich zeige ihm bloß meine Liebe« oder »Das ist lediglich eine andere Form der Zuneigung«; Eltern, die ihre Kinder physisch mißhandeln, sagen: »Dies ist bloß eine gehörige Bestrafung«. Die zitierten Selbstrechtfertigungen stammen von Menschen, die wegen dieser Probleme in Behandlung sind; das ist es, was sie sich nach eigener Auskunft eingeredet haben, während sie ihre Opfer quälten oder sich dazu anschickten.

Das Auslöschen der Empathie, während diese Menschen ihren Opfern Schaden zufügen, ist fast immer Bestandteil eines emotionalen Zyklus, der ihre grausamen Taten beschleunigt. Das belegt der emotionale Ablauf, der typischerweise in ein Sexualverbrechen wie die Kindesbelästigung mündet.[17] Der Zyklus beginnt damit, daß der Belästiger sich verstimmt fühlt: verärgert, deprimiert, einsam. Diese Empfindungen können beispielsweise dadurch ausgelöst werden, daß er im Fernsehen glückliche Paare sieht. Der Belästiger sucht dann Trost in einer Phantasievorstellung, bei der es typischerweise um ein warmes Freundschaftsverhältnis zu einem Kind geht; die Phantasie geht ins Sexuelle und endet in der Masturbation. Hinterher fühlt sich der Belästiger zeitweilig von seiner Traurigkeit erlöst, aber die Erlösung ist von kurzer Dauer; die Depression und die Einsamkeit kehren verstärkt zurück. Der Belästiger beginnt daran zu denken, die Phantasie in die Tat umzusetzen, und redet sich Rechtfertigungen ein wie: »Wenn dem Kind kein körperlicher Schaden zugefügt wird, tue ich doch im Grunde nichts Böses« und »Wenn das Mädchen wirklich nicht mit mir schlafen will, kann es einfach damit aufhören.«

An diesem Punkt sieht der Belästiger das Kind durch die Linse seiner perversen Phantasie, nicht mit Einfühlung in das, was ein Kind wirklich in der Situation empfinden würde. Diese emotionale Distanz ist bezeichnend für alles Folgende, von dem Plan, ein Mädchen allein zu erwischen, dem eingehenden Durchprobieren dessen, was dann passieren wird, bis zur Ausführung des Plans. Der Belästiger macht das alles, als hätte das betroffene Mädchen keine eigenen Gefühle; stattdessen projiziert er die kooperative Haltung des Kindes in seiner Phantasie auf sie. Ihre Gefühle – der Abscheu, die Angst, der Ekel – werden nicht zur Kenntnis genommen. Sonst würden sie dem Belästiger alles »verderben«.

Dieser völlige Mangel an Mitgefühl für die Opfer steht im Mittelpunkt neuer Behandlungsmethoden, die man für Kindesbelästiger und ähnliche Straftäter entwickelt. In einem sehr vielversprechenden Behandlungsverfahren lesen die Täter herzzerreißende Schilderungen von Verbrechen, wie sie selbst sie begangen hatten, aus der Sicht des Opfers. Ihnen werden außerdem Videoaufzeichnungen vorgeführt, in denen Opfer unter Tränen schildern, was es heißt, belästigt zu werden. Anschließend müssen die Täter schriftlich ihre eigene Tat aus der Sicht des Opfers schildern und sich dabei vorstellen, was das Opfer empfunden hat. Diese Schilderung lesen sie einer Therapiegruppe vor, und sie versuchen, Fragen nach der Vergewaltigung aus der Sicht des Opfers zu beantworten. Schließlich wird die Tat nachinszeniert, wobei der Täter die Rolle des Opfers spielt.

William Pithers, der Gefängnispsychologe von Vermont, der diese aussichtsreiche Therapie entwickelte, erklärte mir: »Die Einfühlung in das Opfer verändert die Wahrnehmung, und das macht es schwierig, das Leid des Opfers zu leugnen, und sei es nur in den eigenen Phantasien.« Das stärkt die Motivation der Männer, ihre perversen sexuellen Triebe zu bekämpfen. Sexualstraftäter, die im Gefängnis dieses Programm durchlaufen haben, werden nach der Entlassung nur halb so oft rückfällig wie andere, die keine derartige Behandlung erfahren haben. Die restliche Behandlung funktioniert nur, wenn diese von Empathie geprägte Motivation aufgebaut wurde.

Während bei Kindesbelästigern noch eine geringe Hoffnung bestehen mag, Einfühlsamkeit zu wecken, besteht kaum Aussicht bei einem anderen Verbrechertyp, dem Psychopathen (von Psychiatern letzthin als »Soziopath« diagnostiziert). Man weiß von Psychopathen, daß sie charmant und zugleich bei den grausamsten und herzlosesten Taten völlig gewissenlos sind. Die Psychopathie, die Unfähigkeit, irgendeine Art von Empathie oder Mitleid oder auch nur die geringsten Gewissensbisse zu empfinden, zählt zu den verwirrenderen emotionalen Defekten. Die Kälte des Psychopathen beruht offenbar auf einer Unfähigkeit, mehr als nur die oberflächlichsten emotionalen Bindungen einzugehen. Die grausamsten Verbrecher, zum Beispiel sadistische Serienmörder, die sich an dem Leid ihrer Opfer vor dem Tode weiden, sind der Inbegriff der Psychopathie.[18]

Psychopathen sind außerdem geschickte Lügner, die alles zu sagen bereit sind, um zu bekommen, was sie wollen, und mit demselben Zynismus manipulieren sie die Emotionen ihrer Opfer. Betrachten wir zum Beispiel, wie Faro sich aufführt, ein Siebzehnjähriger, der einer Gang in Los Angeles angehört und eine Frau mit ihrem Baby zum Krüppel gemacht hat, bei einer Schießerei aus dem fahrenden Auto heraus, die er mit mehr Stolz als Reue schildert. Faro fährt zusammen mit Leon Bing, der ein Buch über die Gangs »the Crips« und »the Bloods« schreiben will, durch die Straßen. Er will eine Schau abziehen und sagt zu Bing, er werde »die beiden Scheißer« im Wagen nebenan »mal scharf angucken«. Bing schildert den Vorfall so:

*»Der Fahrer spürt, daß ihn jemand anschaut, und wirft einen Blick zu uns herüber. Sein Blick trifft auf den von Faro, und für eine Sekunde weiten sich seine Augen. Dann bricht er den Kontakt ab, senkt den Blick, schaut weg. Was ich in seinen Augen sah – da gibt es kein Vertun –, war Angst.«*

Faro führt Bing vor, wie er den Fahrer des Wagens nebenan angeschaut hat:

*»Er schaut mich direkt an, und sein ganzes Gesicht verändert sich, wie auf Zeitrafferfotos. Sein Gesicht nimmt einen beklemmenden Ausdruck an, der einem Angst einjagt. Er sagt dir: Wenn du zurückstarrst, wenn du diesen Kerl herausforderst, dann mußt du schon gut gewappnet sein. Sein Blick sagt dir, daß nichts für ihn zählt, nicht dein Leben und auch sein eigenes nicht.«*[19]

Für ein so komplexes Verhalten wie das Verbrechen gibt es natürlich viele plausible Erklärungen, die nicht eine biologische Grundlage bemühen. Man könnte zum Beispiel annehmen, daß eine perverse emotionale Fähigkeit – andere einzuschüchtern – dem Überleben in Stadtvierteln dient, wo Gewalt an der Tagesordnung ist, ebenso wie die Hinwendung zum Verbrechen; allzu viel Empathie könnte in diesen Fällen kontraproduktiv sein. Ein gelegentlicher Mangel an Empathie kann in manchen Rollen sogar eine »Tugend« sein, etwa beim Vernehmungsbeamten, der den »fiesen Bullen« spielt, oder bei einem Nahkampfspezialisten. Männer, die in terroristischen Staaten als Folterer gedient haben, sagen zum Beispiel, daß sie gelernt haben, sich von den Gefühlen ihrer Opfer zu lösen, um ihre »Arbeit« machen zu können. Es führen viele Wege zur Manipulation.

Eine bedenklichere Variante dieses Mangels an Empathie wurde durch Zufall bei einer Untersuchung der übelsten Fälle von Mißhandlung der Ehefrau entdeckt. Bei vielen der gewalttätigsten Ehemänner, die regelmäßig ihre Frau verprügeln oder sie mit einem Messer oder einer Waffe bedrohen, wurde eine physiologische Anomalie festgestellt: Sie ließen sich nicht vom Zorn hinreißen, sondern führten die Tat kühl und berechnend aus.[20] Die Anomalie tritt bei ihnen zutage, wenn der Zorn wächst: Ihr Herzschlag *verlangsamt* sich, statt sich zu beschleunigen, wie es bei steigender Wut normal ist. Je aggressiver und ausfallender sie werden, desto ruhiger werden sie also, physiologisch gesehen. Ihre Gewalt scheint ein berechneter Akt des Terrorismus zu sein, eine Methode, ihre Frauen zu beherrschen, indem sie ihnen Furcht einflößen.

Diese kaltblütig brutalen Ehemänner sind von einem anderen Schlag als die Mehrzahl der übrigen Männer, die ihre Frauen verprügeln. Zum einen neigen sie auch außerhalb der Ehe stärker zu Gewalttätigkeit, geraten in Wirtshausschlägereien, prügeln sich mit Kollegen und anderen Familienangehörigen. Und im Gegensatz zu den meisten Männern, die, wenn sie gegen ihre Frau gewalttätig werden, aus einem Impuls heraus handeln, sei es aus Wut, weil sie sich abgelehnt fühlen oder eifersüchtig sind, sei es aus Furcht, verlassen zu werden, schlagen diese berechnenden Prügler scheinbar ohne Grund los, und wenn sie einmal angefangen haben, kann offenbar nichts, was die Frau tut, auch nicht der Versuch, wegzugehen, ihrer Gewalttätigkeit Einhalt gebieten.

Manche Forscher, die sich mit kriminellen Psychopathen befassen, vermuten hinter der kühlen Berechnung, dem Fehlen von Empathie oder Anteilnahme, einen neuralen Defekt.* Auf die Vermutung, daß Erscheinungen herzloser Psychopathie einen physiologischen Grund haben könnten, ist man auf zwei Wegen gestoßen, und in beiden Fällen scheinen die neuralen Bahnen zum limbischen Gehirn betroffen zu sein. Bei der einen Methode werden während des Versuchs, Wörter mit verkehrter Buchstabenfolge zu entziffern, die Gehirnwellen gemessen; die Wörter werden nur ganz kurz, für etwa eine Zehntelsekunde, auf einen Bildschirm projiziert. Die meisten reagieren auf ein emotionales Wort wie »töten« anders als auf ein neutrales Wort wie »Stuhl«: sie können schneller entscheiden, ob es falsch geschrieben ist, und ihr Gehirn zeigt in Reaktion auf ein emotionales, nicht aber auf ein neutrales Wort ein charakteristisches Wellenmuster. Psychopathen zeigen weder die eine noch die andere Reaktion: bei emotionalen Wörtern zeigen sie

* Mahnung zur Vorsicht: Wenn bei gewissen Formen der Kriminalität biologische Phänomene eine Rolle spielen – etwa ein neuraler Defekt beim Mangel an Empathie –, so heißt das nicht, daß alle Kriminellen biologische Mängel aufweisen oder daß es biologische Kennzeichen gibt, an denen man Verbrecher erkennen könnte. Diese Frage war einmal heftig umstritten, aber heute denken die meisten, daß es solche biologischen Kennzeichen nicht gibt – und auf keinen Fall »Verbrechergene«. Selbst wenn der Mangel an Empathie in einigen Fällen eine biologische Grundlage hat, heißt das nicht, daß alle, die diesen Mangel zeigen, ins Verbrechen abgleiten werden; die meisten werden es nicht tun. Ein Mangel an Empathie sollte neben all den anderen psychologischen, wirtschaftlichen und sozialen Faktoren, die eine Tendenz zur Kriminalität befördern, gewichtet werden.

nicht das charakteristische Muster, und sie reagieren nicht rascher darauf. Das deutet auf eine Störung der Verbindungen zwischen dem verbalen Kortex, der das Wort erkennt, und dem limbischen Gehirn, das ihm ein Gefühl zuordnet.

Der Psychologe Robert Hare von der Universität von British-Columbia, der diese Untersuchungen durchgeführt hat, zieht daraus den Schluß, daß Psychopathen ein oberflächliches Verständnis für emotionale Wörter haben, Ausdruck ihrer generellen Oberflächlichkeit im emotionalen Bereich. Er glaubt, daß die Abgestumpftheit von Psychopathen mit einem anderen physiologischen Phänomen zusammenhängt, das er schon vorher entdeckt hatte und das gleichfalls auf eine Funktionsstörung des Mandelkerns und mit ihm zusammenhängender Schaltungen hindeutet: Psychopathen, die einen Elektroschock erhalten sollen, zeigen keine Spur jener Furchtreaktion, die bei Menschen, denen ein Schmerz bevorsteht, normal ist.[21] Da ein bevorstehender Schmerz keine Angst auslöst, machen Psychopathen sich nach Hares Ansicht nichts aus einer zu erwartenden Strafe für das, was sie tun. Und weil sie selbst keine Furcht empfinden, zeigen sie weder Einfühlung noch Mitleid mit der Furcht und dem Schmerz ihrer Opfer.

# 8

# Die sozialen Künste

Wie es Fünfjährigen mit ihren jüngeren Geschwistern öfter passiert, hat Len die Geduld mit seinem zweieinhalbjährigen Bruder Jay verloren, der die Legosteine, mit denen sie gespielt haben, durcheinander schmeißt. Len läßt sich vom Zorn hinreißen und beißt Jay, der daraufhin in Tränen ausbricht. Als die Mutter Jays gequälten Aufschrei hört, hastet sie herbei, schimpft Len aus und befiehlt ihm, die Legosteine, um die sie sich gestritten haben, wegzuräumen. Das muß ihm als eine schwere Rechtsbeugung erscheinen, und so bricht nun Len in Tränen aus, doch die Mutter ist immer noch verärgert und nicht gewillt, ihn zu trösten.

Doch Len erhält Trost von unvermuteter Seite angeboten: Jay ist, obwohl der ursprünglich Geschädigte, über die Tränen seines älteren Bruders jetzt so bekümmert, daß er eine Aktion unternimmt, um Len zu beschwichtigen. Es entspinnt sich folgende Szene:[1]

»Len, nicht«, fleht Jay, »hör auf, Junge. Hör auf zu weinen.«

Doch Len weint weiter. Nachdem seine direkte Bitte nichts gefruchtet hat, verwendet Jay sich zugunsten von Len bei ihrer Mutter: »Len weint, Mammi! Len weint. Schau doch, ich sag's dir. Len weint.«

Und dann wendet Jay sich Len zu und nimmt eine bemutternde Haltung ein. Er tätschelt seinen weinenden Bruder, während er ihn in beschwichtigendem Ton zu beruhigen sucht: »Och, Len, nich mehr weinen.«

Len hört trotz der Tröstung nicht auf zu schluchzen. Jay wendet deshalb eine andere Taktik an, packt zu und räumt die Legosteine mit einem freundlichen »He, Len, ich tu sie für Lennie weg, ja?« in die Kiste.

Dennoch fließen die Tränen weiter. Jay, um Einfälle nicht verlegen, versucht es jetzt mit einer weiteren Strategie, mit Ablenkung. Er zeigt seinem Bruder ein Spielzeugauto und versucht seine Aufmerksamkeit von der kleinen Tragödie, die ihm gerade zugestoßen ist, abzulenken. »Da sitzt ein Mann drin. Was ist das, Len? Was ist das, Len?«

Len zeigt kein Interesse. Er ist untröstlich, seine Tränen wollen nicht versiegen. Seiner Mutter wird es zu bunt, und so greift sie auf die klassische elterliche Drohung zurück: »Muß ich dir erst einen Klaps geben?« Worauf Len zitternd »Nein« erwidert.

»Dann hört jetzt bitte auf«, sagt seine Mutter in entschiedenem, aber leicht verärgertem Ton.

Len schafft es, zwischen den Schluchzern kläglich hervorzustoßen: »Ich versuch's ja.«

Was Jay auf seinen letzten Einfall bringt. Mit der Entschiedenheit und der gebieterischen Stimme seiner Mutter droht er: »Hör auf zu weinen, Len. Sonst gibt's was auf den Hintern!«

Dieses kleine Drama zeigt, welch bemerkenswerte emotionale Raffinesse ein Wicht von gerade dreißig Monaten bei dem Versuch aufbieten kann, mit den Emotionen eines anderen fertig zu werden. Bei seinen dringlichen Bemühungen, seinen Bruder zu besänftigen, kann Jay auf ein breites Repertoire von Taktiken zurückgreifen: Erst fleht er ihn direkt an, dann sucht er eine Verbündete in seiner Mutter (die keine Hilfe ist), dann tröstet er ihn physisch, schließlich packt er hilfreich zu, versucht es mit Ablenkung, um am Ende zu drohen und direkt zu befehlen. Jay greift zweifellos auf ein Arsenal zurück, das an ihm ausprobiert wurde, wenn er selbst Kummer hatte. Egal. Entscheidend ist, daß es ihm schon in diesem frühen Alter im Notfall sofort zur Verfügung steht.

Natürlich sind Jays Mitgefühl und seine Tröstungsversuche durchaus kein Allgemeingut, wie alle Eltern von kleinen Kindern wissen. Ein Kind in seinem Alter könnte genausogut in der Verzweiflung seines Bruders oder seiner Schwester eine Chance sehen, sich zu rächen, und alles tun, um seine Verzweiflung noch zu verschlimmern. Dieselben Fähigkeiten können auch dazu genutzt werden, einen Bruder zu hänseln oder zu quälen. Aber auch diese Gemeinheit würde davon zeugen, daß eine wichtige emotionale Fähigkeit entstanden ist: die Gefühle eines anderen zu erkennen und in einer Weise zu handeln, die auf die Entwicklung dieser Gefühle einwirkt. Das ist das Wesen der Kunst, Beziehungen zu gestalten: daß man mit den Emotionen eines anderen umzugehen weiß.

Die Kleinen müssen, ehe sie einen solchen interpersonalen Einfluß entfalten können, ein Mindestmaß an Selbstkontrolle erreicht haben – Ansätze der Fähigkeit, ihren eigenen Ärger und Kummer, ihre Impulse und ihre Erregung zu dämpfen, auch wenn diese Fähigkeit sie gewöhnlich im Stich läßt. Man muß eine gewisse innere Ruhe haben, um sich auf andere einstellen zu können. Erste Anzeichen dieser Fähigkeit, mit den eigenen Emotionen umzugehen, treten in diesem Alter auf: Allmählich können die Kleinen warten, ohne zu jammern, und sie können diskutieren oder schmeicheln, um etwas zu erreichen, statt rohe Gewalt einzusetzen, auch wenn sie sich nicht immer dazu entschließen, diese Fähigkeit zu nutzen. Zumindest gelegentlich zeigt sich, daß es eine Alternative zu Wutanfällen gibt: die Geduld. Und mit zwei Jahren zeigen sich Anzeichen der Empathie; es war die Empathie, die Wurzel des Mitgefühls, die Jay veranlaßte, alles zu versuchen, um seinen schluchzenden Bruder Len aufzuheitern. Der Umgang mit den Emotionen anderer – die hohe Kunst der Beziehungen – setzt also die Reifung zweier anderer emotionaler Fähigkeiten voraus: Selbstbeherrschung und Empathie.

Auf dieser Grundlage reift das, was man »Menschenkenntnis« nennt. Dies sind die sozialen Kompetenzen, die für den Erfolg im Umgang mit anderen entscheidend sind; wer hier Defizite hat, kommt in der sozialen Welt nicht zurecht und wird immer wieder interpersonale Katastrophen erleben. Gerade der Mangel an diesen Fähigkeiten kann dazu führen, daß die intellektuell Begabtesten in ihren Beziehungen scheitern, daß man sie als arrogant, widerlich und gefühllos empfindet. Wer diese sozialen Fähigkeiten besitzt, kann eine zwischenmenschliche Begegnung gestalten, kann andere mobilisieren und inspirieren, hat gute freundschaftliche Beziehungen, kann andere überzeugen und beeinflussen, kann eine entspannte Atmosphäre schaffen.

## Zeig ein bißchen Gefühl!

Eine wichtige soziale Kompetenz besteht darin, seine eigenen Gefühle äußern zu können. Die gesellschaftliche Übereinkunft darüber, welche Gefühle man wann zeigen darf, bezeichnet Paul Ekman als »Vorzeigeregeln«. Zwischen den Kulturen bestehen in dieser Hinsicht ungeheure Unterschiede. In Japan studierten Ekman und Mitarbeiter die Gesichtsreaktionen von Schülern auf einen entsetzlichen Film, der die rituelle Beschneidung von Aborigines im Jugendalter zeigte. War eine Autoritätsperson anwesend, ließen die Gesichter nur Andeutungen einer Reaktion erkennen. Glaubten die Schüler dagegen allein zu sein (obwohl sie von einer versteckten Kamera gefilmt wurden), zeigten die Gesichter eine lebhafte Mischung aus Gequältheit, Angst und Abscheu.

Es gibt verschiedene Grundformen von Vorzeigeregeln.[2] In der einen wird das Vorzeigen von Emotionen *minimiert* – dies ist die japanische Norm für Gefühle des Leids in Anwesenheit einer Autorität, welche die Schüler befolgten, als sie ihre Verstörtheit durch ein Pokergesicht verdeckten. Eine andere Regel fordert, daß man *übertreibt*, was man empfindet, indem man den emotionalen Ausdruck steigert; das ist der Trick, den die Sechsjährige benutzt, wenn sie ihr Gesicht kläglich verzieht und mit bebenden Lippen zur Mutter läuft, um sich darüber zu beklagen, daß ihr älterer Bruder sie aufzieht. Eine dritte Regel verlangt, ein Gefühl durch ein anderes zu *ersetzen*; sie kommt in einigen asiatischen Kulturen zur Geltung, wo es als unhöflich gilt, »nein« zu sagen, und stattdessen positive (aber falsche) Zusicherungen gegeben werden. Diese Strategien gut nutzen zu können und zu wissen, wann sie angebracht sind, ist ein Faktor der emotionalen Intelligenz.

Wir erlernen diese Vorzeigeregeln sehr früh, teils durch ausdrückliche Belehrung. Eine Belehrung in Vorzeigeregeln findet statt, wenn wir ein Kind ermahnen, sich seine Enttäuschung nicht anmerken zu lassen, sondern vielmehr »Danke schön« zum Opa zu sagen, der ein gräßliches, aber gutgemeintes Geburtstagsgeschenk mitgebracht hat. Zumeist werden die Vorzeigeregeln jedoch durch Vorbilder vermittelt: Kinder lernen, das zu tun, was ihnen vorgemacht wird. In der Erziehung der Gefühle sind die Emotionen Medium und Botschaft zugleich. Wenn die Mutter, die das Kind ermahnt: »Lächle und sage danke schön«, dabei aber barsch, fordernd und kalt ist, wenn sie ihm die Botschaft ins Ohr zischt, statt sie ihm freundlich zuzuflüstern, wird das Kind vermutlich eine ganz andere Lektion erlernen und dem Opa mit einem finsteren Blick und einem knappen, lustlosen »Danke schön« antworten. Im ersten Fall wird der Opa glücklich (wenn auch getäuscht) sein, im zweiten wird ihn die gemischte Botschaft kränken.

Das Vorzeigen von Emotionen hat natürlich unverzüglich Folgen in Gestalt des Eindrucks, den es bei der empfangenden Person hervorruft. Die Regel, die das Kind erlernt, lautet etwa: Verdecke deine wahren Gefühle, wenn sie einen Menschen, den du liebst, verletzen; zeige lieber ein verlogenes, aber weniger verletzendes Gefühl vor. Solche Regeln für das Äußern von Emotionen sind nicht bloß Elemente dessen, was in einer Gesellschaft als schicklich gilt; sie legen fest, wie unsere Gefühle auf alle anderen wirken. Wer diese Regeln befolgt, erzielt einen optimalen Eindruck; wer sich nicht daran hält, richtet ein emotionales Chaos an.

Schauspieler beherrschen natürlich kunstvoll die Regeln des Vorzeigens von Emotionen; es ist ihre Ausdruckskraft, die beim Publikum Reaktionen hervorruft. Und es steht außer Zweifel, daß einige von uns geradezu als Schauspieler geboren werden. Weil wir aber wegen der unterschiedlichen Vorbilder, die wir hatten, bezüglich der Vorzeigeregeln ganz unterschiedliche Dinge gelernt haben, beherrschen die Menschen diese Kunst in sehr unterschiedlichem Maße.

## Expressivität und das Ansteckende der Emotionen

Es war zu Beginn des Vietnamkriegs, und eine amerikanische Kompanie steckte irgendwo in einem Reisfeld und lieferte sich ein heftiges Feuergefecht mit dem Vietkong. Plötzlich tauchte auf dem Wall, der ein Reisfeld vom anderen trennte, eine Reihe von sechs Mönchen auf. Vollkommen ruhig und gelassen gingen die Mönche direkt in die Schußlinie hinein.

»Sie schauten nicht nach rechts, sie schauten nicht nach links. Sie gingen einfach geradeaus«, erinnert sich David Busch, einer der amerikanischen Soldaten. »Es war ganz seltsam, aber keiner schoß auf sie. Und nachdem sie vorbeigegangen waren, hatte ich plötzlich keinen Kampfgeist mehr. Ich hatte einfach keine Lust mehr dazu, jedenfalls nicht an diesem Tag. So müssen es alle empfunden haben, denn keiner gab mehr einen Schuß ab. Wir stellten einfach den Kampf ein.«[3]

Darin, daß die Mönche mit ihrer stillen, mutigen Gelassenheit die Soldaten mitten im Gefecht zu befrieden vermochten, zeigt sich ein Grundprinzip des sozialen Lebens: Emotionen sind ansteckend. Hier wurde allerdings ein extremer Fall geschildert; in der Regel vollzieht sich die emotionale Ansteckung sehr viel subtiler, als Bestandteil einer stillschweigenden Kommunikation, die bei jeder Begegnung zwischen Menschen stattfindet. Wir vermitteln einander Stimmungen und fangen die Stimmungen anderer auf; es gibt so etwas wie eine unterirdische Ökonomie der Psyche, in der gewisse Begegnungen giftig und andere stärkend sind. Zumeist findet dieser emotionale Austausch auf einer subtilen, kaum wahrnehmbaren Ebene statt; wir können uns, je nachdem, wie eine Verkäuferin »vielen Dank« sagt, links liegengelassen und verärgert oder wirklich willkommen und geschätzt fühlen. Wir ziehen uns Gefühle voneinander zu, als wären sie so etwas wie soziale Viren.

Wir schicken bei jeder Begegnung emotionale Signale aus, die sich auf unser Gegenüber auswirken. Je größer unsere gesellschaftliche Gewandtheit ist, desto besser kontrollieren wir die von uns ausgesandten Signale; die in kultivierter Gesellschaft übliche Zurückhaltung soll schließlich nur sicherstellen, daß kein störendes Durchsickern von

Emotionen die Begegnung aus dem Gleis wirft (eine soziale Regel, die, auf den Bereich intimer Beziehungen übertragen, lähmend wirkt). Emotionale Intelligenz schließt ein, daß man diesen emotionalen Austausch zu steuern weiß; als »beliebt« und »charmant« bezeichnen wir Menschen, mit denen wir gern zusammen sind, weil wir uns dank ihrer emotionalen Geschicklichkeit wohlfühlen. Menschen, die anderen helfen können, ihre Gefühle zu besänftigen, besitzen einen gesellschaftlich besonders geschätzten Artikel; sie sind die Seelen, an die wir uns wenden, wenn wir in größter emotionaler Not sind. Wir alle sind im Guten wie im Bösen füreinander Teile des Werkzeugkastens für emotionalen Austausch.

Wie subtil die Emotionen vom einen zum anderen weitergegeben werden, zeigt ein bemerkenswerter Versuch. Zwei Versuchsteilnehmer füllten einen Fragebogen über ihre augenblickliche Stimmung aus, anschließend saßen sie einander wortlos gegenüber und warteten darauf, daß die Versuchsleiterin wieder ins Zimmer zurückkehrte. Nach zwei Minuten kam sie und bat, nochmals einen Fragebogen zur Stimmung auszufüllen. Die beiden waren bewußt so ausgewählt worden, daß einer seinen Emotionen sehr stark Ausdruck gab, während der andere ausdruckslos war. In jedem Fall übertrug sich die Stimmung des Ausdrucksstarken auf den passiveren Partner.[4]

Wie kommt es zu dieser rätselhaften Übertragung? Sehr wahrscheinlich imitieren wir unbewußt die Emotionen, die ein anderer erkennen läßt, durch eine von uns nicht wahrgenommene motorische Mimikry des Gesichtsausdrucks, der Gebärden, des Tonfalls der Stimme und anderer nonverbaler Anzeichen der Emotion. Durch diese Imitation erzeugen wir in uns die Stimmung des anderen – eine Variante der Stanislawskij-Methode, bei der Schauspieler durch Gesten, Bewegungen und andere Ausdrucksformen eine Emotion, die sie einmal stark bewegt hat, erneut heraufbeschwören.

Im Alltag vollzieht sich Imitation von Gefühlen zumeist ganz unmerklich. Ulf Dimberg von der Universität Uppsala stellte fest, daß der Anblick eines lächelnden oder wütenden Gesichts beim Betrachter Anzeichen der entsprechenden Stimmung in Gestalt geringfügiger Veränderungen der Gesichtsmuskulatur hervorruft, die durch elektronische Sensoren erkennbar werden, aber mit bloßem Auge gewöhnlich nicht zu sehen sind.

In der Interaktion zweier Menschen wird die Stimmung von demjenigen, der seine Gefühle stärker äußert, auf den passiveren übertragen. Manche sind besonders empfänglich für die emotionale Ansteckung; ihr autonomes Nervensystem, das die emotionale Aktivität anzeigt, wird aufgrund ihrer angeborenen Sensibilität leichter angesprochen. Durch diese Labilität sind sie offenbar stärker zu beeindrucken; ein sentimentaler Werbespot kann sie zu Tränen rühren, und ein kurzes Schwätzchen mit einem fröhlichen Menschen kann ihnen Auftrieb geben (dadurch sind sie wohl auch einfühlsamer, da sie sich leichter von den Gefühlen eines anderen bewegen lassen).

John Cacioppo, der Sozial-Psychophysiologe an der Universität des Staates Ohio, der diesen subtilen Austausch von Emotionen untersucht hat, bemerkt dazu: »Es genügt, bei jemandem den Ausdruck einer Emotion zu beobachten, um in uns selbst diese Stimmung hervorzurufen, auch wenn wir gar nicht merken, daß wir den Gesichtsausdruck nachahmen. Das passiert ständig. Man kann von einem Tanz, einer Synchronisation, einer Übertragung der Emotionen sprechen. Es hängt von dieser Synchronisation der Stimmungen ab, ob man das Gefühl hat, daß eine Interaktion geklappt hat, oder nicht.«

Der Grad an emotionaler Übereinstimmung, die Menschen in einer Begegnung empfinden, spiegelt sich darin, wie eng ihre körperlichen Bewegungen während des Gesprächs aufeinander abgestimmt sind – ein Kennzeichen der Nähe, das einem meistens nicht bewußt wird. Der eine nickt, während der andere gerade ein Argument äußert, oder beide rutschen gleichzeitig auf dem Stuhl hin und her, oder einer beugt sich vor, während der andere sich zurücklehnt. Die Abstimmung kann sich in einem so subtilen Zeichen äußern, daß zwei, die auf Drehstühlen sitzen, im selben Rhythmus schaukeln. Die von Daniel Stern beobachtete Synchronisation zwischen Müttern und Kindern, die aufeinander abgestimmt sind, besteht auch zwischen den Bewegungen von Menschen, die eine emotionale Beziehung zwischen sich empfinden.

Diese Synchronisation erleichtert offenbar das Senden und Empfangen von Stimmungen, auch wenn es um negative Stimmungen geht. Bei einer Untersuchung über die physische Synchronisation diskutierten Frauen, die an Depression litten, zusammen mit ihren Partnern ein Problem ihrer Beziehung. Je stärker die Synchronisation auf nonverbaler Ebene war, desto schlechter fühlten sich die Partner der Frauen hinterher – sie hatten sich von der schlechten Stimmung ihrer Freundin anstecken lassen.[5] Gleichgültig, ob die Menschen gutgelaunt oder bedrückt sind – je stärker sie körperlich aufeinander abgestimmt sind, desto mehr werden ihre Stimmungen sich angleichen.

An der Synchronisation zwischen Lehrern und Schülern kann man ihr psychisches Verhältnis ablesen. Beobachtungen im Klassenzimmer zeigen, daß, je enger die Bewegungen zwischen Lehrer und Schüler aufeinander abgestimmt sind, ihre Empfindungen während der Interaktion desto freundlicher, fröhlicher, begeisterter, interessierter und entspannter sind. Generell deutet ein hohes Maß an Synchronisation in einer Interaktion darauf hin, daß die beteiligten Personen sich mögen. Frank Bernieri, der Psychologe von der Universität des Staates Oregon, der diese Untersuchungen durchführte, erklärte mir: »Wie behaglich oder unbehaglich man sich in Gegenwart eines anderen fühlt, hängt in einem bestimmten Ausmaß vom Körperlichen ab. Um sich behaglich zu fühlen, muß das Timing übereinstimmen, müssen die Bewegungen koordiniert sein. In der Synchronisation äußert sich die Stärke des Engagements zwischen den Partnern; wenn man sich stark aufeinander einläßt, beginnen die Stimmungen sich miteinander zu verzahnen, gleich, ob positiv oder negativ.«

Kurz, die Koordination der Stimmungen ist das Wesen des psychischen Verhältnisses, das bei Erwachsenen der Abstimmung zwischen einer Mutter und ihrem Kind entspricht. Cacioppo meint, einer der Erfolgsfaktoren im interpersonalen Bereich sei die Geschicklichkeit, mit der diese emotionale Synchronisation herbeigeführt wird. Wenn Menschen sich auf die Stimmungen anderer einzustellen wissen oder andere leicht in den Bann ihrer eigenen Stimmung ziehen können, laufen die Interaktionen auf der emotionalen Ebene reibungsloser ab. Ein erfolgreicher Führer oder Schauspieler zeichnet sich denn auch dadurch aus, daß er ein Tausende zählendes Publikum in diesem Sinne zu »bewegen« vermag. Gleichzeitig weist Cacioppo darauf hin, daß Menschen, die nicht gut Emotionen empfangen oder ausstrahlen können, vielfach Beziehungsschwierigkeiten haben, da andere sich in ihrer Gegenwart unbehaglich fühlen, auch wenn sie nicht klar sagen können, woran das liegt.

In einer Interaktion den emotionalen Ton anzugeben, ist gewissermaßen ein Zeichen von Dominanz auf einer tiefen, sehr persönlichen Ebene, bedeutet es doch, den emotionalen Zustand des anderen zu steuern. Diese Macht zur Bestimmung der Emotion ist einem biologischen Zeitgeber vergleichbar, der natürliche Rhythmen wie den Tag-Nacht-Zyklus der Sonne oder die monatlichen Mondphasen nach sich zieht. Bei einem tanzenden Paar ist die Musik der Zeitgeber ihres Verhaltens. Bei persönlichen Begegnungen ist es gewöhnlich derjenige mit der größeren Expressivität – oder der größten Macht –, dessen Emotionen den anderen mit sich ziehen. Der dominante Partner redet mehr, während der unterlegene Partner mehr auf das Gesicht des anderen achtet – die ideale Voraussetzung für die Übertragung von Gefühlen. Auch bei einem guten Redner, etwa einem Politiker oder einem Erweckungsprediger, ist es das kraftvolle Auftreten, das die Emotionen der Zuhörer mit sich reißt.[6] Das meinen wir, wenn wir sagen: »Er hatte sie völlig in der Hand.« Einfluß beruht darauf, daß man die Emotionen mitreißen kann.

## Die Anfänge sozialer Intelligenz

In der Vorschule ist Pause, und eine Schar Jungen läuft über die Wiese. Reggie strauchelt, tut sich am Knie weh und fängt an zu weinen, aber die anderen Jungen laufen weiter – nur Roger bleibt stehen. Als Reggie aufhört zu schluchzen, bückt Roger sich, reibt sich am Knie und ruft: »Ich habe mir auch am Knie weh getan!«

Als exemplarisches Beispiel interpersonaler Intelligenz wird Roger von Thomas Hatch angeführt, einem Kollegen von Howard Gardner an der »Spectrum«-Vorschule, die sich auf die Theorie der multiplen Intelligenz stützt.[7] Roger besitzt offenbar eine ungewöhnliche Fähigkeit, die Gefühle seiner Spielkameraden zu erkennen und rasche, unkomplizierte Beziehungen zu ihnen aufzubauen. Nur Roger bemerkte Reggies Kummer, und nur Roger versuchte ihn zu trösten, auch wenn er ihm nicht mehr bieten konnte, als sich das Knie zu reiben. Diese kleine Geste bezeugt ein Talent zur Herstellung psychischer Beziehungen, eine emotionale Fähigkeit, die für die Erhaltung enger Beziehungen wichtig ist, sei es in der Ehe, der Freundschaft oder einer Geschäftspartnerschaft. Solche Fähigkeiten bei Vorschulkindern sind die Keime von Talenten, die das ganze Leben hindurch reifen.

Rogers Talent stellt eine von vier Fähigkeiten dar, die Hatch und Gardner als Elemente der interpersonalen Intelligenz ausgemacht haben:

*Gruppen organisieren* – die entscheidende Fähigkeit des Führers, der die Anstrengungen einer größeren Zahl von Menschen initiiert und koordiniert. Dieses Talent findet man bei Regisseuren und Produzenten, bei Offizieren und bei tüchtigen Leitern von Organisationen und Einheiten jeglicher Art. Auf dem Spielplatz besitzt es jenes Kind, das die Initiative ergreift und entscheidet, was gemeinsam gespielt werden soll, oder das Mannschaftskapitän wird.

*Lösungen aushandeln* – das Talent des Vermittlers, der Konflikte verhindert oder entstandene Konflikte löst. Wer diese Fähigkeit besitzt, eignet sich hervorragend zum Abschließen von Verträgen, zum Schlichten oder Beilegen von Streitigkeiten; er hat berufliche Chancen in der Diplomatie, im Schiedsgerichts- oder Rechtswesen oder als Makler oder Manager von Firmenübernahmen. Dies sind die Kinder, die Streitigkeiten zwischen Spielkameraden beilegen.

*Persönliche Verbindung* – Rogers Talent, das Talent der Empathie und der Herstellung von Beziehungen. Dies erleichtert es, mit anderen in Verbindung zu treten oder die Gefühle und Sorgen anderer zu erkennen und angemessen zu reagieren – die Kunst der Beziehung. Solche Menschen sind gute Mannschaftskameraden, verläßliche Ehegatten, Freunde oder Geschäftspartner; im Geschäftsleben sind sie erfolgreich als Verkäufer oder Manager, und sie können hervorragende Lehrer sein. Kinder wie Roger kommen praktisch mit jedem gut aus, können ohne Probleme mit jedem spielen und tun es gern. Sie sind oft die Besten darin, Emotionen am Gesichtsausdruck abzulesen, und sie werden von Klassenkameraden am meisten geschätzt.

*Soziale Analyse* – die Fähigkeit, die Gefühle, Motive und Anliegen anderer zu entdecken und zu verstehen. Eine Folge dieser Einsicht in die Gefühle anderer kann ungezwungene Vertrautheit oder ein Gefühl des Verstandenseins sein. Ist diese Fähigkeit hochentwickelt, kann man ein kompetenter Therapeut oder Ratgeber sein – und wenn ein gewisses literarisches Talent hinzutritt, ein begnadeter Schriftsteller oder Dramatiker.

Diese Fähigkeiten bilden, zusammengenommen, die Grundlage höchster sozialer Kompetenz, sind die notwendigen Ingredienzien von Charme, gesellschaftlichem Erfolg, ja sogar von Charisma. Wer soziale Intelligenz besitzt, kann ohne Schwierigkeiten Verbindung zu anderen herstellen, ihre Reaktionen und Gefühle scharfsinnig erfassen, führen und organisieren und mit den Konflikten fertigwerden, die bei allem menschlichen Tun unvermeidlich auftreten. Er ist der geborene Führer, der das, was alle unausgesprochen denken, auszudrücken und so zu artikulieren vermag, daß er eine Gruppe ihren Zielen entgegenführt. Er gehört zu den Leuten, die andere mögen, weil sie einen emotional stärken – sie hinterlassen bei den anderen eine gute Stimmung und den Eindruck: »Was für ein Vergnügen, mit einem Menschen wie diesem zusammen zu sein.«

Diese interpersonalen Fähigkeiten bauen auf anderen Formen emotionaler Intelligenz auf. Wer zum Beispiel einen glänzenden sozialen Eindruck zu erzeugen vermag, muß den Ausdruck seiner eigenen

Emotionen unter Kontrolle haben und die Reaktionen anderer schnell erfassen, so daß er sein gesellschaftliches Auftreten beständig anpassen kann, um den gewünschten Effekt zu erzielen. Er ist insofern mit erfahrenen Schauspielern zu vergleichen.

Freilich müssen diese interpersonalen Fähigkeiten aufgewogen werden durch ein sicheres Gespür für die eigenen Gefühle und Bedürfnisse und für die Möglichkeiten, ihnen gerecht zu werden, denn sonst entsteht ein unechter gesellschaftlicher Erfolg, eine Beliebtheit um den Preis wahrer Befriedigung. Das behauptet Mark Snyder, Psychologe an der Universität von Minnesota, der sich mit Menschen befaßt hat, die durch ihre sozialen Fähigkeiten zu großartigen sozialen Chamäleons wurden, die meisterhaft einen guten Eindruck zu erzeugen wissen.[8] Ihr psychologisches Credo könnte eine Bemerkung von W. H. Auden sein, der einmal gesagt hat, daß sich das Bild, das er von sich selbst hat, »völlig von dem Bild unterscheidet, das ich bei anderen zu erzeugen versuche, damit sie mich lieben können«. Das ist der Handel, zu dem es kommen kann, wenn die sozialen Fähigkeiten größer sind als die Fähigkeit, die eigenen Gefühle zu erkennen und zu respektieren: Um geliebt oder wenigstens gemocht zu werden, gibt das soziale Chamäleon sich den Anschein, das zu sein, was diejenigen, mit denen es zusammen ist, zu wünschen scheinen. Daß jemand zu dieser Kategorie gehört, kann man Snyder zufolge daran erkennen, daß er einen ausgezeichneten Eindruck macht, aber kaum stabile oder befriedigende engere Beziehungen hat. Vernünftiger ist es natürlich, sich selbst treu zu sein und zugleich seine sozialen Fähigkeiten mit Anstand einzusetzen.

Sozialen Chamäleons macht es jedoch nicht das geringste aus, wenn ihre Worte und Taten auseinanderklaffen, wenn sie nur damit soziale Anerkennung gewinnen können. Sie leben ganz einfach mit der Diskrepanz zwischen ihrer öffentlichen Erscheinung und ihrer privaten Realität. Die Psychoanalytikerin Helene Deutsch hat solche Menschen »Als-ob-Persönlichkeiten« genannt, die mit bemerkenswerter Wandlungsfähigkeit je nach den Signalen, die sie aus ihrer Umwelt auffangen, ihre Maske wechseln. »Bei manchen«, erklärte mir Snyder, »passen die öffentliche und die private Person gut zusammen, doch bei anderen gibt es offenbar nur ein Kaleidoskop von wechselnden Erscheinungen. Sie ähneln Woody Allens Figur Zelig und strampeln sich ab, um mit jedem, mit dem sie gerade zusammen sind, übereinzustimmen.«

Solche Menschen suchen verzweifelt nach einem Anhaltspunkt, was von ihnen gewünscht wird, bevor sie reagieren, statt einfach zu sagen, was sie wirklich denken. Sie sind imstande, bei einem Menschen, den sie nicht leiden können, den Eindruck zu erwecken, sie seien ihm wohlgesonnen, nur damit kein Dissens entsteht und damit man sie mag. Und sie nutzen ihre sozialen Fähigkeiten, um ihre Handlungsweise danach auszurichten, was die jeweilige Situation erfordert; so verhalten sie sich, je nachdem, mit wem sie zusammen sind, wie ganz verschiedene Personen, bald mit überschwenglicher Geselligkeit, bald mit kühler Reserviertheit. Allerdings genießen diese Charakterzüge, sofern sie einem effektiven Management des persönlichen Eindrucks dienen, in manchen Berufen hohe Wertschätzung, namentlich bei Schauspielern, Prozeßanwälten, Verkäufern, Diplomaten und Politikern.

Es gibt eine andere, vielleicht noch wichtigere Art der Selbstbeobachtung, von der es offenbar abhängt, ob man als haltloses soziales Chamäleon endet, das jeden zu beeindrucken sucht, ober ob man seine soziale Intelligenz eher im Einklang mit seinen wahren Gefühlen einsetzt. Es geht um die Fähigkeit, »sich selbst treu zu bleiben«, dank derer man ohne Rücksicht auf die gesellschaftlichen Folgen gemäß seinen tiefsten Überzeugungen und Wertvorstellungen handeln kann. Solche emotionale Integrität kann beispielsweise dazu führen, daß man bewußt eine Konfrontation herbeiführt, um mit Selbstverleugnung und Doppelzüngigkeit Schluß zu machen; ein soziales Chamäleon würde sich niemals trauen, auf diese Weise reinen Tisch zu machen.

## Wie soziale Inkompetenz entsteht

Cecil war ohne Zweifel ein heller Kopf; er hatte Fremdsprachen studiert und war ein vorzüglicher Übersetzer. Doch in manch entscheidender Hinsicht war er vollständig untüchtig. Es schien, als gingen Cecil die einfachsten sozialen Fähigkeiten ab: Ein zwangloses Gespräch beim Kaffee verpatzte er, nicht einmal grüßen konnte er richtig, und selbst die alltäglichsten Formen sozialen Umgangs schien er nicht zu beherrschen. Weil der Mangel an gesellschaftlichen Manieren sich am stärksten in Gegenwart von Frauen bemerkbar machte, kam Cecil in die Therapie; er fragte sich, ob er vielleicht, wie er sich ausdrückte, »homosexuelle Tendenzen von tieferer Natur« habe, obwohl er keine entsprechenden Phantasien hatte.

Das eigentliche Problem, gestand Cecil seinem Therapeuten, sei, daß er befürchte, daß nichts, was er sagen könne, für irgendjemanden von Interesse sei. Diese tiefe Furcht verstärkte nur einen profunden Mangel an gesellschaftlichen Manieren. Weil er in Gegenwart anderer nervös war, kicherte und lachte er an den unpassendsten Stellen, und wenn jemand etwas wirklich Lustiges sagte, lachte er nicht. Seine Unbeholfenheit, gestand Cecil dem Therapeuten, gehe auf die Kindheit zurück; solange er zurückdenken könne, habe er sich nur in Gesellschaft seines älteren Bruders entspannt gefühlt, der ihm irgendwie über die Verlegenheit hinweggeholfen habe. Nachdem er aber von zu Hause fortgegangen war, hatte seine Ungeschicklichkeit ihn von allen sozialen Beziehungen abgeschnitten.

Diesen Fall schildert Lakin Phillips, Psychologe an der George Washington-Universität. Er führt Cecils Misere darauf zurück, daß er in der Kindheit nicht die elementarsten Grundlagen der sozialen Interaktion gelernt habe:

*»Was hätte man Cecil früher beibringen können? Direkt zu anderen zu sprechen, wenn er angesprochen wird; von sich aus einen sozialen Kontakt anzuknüpfen und nicht immer darauf zu warten, daß andere es tun; ein Gespräch zu führen, statt sich auf ja oder nein oder einsilbige Antworten zu beschränken; anderen seine Dankbarkeit zum Ausdruck zu bringen; jemand anderem an einer Tür den Vortritt zu lassen; zu warten, bis man bedient wird ... anderen zu danken, »bitte« zu sagen, zu teilen und all die anderen elementaren Interaktionen, die wir den Kindern von zwei Jahren an beibringen.«*[9]

Unklar ist, ob Cecils Defizit daran lag, daß man ihm solche Anfangsgründe gesellschaftlicher Umgangsformen nicht beigebracht hatte, oder an seiner Unfähigkeit zu lernen. Doch was immer die Gründe sein mögen, Cecils Geschichte ist lehrreich, weil sie das Wesentliche der zahllosen Lektionen verdeutlicht, die Kindern über die Synchronisation von Interaktionen und die unausgesprochenen Regeln sozialer Harmonie erteilt werden. Im Endeffekt erzeugt derjenige, der diese Regeln nicht befolgt, Unruhe, bereitet er seinen Mitmenschen Unbehagen. Die Funktion dieser Regeln besteht natürlich darin, allen einen ungezwungenen sozialen Austausch zu ermöglichen; Unbeholfenheit erzeugt Angst. Diejenigen, denen diese Fähigkeiten abgehen, sind unbeholfen nicht nur im Hinblick auf die feinen gesellschaftlichen Formen, sondern auch im Umgang mit den Emotionen derer, mit denen sie zusammentreffen; unausweichlich erzeugen sie ein Durcheinander.

Jeder von uns kennt solche Cecils, denen es ärgerlicherweise an gesellschaftlichem Feingefühl mangelt – Leute, die nicht zu wissen scheinen, wann eine Unterhaltung oder ein Telefongespräch beendet werden sollte, und die alle Winke und Andeutungen, daß man nun

Schluß machen sollte, überhören; Leute, deren Gespräche sich nur um sie selbst drehen, ohne das geringste Interesse an anderen zu zeigen, und die alle schüchternen Versuche, ein anderes Thema anzuschneiden, ignorieren; Leute, die sich überall einmischen oder neugierige Fragen stellen. All diese Abweichungen von einem reibungslosen gesellschaftlichen Verkehr bezeugen einen Mangel an den Grundelementen der Interaktion.

Psychologen haben den Begriff »Dyssemie« (aus dem griechischen »dys« für Schwierigkeit und »semes« für Signal) geprägt, um zu bezeichnen, was auf eine Lernunfähigkeit hinsichtlich nonverbaler Botschaften hinausläuft; etwa jedes zehnte Kind hat in dieser Beziehung ein oder mehr Probleme.[10] Das Problem kann darin liegen, daß das Kind kein Gespür für den persönlichen Bereich des anderen hat, so daß es beim Sprechen keinen Abstand hält oder seine Habseligkeiten in fremdes Territorium hinein ausbreitet; darin, daß es Körpersprache mangelhaft deutet oder nutzt; darin, daß es den Gesichtsausdruck falsch interpretiert oder nutzt, weil es zum Beispiel versäumt, Blickkontakt herzustellen; darin, daß es kein Gefühl für die Prosodie, die emotionale Qualität der Rede hat, so daß es zu schrill oder zu tonlos spricht.

Die Forschung hat sich ausgiebig mit Kindern befaßt, die Anzeichen sozialer Defizite erkennen lassen, Kindern, die wegen ihres linkischen Verhaltens von ihren Spielkameraden vernachlässigt oder abgelehnt werden. Sieht man einmal von Kindern ab, die verschmäht werden, weil sie andere tyrannisieren, so fehlt es denjenigen, die von anderen Kindern gemieden werden, durchweg an den Grundelementen der direkten Interaktion, besonders an den unausgesprochenen nonverbalen Regeln der interpersonalen Begegnung. Wenn Kinder in der Sprache Schwächen haben, nimmt man an, daß sie nicht sehr intelligent oder unzureichend gebildet seien; wenn sie dagegen in den nonverbalen Interaktionsregeln Schwächen haben, gelten sie – besonders bei Spielkameraden – als »seltsam« und werden gemieden. Es sind dies die Kinder, die es nicht verstehen, sich geschickt einem Spiel anzuschließen, deren körperliche Annäherung bei anderen Unbehagen statt Kameradschaftlichkeit weckt, die, mit einem Wort, »unsympathisch« sind. Es sind Kinder, die nicht die stumme Sprache der Emotion beherrschen und die, ohne es zu wissen, Botschaften aussenden, die Unbehagen erzeugen.

Der Psychologe Stephen Nowicki von der Emory-Universität, der die nonverbalen Fähigkeiten von Kindern untersucht, sagt über sie: »Kinder, die nicht gut Emotionen deuten oder ausdrücken können, fühlen sich ständig frustriert. Sie verstehen im Grunde nicht, was los ist. Diese Art der Kommunikation ist ein dauernder Subtext von allem, was wir tun; man kann ja nicht aufhören, seinen Gesichtsausdruck oder seine Haltung zu zeigen, und man kann nicht den Tonfall seiner Stimme verstecken. Wenn man in den emotionalen Botschaften, die man aussendet, Fehler macht, erlebt man dauernd, daß die anderen merkwürdig auf einen reagieren – man wird abgewiesen und weiß nicht warum. Man denkt, daß man sich richtig verhält, wirkt aber auf die anderen übertrieben oder böse, und wenn man dann merkt, daß die anderen Kinder böse auf einen werden, versteht man es nicht. Am Ende haben solche Kinder das Gefühl, daß sie überhaupt keinen Einfluß darauf haben, wie andere sie behandeln, daß ihr Handeln sich nicht darauf auswirkt, was mit ihnen geschieht. Sie fühlen sich ohnmächtig, deprimiert und apathisch.«

Abgesehen davon, daß solche Kinder zu Einzelgängern werden, leiden auch noch ihre schulischen Leistungen. Der Unterricht ist natürlich nicht nur eine Lernsituation, sondern ebensosehr eine soziale Situation. Das sozial unbeholfene Kind wird einen Lehrer ebenso mißverstehen und falsch auf ihn reagieren wie auf ein anderes Kind. Die Angst und Verwirrung, die daraus entstehen, genügen schon, seine Fähigkeit zu effektivem Lernen zu beeinträchtigen. So haben Untersuchungen der nonverbalen Sensibilität ergeben, daß Kinder, die emotionale Signale mißdeuten, in der Schule im Durchschnitt schlecht abschneiden, gemessen an ihrer Lernbegabung, wie sie sich in IQ-Tests ausdrückt.[11]

## »Wir können dich nicht ausstehen«: auf der Schwelle

Am schmerzlichsten und am deutlichsten wird soziale Unbeholfenheit, wenn einer der riskanteren Momente im Leben eines Kindes eintritt: Es befindet sich am Rande einer spielenden Gruppe und möchte sich ihr anschließen. Es ist ein riskanter Moment, denn nun kommt ans Licht, ob man gemocht oder gehaßt wird, ob man dazugehört oder nicht. Deshalb ist dieser wichtige Moment von Forschern, die sich mit der kindlichen Entwicklung befassen, gründlich untersucht worden. Dabei zeigte sich zwischen den Annäherungsstrategien, die von beliebten Kindern und von sozialen Außenseitern benutzt werden, ein starker Kontrast. Die Ergebnisse unterstreichen, wie wichtig es im Sinne sozialer Kompetenz ist, daß emotionale und interpersonale Signale bemerkt, interpretiert und mit einer Reaktion beantwortet werden. Es ist zwar ergreifend, wenn man beobachtet, wie ein Kind sich in der Nähe einer spielenden Gruppe herumdrückt, wie es gern mitspielen würde, aber nicht zugelassen wird, doch ist dies ein allgemeines Phänomen: Auch die beliebtesten Kinder werden bisweilen zurückgewiesen. Eine Studie unter Zweit- und Drittkläßlern stellte fest, daß die beliebtesten Kinder bei dem Versuch, sich einer spielenden Gruppe anzuschließen, in 26 Prozent aller Fälle abgewiesen wurden.

Kinder sind hinsichtlich des emotionalen Urteils, das in solchen Ablehnungen steckt, von schonungsloser Offenheit. Das zeigt der folgende Dialog zwischen Vierjährigen in einer Vorschule.[12] Linda möchte sich Barbara, Nancy und Bill anschließen, die mit Spielzeugtieren und Bauklötzen spielen. Sie schaut eine Minute lang zu, dann macht sie ihren Annäherungsversuch, setzt sich neben Barbara und beginnt, mit den Tieren zu spielen. Barbara dreht sich zu ihr um und sagt: »Du darfst nicht mitspielen!«

»Ich darf wohl«, kontert Linda. »Ich darf auch die Tiere haben.«

»Nein, darfst du nicht«, sagt Barbara schroff. »Wir können dich heute nicht leiden.«

Als Bill sich für Linda einsetzt, schließt Nancy sich dem Angriff an: »Wir können sie heute nicht ausstehen.«

Wegen der Gefahr, daß man ihnen explizit oder implizit sagt »Wir können dich nicht ausstehen«, sind alle Kinder verständlicherweise vorsichtig, wenn sie auf der Schwelle stehen, sich einer Gruppe zu nähern. Diese Angst ist vermutlich nicht sehr verschieden von derjenigen, die ein Erwachsener empfindet, wenn er mit ihm unbekannten Menschen auf einer Cocktailparty ist und zögert, auf eine fröhlich schwatzende Gruppe zuzugehen, die aus vertrauten Freunden zu bestehen scheint. Weil dieser Moment auf der Schwelle zu einer Gruppe für ein Kind so bedeutsam ist, ist er zugleich, wie ein Forscher sagte, »äußerst aufschlußreich ... rasch zeigen sich Unterschiede in der sozialen Geschicklichkeit«.[13]

In der Regel schauen Neuankömmlinge eine Zeitlang zu, dann schließen sie sich, anfangs sehr zögernd, an, und erst in sehr behutsamen Schritten werden sie sicherer. Ob ein Kind akzeptiert wird oder nicht, hängt vor allem davon ab, wie gut es auf das Bezugssystem der Gruppe eingeht, wie gut es erspürt, welche Art von Spiel angesagt und welche unangebracht ist.

Die beiden Hauptfehler, die fast immer zur Ablehnung führen, bestehen in dem verfrühten Versuch, die Initiative zu übernehmen, und darin, sich nicht auf das Bezugssystem einzulassen. Gerade dazu neigen aber unbeliebte Kinder: Sie erzwingen sich den Zugang zur Gruppe, versuchen, allzu plötzlich oder vorschnell das Thema zu wechseln, tragen ihre eigenen Meinungen vor oder bekunden geradezu das Gegenteil dessen, was die anderen meinen – alles unverkennbare Bemühungen, die Aufmerksamkeit auf sich zu lenken. Das führt paradoxerweise dazu, daß sie ignoriert oder zurückgewiesen werden. Beliebte Kinder lassen sich dagegen Zeit, die Gruppe zu beobachten, um zu verstehen, was vor sich geht, ehe sie sich einschalten, und dann tun sie etwas, das zeigt, daß sie die Gruppe akzeptieren, und sie lassen sich ihre Stellung innerhalb der Gruppe bestätigen, ehe sie die Initiative ergreifen und vorschlagen, was die Gruppe machen sollte.

Noch einmal zurück zu Roger, an dem Thomas Hatch ein hohes Maß von interpersonaler Intelligenz entdeckte.[14] Seine Taktik, um in eine Gruppe hineinzukommen, bestand darin, zunächst einmal zu beobachten, daraufhin nachzumachen, was ein anderes Kind machte, und schließlich mit dem Kind zu reden und uneingeschränkt mitzumachen – eine gewinnende Strategie. Rogers Geschicklichkeit zeigte sich zum Beispiel, als er und Warren spielten, sie steckten »Bomben« (in Wirklichkeit Kieselsteine) in ihre Socken. Warren fragt Roger, ob er in einem Hubschrauber oder einem Flugzeug sein möchte. Roger fragt, bevor er sich festlegt: »Bist du in einem Hubschrauber?«

Dieses scheinbar harmlose Moment offenbart Sensibilität für die Anliegen des anderen und die Fähigkeit, sich diesem Wissen entsprechend so zu verhalten, daß die Verbindung erhalten bleibt. Hatch bemerkt zu Roger: »Er ›checkt ein‹ bei seinem Spielkameraden, so daß die beiden und ihr Spiel miteinander in Verbindung bleiben. Ich habe viele Kinder beobachtet, die sich einfach in ihren eigenen Hubschrauber oder ihr eigenes Flugzeug setzen und im buchstäblichen wie im übertragenen Sinne voneinander fortfliegen.«

## Emotionale Brillanz: ein Fallbeispiel

Wenn der höchste Beweis sozialer Geschicklichkeit in der Fähigkeit liegt, die leidvollen Emotionen anderer zu besänftigen, dann ist der Umgang mit einem Menschen in äußerster Wut vielleicht das höchste Maß von Meisterschaft. Was wir über die Selbstregulierung des Zorns und die emotionale Ansteckung wissen, läßt vermuten, daß eine wirksame Strategie darin bestehen könnte, den Zornigen abzulenken, sich in seine Gefühle und seine Sichtweise hineinzuversetzen und ihn dann auf etwas anderes hinzulenken, das ihn auf positivere Gefühle einstimmt – eine Art emotionales Judo.

Das beste Beispiel für eine derart raffinierte Geschicklichkeit in der hohen Kunst der emotionalen Beeinflussung ist vielleicht eine Geschichte, die mir ein alter Freund erzählte, der inzwischen verstorbene Terry Dobson, der in den fünfziger Jahren einer der ersten Amerikaner war, die die Kampfkunst Aikido in Japan studierten. Eines Nachmittags fuhr er in einem Vorortzug von Tokio nach Hause, als ein massiger, kampfeslüsterner, stark betrunkener und besudelter Arbeiter einstieg. Der torkelnde Mann begann, die Fahrgäste einzuschüchtern. Schimpfend und fluchend schlug er nach einer Frau, die ein Baby auf dem Arm trug, so daß sie auf dem Schoß eines älteren Ehepaares landete, das daraufhin aufsprang und mit den übrigen Fahrgästen ans Ende des Wagens flüchtete. Als der Betrunkene noch nach einigen weiteren Fahrgästen schlug, die er in seiner Wut verfehlte, packte er unter wüstem Gebrüll die Metallstange in der Mitte des Wagens und versuchte, sie aus der Verankerung zu reißen.

An diesem Punkt glaubte Terry, der durch tägliche achtstündige Aikido-Übungen in bester körperlicher Verfassung war, eingreifen zu müssen, damit niemand ernstlich verletzt würde. Er erinnerte sich aber an die Worte seines Lehrers: »Aikido ist die Kunst der Versöhnung. Wer Lust zum Kämpfen hat, der hat seine Verbindung zum Universum zerrissen. Wenn du versuchst, Menschen zu beherrschen, wirst du immer verlieren. Wir lernen, wie man einen Konflikt löst, nicht, wie man ihn eröffnet.«

Terry hatte sich am Beginn des Unterrichts sogar gegenüber seinem Lehrer verpflichtet, nie einen Kampf vom Zaun zu brechen, sondern seine Kenntnisse in der Kampfkunst nur zur Verteidigung einzusetzen. Jetzt sah er endlich seine Chance gekommen, seine Aikido-Künste in der Realität zu überprüfen, und es erschien ihm eindeutig als eine legitime Gelegenheit. Also stand Terry auf, langsam und bedächtig, während die übrigen Fahrgäste wie erstarrt auf ihren Sitzen saßen.

Als der Betrunkene ihn erblickte, brüllte er: »Oh, ein Ausländer! Dir werd' ich japanische Manieren beibringen!« und schickte sich an, es mit Terry aufzunehmen.

Doch als der Betrunkene gerade im Begriff war, über ihn herzufallen, stieß jemand einen ohrenbetäubenden, merkwürdig fröhlichen Schrei aus: »Heh!«

Der Schrei klang so vergnügt, als habe jemand plötzlich einen lieben Freund entdeckt. Erstaunt drehte der Betrunkene sich um und erblickte ein kleines japanisches Männlein, das in den Siebzigern sein mochte und in einem Kimono dasaß. Der alte Mann strahlte den Betrunkenen erfreut an und winkte ihn mit einer leichten Handbewegung und einem flotten »Komm her« zu sich.

Der Betrunkene setzte sich mit staksigen Schritten in Bewegung, wobei er wütend knurrte: »Wieso sollte ich mit dir reden, verdammt noch mal?« Terry stand unterdessen bereit, den Betrunkenen bei der geringsten gewalttätigen Regung niederzustrecken.

»Was hast du getrunken?« fragte der alte Mann und strahlte den betrunkenen Arbeiter an. »Ich hab' Sake getrunken, und das geht dich einen Dreck an«, brüllte der Betrunkene.

»Oh, das ist wunderbar, absolut wunderbar«, erwiderte der alte Mann mit freundlicher Stimme. »Weißt du, ich liebe auch Sake. Meine Frau und ich (sie ist 76, mußt du wissen) wärmen uns jeden Abend ein Fläschchen Sake und nehmen es mit in den Garten, und wir setzen uns auf eine alte Holzbank ...« und er erzählte weiter von dem Dattelpflaumenbaum in seinem Hof, den Schätzen seines Gartens und wie er abends den Sake genoß.

Das Gesicht des Betrunkenen wurde allmählich sanfter, während er dem alten Mann lauschte; seine Fäuste öffneten sich. »Tja ... ich liebe auch Dattelpflaumen ...« sagte er, und seine Stimme verlor sich. »Ja«, sagte der alte Mann munter, »und du hast sicher eine wunderbare Frau.«

»Nein«, sagte der Arbeiter, »meine Frau ist gestorben ...« und begann schluchzend die traurige Geschichte zu erzählen, wie er seine Frau, sein Haus und seine Arbeit verloren hatte und daß er sich schäme.

In diesem Augenblick fuhr der Zug in den Bahnhof ein, wo Terry aussteigen mußte, und während er zur Tür ging, hörte er noch, wie der alte Mann den Betrunkenen einlud, mit ihm zu kommen und ihm alles zu erzählen, und als er sich umdrehte, sah er noch, wie der Betrunkene sich auf dem Sitz ausstreckte, den Kopf auf dem Schoß des alten Mannes.[15]

Das ist emotionale Brillanz.

Dritter Teil

# Emotionale Intelligenz in der Praxis

# 9

# Intimfeinde

Lieben und arbeiten, hat Sigmund Freud einmal gegenüber seinem Schüler Erik Erikson geäußert, seien die beiden Fähigkeiten, durch die sich vollständige Reife auszeichne. Wenn das wahr ist, könnte die Reife ein gefährdetes Lebensstadium sein – und angesichts der jüngsten Entwicklungen in Ehe- und Scheidungsfragen kommt der emotionalen Intelligenz eine womöglich noch größere Bedeutung zu als jemals zuvor.

Nehmen wir die Scheidungsziffern. Auf das *Jahr* bezogen, hat sich die Zahl der Scheidungen in etwa stabilisiert. Man kann die Ziffern aber auch anders betrachten, und dann zeigt sich ein bedrohlicher Anstieg: wenn man nämlich die Aussichten betrachtet, daß die Ehe eines frisch verheirateten Paares *irgendwann* geschieden wird. Die Gesamtzahl der Scheidungen steigt zwar nicht weiter an, doch das Scheidungs*risiko* hat sich zu den Neuvermählten hin verschoben.

Die Veränderung wird deutlicher, wenn wir die Scheidungsziffern auf die Eheschließungen eines bestimmten Jahres beziehen. Von den amerikanischen Ehen, die 1890 geschlossen wurden, endeten rund zehn Prozent mit der Scheidung. Dieser Anteil betrug für die 1920 geschlossenen Ehen rund achtzehn Prozent, für die 1950 geschlossenen Ehen dreißig Prozent. 1970 betrug die Chance, daß Neuvermählte sich trennen oder zusammenbleiben, 50 : 50. Und 1990 wurde die Wahrscheinlichkeit, daß die Ehe von Frischvermählten mit einer Scheidung enden würde, auf schwindelerregende 67 Prozent geschätzt![1] Wenn sich das bewahrheitet, können diejenigen, die in den letzten Jahren geheiratet haben, nur in drei von zehn Fällen damit rechnen, daß sie mit ihrem Partner zusammenbleiben werden.

Nun könnte man meinen, daß dieser Anstieg nicht so sehr auf einem Niedergang der emotionalen Intelligenz als vielmehr auf dem stetigen Abbröckeln sozialer Zwänge beruht – etwa dem Stigma, das der Scheidung anhaftete, oder der wirtschaftlichen Abhängigkeit der Frauen von ihren Männern –, die früher auch solche Partner, die überhaupt nicht zueinander paßten, zusammenhielten. Wenn aber soziale Zwänge nicht mehr der Kitt sind, der eine Ehe zusammenhält, dann kommt es um so mehr auf die emotionalen Kräfte zwischen den Ehepartnern an.

Diese Bindungen zwischen Mann und Frau – und die emotionalen Bruchlinien, die sie zerreißen können – sind in den letzten Jahren mit einer nie gekannten Präzision untersucht worden. Den größten Fortschritt im Verständnis dessen, was eine Ehe zusammenhält beziehungsweise zerreißt, haben wohl raffinierte physiologische Messungen gebracht, mit denen das, was in der Interaktion eines Paares unsichtbar bleibt, verfolgt werden kann. Der normalerweise unsichtbare Adrenalinstoß und der sprunghafte Anstieg des Blutdrucks beim Mann und die flüchtigen, aber vielsagenden Mikroemotionen, die über das Gesicht der Frau flackern, können jetzt von Wissenschaftlern festgestellt werden. Diese Messungen enthüllen den verborgenen biologischen Subtext der Schwierigkeiten eines Paares, eine wichtige Ebene der emotionalen Realität, die für das Paar selbst zumeist nicht wahrnehmbar ist oder unbemerkt bleibt. Sie legen die emotionalen Kräfte offen, die eine Beziehung entweder zusammenhalten oder zerstören. Die ersten Anfänge der Bruchlinien stecken in den Differenzen zwischen den emotionalen Welten von Jungen und Mädchen.

## Seine Ehe und ihre Ehe: Wurzeln in der Kindheit

Als ich neulich abends ein Restaurant betreten wollte, kam mir ein junger Mann mit einem versteinerten, düsteren Gesichtsausdruck entgegen. Ihm folgte auf den Fersen eine junge Frau, die seinen Rücken mit den Fäusten bearbeitete und schrie: »Du verdammter Kerl! Komm wieder rein und sei nett zu mir!« Diese ergreifende Bitte, die sich – in sich völlig widersprüchlich – an eine Kehrseite auf dem Rückzug richtete, charakterisiert das Muster, das man am häufigsten bei Paaren beobachtet, deren Beziehung nicht funktioniert: Sie versucht, ihn zu binden, er zieht sich zurück. Ehetherapeuten beobachten seit langem, daß ein Paar, wenn es schließlich den Weg zur Therapie beschreitet, sich in dieser Struktur von Bindung und Rückzug befindet; er klagt über ihre »unzumutbaren« Ansprüche und Ausbrüche, sie beklagt seine Gleichgültigkeit gegenüber dem, was sie sagt.

In dieser Schlußphase einer Ehe äußert sich die Tatsache, daß es in einer Paarbeziehung zwei emotionale Realitäten gibt: seine und ihre.

Es mag zwar biologische Gründe für diese emotionalen Differenzen geben, aber sie lassen sich auch auf die Kindheit zurückführen, auf die getrennten emotionalen Welten, in denen Jungen und Mädchen aufwachsen. Es gibt umfangreiche Untersuchungen über diese getrennten Welten, deren Barrieren nicht nur durch die unterschiedlichen Spiele verstärkt werden, die von Jungen und Mädchen bevorzugt werden, sondern auch durch die Furcht des Kindes davor, gehänselt zu werden, wenn es eine »Freundin« oder einen »Freund« hat.[2] Eine Untersuchung über die Freundschaften von Kindern stellte fest, daß Dreijährige sagen, etwa die Hälfte ihrer Freunde sei vom anderen Geschlecht; bei Fünfjährigen sind es rund zwanzig Prozent, und mit sieben gibt es kaum noch Jungen und Mädchen, die sagen, ihr bester Freund gehöre dem anderen Geschlecht an.[3] Diese getrennten sozialen Welten überschneiden sich kaum, bis die Teenager anfangen, sich füreinander zu interessieren.

Bis dahin lernen Jungen und Mädchen einen ganz unterschiedlichen Umgang mit Emotionen. Eltern sprechen über Emotionen – den Zorn ausgenommen – häufiger mit ihren Töchtern als mit ihren Söhnen.[4] Mädchen erhalten mehr Information über Emotionen als Jungen: Wenn Eltern sich für ihre Kinder im Vorschulalter Geschichten ausdenken, verwenden sie gegenüber Töchtern mehr emotionale Wörter als gegenüber Söhnen; wenn Mütter mit ihren kleinen Kindern spielen, zeigen sie Töchtern ein breiteres Spektrum an Emotionen als Söhnen; wenn Mütter mit ihren Töchtern über Gefühle sprechen, gehen sie ausführlicher auf den emotionalen Zustand selbst ein, als sie dies bei Söhnen tun, während sie bei den Söhnen ausführlicher über die Ursachen und Folgen von Emotionen sprechen (vermutlich im Sinne eines warnenden Beispiels).

Leslie Brody und Judith Hall kommen in ihrer Zusammenfassung der Untersuchungen über emotionale Differenzen zwischen den Geschlechtern zu dem Schluß, daß Mädchen, weil sie schneller sprachliche Gewandtheit entwickeln als Jungen, ihre Gefühle besser artikulieren können und geschickter darin sind, emotionale Reaktionen wie etwa physische Auseinandersetzungen verbal zu untersuchen und durch Worte zu ersetzen; umgekehrt kann die Tatsache, »daß bei Jungen weniger Wert auf die Verbalisierung von Affekten gelegt wird, dazu führen, daß ihre emotionalen Zustände, sowohl bei sich wie bei anderen, ihnen weitgehend unbewußt bleiben«.[5]

Wenn Mädchen miteinander spielen, geschieht es in kleinen, intimen Gruppen, in denen die Minimierung von Feindseligkeit und die Maximierung von Kooperation betont wird, während die Spiele von

Jungen in größeren Gruppen stattfinden und die Konkurrenz betont wird. Ein entscheidender Unterschied wird deutlich, wenn ein Spiel dadurch unterbrochen wird, daß sich jemand weh getan hat. Hat sich ein Junge verletzt und fängt an zu schreien, so erwarten die anderen, daß er zur Seite geht und aufhört zu weinen, damit das Spiel weitergehen kann. Passiert dasselbe in einer Gruppe spielender Mädchen, wird das Spiel *abgebrochen*, und alle scharen sich um das weinende Mädchen, um ihm zu helfen. Dieser Unterschied ist bezeichnend für das, was Carol Gilligan aus Harvard als eine wesentliche Disparität zwischen den Geschlechtern betrachtet: Jungen beziehen ihren Stolz aus einer einsamen, unbeugsamen Unabhängigkeit und Autonomie, während Mädchen sich als Teil eines Netzes der Verbundenheit sehen. Jungen fühlen sich daher von allem bedroht, das ihre Unabhängigkeit gefährden könnte, während Mädchen sich eher von einem Bruch ihrer Beziehungen bedroht fühlen. Wie Deborah Tannen in ihrem Buch *You Just Don't Understand* gezeigt hat, folgt aus dieser unterschiedlichen Perspektive, daß Männer und Frauen ganz verschiedene Dinge von einem Gespräch erwarten; Männer begnügen sich damit, über »Dinge« zu sprechen, während Frauen eine emotionale Verbindung suchen.

Diese unterschiedliche Schulung der Emotionen fördert ganz verschiedene Fähigkeiten; Mädchen werden »geschickt darin, verbale und nonverbale emotionale Signale zu deuten, ihre Gefühle auszudrücken und mitzuteilen«, Jungen entwickeln Geschicklichkeit darin, »Emotionen herunterzuspielen, die mit Verletzlichkeit, Schuld, Furcht und Schmerz zu tun haben«.[6] In der Fachliteratur findet sich eine Fülle von Beweisen für diese unterschiedliche Perspektive. So wurde in Hunderten von Studien festgestellt, daß Frauen im Durchschnitt mehr Empathie aufbringen als Männer, jedenfalls wenn man von der Fähigkeit ausgeht, am Gesichtsausdruck, am Tonfall der Stimme und an anderen nonverbalen Hinweisen die unausgesprochenen Gefühle eines anderen abzulesen. Desgleichen ist es bei Frauen im allgemeinen leichter als bei Männern, die Gefühle vom Gesicht abzulesen; bei Kleinkindern besteht, was die Ausdrucksfähigkeit des Gesichts angeht, noch kein Unterschied zwischen Jungen und Mädchen, doch im Laufe der Grundschuljahre werden Jungen weniger ausdrucksfähig, und bei Mädchen wächst die Expressivität. Dies mag auch auf einem anderen wichtigen Unterschied beruhen: Frauen erleben das gesamte Spektrum der Emotionen im Durchschnitt intensiver und lebhafter als Männer – insofern sind Frauen tatsächlich »emotionaler« als Männer.[7]

Frauen sind also, wenn sie heiraten, im allgemeinen auf die Rolle des

Managers der Emotionen vorbereitet, während Männer sehr viel weniger zu schätzen wissen, wie sehr diese Aufgabe dazu beiträgt, eine Beziehung am Leben zu erhalten. In einer Untersuchung an 264 Paaren gaben die Frauen – nicht aber die Männer – an, am wichtigsten für die Zufriedenheit mit ihrer Beziehung sei das Gefühl, daß die Partner »sich gut verstehen«.[8] Der Psychologe Ted Huston von der Universität von Texas zieht aus einer Tiefenuntersuchung an 130 Paaren den Schluß: »Für die Frauen bedeutet Intimität, über alles zu sprechen, besonders über die Beziehung selbst. Die Männer verstehen im allgemeinen nicht, was die Frauen von ihnen wollen. Sie sagen: ›Ich will mit ihr etwas machen, aber sie will bloß reden.‹« Während der Werbungsphase waren Männer, wie Huston herausfand, sehr viel eher zu Gesprächen bereit, die dem Wunsch ihrer künftigen Ehefrau nach Intimität entsprachen. Doch nach der Hochzeit ging die Bereitschaft der Männer – besonders in eher traditionellen Ehen – zu solchen Gesprächen mit ihrer Frau immer mehr zurück; statt über Dinge zu sprechen, genügte es ihnen, wenn sie zusammen mit der Frau etwas machten, zum Beispiel Gartenarbeit, um ein Gefühl der Nähe zu empfinden.

Dieses Stummerwerden mag auch darauf beruhen, daß Männer eher ein optimistisches Bild vom Zustand ihrer Ehe haben, während Frauen sich mehr auf die Schwierigkeiten konzentrieren. Eine Untersuchung an Ehepaaren ergab, daß die Männer praktisch alles, was mit ihrer Beziehung zu tun hatte – die sexuelle Seite ebenso wie die finanzielle, das Verhältnis zu den Schwiegereltern ebenso wie die Frage, wie gut sie einander zuhörten, oder die, welche Rolle ihre eigenen Fehler spielten –, rosiger einschätzten als ihre Frauen.[9] Frauen äußern sich im allgemeinen bereitwilliger über ihre Beschwerden als Männer, besonders bei unglücklichen Paaren. Nimmt man die rosigen Ansichten der Männer über ihre Ehe und ihre Abneigung gegen emotionale Konfrontationen zusammen, dann ist klar, warum Frauen sich so oft beklagen, daß ihre Männer einer Diskussion über die schwierigen Seiten ihrer Beziehung auszuweichen suchen. (Dieser Geschlechterunterschied gilt natürlich nur im Durchschnitt und nicht in jedem Einzelfall; ein mit mir befreundeter Psychiater klagte, in seiner Ehe sträube sich die Frau, über emotionale Probleme zwischen ihnen zu diskutieren, und es liege allein an ihm, sie zur Sprache zu bringen.)

Was folgt nun aus dieser Kluft zwischen den Geschlechtern für den Umgang mit den Unzufriedenheiten und Meinungsverschiedenheiten, die in jeder engeren Beziehung unvermeidlich sind? Einzelfragen – zum Beispiel, wie oft man miteinander schläft, wie die Kinder erzogen werden sollen oder wie hoch eine noch erträgliche Verschuldung sein darf – sind für den Bestand einer Ehe nicht entscheidend. Das Schicksal einer Ehe hängt nicht so sehr von Klagen über Einzelprobleme wie Sex, Kinder oder Geld als vielmehr davon ab, *wie* die Partner solche wunden Punkte diskutieren. Wichtig für den Bestand der Ehe ist, daß man sich darüber verständigt, in *welchem Sinne* man sich nicht versteht; Männer und Frauen müssen ihre angeborenen Geschlechterunterschiede im Herangehen an schwankende Emotionen überwinden. Sonst kann es leicht zu einer emotionalen Entzweiung kommen, der ihre Beziehung schließlich nicht standhält. Wie wir sehen werden, entwickelt sich eine solche Entzweiung sehr viel eher, wenn einer der Partner oder beide gewisse Defizite an emotionaler Intelligenz haben.

## Eheliche Bruchlinien

*Fred: Hast du meine Sachen von der Reinigung abgeholt?*
*Ingrid (nachäffend): »Hast du meine Sachen von der Reinigung abgeholt?« Hol deine verdammten Sachen selbst von der Reinigung ab. Bin ich etwa dein Dienstmädchen?*
*Fred: Wohl kaum. Dann wüßtest du zumindest, wie man richtig putzt.*

Wäre dies ein Dialog aus einer Situationskomödie, könnte man vielleicht darüber lachen. Doch dieser verletzend scharfe Wortwechsel fand zwischen zwei Ehepartnern statt, die (wohl nicht überraschend) einige Jahre später geschieden wurden.[10] Er wurde aufgezeichnet in einem Labor der Universität von Washington, wo der Psychologe John Gottman den emotionalen Kitt, der Paare zusammenhält, und die ätzenden Gefühle, die Ehen zerstören können, mit wohl beispielloser Gründlichkeit untersucht hat.[11] Die Gespräche der Paare wurden auf Video aufgenommen und dann in stundenlanger Feinanalyse auf unterirdische emotionale Strömungen untersucht. Diese Erfassung der Bruchlinien, von denen es abhängt, ob ein Paar sich scheiden läßt oder zusammenbleibt, zeigt unwiderleglich, daß der Erhalt einer Ehe entscheidend von der emotionalen Intelligenz abhängt.

Gottman hat in den letzten zwanzig Jahren das Auf und Ab von über zweihundert Paaren verfolgt, die teils frischvermählt, teils jahrzehntelang verheiratet waren. Er hat die emotionale Ökologie der Ehe derart genau kartiert, daß er – eine für Ehestudien beispiellose Genauigkeit – mit einer *Zuverlässigkeit von 94 Prozent* vorhersagen konnte, welche der in sein Labor gekommenen Paare (darunter Fred und Ingrid mit ihrem erbitterten Wortwechsel) sich binnen drei Jahren scheiden lassen würden.

Die Vorhersagekraft von Gottmans Analyse verdankt sich seiner umfassenden Methode und der Gründlichkeit seiner Untersuchung. Während die Ehepartner miteinander sprechen, halten Sensoren die geringsten Veränderungen ihrer Physiologie fest; ihr Gesichtsausdruck wird (mit der von Paul Ekman entwickelten Methode zur Deutung von Emotionen) von Sekunde zu Sekunde auf die flüchtigsten und subtilsten Gefühlsnuancen hin untersucht. Anschließend kommen die Partner einzeln ins Labor und schildern, während sie die Videoaufzeichnung betrachten, was sie während des hitzigen Wortwechsels insgeheim gedacht haben. Es entsteht so etwas wie ein emotionales Röntgenbild der Ehe.

Ein frühes Warnsignal für eine gefährdete Ehe ist, wie Gottman herausfand, scharfe Kritik. In einer gesunden Ehe können beide Partner ungehemmt einer Beschwerde Ausdruck geben. Doch in wütender Erregung werden Beschwerden allzu häufig auf destruktive Weise vorgetragen, als ein Angriff auf den Charakter des Ehegatten. Pamela ging zum Beispiel mit der Tochter Schuhe kaufen, während Ehemann Tom in eine Buchhandlung ging. Sie vereinbarten, sich eine Stunde später vor der Post zu treffen und dann in eine Matinee zu gehen. Pamela war pünktlich, doch von Tom war nichts zu sehen. »Wo bleibt er? Der Film beginnt in zehn Minuten«, beklagte sich Pamela bei ihrer Tochter. »Wenn dein Vater eine Möglichkeit hat, etwas zu vermasseln, dann tut er es bestimmt.«

Als Tom zehn Minuten später aufkreuzte, erfreut, zufällig einen Freund getroffen zu haben und sich wegen der Verspätung entschuldigend, zog Pamela sarkastisch vom Leder: »Schon gut – das verschaffte uns eine Gelegenheit, über deine verblüffende Fähigkeit zu sprechen, alles, was wir uns vornehmen, zu vermasseln. Du bist so gedankenlos und egozentrisch!«

Pamelas Beschwerde ist mehr als das: sie ist ein Anschlag auf den Charakter, eine Kritik an der Person, nicht am Handeln. Tatsächlich hatte Tom sich entschuldigt. Doch wegen dieses einen Lapsus stempelt Pamela ihn als gedankenlos und egozentrisch ab. Bei den meisten Paaren kommt es dann und wann vor, daß eine Klage über etwas, was der Partner getan hat, als Angriff auf die Person statt auf die Handlung vorgetragen wird. Eine solche scharfe persönliche Kritik hat jedoch eine ganz andere emotionale Wirkung als eine besser durchdachte Beschwerde wegen einer Handlung. Solche Angriffe werden – verständlicherweise – um so wahrscheinlicher, je mehr er oder sie das

Gefühl hat, daß seine oder ihre Beschwerden überhört oder ignoriert werden.

Der Unterschied zwischen Beschwerde und persönlicher Kritik ist einfach. Bei einer Beschwerde sagt die Frau präzise, was sie stört, sie kritisiert also die Handlungsweise ihres Mannes, nicht ihren Mann, und sagt, was sie dabei empfunden hat: »Als du vergessen hast, meine Sachen bei der Reinigung abzuholen, hatte ich das Gefühl, daß dir nichts an mir liegt.« Das ist eine Äußerung von elementarer emotionaler Intelligenz: positiv, nicht aggressiv oder passiv. Bei persönlicher Kritik nutzt sie dagegen das spezifische Ärgernis, um eine globale Attacke gegen ihren Mann loszulassen: »Du bist immer so gedankenlos und eigensüchtig. Es beweist wieder einmal, daß ich dir nicht zutrauen kann, daß du irgend etwas richtig machst.« Solche Kritik gibt der anderen Person das Gefühl, beschämt, abgelehnt, getadelt und unzulänglich zu sein – und das zieht eher eine Abwehrreaktion nach sich als irgendwelche Schritte zur Verbesserung.

Das gilt um so mehr, wenn der Kritik Verachtung beigemengt ist, eine besonders destruktive Emotion. Wenn man verärgert ist, stellt sich leicht Verachtung ein, und sie wird nicht nur in den Worten geäußert, sondern auch im Tonfall der Stimme und im verärgerten Gesichtsausdruck. Ihre unverkennbarste Form ist natürlich die Nachäffung und die Beleidigung – »Trottel«, »Schlampe«, »Niete«. Nicht minder verletzend ist aber auch die Verachtung ausdrückende Körpersprache, besonders das höhnische Lächeln oder das Schürzen der Lippen, das in allen Kulturen Abscheu signalisiert, oder ein Augenrollen, so als wolle man sagen: »Ach herrjemine!«

Im Gesicht zeigt sich Verachtung durch eine Kontraktion des »Grübchenmuskels«, der die Mundwinkel nach außen zieht (gewöhnlich nach links), während die Augen nach oben gerollt werden. Wenn ein Ehepartner kurz diesen Ausdruck zeigt, erhöht sich beim anderen in einem wortlosen emotionalen Austausch der Puls um zwei bis drei Schläge pro Minute. Dieses verborgene Gespräch fordert seinen Tribut; wenn der Mann regelmäßig Verachtung bekundet, neigt seine Frau, wie Gottman herausfand, zu allerlei Gesundheitsproblemen, bekommt häufig Erkältung oder Schnupfen, Blasen- und Pilzinfektionen sowie gastrointestinale Beschwerden. Und wenn das Gesicht der Frau während eines Gesprächs von fünfzehn Minuten viermal oder öfter Ekel bekundet, einen nahen Verwandten der Verachtung, dann ist das ein stummer Hinweis, daß das Paar sich wahrscheinlich innerhalb von vier Jahren trennen wird.

Natürlich wird eine gelegentliche Bekundung von Verachtung oder

Ekel nicht eine Ehe ruinieren. Solche emotionalen Treffer sind eher Risikofaktoren vergleichbar, so wie das Rauchen oder ein hoher Cholesterinspiegel ein Herzrisiko bedeuten – je intensiver und je länger, desto größer ist die Gefahr. Auf dem Weg in die Scheidung zieht eines das andere nach sich, in einer sich aufschaukelnden Kaskade des Elends. Kritiksucht und Verachtung oder Ekel sind Gefahrensignale, weil sie anzeigen, daß ein Ehegatte den anderen im stillen abgeurteilt hat. Der andere ist in seinen Gedanken Gegenstand ständiger Verdammung. Ein solches negatives und feindseliges Denken führt zwangsläufig zu Attacken, die den anderen in die Defensive treiben – oder einen Gegenangriff hervorrufen.

In Reaktion auf einen Angriff kann ein Ehegatte entweder kämpfen oder fliehen. Das Nächstliegende ist der Gegenangriff, das zornige Zurückschlagen. Das Ergebnis ist meistens ein fruchtloses Sichanbrüllen. Die andere Reaktion, die Flucht, kann jedoch bösartiger sein – jedenfalls hat Gottman dies als erster entdeckt –, besonders wenn die »Flucht« ein Rückzug in eisiges Schweigen ist.

Mauern ist die äußerste Abwehr. Letztlich zieht derjenige, der mauert, sich aus dem Gespräch zurück, indem er ein ausdrucksloses Gesicht zeigt und verstummt. Das Mauern sendet eine wirkungsvolle, entnervende Botschaft aus, so etwas wie eine Mischung aus eisiger Distanz, Überlegenheit und Widerwillen. Mauern kam nur in Ehen vor, denen Ärger ins Haus stand; in 85 Prozent dieser Fälle mauerte der Mann in Reaktion auf eine Frau, die ihn mit Kritik und Verachtung attackierte.[12] Wenn Mauern zur gewohnheitsmäßigen Reaktion wird, kann es nur die Gesundheit einer Beziehung zerstören, da es jede Möglichkeit unterbindet, Meinungsverschiedenheiten zu klären.

## Giftige Gedanken

Die Kinder machen heftigen Krach, und Martin, ihr Vater, wird ärgerlich. Er wendet sich an seine Frau Melanie und sagt zu ihr in scharfem Ton: »Schatz, findest du nicht, daß die Kinder ein bißchen ruhiger sein könnten?«

In Wirklichkeit denkt er: *»Sie läßt den Kindern zuviel durchgehen.«*

Seine Verärgerung bringt Melanie auf die Palme. Ihr Gesicht spannt sich, sie zieht die Augenbrauen zusammen und entgegnet ihm: »Die Kinder toben sich nur ein bißchen aus. Sie gehen sowieso gleich schlafen.«

Dabei denkt sie: *»Ach, schon wieder, dauernd hat er was zu bemäkeln!«*

Martin ist nun ersichtlich wütend. Drohend beugt er sich vor, die Fäuste geballt, während er in einem unangenehmen Ton sagt: »Soll ich sie jetzt ins Bett bringen?«

Sein Gedanke: *»In allem widersetzt sie sich. Ich muß die Sache wohl selber in die Hand nehmen.«*

Melanie, die sich plötzlich vor Martins Zorn fürchtet, sagt kleinlaut: »Nein, ich bring sie gleich ins Bett.«

Und denkt bei sich: *»Gleich vergißt er sich. Er könnte den Kindern weh tun. Lieber gebe ich nach.«*

Diese parallelen Gespräche – das gesprochene und das stumme – führt Aaron Beck, der Begründer der kognitiven Therapie, als ein Beispiel jener Art von Denken an, die eine Ehe vergiften kann.[13] Der eigentliche emotionale Austausch zwischen Melanie und Martin besteht in ihren Gedanken, und die sind wiederum von einer anderen, tieferen Schicht determiniert, die Beck »automatische Gedanken« nennt: flüchtige Hintergrundannahmen über uns selbst und die Menschen in unserem Leben, Annahmen, in denen sich unsere tiefsten emotionalen Einstellungen spiegeln. Der Hintergrundgedanke von Melanie ist ungefähr: »Ständig terrorisiert er mich mit seiner Wut.« Martins Schlüsselgedanke lautet: »Sie hat nicht das Recht, mich so zu behandeln.« Melanie empfindet sich als das unschuldige Opfer in ihrer Ehe, und Martin empfindet gerechten Zorn über die, wie er findet, ungerechte Behandlung.

Gedanken wie der, ein unschuldiges Opfer zu sein, oder der, gerechten Zorn zu empfinden, sind typisch für Partner in gestörten Ehen und schüren ständig Wut und Kränkung.[14] Wenn bedrückende Gedanken wie der gerechte Zorn automatisch werden, bestätigen sie sich selbst: Der Partner, der sich schikaniert fühlt, sucht in allem, was seine Partnerin tut, unablässig nach dem, was die Ansicht bestätigen könnte, daß sie ihn schikaniert, während er Freundlichkeiten von ihr, die diese Ansicht in Frage stellen oder widerlegen würden, ignoriert oder unberücksichtigt läßt.

Diese Gedanken sind mächtig; sie lösen wie der Anblick eines angreifenden Stiers das neurale Alarmsystem aus. Hat der Gedanke, schikaniert zu werden, erst eine emotionale Entgleisung beim Ehemann ausgelöst, wird er sich fortan leicht eine Liste von Ärgernissen ins Gedächtnis rufen, die ihn an die Schikanen, die sie ihm zufügt, erinnern, während alles, was sie während ihrer ganzen Beziehung getan haben mag und was geeignet ist, die Ansicht zu widerlegen, er sei ein unschuldiges Opfer, seiner Erinnerung entfällt. Seine Frau gerät dadurch in eine aussichtslose Lage: Selbst wohlgemeinte Taten können, durch eine solche negative Brille gesehen, umgedeutet und als lahme Versuche abgetan werden, die Tatsache, daß sie ihn schikaniert, zu leugnen.

Partner, die von solchen bedrückenden Ansichten frei sind, können das Geschehen in entsprechenden Situationen wohlwollender deuten und werden folglich nicht so leicht entgleisen oder, falls es doch passiert, sich schneller davon erholen. Gedanken, die solche Qual nähren bzw. lindern, folgen dem allgemeinen Schema, das der Psychologe Martin Seligman für die pessimistische bzw. die optimistische Haltung umrissen hat (6. Kapitel). Aus pessimistischer Sicht ist der Partner auf eine unabänderliche und mit Sicherheit ins Elend führende Weise schlecht: »Er ist selbstsüchtig und egozentrisch; so wurde er erzogen, und so wird er immer bleiben; er erwartet, daß ich ihn von vorn und hinten bediene, und was ich empfinde, interessiert ihn überhaupt nicht.« Aus optimistischer Sicht würde sich das ungefähr so darstellen: »Im Augenblick ist er schwierig, aber sonst war er rücksichtsvoll; vielleicht ist er schlecht gelaunt; ich könnte mir denken, daß er im Betrieb Probleme hat.« Diese Ansicht schreibt den Partner (oder die Ehe) nicht als unheilbar geschädigt und hoffnungslos ab. Sie führt eine schlechte Phase auf Umstände zurück, die sich ändern können. Die erste Einstellung bringt ständigen Kummer mit sich, die letztere besänftigt.

Partner mit pessimistischer Einstellung neigen extrem zu emotionalen Entgleisungen; sie werden von Dingen, die der Ehegatte tut, erzürnt, gekränkt oder auf andere Weise bekümmert, und wenn es erst einmal angefangen hat, bleiben sie in dem verstörten Zustand. Ihre innere Not und die pessimistische Haltung steigern natürlich die Bereitschaft, dem Partner gegenüber zu Kritik und Verachtung zu greifen, womit wiederum die Wahrscheinlichkeit einer Abwehrhaltung und des Mauerns wächst.

In virulentester Form treten solche giftigen Gedanken wohl bei Ehemännern auf, die ihre Frau körperlich mißhandeln. Psychologen von der Universität von Indiana haben in einer Studie über gewalttätige Ehemänner festgestellt, daß diese Männer wie die brutalen Typen auf dem Schulhof denken: Auch in neutrale Handlungen ihrer Frau deuten sie eine feindselige Absicht hinein, und mit dieser Mißdeutung rechtfertigen sie dann ihre Gewalttätigkeit vor sich selbst (ähnlich handeln Männer, die sich gegenüber Partnerinnen sexuell aggressiv verhalten; sie betrachten die Frau mit Argwohn, und wenn sie nicht will, setzen sie sich darüber hinweg).[15] Wie wir im 7. Kapitel sahen, ist es für solche

Männer besonders gefährlich, wenn sie zu erkennen glauben, daß ihre Frau sie kränkt, zurückweist oder öffentlich in Verlegenheit bringt. Ein typisches Szenarium, das bei Männern, die ihre Frau schlagen, Gedanken auslöst, die Gewalttätigkeit »rechtfertigen«: »Du bist in einer geselligen Veranstaltung, und du merkst, daß deine Frau schon seit einer halben Stunde mit demselben attraktiven Mann spricht und lacht. Er scheint mit ihr zu flirten.« Wenn diese Männer zu erkennen glauben, daß ihre Frau etwas tut, das an Zurückweisung oder Verlassen erinnert, reagieren sie mit Zorn und Empörung. Vermutlich lösen automatische Gedanken wie »Sie wird mich verlassen« eine emotionale Entgleisung aus, bei der die prügelnden Ehemänner impulsiv oder, wie die Forscher sagen, »mit ungeeigneten Verhaltensreaktionen« reagieren – sie werden gewalttätig.[16]

## Überflutung: wie eine Ehe untergeht

Im Endeffekt erzeugen diese quälenden Einstellungen eine Dauerkrise, weil sie häufige emotionale Entgleisungen auslösen und es erschweren, die dadurch hervorgerufene Kränkung und Wut wieder zu vergessen. Gottman bezeichnet diese Anfälligkeit für häufige emotionale Nöte treffend als »Überflutung«; überflutete Männer oder Frauen werden von der Negativität ihres Partners dermaßen überwältigt, daß sie in entsetzlichen, unkontrollierbaren Gefühlen versinken. Wer überflutet ist, kann nicht mehr unverzerrt wahrnehmen oder mit klarem Kopf reagieren; er kann seine Gedanken nicht mehr ordnen und greift auf primitive Reaktionen zurück. Er möchte einfach, daß es irgendwie aufhört, oder er möchte weglaufen, oder er möchte bisweilen zurückschlagen. Die Überflutung ist eine sich selbst verlängernde emotionale Entgleisung.

Manche haben eine hohe Überflutungsschwelle und können Zorn und Verachtung ohne weiteres ertragen, während andere schon ausrasten, sobald ihr Ehegatte auch nur milde Kritik äußert. Physiologisch wird die Überflutung durch einen Anstieg des Pulses über das Ruheniveau definiert.[17] Der Puls von Frauen beträgt im Ruhezustand etwa 82 Schläge pro Minute, der von Männern etwa 72 (im Einzelfall hängt er hauptsächlich von der Körpergröße ab). Die Überflutung setzt ein, wenn der Puls etwa zehn Schläge pro Minute über dem Ruhepuls liegt; erreicht er hundert Schläge pro Minute, was leicht geschehen kann, wenn einer zornig ist oder weint, schüttet der Körper Adrenalin und andere Neurohormone aus, die den Ausnahmezustand eine Zeitlang aufrechterhalten. Den Beginn der emotionalen Entgleisung erkennt man am Puls, der innerhalb eines einzigen Herzschlags um zehn, zwanzig oder gar dreißig Schläge pro Minute hochschnellen kann. Die Muskeln spannen sich; manchmal fällt das Atmen schwer. Man versinkt in giftigen Gefühlen, in einem unangenehmen Sog von Furcht und Zorn, der unentrinnbar erscheint und subjektiv als »Ewigkeit« empfunden wird. An diesem Punkt – auf dem Höhepunkt der Entgleisung – werden die Emotionen so stark, die Perspektive so verengt und das Denken so verworren, daß jede Aussicht schwindet, sich in den anderen hineinzuversetzen oder die Dinge vernünftig zu klären.

Während eines Ehestreits kommt es bei den meisten dann und wann zu solchen heftigen Aufwallungen – das ist vollkommen natürlich. Für eine Ehe fängt das Problem dort an, wo der eine oder andere sich fast ständig überflutet fühlt. Der eine Partner fühlt sich dann von dem anderen erdrückt, ist ständig auf der Hut vor einem emotionalen Angriff oder einer Ungerechtigkeit, wird überwach für jedes Anzeichen eines Angriffs, einer Beleidigung oder eines Beschwerdegrundes und wird auch auf das geringste Anzeichen hin mit Sicherheit überreagieren. Ist ein Mann in einem solchen Zustand, braucht seine Frau nur zu sagen: »Schatz, wir müssen mal was besprechen«, und schon wird der automatische Gedanke wach: »Sie bricht wieder mal einen Streit vom Zaun«, und damit wird die Überflutung ausgelöst. Das erschwert es zusehends, von dem physiologischen Erregungsniveau wieder herunterzukommen, wodurch es wiederum leichter passieren kann, daß harmlose Worte in einem düsteren Licht erscheinen, was erneut eine Überflutung auslöst.

Dies ist wohl der gefährlichste Wendepunkt für eine Ehe, ein katastrophaler Wandel in der Beziehung. Der überflutete Partner hat sich angewöhnt, von der Partnerin fast ständig nur das Schlimmste zu denken und alles, was sie tut, in einem negativen Licht zu deuten. Aus kleinen Streitigkeiten werden große Schlachten; ständig werden Gefühle verletzt. Mit der Zeit beginnt der überflutete Partner, alle Probleme in der Ehe als schwerwiegend und unheilbar aufzufassen, da die Überflutung selbst jeden Versuch vereitelt, die Dinge zu klären. Solange dieser Zustand anhält, erscheint es sinnlos, Dinge zu besprechen, und jeder Partner versucht für sich, seine aufgewühlten Gefühle zu besänftigen. Man beginnt nebeneinander her zu leben, ist praktisch vom anderen isoliert und fühlt sich einsam in der Ehe. Der nächste Schritt ist, Gottman zufolge, allzu oft die Scheidung.

Daß Defizite an emotionaler Kompetenz tragische Folgen zeitigen, liegt bei diesem Ablauf, der in die Scheidung mündet, auf der Hand. Verfängt sich ein Paar in dem sich verstärkenden Kreislauf von Kritik und Verachtung, Abwehr und Mauern, bedrückenden Gedanken und emotionaler Überflutung, dann zeigt sich schon an diesem Kreislauf, daß die emotionale Selbstwahrnehmung und Selbstbeherrschung, die Empathie und die Fähigkeit, sich und den anderen zu beschwichtigen, zerfallen ist.

## Männer: das verletzliche Geschlecht

Zurück zu den Geschlechterunterschieden im Gefühlsleben, die sich als ein heimlicher Sprengsatz für die Ehe erweisen. Noch nach 35 und mehr Ehejahren unterscheiden Männer und Frauen sich grundlegend in ihrer Haltung zu emotionalen Auseinandersetzungen. Die Unannehmlichkeit eines Ehestreits wird von Frauen im allgemeinen nicht annähernd so stark verabscheut wie von ihren Männern. Zu diesem Schluß gelangte Robert Levenson von der Universität von Kalifornien in Berkeley anhand der Aussagen von 151 langjährig verheirateten Ehepartnern. Die Männer fanden es nach Levensons Feststellung durch die Bank unangenehm, ja sogar abscheulich, im Laufe einer ehelichen Meinungsverschiedenheit aus der Fassung zu geraten, während die Frauen kaum etwas dagegen hatten.[18]

Männer neigen schon bei geringerer Intensität negativer Erlebnisse zur Überflutung als ihre Frauen; mehr Männer als Frauen reagieren auf kritische Bemerkungen ihres Ehepartners mit Überflutung. Ist diese eingetreten, schütten Männer mehr Adrenalin aus, und ihr Adrenalinfluß wird durch ein geringeres Maß an Negativität seitens ihrer Frau ausgelöst; bei Männern dauert es länger, sich physiologisch von der Überflutung zu erholen.[19] Die stoische männliche Unerschütterlichkeit im Stile eines Clint Eastwood könnte demnach eine Abwehr gegen das Gefühl emotionaler Überwältigung sein.

Gottman vermutet, daß Männer zum Mauern neigen, um sich vor Überflutung zu schützen; seine Untersuchung zeigte, daß ihr Puls um rund zehn Schläge pro Minute zurückging, nachdem sie zu mauern begannen, was ihnen ein subjektives Gefühl der Erleichterung brachte. Paradoxerweise stieg aber, wenn die Männer zu mauern anfingen, bei den Frauen der Puls schlagartig auf eine Höhe, die einen hochgradigen Notstand signalisierte. Dieser limbische Tango, bei dem beide Geschlechter durch gegensätzliche Züge Erleichterung suchen, hat zur

Folge, daß sie zu emotionalen Konfrontationen eine ganz unterschiedliche Haltung einnehmen: Männer versuchen sie ebenso nachdrücklich zu meiden, wie Frauen sich gezwungen fühlen, sie anzustreben.

Der Neigung der Männer zum Mauern entspricht bei den Frauen eine Neigung zur Kritik an ihren Männern.[20] Diese Asymmetrie entspringt daraus, daß Frauen ihre Rolle als Manager der Emotionen wahrnehmen. Während sie versuchen, Meinungsverschiedenheiten und Anlässe für Beschwerden zu thematisieren und zu klären, scheuen ihre Männer vor den erhitzten Diskussionen, zu denen es zwangsläufig kommen muß, zurück. Wenn die Frau merkt, daß ihr Mann zögert, sich auf einen Streit einzulassen, steigert sie die Lautstärke und Heftigkeit ihrer Klagen und beginnt, ihn zu kritisieren. Wenn er daraufhin eine abwehrende Haltung einnimmt oder mauert, empfindet sie Frustration und Zorn, so daß sie, um die Stärke ihrer Frustration zu unterstreichen, zusätzlich Verachtung zeigt. Wenn der Mann sich als Zielscheibe der Kritik und der Verachtung seiner Frau sieht, verfällt er auf die Gedanken, »unschuldiges Opfer« zu sein oder »gerechten Zorn« zu empfinden, die mit wachsender Leichtigkeit eine Überflutung auslösen. Um sich vor der Überflutung zu schützen, verstärkt sich seine Abwehrhaltung, wenn er nicht ganz und gar mauert. Das Mauern der Männer löst aber, wie wir wissen, eine Überflutung bei ihren Frauen aus, die sich völlig gelähmt fühlen. Und wenn der Kreislauf der ehelichen Streitigkeiten eskaliert, kann er allzu leicht außer Kontrolle geraten.

## Eheliche Ratschläge für sie und ihn

Da die Differenzen zwischen Männern und Frauen im Umgang mit bedrückenden Gefühlen in ihrer Beziehung nichts Gutes verheißen, muß man sich fragen: Was können Ehepartner tun, um die Liebe und Zuneigung, die sie füreinander empfinden, zu bewahren, oder anders: Was bewahrt eine Ehe? Eheforscher haben die Interaktionen von Partnern, die über viele Jahre eine gute Ehe geführt haben, beobachtet und bieten auf dieser Grundlage spezielle Ratschläge für Männer und Frauen an sowie einige allgemeine Bemerkungen, die sich an beide richten.

Generell muß man Männern und Frauen unterschiedliche Empfehlungen für den Umgang mit Emotionen geben. Männern sollten dem Konflikt nicht ausweichen, sondern einsehen, daß ihre Frau, wenn sie eine Beschwerde oder ein strittiges Thema vorbringt, dies möglicherweise aus Liebe tut, in dem Bemühen, die Beziehung gesundzuerhalten und auf dem richtigen Kurs zu halten (freilich kann die Feindseligkeit einer Frau auch andere Motive haben). Gärende Mißstände werden immer drückender, bis es irgendwann zur Explosion kommt; man nimmt den Druck heraus, wenn man sie zur Sprache bringt und beseitigt. Männer müssen aber einsehen, daß Ärger oder Unzufriedenheit nicht gleichbedeutend sind mit einem Angriff auf ihre Person – oft unterstreichen die Emotionen ihrer Frau nur, wie stark ihr das Problem auf der Seele liegt.

Auch müssen Männer sich hüten, die Diskussion dadurch abzuschneiden, daß sie voreilig eine praktische Lösung anbieten – einer Frau ist es zumeist wichtiger, daß sie das Gefühl hat, daß ihr Mann ihrer Klage Gehör schenkt und einfühlsam auf ihre *Gefühle* bezüglich des Problems eingeht (auch wenn er sie nicht teilen muß). Seinen praktischen Ratschlag könnte sie so empfinden, als seien ihre Gefühle für ihn bedeutungslos. Männer, die es fertigbringen, eine erhitzte Auseinandersetzung mit ihrer Frau durchzustehen – statt ihre Klagen als kleinkariert abzutun –, verschaffen ihrer Frau das Gefühl, daß man ihr zuhört und sie achtet. Frauen wünschen ganz besonders, daß ihre Gefühle als triftig anerkannt und beachtet werden, auch wenn ihre Männer anderer Meinung sind. Meistens beruhigt sich die Frau, wenn sie das Gefühl hat, daß man ihrer Ansicht Gehör schenkt und ihre Gefühle zur Kenntnis nimmt.

Frauen muß ein ganz ähnlicher Rat gegeben werden. Da es für Männer ein großes Problem ist, daß die Frauen ihren Beschwerden allzu heftig Ausdruck geben, müssen Frauen gezielt darauf achten, nicht ihren Mann zu attackieren: Sie sollten sich über das beschweren, was er getan hat, ihn aber nicht als Person kritisieren oder ihm ihre Verachtung zeigen. Wenn sie sich beschweren, greifen sie nicht seinen Charakter an, sondern stellen klar, daß ein bestimmtes Verhalten ihnen zu schaffen macht. Eine wütende persönliche Attacke führt fast immer dazu, daß der Mann in Abwehrhaltung geht oder mauert, was die Frau nur noch mehr frustriert und eine Eskalation des Streits nach sich zieht. Auch ist es hilfreich, wenn eine Frau ihre Beschwerde in die beruhigende Versicherung verpackt, daß sie ihren Mann liebt.

## Der wohltuende Streit

Die Morgenzeitung liefert ein Schulbeispiel dafür, wie eheliche Differenzen *nicht* gelöst werden. Marlene Lenick hatte eine Auseinandersetzung mit ihrem Mann Michael: Er wollte das Spiel der Dallas Cowboys gegen die Chicago Eagles sehen, sie die Nachrichten. Als er sich hinsetzte, um sich das Spiel anzusehen, sagte Frau Lenick, sie habe »von diesem Football die Nase voll«, holte sich aus dem Schlafzimmer eine Handfeuerwaffe Kaliber 38 und gab, während er sich im Wohnzimmer das Spiel anschaute, zwei Schüsse auf ihn ab. Frau Lenick wurde der schweren Körperverletzung bezichtigt und gegen eine Kaution von 50000 Dollar auf freien Fuß gesetzt; von Herrn Lenick hieß es, er sei in guter Verfassung und erhole sich von den Schüssen, die seinen Bauch gestreift und das linke Schulterblatt sowie den Hals durchdrungen hatten.[21]

So gewalttätig – oder so kostspielig – verlaufen Ehestreitigkeiten selten, aber sie bieten eine vorzügliche Chance, emotionale Intelligenz auf die Ehe anzuwenden. Langverheiratete Paare neigen dazu, sich an ein Thema zu halten und jedem Partner am Anfang Gelegenheit zu geben, seine Ansicht darzulegen.[22] Das ist ein wichtiger Schritt: Sie zeigen einander, daß sie dem anderen zuhören. Da das Gefühl, Gehör zu finden, für den Partner, der sich beschwert, oft gerade das ist, worauf es ihm emotional ankommt, vermag ein Akt der Empathie wunderbar die Spannung abzubauen.

Bei Paaren, die sich schließlich scheiden lassen, fehlt es auffällig an Bemühungen von beiden Seiten, die Spannung bei einer Auseinandersetzung herunterzufahren. Gesunde Ehen und solche, die schließlich geschieden werden, unterscheiden sich wesentlich darin, daß die einen Wege finden, einen Bruch zu kitten, die anderen dagegen nicht.[23] Es sind einfache Schritte, die verhindern, daß eine Auseinandersetzung zu einer gräßlichen Explosion eskaliert: Man muß dafür sorgen, daß die Diskussion beim Thema bleibt, man muß Empathie zeigen und die Spannung abbauen. Diese einfachen Schritte beugen, einem emotionalen Thermostat vergleichbar, der Gefahr vor, daß die geäußerten Gefühle überkochen und die Fähigkeit des Partners, sich auf das vorliegende Problem zu konzentrieren, zunichte machen.

Insgesamt empfiehlt es sich, den Schwerpunkt weniger auf die Einzelprobleme zu legen, über die Ehepartner sich streiten – Kindererziehung, Sex, Geld, Hausarbeit –, sondern vielmehr die emotionale

Intelligenz beider Partner zu pflegen, denn so verbessert man die Aussichten auf eine Klärung der Probleme. Einige wenige emotionale Kompetenzen – vor allem die Fähigkeit, sich zu beruhigen, Empathie und die Kunst des Zuhörens – steigern die Chance, daß ein Paar seine Differenzen wirksam klärt. Sie ermöglichen heilsame Auseinandersetzungen, jenen »wohltuenden Streit«, der das Gedeihen einer Ehe fördert und der die negativen Dinge überwindet, die, sich selbst überlassen, eine Ehe zerstören können.[24]

Emotionale Gewohnheiten verändern sich natürlich nicht über Nacht. Dazu bedarf es der Beharrlichkeit und Wachsamkeit. Entscheidende Veränderungen hängen direkt von der entsprechenden Motivation ab. Viele oder die meisten emotionalen Reaktionen, die in der Ehe so leicht ausgelöst werden, wurden schon seit der Kindheit geformt, wurden erstmals in unseren vertrautesten Beziehungen oder am Beispiel der Eltern erlernt und werden fertig in die Ehe mitgebracht. Dadurch sind wir für bestimmte emotionale Gewohnheiten – zum Beispiel, daß wir überreagieren, wenn wir uns gekränkt fühlen, oder daß wir beim ersten Anzeichen einer Konfrontation dichtmachen – regelrecht präpariert, mögen wir uns auch geschworen haben, nicht die Fehler unserer Eltern zu wiederholen.

### *Beruhigung*

Jeder starken Emotion liegt ein Handlungsimpuls zugrunde; der Umgang mit diesen Impulsen ist eine elementare Aufgabe der emotionalen Intelligenz. In Liebesbeziehungen kann das allerdings ausgesprochen schwierig werden, denn es steht sehr viel für uns auf dem Spiel. Die Reaktionen, die hier ausgelöst werden, rühren an einige unserer tiefsten Bedürfnisse – an das Bedürfnis nach Liebe und Anerkennung, an Ängste vor dem Verlassenwerden und vor emotionaler Deprivation. Kein Wunder, daß wir uns bei Ehestreitigkeiten manchmal verhalten, als ginge es um unser Überleben.

Doch solange der Mann oder die Frau von einer emotionalen Entgleisung mitgerissen sind, kann es zu keiner positiven Lösung kommen. Die Partner müssen daher lernen, ihre bedrängenden Gefühle zu besänftigen. Sie müssen die Fähigkeit erwerben, sich von der Überflutung, die eine emotionale Entgleisung mit sich bringt, rasch zu erholen. Da bei einem solchen emotionalen Ausreißer die Fähigkeit schwindet, mit klarem Kopf zuzuhören, zu denken und zu sprechen, ist die Beruhigung ein ungeheuer konstruktiver Schritt, ohne den eine Klärung der Streitfrage nicht vorankommen kann.

Wer will, kann lernen, während eines aufregenden Disputs etwa alle fünf Minuten den Puls zu überprüfen; man braucht nur ein paar Zentimeter unterhalb des Ohrläppchens die Halsschlagader zu betasten (wer Aerobic betreibt, lernt, das im Handumdrehen zu machen).[25] Wenn man die Pulsschläge während 15 Sekunden zählt und mit 4 multipliziert, erhält man die Schläge pro Minute. Macht man das, während man sich ruhig und gelassen fühlt, bekommt man einen Grundwert; steigt der Puls um, sagen wir, mehr als zehn Schläge pro Minute über diesen Wert, so ist das ein Zeichen für den Beginn einer Überflutung. Wenn das passiert, sollten die Partner ihre Diskussion für zwanzig Minuten unterbrechen und auseinandergehen, um sich abzukühlen, bevor sie weitermachen. Man kann zwar das Gefühl haben, daß eine Fünfminutenpause reicht, aber die physiologische Erholung benötigt mehr Zeit. Wie wir im siebten Kapitel gesehen haben, lösen Restbestände von Zorn weiteren Zorn aus; je länger man wartet, desto besser kann der Körper sich von der vorangegangenen Erregung erholen.

Wer es lästig findet, während eines Streits den Puls zu überwachen, kann sich einfach vorher darauf verständigen, daß jeder beim ersten Anzeichen einer Überflutung eine Pause fordern darf. Während dieser Pause kann man die Abkühlung durch eine Entspannungsübung, durch Aerobic oder sonst eine der im siebten Kapitel erörterten Methoden fördern, die dazu beitragen können, sich von der emotionalen Entgleisung zu erholen.

### *Das entgiftende Selbstgespräch*

Da es negative Gedanken über den Partner sind, die die Überflutung auslösen, ist es hilfreich, wenn der Ehepartner, den solche schroffen Urteile aus der Fassung bringen, sich diese direkt vornimmt. Empfindungen wie »Das lasse ich mir nicht länger gefallen« oder »Ich habe es nicht verdient, so behandelt zu werden« sind Parolen der »unschuldiges Opfer«- bzw. der »gerechter Zorn«-Haltung. Indem man diese Gedanken, statt sich von ihnen erzürnen oder kränken zu lassen, direkt angeht und in Frage stellt, kann man sich, wie der kognitive Therapeut Aaron Beck erklärt, aus ihrem Bann lösen.[26]

Dazu muß man solche Gedanken aufspüren, sich klarmachen, daß man nicht gezwungen ist, ihnen zu glauben, und die bewußte Anstrengung machen, sich Tatsachen oder Ansichten vor Augen zu führen, die sie in Frage stellen. Wenn die Frau zum Beispiel in der Hitze des Gefechts meint: »Meine Bedürfnisse interessieren ihn gar nicht – er ist seit jeher so egoistisch«, dann kann sie diesen Gedanken dadurch in Frage stellen, daß sie sich Dinge ins Gedächtnis ruft, die ihr Mann gemacht hat und die zeigen, daß er wirklich aufmerksam ist. Dadurch kann sie ihren Gedanken umformulieren: »Manchmal zeigt er ja doch, daß ich ihm wichtig bin; was er sich eben geleistet hat, war allerdings rücksichtslos und hat mich in Rage gebracht.« Diese letztere Formulierung eröffnet die Möglichkeit einer Änderung und einer positiven Auflösung; die erstere schürt nur den Zorn und die Kränkung.

### *Nichtdefensives Zuhören und Sprechen*

Er: »Du schreist!«

Sie: »Natürlich schreie ich – weil du von dem, was ich gesagt habe, nicht ein Wort verstanden hast. Du hörst einfach nicht zu!«

Zuhören ist eine Fähigkeit, die Paare zusammenhält. Auch in der Hitze des Gefechts, wenn beide emotional entgleist sind, kann der eine oder andere es schaffen – gelegentlich auch beide –, über den Zorn hinweg zu lauschen und eine versöhnliche Geste des Partners aufzufangen und darauf einzugehen. Paare, die auf die Scheidung zusteuern, lassen sich jedoch vom Zorn fesseln und fixieren sich auf die Einzelheiten des strittigen Problems, und dadurch sind sie nicht imstande, Friedensangebote, die sich in den Worten des anderen verstecken könnten, zu erkennen oder gar darauf einzugehen. Wer als Zuhörer eine Abwehrhaltung einnimmt, ignoriert die Klage seines Ehepartners oder widerspricht ihr augenblicklich, das heißt, er reagiert darauf, als wäre es ein Angriff und nicht ein Versuch, das Verhalten zu ändern. Im Streit nehmen die Worte natürlich oft die Form eines Angriffs an oder werden mit einer so starken Negativität geäußert, daß man schwerlich etwas anderes als einen Angriff heraushört.

Selbst im schlimmsten Fall können Ehepartner das, was sie hören, gezielt bearbeiten, wenn sie bereit sind, die feindseligen und negativen Elemente des Wortwechsels – den häßlichen Ton, die Beleidigung, die verächtliche Kritik – zu überhören, um die eigentliche Botschaft zu vernehmen. Sie müssen sich dazu vergegenwärtigen, daß die Negativität des anderen indirekt etwas darüber sagt, wie wichtig ihm die Frage ist – darin steckt die Aufforderung, jetzt die Ohren zu spitzen. Wenn sie also schreit: »Du sollst mich nicht dauernd unterbrechen, verdammt nochmal!« dann ist er vielleicht eher in der Lage, auf ihre Feindseligkeit nicht direkt zu reagieren und zu sagen: »Na gut, rede erst mal aus.«

Die wirksamste Form des nichtdefensiven Zuhörens ist natürlich die Empathie: Man lauscht auf die Gefühle, die *hinter* dem Gesagten stecken. Damit der eine Partner sich wirklich in den anderen einfühlen kann, müssen, wie wir im siebten Kapitel gesehen haben, seine eigenen emotionalen Reaktionen sich soweit beruhigt haben, daß er hinreichend aufnahmebereit ist, um die Gefühle des anderen in seiner eigenen Physiologie nachzuempfinden. Ohne diese physiologische Abstimmung wird der eine die Gefühle des anderen wahrscheinlich völlig verfehlen. Die Empathie versagt, wenn die eigenen Gefühle so stark sind, daß sie eine physiologische Harmonisierung mit dem anderen nicht zulassen, sondern sich schlicht über alles andere hinwegsetzen.

In der Ehetherapie wird vielfach eine Methode benutzt, die es wirklich erlaubt, auf die Emotionen zu lauschen, das sogenannte »Spiegeln«. Der eine Partner gibt eine Beschwerde des anderen mit eigenen Worten wieder und versucht dabei, nicht nur den Gedanken zu erfassen, sondern auch die damit verbundenen Gefühle. Er erkundigt sich bei dem anderen, ob er sie richtig wiedergegeben hat, und wenn nicht, versucht er es nochmals, bis es stimmt – einfach, aber überraschend schwierig in der Ausführung.[27] Wenn man genau gespiegelt wird, fühlt man sich nicht bloß verstanden, sondern hat außerdem den Eindruck einer emotionalen Übereinstimmung. Das allein reicht manchmal schon aus, einen bevorstehenden Angriff zu unterbinden, und es trägt viel dazu bei, Diskussionen über Beschwerden davor zu bewahren, in Streitigkeiten auszuarten.

Bei der Kunst des nichtdefensiven Sprechens zwischen Ehepartnern geht es darum, die Äußerungen auf der Ebene einer Beschwerde zu halten, so daß sie nicht zu Kritik oder Verachtung eskalieren. Der Psychologe Haim Ginnot, »Großvater« von Lernprogrammen für wirksame Verständigung, empfahl »XYZ« als die beste Formel für eine Beschwerde: »Als du X getan hast, habe ich mich Y gefühlt, und ich hätte gewünscht, du hättest Z getan.« Besser wäre zum Beispiel: »Als du nicht anriefst, um mir Bescheid zu sagen, daß du dich zu unserer Essensverabredung verspäten würdest, fühlte ich mich nicht gebührend gewürdigt und verärgert. Ich wünschte, du hättest angerufen, um mich wissen zu lassen, daß du dich verspäten würdest«, statt »Du bist ein rücksichtsloses, egoistisches Schwein«, wie es allzu oft bei Ehestreitigkeiten formuliert wird. Kurz, offene Kommunikation kennt keine

Einschüchterungen, Drohungen oder Beleidigungen. Sie hat auch keinen Platz für die unzähligen Formen abwehrenden Verhaltens: Ausreden, das Leugnen der eigenen Verantwortung, Gegenangriffe in Form einer Kritik und dergleichen. Die Empathie ist auch hier wieder die höchste Form.

Schließlich sind es Respekt und Liebe, die in der Ehe wie in anderen Lebensbereichen eine feindselige Haltung entwaffnen. Um einen Streit wirksam zu deeskalieren, kann man seinem Partner zu verstehen geben, daß man in der Lage ist, die Dinge aus seiner Sicht zu sehen und daß gute Gründe für diese Sichtweise sprechen mögen, auch wenn man sie selbst nicht teilt. Oder man kann die Verantwortung übernehmen und sich sogar entschuldigen, wenn man im Unrecht ist. Wenn man dem anderen bestätigt, daß er gute Gründe für seinen Standpunkt hat, vermittelt man ihm zumindest, daß man ihm zugehört hat und daß man die geäußerten Emotionen verstehen kann, auch wenn man seinem Argument nicht zu folgen vermag: »Ich kann deine Aufregung verstehen.« Wenn man einmal nicht miteinander streitet, kann man dem anderen Bestätigung in Gestalt von Komplimenten geben, indem man sich lobend über etwas äußert, woran man wirklich Gefallen findet. Mit Bestätigung kann man seinem Ehepartner helfen, daß er sich besänftigt, und man kann damit ein Konto positiver Gefühle einrichten.

### *Einüben*

Da diese Schachzüge in der Hitze des Gefechts, wenn die emotionale Erregung bestimmt hohe Wellen schlägt, angewandt werden sollen, müssen sie eingeübt werden, um verfügbar zu sein, wenn sie am nötigsten gebraucht werden. Das emotionale Gehirn greift nämlich in wiederholten Fällen von Zorn und Kränkung auf die zuerst erlernten Reaktionsroutinen zurück, die sich auf diese Weise durchsetzen. Da Gedächtnis und Reaktion emotionsspezifisch sind, wird es in solchen Fällen nicht leicht sein, sich der mit ruhigeren Zeiten assoziierten Reaktionen zu entsinnen und sie umzusetzen. Ist einem eine produktive emotionale Reaktion nicht vertraut oder hat man sie nicht richtig eingeübt, so wird es einem in der Aufregung äußerst schwerfallen, sie anzuwenden. Hat man dagegen eine Reaktion so eingeübt, daß sie automatisch abläuft, dann wird sie in einer emotionalen Krise eher Ausdruck finden. Deshalb müssen die obengenannten Strategien in unbelasteten Situationen wie auch in der Hitze des Gefechts ausprobiert werden, wenn sie eine Chance haben sollen, innerhalb des Repertoires der emotionalen Schaltungen zur erworbenen ersten Reaktion (oder zumindest zur nicht allzu verspäteten zweiten Reaktion) zu werden. Die genannten Mittel gegen den Zerfall der Ehe sind, wenn man so will, ein kurzer Nachhilfeunterricht in emotionaler Intelligenz.

# 10

# Führung mit Herz

Melburn McBroom war ein tyrannischer Chef, der seine Mitarbeiter mit seiner Launenhaftigkeit einschüchterte. Das wäre vielleicht nicht aufgefallen, hätte McBroom in einem Büro oder einer Fabrik gearbeitet. Aber McBroom war Flugkapitän.

Als McBroom sich irgendwann im Jahre 1978 im Anflug auf Portland, Oregon, befand, bemerkte er ein Problem mit einem der Fahrgestelle. Also ging er in eine Warteschleife, kreiste in großer Höhe über dem Flugfeld und bastelte währenddessen an dem Mechanismus herum.

Während McBroom sich wie besessen an dem Fahrwerk zu schaffen machte, ging die Kraftstoffanzeige der Maschine stetig gegen Null. Seine Kopiloten fürchteten sich jedoch so sehr vor McBrooms Zorn, daß sie nichts sagten, nicht einmal, als die Katastrophe absehbar war. Beim Absturz der Maschine kamen zehn Menschen zu Tode.

Heute wird die Geschichte dieses Absturzes den Piloten während der Sicherheitsausbildung als warnendes Beispiel vorgehalten.[1] Achtzig Prozent aller Flugzeugabstürze beruhen auf Fehlern der Piloten, die sich hätten vermeiden lassen, wenn vor allem die Crew besser zusammengearbeitet hätte. Teamwork, offene Kommunikationsstränge, Kooperation, Zuhören und frei seine Meinung äußern – Anfangsgründe der sozialen Intelligenz – werden jetzt neben dem fachlichen Können in der Pilotenausbildung besonders betont.

Das Cockpit ist ein verkleinertes Abbild jeder beliebigen Arbeitsorganisation. Wo es jedoch an der dramatischen Realitätsprüfung eines Flugzeugabsturzes fehlt, bleiben denjenigen, die nicht unmittelbar betroffen sind, die destruktiven Auswirkungen einer schlechten Moral, von eingeschüchterten Mitarbeitern und arroganten Chefs – oder sonstiger Kombinationen emotionaler Defizite am Arbeitsplatz – oft weitgehend verborgen. Dabei gibt es etliche Zeichen, an denen man die Kosten ablesen kann: sinkende Produktivität, eine Häufung von verpaßten Fertigungsterminen, Fehler und Pannen, ein massenhafter

Wechsel der Angestellten in eine angenehmere Umgebung. Für ein geringes Maß an emotionaler Intelligenz am Arbeitsplatz muß unausweichlich ein Preis bezahlt werden, und wenn er in die Höhe schnellt, können auch Firmen abstürzen und zugrunde gehen.

Die Kostenwirksamkeit von emotionaler Intelligenz ist eine für die Wirtschaft relativ neue Idee, mit der sich mancher Manager nur schwer anfreunden kann. Eine Befragung von 250 leitenden Angestellten ergab, daß sie der Ansicht waren, ihre Arbeit verlange »ihren Kopf, aber nicht ihr Herz«. Viele gaben der Befürchtung Ausdruck, daß Einfühlung oder Mitgefühl mit ihren Mitarbeitern sie mit den Zielen des Unternehmens in Konflikt bringen könne. Einer fand die Idee, sich in die Gefühle seiner Untergebenen zu versetzen, absurd; dadurch würde »der Umgang mit den Leuten unmöglich«, meinte er. Andere erklärten, ohne emotionale Distanz nicht die »harten« Entscheidungen treffen zu können, die das Wirtschaftsleben erfordere – auch wenn einiges dafür spricht, daß sie diese Entscheidungen auf humanere Weise bekanntgeben würden.[2]

In den siebziger Jahren, als diese Befragung durchgeführt wurde, sah die Geschäftswelt ganz anders aus. Solche Einstellungen sind, wie ich finde, überholt, ein Luxus verflossener Zeiten; eine neue Wettbewerbsrealität legt großen Wert auf emotionale Intelligenz am Arbeitsplatz und auf dem Markt. Die Psychologin Shoshona Zuboff von der Harvard Business School erklärte mir: »Die Unternehmen haben im Laufe dieses Jahrhunderts einen radikalen Wandel durchgemacht, und gleichzeitig hat sich auch die emotionale Landschaft entsprechend gewandelt. Lange hat in der Unternehmenshierarchie der Manager den Ton angegeben, und belohnt wurde der Typ des manipulativen Dschungelkämpfers. Doch in den achtziger Jahren wurde diese starre Hierarchie unter dem doppelten Druck der Globalisierung und der Informationstechnologie aufgeweicht. Der Dschungelkämpfer steht als Symbol für die Vergangenheit des Unternehmens; seine Zukunft ist der Virtuose an interpersonalen Fähigkeiten.«[3]

Einige der Gründe liegen auf der Hand – man stelle sich nur die Folgen für eine Arbeitsgruppe vor, wenn einer seinen Zorn nicht bezwingen kann oder kein Gespür für die Gefühle seiner Kollegen hat. All die verderblichen Auswirkungen der Aufregung auf das Denken, die im siebten Kapitel besprochen wurden, machen sich auch am Arbeitsplatz bemerkbar: Bei emotionaler Erregung können die Leute sich nicht erinnern, nicht aufmerksam sein, nicht lernen und keine klaren Entscheidungen treffen. Ein Unternehmensberater drückte es so aus: »Stress macht die Leute dumm.«

Auf der positiven Seite sollte man sich klarmachen, wie vorteilhaft es sich auf die Arbeit auswirkt, wenn wir in den grundlegenden emotionalen Kompetenzen bewandert sind: wenn wir auf die Gefühle derer, mit denen wir es zu tun haben, eingestimmt sind, wenn wir mit Meinungsverschiedenheiten so umgehen können, daß sie nicht eskalieren, wenn wir fähig sind, bei unserer Arbeit in einen Zustand des Fließens zu kommen. Führung bedeutet nicht Herrschaft, sondern die Kunst, Menschen dazu zu bringen, daß sie für ein gemeinsames Ziel arbeiten. Und was die Gestaltung unserer eigenen Karriere angeht, ist vielleicht nichts so wichtig wie die Erkenntnis, was wir bezüglich unserer Tätigkeit im Innersten empfinden – und welche Veränderungen bewirken könnten, daß wir unsere Arbeit mit mehr echter Befriedigung verrichten.

Einige der weniger offenkundigen Gründe dafür, daß emotionale Fähigkeiten in den Vordergrund des unternehmerischen Könnens rücken, sind Ausdruck tiefgreifender Veränderungen am Arbeitsplatz. Ich möchte das an den Folgen von drei Anwendungen emotionaler Intelligenz verdeutlichen: wenn man in der Lage ist, Beschwerden als hilfreiche Kritik zu behandeln, wenn man eine Atmosphäre schafft, in der Vielfalt nicht eine Ursache von Reibungen ist, sondern geschätzt wird, und wenn man effektiv in einer Gruppe zusammenarbeiten kann.

## Kritik ist erste Bürgerpflicht

*Er war ein erfahrener Ingenieur, Leiter eines Software-Entwicklungsprojekts, und jetzt präsentierte er dem für die Produktentwicklung zuständigen Vizepräsidenten des Unternehmens das Ergebnis der monatelangen Arbeit seines Teams. Er war umgeben von den Männern und Frauen, die Tag für Tag und Woche für Woche viele Stunden investiert hatten und nun stolz die Frucht ihrer harten Arbeit vorführten. Doch als der Ingenieur seine Präsentation beendet hatte, stellte ihm der Vizepräsident die sarkastische Frage: »Wann haben Sie eigentlich Ihr Diplom gemacht? Diese Spezifikationen sind lachhaft. Ich werde sie auf keinen Fall genehmigen.«*

*Aus allen Wolken gefallen und peinlich berührt, saß der Ingenieur bedrückt da und brachte bis zum Ende der Besprechung keinen Ton mehr heraus. Einige Männer und Frauen seines Teams versuchten, mit unzusammenhängenden und teilweise feindseligen Bemerkungen ihre Ar-*

*beit zu verteidigen. Als der Vizepräsident dann herausgerufen wurde, war die Besprechung abrupt zu Ende; zurück blieb ein Rest von Bitterkeit und Zorn.*
*Dem Ingenieur gingen die Bemerkungen des Vizepräsidenten in den folgenden zwei Wochen nicht mehr aus dem Sinn. Entmutigt und bedrückt, war er überzeugt, in diesem Unternehmen nie wieder einen bedeutenden Auftrag zu erhalten, und er spielte mit dem Gedanken an Kündigung, obwohl ihm seine Tätigkeit dort Spaß machte.*
*Schließlich suchte der Ingenieur den Vizepräsidenten auf und erinnerte an die Besprechung, an seine kritischen Bemerkungen und ihre demoralisierende Wirkung. Dann stellte er eine vorsichtig formulierte Frage: »Ich verstehe nicht ganz, worauf Sie hinauswollten. Ich nehme nicht an, daß Sie mich in Verlegenheit bringen wollten. Was wollten Sie eigentlich erreichen?«*
*Der Vizepräsident war erstaunt – er hatte keine Ahnung, daß seine beiläufig gemeinte Bemerkung eine so verheerende Wirkung gehabt hatte. Tatsächlich war er der Ansicht gewesen, daß der Software-Plan vielversprechend sei, aber noch bearbeitet werden müsse; jedenfalls lag es ihm fern, ihn als wertlos abzutun. Er hatte, wie er sagte, einfach nicht gemerkt, wie dürftig seine Reaktion ausgefallen war oder daß er jemandes Gefühle verletzt hatte. Und er entschuldigte sich nachträglich.*[4]

Im Grunde geht es hier um das Feedback, darum, daß die Leute die Information kriegen, die sie brauchen, um mit ihrer Arbeit auf dem gewünschten Kurs zu bleiben. Innerhalb der Systemtheorie bedeutete »Feedback« ursprünglich den Austausch von Daten über das Funktionieren der Teile eines Systems, unter der Voraussetzung, daß ein Teil alle übrigen beeinflußt, so daß, wenn irgendein Teil vom Kurs abweicht, dieser auf die richtige Bahn zurückgeleitet wird. Da in einer Firma jeder ein Teil des Systems ist, ist das Feedback der Lebensnerv der Organisation – jener Austausch von Informationen, der den Leuten sagt, ob die Arbeit, die sie machen, gut läuft oder ob es nötig ist, sie zu verfeinern oder zu verbessern oder die ganze Richtung zu ändern. Ohne Feedback tappen die Leute im dunkeln; sie haben keine Ahnung, wie sie bei ihrem Chef und bei ihren Kollegen dastehen oder was von ihnen erwartet wird, und falls es irgendwelche Probleme gibt, können sie sich nur mit der Zeit verschlimmern.

Man kann sagen, daß Kritik zu den wichtigsten Aufgaben eines Managers gehört. Sie gehört aber auch zu den am meisten gefürchteten Aufgaben, vor denen man sich gern drückt. Und allzu viele Manager beherrschen die wichtige Kunst des Feedbacks nur mangelhaft, wie der sarkastische Vizepräsident. Dieser Mangel hat einen hohen Preis: So wie die emotionale Gesundheit von Ehepartnern davon abhängt, wie gut sie es schaffen, ihre Beschwerden zur Sprache zu bringen, so hängt auch die Effektivität, Zufriedenheit und Produktivität der Menschen am Arbeitsplatz davon ab, was man zu den Problemen sagt, die ihnen zu schaffen machen. Die Art, wie Kritik geäußert und aufgenommen wird, bestimmt weitgehend, wie zufrieden die Leute mit ihrer Arbeit, ihren Kollegen und ihren Vorgesetzten sind.

### *Die schlimmste Art, jemanden zu motivieren*

Das Wechselspiel der Emotionen, das wir aus der Ehe kennen, macht sich in ähnlichen Formen auch am Arbeitsplatz bemerkbar. Kritik wird nicht als Beschwerde formuliert, mit der man etwas anfangen könnte, sondern als persönliche Attacke; Vorwürfe, die sich gegen die Person richten, werden mit einem Schuß Geringschätzung, Sarkasmus und Verachtung geäußert; beides führt zu einer Abwehrhaltung, zum Ausweichen vor der Verantwortung und schließlich zum Mauern oder zu dem verbitterten passiven Widerstand, der aus dem Gefühl erwächst, ungerecht behandelt zu werden. Zu den verbreiteten Formen destruktiver Kritik am Arbeitsplatz gehört nach den Beobachtungen eines Unternehmensberaters die in einem schroffen, sarkastischen, ärgerlichen Ton vorgetragene pauschale Äußerung »Sie machen Mist«. Der so Angesprochene kann darauf nichts erwidern, etwa mit einem Vorschlag, wie man es besser machen könnte – er fühlt sich hilflos und ist verärgert. Eine solche Kritik zeugt, unter dem Aspekt der emotionalen Intelligenz betrachtet, von Unkenntnis der Gefühle, die sie beim Angesprochenen auslösen muß, und der verheerenden Wirkung dieser Gefühle auf seine Motivation, seine Energie und das Selbstvertrauen, mit dem er seine Arbeit verrichtet.

Diese destruktive Dynamik zeigte sich in einer Befragung von Managern, die Auskunft darüber geben sollten, wann sie Angestellte angeschnauzt und in der Hitze des Gefechts persönlich angegriffen hatten.[5] Die Folgen der wütenden Attacke glichen denen bei einem Ehepaar: Die angegriffenen Angestellten reagierten überwiegend mit einer Abwehrhaltung, mit Ausflüchten und einem Meiden der Verantwortung. Oder sie mauerten, versuchten also jeglichen Kontakt mit dem Manager, der sie angeschnauzt hatte, zu vermeiden. Hätte man diese verbitterten Angestellten mit dem emotionalen Mikroskop untersucht, das John Gottman bei Ehepaaren anwandte, wäre man bestimmt auf Gedanken von der unschuldigen Opferrolle und von gerechtem Zorn gestoßen, wie sie typisch für Ehepartner sind, die sich zu Unrecht angegriffen fühlen. Bei einer physiologischen Messung hätte man vermutlich auch die Überflutung festgestellt, die solche Gedanken verstärkt. Und dabei wurden die Manager durch diese Reaktionen nur noch mehr verärgert und provoziert; man kann vermuten, daß hier ein Zyklus einsetzt, der damit endet, daß der Angestellte geht oder gefeuert wird – die in der Wirtschaft übliche Form der Scheidung.

Bei einer Befragung von 108 Managern und Büroangestellten nach den Anlässen für Konflikte am Arbeitsplatz wurde unangebrachte Kritik sogar noch vor mangelndem Vertrauen, persönlichen Auseinandersetzungen und Meinungsverschiedenheiten über Kompetenzen und Entlohnung genannt.[6] Wie schädlich sich schneidende Kritik auf die Arbeitsbeziehungen auswirken kann, zeigte ein Experiment an der Rensselaer Polytechnic University. Die Versuchsteilnehmer sollten eine Anzeige für ein neues Shampoo entwerfen. Ein anderer Versuchsteilnehmer unterzog die vorgelegten Entwürfe einer vermeintlichen Beurteilung; in Wirklichkeit konfrontierte er die Versuchsteilnehmer mit vorher abgesprochener Kritik in zwei Varianten. Die erste war umsichtig und auf die Sache bezogen, während die zweite Drohungen enthielt und angeborene Defizite des Betroffenen tadelte mit Bemerkungen wie »Er hat sich noch nicht einmal bemüht; scheint nichts auf die Beine zu bringen« und »Vielleicht hat er einfach kein Talent. Ich werde mir wohl jemand anderen dafür suchen müssen.«

Die Angegriffenen wurden verständlicherweise verkrampft und wütend und feindselig; sie erklärten, sie würden bei künftigen Projekten nicht mehr mit demjenigen, der sie kritisiert hatte, zusammenarbeiten. Viele bekundeten den Wunsch, überhaupt jeden Kontakt meiden zu wollen – sie neigten also zum Mauern. Die Betroffenen wurden von der schroffen Kritik so demoralisiert, daß sie sich bei ihrer Arbeit nicht mehr soviel Mühe gaben und – das ist vielleicht die schädlichste Folge – nicht mehr glaubten, gute Leistungen erbringen zu können. Der persönliche Angriff war verheerend für ihre Moral.

Viele Manager sind mit Kritik schnell bei der Hand, knausern dagegen mit Lob, so daß ihre Angestellten den Eindruck haben, ihre Arbeit werde nur dann bewertet, wenn sie einen Fehler machen. Manager zeigen nicht nur diesen Hang zur Kritik, sondern geben vielfach über längere Zeit hinweg überhaupt kein Feedback. »Probleme mit der Arbeitsleistung treten bei den meisten Angestellten nicht schlagartig auf, sondern entwickeln sich allmählich«, bemerkt der Psychologe J. R. Larson von der Universität von Illinois. »Wenn der Chef nicht umgehend sagt, was er davon hält, staut sich bei ihm allmählich die Frustration auf. Eines Tages platzt er dann damit heraus. Hätte er seine Kritik früher geäußert, hätte der Angestellte das Problem beheben können. Allzu viele bringen ihre Kritik erst vor, wenn das Faß am Überlaufen ist, wenn sie ihre Wut nicht mehr zurückhalten können. Und dann äußern sie die Kritik auf die schlimmste Weise, in einem Tonfall ätzenden Spotts, und führen eine lange Liste von Beschwerden an, die sie für sich behalten hatten, oder stoßen Drohungen aus. Solche Angriffe führen zu nichts. Sie werden als Affront aufgenommen und lassen den Betroffenen seinerseits wütend werden. Das ist die schlimmste Art, jemanden zu motivieren.«

### *Der geschickte Kritiker*

Jetzt zu der Alternative.

Eine geschickte Kritik gehört zu den nützlichsten Dingen, die von einem Manager ausgehen können. Der hochnäsige Vizepräsident hätte zu dem Software-Ingenieur zum Beispiel sagen können: »Die größte Schwierigkeit sehe ich im Augenblick darin, daß Ihr Plan zuviel Zeit in Anspruch nimmt und somit die Kosten in die Höhe treibt. Sie sollten Ihren Vorschlag, speziell die Design-Spezifikationen für die Software-Entwicklung, noch einmal daraufhin überprüfen, ob sich die Sache nicht schneller abwickeln läßt.« Eine solche Botschaft hat die gegenteilige Wirkung von destruktiver Kritik: Statt Hilflosigkeit, Zorn und Aufruhr zu erzeugen, vermittelt sie die Hoffnung, daß sich etwas verbessern läßt, und deutet die Absicht an, entsprechend zu verfahren; sie enthält eine Lösung.

Eine geschickte Kritik geht auf das ein, was jemand getan hat und was er tun kann, statt in eine unzureichend gelöste Aufgabe eine Charaktereigenschaft hineinzudeuten. Larson meint dazu: »Es ist verfehlt, jemanden persönlich anzugreifen, ihn beispielsweise als dumm oder unfähig hinzustellen. Damit treibt man ihn gleich in die Defensive, und dann hat er kein Ohr mehr für mögliche Verbesserungen, die man ihm vorschlagen möchte.« Dieser Ratschlag gilt natürlich auch für Ehepaare, die ihre Beschwerden erörtern.

Und was die Motivation betrifft: Wenn die Leute glauben, ihre Mißerfolge beruhten auf einem unveränderlichen Defizit bei ihnen selbst, dann verlieren sie die Hoffnung und geben sich keine Mühe mehr. Wir wissen ja, daß Optimismus sich der Grundüberzeugung verdankt, daß Rückschläge und Mißerfolge auf Umständen beruhen, an denen sich etwas ändern läßt.

Harry Levinson, ein Psychoanalytiker, der sich heute als Unternehmensberater betätigt, gibt uns zur Kunst der Kritik, die mit der Kunst des Lobens aufs engste verwoben ist, die folgenden Ratschläge:

*Sei präzise.* Suche dir ein aussagefähiges Beispiel aus, das ein Problem verdeutlicht, an dem etwas geändert werden muß, oder eine bestimmte Schwäche, zum Beispiel die Unfähigkeit, gewisse Teile einer Aufgabe befriedigend zu lösen. Es demoralisiert die Leute, wenn man ihnen lediglich sagt, daß sie »etwas« falsch machen, aber keine Einzelheiten nennt, so daß sie etwas ändern könnten. Nenne die einzelnen Punkte, was jemand gut gemacht hat, was er nicht so gut gemacht hat und wie es sich ändern ließe. Rede nicht um den heißen Brei herum, weiche nicht aus, rede nicht verschwommen; sonst versteht keiner, was du wirklich willst. Das klingt natürlich ganz ähnlich wie der Ratschlag an Ehepaare, ihre Beschwerden in die Formel »X, Y, Z« zu kleiden: Benenne genau das Problem, sag, was für ein Gefühl du dabei hast und was sich ändern ließe.

»Auf Einzelheiten«, sagt Levinson, »kommt es beim Lob ebenso an wie bei der Kritik. Ich sage nicht, daß ein unbestimmtes Lob keine Wirkung hat, aber sie ist nicht groß, und man lernt daraus nichts.[7]

*Biete eine Lösung an.* Die Kritik sollte wie jedes brauchbare Feedback einen Weg zur Behebung des Problems aufzeigen. Andernfalls läßt sie den Adressaten frustriert, demoralisiert und demotiviert zurück. Die Kritik kann die Tür zu Möglichkeiten und Alternativen öffnen, die der Betroffene nicht gesehen hat, oder sie kann auf Defizite aufmerksam machen, die beachtet werden müssen, sie sollte aber Vorschläge enthalten, wie man diese Probleme bewältigen kann.

*Sei präsent.* Am wirksamsten ist Kritik – ebenso wie Lob –, wenn sie direkt und unter vier Augen ausgesprochen wird. Manchen fällt es schwer, Kritik – oder Lob – direkt zu äußern, und so wählen sie einen Umweg, zum Beispiel durch ein Memo. Doch dadurch wird die Kommunikation zu unpersönlich, und dem Adressaten wird die Gelegenheit zu einer Antwort oder einer Klärung genommen.

*Sei sensibel.* Dies ist eine Aufforderung zur Empathie; wir sollen uns darauf einstellen, wie das, was wir sagen und wie wir es sagen, auf den Empfänger wirkt. Manager mit wenig Empathie, erklärt Levinson, neigen sehr stark dazu, Feedback auf verletzende Weise zu geben, zum

Beispiel durch eine herabsetzende Bemerkung. Eine solche Kritik wirkt sich destruktiv aus: Statt den Weg zur Abhilfe zu ebnen, erzeugt sie eine emotionale Gegenreaktion aus Groll, Verbitterung, Abwehr und Distanz.

Auch für die Adressaten von Kritik hält Levinson Ratschläge bereit. So sollte man die Kritik als eine wertvolle Information über Möglichkeiten, es besser zu machen, und nicht als persönlichen Angriff betrachten. Auch sollte man auf den Impuls achten, der einen in eine Abwehrhaltung treibt, statt daß man zu seiner Verantwortung steht. Und wenn es zu aufregend wird, sollte man darum bitten, das Gespräch später fortzusetzen, damit man die unangenehme Botschaft erst einmal verdauen und sich ein bißchen beruhigen kann. Schließlich sollte man Kritik als eine Chance begreifen, zusammen mit dem Kritiker an der Lösung des Problems zu arbeiten, und nicht als eine Konfrontation von Gegnern. Natürlich erinnern all diese klugen Ratschläge direkt an die Empfehlungen für Ehepaare, die sich bemühen, mit ihren Beschwerden so umzugehen, daß die Beziehung keinen dauernden Schaden davonträgt. Wie in der Ehe, so auch in der Arbeit.

## Vom Umgang mit der Andersartigkeit

Sylvia Skeeter, eine Frau in den Dreißigern, die bei der Armee als Captain gedient hatte, war Schichtleiterin in einem Denny's Restaurant in Columbia, Süd-Carolina. Eines Nachmittags, als nichts los war, kam eine Gruppe von schwarzen Gästen herein – ein Pfarrer, ein Hilfspastor und zwei Gospelsänger –, um etwas zu essen. Sie setzten sich und warteten und warteten, doch die Kellnerinnen ignorierten sie. Die Kellnerinnen, erinnert sich Skeeter, »warfen ihnen einen bösen Blick zu, die Hände in die Seiten gestemmt, und setzten dann ihre Unterhaltung fort, so als würde ein Schwarzer, der anderthalb Meter von ihnen entfernt war, gar nicht existieren.«

Empört stellte Skeeter die Kellnerinnen zur Rede, und sie beschwerte sich beim Geschäftsführer, der das Verhalten der Kellnerinnen mit der Bemerkung abtat: »So sind sie nun mal erzogen worden, ich kann nichts daran ändern.« Skeeter kündigte auf der Stelle; sie ist schwarz.

Wäre das ein Einzelfall gewesen, hätte man über diese offene

Zurücksetzung vielleicht hinweggehen können. Aber Sylvia Skeeter war eine von Hunderten von Zeugen, die bekundeten, daß die Zurücksetzung von Schwarzen eine in der gesamten Restaurantkette Denny's verbreitete Verhaltensweise war, eine Verhaltensweise, die in einem Zivilklageverfahren namens Tausender schwarzer Gäste, die ähnliche Demütigungen erlitten hatten, mit einer Abfindung von 54 Millionen Dollar endete.

Ein Punkt, den die Kläger anführten, betraf sieben afroamerikanische Agenten des Secret Service, die eine Stunde lang auf ihr Frühstück warteten, während ihre weißen Kollegen am Nebentisch umgehend bedient wurden; dabei waren sie alle auf dem Weg zur Marineakademie von Annapolis, um dort während eines Besuchs von Präsident Clinton für die Sicherheit zu sorgen. Ein weiterer Punkt betraf ein schwarzes Mädchen mit gelähmten Beinen, das in Tampa, Florida, spätabends nach einer Schulveranstaltung zwei Stunden lang in seinem Rollstuhl auf sein Essen wartete. Wie in dem Prozeß festgestellt wurde, beruhte das diskriminierende Verhalten auf der in der gesamten Denny's-Kette – besonders bei Bezirks- und Filialgeschäftsführern – verbreiteten Annahme, daß schwarze Gäste dem Geschäft schadeten. Inzwischen revidiert die Denny's-Kette ihre Haltung gegenüber der schwarzen Gemeinschaft, hauptsächlich infolge des Prozesses und der damit verbundenen Publizität. Und jeder Angestellte, besonders die Geschäftsführer, muß an Vorträgen über die Vorteile einer gemischtrassigen Kundschaft teilnehmen.

Bei Firmen in ganz Amerika gehören solche Seminare heute zum Standardrepertoire der firmeninternen Ausbildung, weil die Verantwortlichen zunehmend erkannt haben, daß die Leute vielleicht ihre Vorurteile in die Firma mitbringen mögen, aber dennoch lernen müssen, sich so zu verhalten, als hätten sie keine. Das gebietet nicht nur der menschliche Anstand, sondern dafür gibt es auch ganz pragmatische Gründe. Einer ist das sich wandelnde Bild der Belegschaft, in der die früher dominierenden männlichen Weißen zur Minderheit werden. Eine Befragung von mehreren hundert amerikanischen Firmen ergab, daß die Neueingestellten zu mehr als drei Vierteln keine Weißen waren – eine demographische Verschiebung, die sich auch in der Zusammensetzung der Kundschaft stark bemerkbar macht.[8] Ein anderer Grund ist der wachsende Bedarf international tätiger Unternehmen an Mitarbeitern, die nicht nur etwaige Vorurteile ablegen und Menschen aus anderen Kulturen – und Märkten – zu schätzen wissen, sondern diese Wertschätzung obendrein in einen Wettbewerbsvorteil verwandeln. Ein drittes Motiv ist, daß man sich von der Vielfalt Vorteile in Gestalt erhöhter kollektiver Kreativität und unternehmerischen Schwungs verspricht.

Aus alledem folgt, daß die Unternehmenskultur sich ändern und die Toleranz fördern muß, mögen bei einzelnen auch Vorurteile bestehen bleiben. Aber wie kann ein Unternehmen das schaffen? Man muß es sich eingestehen: Das ganze Arsenal von Kursen über den »Umgang mit Andersartigkeit« – Kursen, die sich auf einen Tag, ein einziges Video oder ein Wochenende beschränken – bewegt offenbar kaum etwas bei jenen Angestellten, die mit tiefsitzenden Vorurteilen in diese Kurse kommen, seien es Weiße, die voreingenommen sind gegen Schwarze, Schwarze, die etwas gegen Asiaten haben, oder Asiaten, die die Hispanoamerikaner nicht ausstehen können. Untaugliche Kurse – nämlich solche, die falsche Erwartungen wecken, indem sie zuviel versprechen, oder solche, die anstelle von Verständnis ein Klima der Konfrontation erzeugen – können sogar eine Atmosphäre schaffen, die die Spannungen zwischen ethnischen Gruppen am Arbeitsplatz noch steigert, indem sie die Aufmerksamkeit auf diese Unterschiede lenken. Um zu verstehen, was wirklich erreicht werden kann, muß man zunächst das Wesen des Vorurteils überhaupt verstanden haben.

## *Die Wurzeln des Vorurteils*

Dr. Vamik Volkan ist heute Psychiater an der Universität von Virginia, aber er weiß noch, wie es war, als Sohn türkischer Eltern auf der Insel Zypern aufzuwachsen, die damals zwischen Türken und Griechen heftig umstritten war. Als Kind hörte Volkan gerüchtweise, daß die Stola des örtlichen griechischen Popen einen Knoten für jedes von ihm erwürgte türkische Kind enthalte, und er erinnert sich noch an die Töne des Entsetzens, mit denen man ihm berichtete, daß die griechischen Nachbarn Schweine verzehrten, ein Fleisch, das in seiner türkischen Kultur als unrein galt. Heute verweist Volkan, der sich mit ethnischen Konflikten befaßt, auf solche Kindheitserinnerungen, um zu zeigen, wie der Haß zwischen ethnischen Gruppen über lange Zeit hinweg dadurch am Leben gehalten wird, daß man jede Generation erneut mit feindseligen Vorurteilen wie diesen impft.[9] Der psychologische Preis der Loyalität zur eigenen Gruppe kann in Antipathie gegen eine andere bestehen, besonders wenn die Gruppen von altersher verfeindet sind.

Vorurteile sind eine Spielart des emotionalen Lernens, das sich in einem frühen Lebensabschnitt vollzieht, wodurch es besonders erschwert wird, diese Reaktionen gänzlich auszurotten, selbst bei Menschen, die es als Erwachsene für falsch halten, Vorurteile zu haben. »Die Emotionen des Vorurteils werden in der Kindheit geprägt, während die zu seiner Rechtfertigung benutzten Ansichten später kommen«, erklärte der Sozialpsychologe Thomas Pettigrew von der Universität von Kalifornien in Santa Cruz, der sich seit Jahrzehnten mit Vorurteilen befaßt. »Man mag später den Wunsch haben, etwas an seinen Vorurteilen zu ändern, aber die intellektuellen Überzeugungen lassen sich sehr viel leichter ändern als die tiefen Empfindungen. So haben mir viele Südstaatler gestanden, daß sie zwar glauben, keine Vorurteile mehr gegen Schwarze zu haben, daß sie aber dennoch einen leichten Ekel empfinden, wenn sie einem Schwarzen die Hand geben. Die Gefühle sind übriggeblieben von dem, was sie als Kinder in der Familie gelernt haben.«[10]

Die Macht der Stereotype, die das Vorurteil stützen, beruht teilweise auf einer eher neutralen psychischen Dynamik, die im Sinne der Selbstbestätigung von Stereotypen jeglicher Art wirkt.[11] Man erinnert sich eher an Beispiele, die das Stereotyp stützen, während Beispiele, die es in Frage stellen, leicht übergangen werden. Wenn sie auf einer Party einen emotional offenen und warmherzigen Engländer kennengelernt haben, der das Stereotyp vom kühlen, reservierten Briten widerlegt, sagen die Leute sich zum Beispiel, er sei eben eine Ausnahme oder er habe etwas getrunken.

Es mag an der Hartnäckigkeit subtiler Vorurteile liegen, wenn die Haltung weißer Amerikaner gegenüber Schwarzen in den letzten vierzig Jahren zwar immer toleranter geworden ist, subtile Formen des Vorurteils sich aber dennoch halten; man bestreitet, eine rassistische Einstellung zu haben, das Handeln ist aber trotzdem von versteckten Vorurteilen geprägt.[12] Man erklärt zwar auf Befragen, keine Intoleranz zu empfinden, aber in unklaren Situationen handelt man voreingenommen, auch wenn als Begründung des Handelns keine Vorurteile angegeben werden. Die Voreingenommenheit kann sich etwa darin äußern, daß ein weißer leitender Angestellter, der überzeugt ist, keine Vorurteile zu haben, einen schwarzen Stellenbewerber ablehnt, nach außen hin nicht seiner Rasse wegen, sondern weil sein Bildungsgang und seine berufliche Erfahrung der Stelle »nicht ganz entsprechen«, während er einen weißen Bewerber mit in etwa demselben Werdegang einstellt. Sie kann sich auch in der Weise äußern, daß man einem weißen Verkäufer Instruktionen und nützliche Tips gibt, es aber irgendwie versäumt, auch dem schwarzen oder hispanischen Kollegen diese Tips zu erteilen.

Mag es auch nicht leicht sein, eingefleischte Vorurteile auszurotten, so läßt sich doch der Umgang mit ihnen verändern. Die Kellnerinnen oder Filialgeschäftsführer bei Denny's, die sich berufen fühlten, Schwarze zu diskriminieren, wurden, wenn überhaupt, selten daraufhin zur Rede gestellt. Die Geschäftsführung scheint die Diskriminierung sogar, zumindest stillschweigend, ermutigt zu haben, und es wurde sogar angeregt, die Vorausbezahlung der bestellten Gerichte nur von Schwarzen zu verlangen, die in der Werbung groß herausgestellte Gratisbewirtung von Geburtstagskindern Schwarzen zu verweigern oder die Türen zuzusperren und zu behaupten, daß geschlossen sei, wenn eine Gruppe von schwarzen Gästen nahte. Der Anwalt John P. Relman, der Denny's im Namen der schwarzen Secret Service-Agenten verklagte, stellte fest: »Das Management von Denny's verschloß die Augen vor dem, was die Mitarbeiter vor Ort taten. Irgendetwas muß von oben vermittelt worden sein, was den örtlichen Geschäftsführern die Hemmungen nahm, ihren rassistischen Impulsen stattzugeben.«[13]

Dabei ist es nach allem, was wir über die Wurzeln des Vorurteils und seine effektive Bekämpfung wissen, genau diese Haltung – bei rassischer Benachteiligung ein Auge zuzudrücken –, die die Diskriminierung ins Kraut schießen läßt. Auch das Nichtstun ist in dieser Hinsicht folgenreich, weil es zuläßt, daß sich das Virus des Vorurteils ungehindert ausbreitet. Sachdienlicher als Kurse für den »Umgang mit Andersartigkeit« – oder wichtig für ihren Erfolg – wäre es, wenn das Spitzenmanagement durch ein energisches Einschreiten gegen jedwede Art von Diskriminierung entscheidenden Einfluß auf die Normen der verschiedenen Gruppen nähme. An den Vorurteilen mag sich vielleicht nichts ändern, doch gegen Benachteiligungen kann man etwas tun, wenn sich das Klima ändert. Ein führender Vertreter von IBM erklärt: »Kränkungen oder Beleidigungen dulden wir auf keinen Fall; der Respekt vor dem einzelnen ist für die Kultur von IBM ein zentraler Wert.«[14]

Wenn man aus der Vorurteilsforschung irgendeine Lehre im Sinne einer toleranteren Unternehmenskultur ziehen kann, dann ist es die, die Menschen zu ermutigen, sich klar und deutlich auch gegen unterschwellige Akte der Diskriminierung oder Belästigung auszusprechen, zum Beispiel gegen anzügliche Witze oder gegen das Aufhängen von Kalendern mit nackten oder spärlich bekleideten Mädchen, durch die

Mitarbeiterinnen herabgewürdigt werden. Wenn, das ergab eine Untersuchung, einer in der Gruppe ethnische Anspielungen macht, machen andere es nach. Schon wenn man das Vorurteil nur als solches beim Namen nennt oder gleich dagegen protestiert, schafft man eine soziale Atmosphäre, die das Vorurteil entmutigt; wenn man nichts sagt, erscheint es als verzeihlich.[15] Dabei kommt es entscheidend auf die Menschen in Führungspositionen an: Wenn sie es versäumen, Akte der Benachteiligung zu verurteilen, geben sie stillschweigend zu verstehen, daß so etwas in Ordnung ist. Wenn sie dagegen energisch vorgehen und beispielsweise einen Verweis erteilen, geben sie nachdrücklich zu verstehen, daß Benachteiligung keine Bagatelle ist, sondern reale – und zwar negative – Folgen hat.

Auch hier sind die Fähigkeiten der emotionalen Intelligenz von Vorteil; insbesondere muß man es verstehen, nicht nur zum richtigen Zeitpunkt, sondern auch auf die richtige Art gegen Vorurteile aufzutreten. Wenn man dabei alle Regeln einer wirkungsvollen Kritik befolgt, wird man sich Gehör verschaffen, ohne eine Abwehrhaltung zu erzeugen. Wenn Manager und Mitarbeiter sich spontan in diesem Sinne verhalten oder es lernen, werden die Fälle von Benachteiligung zurückgehen.

Kurse für den »Umgang mit Andersartigkeit«, die etwas bewirken, stellen eine neue, unternehmensweite ausdrückliche Grundregel auf, die jede Form von Benachteiligung für verboten erklärt; das ermutigt diejenigen, die bisher stumme Zeugen und Zuschauer waren, ihr Unbehagen und ihren Protest zu äußern. Außerdem lernt man dort, sich in den anderen hineinzuversetzen, eine Haltung, die Empathie und Toleranz fördert. Je mehr die Leute den Schmerz derer verstehen, die sich diskriminiert fühlen, desto eher werden sie sich klar dagegen aussprechen.

Psychologen, die sich mit Vorurteilen befassen, halten es für zweckmäßiger, wenn man versucht, die Äußerung von Voreingenommenheit zu unterdrücken, statt die Einstellung selbst beseitigen zu wollen, denn Stereotype ändern sich, wenn überhaupt, nur sehr langsam. Menschen aus verschiedenen ethnischen Gruppen einfach zusammenzustecken, trägt wenig oder nichts zur Verminderung der Intoleranz bei; in etlichen Schulen nahm die Feindseligkeit zwischen verschiedenen Gruppen nach Aufhebung der Rassentrennung nicht ab, sondern zu. Daher ist es für die Fülle der Trainingsprogramme »Umgang mit Andersartigkeit«, mit denen die Wirtschaft überzogen wird, ein realistisches Ziel, die *Normen* einer Gruppe zu verändern, nach denen sich das Äußern von Vorurteilen oder die tätliche Belästigung richten. Solche Programme vermögen wirksam ins allgemeine Bewußtsein zu heben, daß Intoleranz und Belästigung nicht hinnehmbar sind und nicht toleriert werden. Unrealistisch ist es dagegen, von solchen Programmen zu erwarten, daß sie tief eingewurzelte Vorurteile ausrotten werden.

Allerdings ist, da Vorurteile eine Spielart des emotionalen Lernens sind, auch ein Umlernen möglich, wenngleich es seine Zeit braucht und nicht als Ergebnis eines eintägigen Workshops »Umgang mit Andersartigkeit« erwartet werden sollte. Längerer kameradschaftlicher Verkehr zwischen Menschen unterschiedlicher Herkunft und tägliche Bemühungen um ein ihnen gemeinsames Ziel können jedoch durchaus etwas bewirken. Die Erfahrungen mit der Aufhebung der Rassentrennung in den Schulen zeigen: Wenn es nicht zu einer sozialen Vermischung zwischen den Gruppen kommt, sondern sich feindliche Cliquen bilden, werden die negativen Stereotype verstärkt. Wenn die Schüler aber eine Zeitlang gleichberechtigt für ein gemeinsames Ziel zusammengewirkt haben, etwa in Sportmannschaften oder Bands, lösen ihre Stereotype sich auf, wie es ohne besonderes Zutun auch am Arbeitsplatz passieren kann, wenn Leute jahrelang als Kollegen zusammenarbeiten.[16] Deshalb sollte man aber nicht darauf verzichten, Vorurteile am Arbeitsplatz aktiv zu bekämpfen, denn es könnte einem dann eine größere Chance entgehen: die Nutzung der kreativen und unternehmerischen Möglichkeiten, die eine buntgemischte Belegschaft bieten kann. Wenn Menschen mit unterschiedlichen Stärken und Perspektiven harmonisch in einer Gruppe zusammenwirken, kommen, wie wir noch sehen werden, bessere, kreativere und effektivere Lösungen zustande, als wenn jeder isoliert für sich arbeitet.

## Organisationsgeschick und Gruppen-IQ

Am Ende dieses Jahrhunderts wird ein Drittel des amerikanischen Arbeitskräftepotentials aus »Wissensarbeitern« bestehen, aus Leuten, deren Tätigkeit darin besteht, Informationen zu verwerten, sei es als Marktanalysten, Schriftsteller oder Computerprogrammierer. Peter Drucker, der bekannte Wirtschaftsexperte, der den Ausdruck »Wissensarbeiter« prägte, weist darauf hin, daß Wissensarbeiter hochspezialisierte Fachleute sind und daß ihre Produktivität davon abhängt, daß ihre Tätigkeiten durch ein organisiertes Team koordiniert werden; Schriftsteller sind keine Verleger, Computerprogrammierer keine

Software-Distributoren. Zwar haben, wie Drucker sagt, die Menschen seit jeher zusammengearbeitet, doch mit der Wissensarbeit »werden statt des Individuums Teams zur Arbeitseinheit«.[17] Aus diesem Grunde dürfte emotionale Intelligenz – jene Fähigkeiten, die den Menschen helfen, miteinander zu harmonieren – als wichtiger Faktor des Arbeitslebens in den kommenden Jahren wachsende Wertschätzung erfahren.

Die vielleicht elementarste Form von organisatorischem Teamwork ist die Besprechung, dieser unentrinnbare Bestandteil des Lebens eines Verantwortlichen – sei es in einem Sitzungssaal, bei einem telefonischen Konferenzgespräch oder in jemandes Büro. Besprechungen, bei denen Menschen sich in einem Raum versammeln, sind nur das sichtbarste – und ein wenig überholte – Beispiel für gemeinsame Arbeit. Jetzt entstehen elektronische Netze, E-Mail, Telekonferenzen, Arbeitsteams, informelle Netzwerke und dergleichen als neue Funktionseinheiten innerhalb von Organisationen. Wenn die auf einem Organisationsschema dargestellte Hierarchie das Skelett einer Organisation bildet, dann sind diese menschlichen Berührungspunkte ihr Zentralnervensystem.

Wann immer Menschen zusammenkommen, um zusammenzuarbeiten, sei es in einer Planungskonferenz des Vorstands oder als Team, das ein gemeinsames Produkt herstellt, haben sie in einem ganz realen Sinne einen Gruppen-IQ, der die Summe der Talente und Fähigkeiten aller Beteiligten ist. Und es wird von der »Höhe« dieses IQ abhängen, wie gut sie ihre Aufgabe erledigen. Als das wichtigste Element der Gruppenintelligenz erweist sich nicht der durchschnittliche »IQ« im Sinne der akademischen Leistung, sondern im Sinne der emotionalen Intelligenz: Entscheidend für einen hohen Gruppen-IQ ist die soziale Harmonie. Es liegt an dieser Fähigkeit zur Harmonie, wenn eine Gruppe unter sonst gleichen Bedingungen besonders talentiert, produktiv und erfolgreich ist, eine andere dagegen, deren Mitglieder in sonstiger Hinsicht genauso talentiert und befähigt sind, schlecht abschneidet.

Die Idee, daß es überhaupt so etwas wie eine »Gruppenintelligenz« gibt, geht zurück auf den Yale-Psychologen Robert Sternberg und die junge Forscherin Wendy Williams, die zu verstehen suchten, warum bestimmte Gruppen weit effektiver sind als andere.[18] In eine Gruppe bringt schließlich jeder bestimmte Talente ein, zum Beispiel große Redegewandtheit, Kreativität, Empathie oder fachliches Können. Eine Gruppe kann zwar nicht »schlauer« sein als die Summe all dieser spezifischen Stärken, aber sie kann sehr viel dümmer sein, wenn ihre interne

Funktionsweise den Leuten nicht erlaubt, ihre Talente einzubringen. Dieses Axiom bestätigte sich, als Sternberg und Williams Teilnehmer für Gruppen anwarben, deren kreative Aufgabe darin bestand, eine Werbekampagne für einen fiktiven Süßstoff zu entwerfen, der als Zuckerersatz Erfolg versprach.

Überraschend zeigte sich, daß diejenigen, die sich allzu eifrig zur Teilnahme drängten, eine Belastung für die Gruppe waren und deren Leistung schmälerten; diese Übereifrigen schienen allzu beherrschend oder anmaßend zu sein. Ihnen fehlte offenbar ein wesentliches Element der sozialen Intelligenz, nämlich die Fähigkeit, zu erkennen, was in sozialen Situationen angebracht und unangebracht ist. Eine andere negative Erscheinung war der Ballast, solche Mitglieder, die gar nicht mitmachten.

Der wichtigste Faktor, der zur Qualität des Produkts einer Gruppe beitrug, war das Ausmaß, in dem die Mitglieder fähig waren, einen Zustand innerer Harmonie zu erzeugen, der ihnen erlaubte, sich das ganze Talent der übrigen Mitglieder zunutze zu machen. Es trug zur Gesamtleistung harmonischer Gruppen bei, wenn ein besonders talentiertes Mitglied dabei war; Gruppen, in denen es zu größeren Reibungen kam, konnten aus sehr befähigten Mitgliedern weit weniger Gewinn ziehen. In Gruppen, wo – aus Angst oder Wut, aufgrund von Rivalitäten oder Ressentiments – die emotionalen und sozialen Spannungen groß sind, können die Leute nicht ihr Bestes geben. Herrscht dagegen Harmonie, kann eine Gruppe aus den Fähigkeiten ihrer kreativsten und talentiertesten Mitglieder den größtmöglichen Nutzen ziehen.

Die Schlußfolgerung aus diesem Experiment etwa für Arbeitsteams liegt auf der Hand, doch reicht sie weiter und gilt für jeden, der innerhalb einer Organisation arbeitet. Vieles, was Menschen bei der Arbeit zustande bringen, hängt von ihrer Fähigkeit ab, sich an ein lockeres Netzwerk von Arbeitskollegen zu wenden; für unterschiedliche Aufgaben wendet man sich dann an jeweils andere Mitglieder des Netzwerks. Dadurch können maßgeschneiderte ad hoc-Gruppen gebildet werden, deren Mitglieder genau danach ausgesucht sind, daß die verschiedenen Talente und Fachkenntnisse ein optimales Spektrum ergeben. Der berufliche Erfolg hängt wesentlich davon ab, wie gut einer ein Netzwerk »gestalten« kann, indem er es in ein zeitweiliges ad hoc-Team verwandelt.

Das zeigt sich beispielsweise in einer Studie über die Spitzenleute bei den Bell Labs, der weltberühmten wissenschaftlichen Denkfabrik in der Nähe von Princeton. Alle dort tätigen Ingenieure und Wissenschaftler schneiden bei akademischen IQ-Tests überdurchschnittlich ab. Doch innerhalb dieser Ansammlung von Talenten stechen einige als Stars hervor, während die übrigen nur Durchschnittliches leisten. Die Stars unterscheiden sich von den anderen nicht durch ihren akademischen IQ, sondern durch ihren *emotionalen* IQ. Sie können sich selbst besser motivieren, und sie können ihre informellen Netzwerke besser in ad hoc-Teams verwandeln.

Die »Stars« untersuchte man in einer Abteilung von Bell, die die elektronischen Schaltungen für Fernmeldeanlagen entwirft und konstruiert – ein äußerst kompliziertes und anspruchsvolles Stück elektronischer Technik.[19] Weil die Arbeit die Möglichkeiten eines einzelnen übersteigt, wird sie in Teams erledigt, die zwischen fünf und hundertfünfzig Ingenieuren umfassen. Kein Ingenieur weiß genug, um die Aufgabe allein zu meistern; um etwas zu erreichen, muß man das Wissen anderer anzapfen. Um herauszufinden, was die Hochproduktiven von den Durchschnittlichen unterschied, ließen Robert Kelley und Janet Caplan sich von Managern und Ingenieuren die zehn bis fünfzehn Prozent der Ingenieure benennen, die als Stars herausragten.

Als sie die Stars mit dem Rest verglichen, fiel ihnen zunächst ganz besonders auf, wie wenig die beiden Gruppen sich voneinander unterschieden: »Gestützt auf eine ganze Reihe von kognitiven und sozialen Messungen, von den üblichen IQ-Tests bis zum Persönlichkeits-Fragebogen, ergibt sich hinsichtlich der angeborenen Fähigkeiten kein bedeutender Unterschied«, schrieben Kelley und Caplan in der *Harvard Business Review*. »Wie sich herausstellt, war das akademische Talent kein geeigneter Vorhersagemaßstab für die berufliche Produktivität«, und der IQ war es auch nicht.

Doch nach eingehenden Interviews zeigten sich die entscheidenden Unterschiede in Gestalt der inneren und interpersonalen Strategien, die die »Stars« benutzten, um ihre Aufgabe zu erledigen. Als eine der bedeutendsten erwies sich ein enges Verhältnis zu einem Netzwerk von wichtigen Leuten. Die Herausragenden kommen besser voran, weil sie mit einem gewissen Zeitaufwand gute Beziehungen zu Leuten pflegen, deren Dienste sie im entscheidenden Moment benötigen könnten, sei es, daß sie in einem ad hoc-Team an der Lösung eines Problems mitwirken oder daß sie helfen, eine Krise zu bewältigen. »Ein durchschnittlicher Könner erzählte von einem technischen Problem, mit dem er nicht fertig wurde«, berichten Kelley und Caplan. »Gewissenhaft fragte er bei verschiedenen technischen Gurus an und vertat kostbare Zeit damit, weil niemand abhob und E-Mail-Nachrichten unbeantwortet blieben. Die Spitzenkönner stehen dagegen selten vor einer solchen Situation, weil sie sich die Mühe machen, verläßliche Netzwerke aufzubauen, bevor sie sie wirklich benötigen. Wenn Stars jemanden um Rat fragen, erhalten sie fast durchweg eine schnellere Antwort.«

Informelle Netzwerke sind besonders wichtig, wenn unvorhergesehene Probleme auftauchen. »Die formale Organisation ist dafür da, mit vorhersehbaren Problemen fertig zu werden«, heißt es in einer Studie über diese Netzwerke. »Wenn jedoch unerwartete Probleme auftauchen, kommt die informelle Organisation zum Zug. Ihr kompliziertes Geflecht sozialer Bindungen entsteht aus der Kommunikation zwischen Kollegen und verfestigt sich mit der Zeit zu erstaunlich stabilen Netzwerken. Äußerst anpassungsfähige, informelle Netzwerke verlaufen diagonal und elliptisch und setzen sich über die Grenzen ganzer Abteilungen hinweg, um ihre Ziele zu verwirklichen.«[20]

Wie die Analyse informeller Netzwerke zeigt, bedeutet die Tatsache, daß Menschen täglich miteinander arbeiten, nicht zwangsläufig, daß einer dem anderen heikle Informationen anvertraut (etwa den Wunsch, die Stelle zu wechseln, oder Unmut über das Verhalten eines Vorgesetzten oder eines Kollegen) oder sich in der Krise an ihn wendet. Bei näherem Hinsehen zeigt sich, daß es mindestens drei Arten von informellen Netzwerken gibt: Kommunikationsgeflechte – wer mit wem spricht; Experten-Netzwerke – an wen wendet man sich um Rat; und Vertrauens-Netzwerke. Wer im Experten-Netzwerk einen wichtigen Knoten besetzt, gilt bei den anderen als ein Mann von hervorragenden technischen Fähigkeiten, was in vielen Fällen zu einer Beförderung führt. Doch daß jemand ein Experte ist, heißt überhaupt nicht, daß die anderen ihn als jemanden betrachten, dem man seine Geheimnisse, seine Zweifel und seine wunden Punkte anvertraut; hier besteht praktisch kein Zusammenhang. Ein kleiner Bürotyrann oder ein untergeordneter Manager können durchaus hohes fachliches Ansehen, aber ein so geringes Vertrauen genießen, daß dadurch ihre Führungsfähigkeit untergraben wird und sie von allen informellen Netzwerken praktisch ausgeschlossen sind. Die Stars einer Organisation sind oft diejenigen, die starke Beziehungen in allen Netzwerken haben, sei es Kommunikation, Expertentum oder Vertrauen.

Die Bell Lab-Stars wußten nicht nur meisterhaft mit diesen wichtigen Netzwerken umzugehen; ihr Organisationsgeschick schloß auch die Fähigkeit ein, die Tätigkeiten im Teamwork effektiv zu koordinieren, einen Konsens herzustellen, die Dinge aus der Sicht anderer, etwa von Kunden oder von Teammitarbeitern, zu sehen, die Kooperation zu stärken und Konflikte zu vermeiden. Das alles gehört zu den

Grundlagen sozialer Fähigkeiten, doch darüber hinaus bewiesen die Stars noch ein anderes Talent: Sie ergriffen die Initiative, waren also hinreichend selbstmotiviert, um über ihre festgelegte Aufgabe hinaus Verantwortung zu übernehmen, und sie hatten ihre eigenen Dinge im Griff, konnten also ihre Zeit und ihre Arbeitsverpflichtungen gut einteilen. Solche Fähigkeiten sind natürlich Aspekte der emotionalen Intelligenz.

Vieles spricht dafür, daß die Verhältnisse bei den Bell Labs sich auf das ganze künftige Wirtschaftsleben übertragen lassen, auf eine Zukunft, in der den grundlegenden Fähigkeiten der emotionalen Intelligenz immer größere Bedeutung zukommt – im Teamwork, in der Kooperation, in der Motivierung der Menschen, mehr zu lernen, damit sie bessere Leistungen erbringen. Da auf Wissen basierende Dienstleistungen und geistiges Kapital für die Unternehmen immer wichtiger werden, kann eine verbesserte Zusammenarbeit erheblich dazu beitragen, geistiges Kapital zu mobilisieren, und ihnen einen entscheidenden Wettbewerbsvorteil verschaffen. Um erfolgreich zu sein, wenn nicht gar zu überleben, täten die Unternehmen gut daran, ihre kollektive emotionale Intelligenz zu steigern.

# 11

# Seele und Medizin

»Wer hat Sie das alles gelehrt, Doktor?«
Die Antwort kam umgehend: »Das Leiden.«
*Albert Camus*, Die Pest

Ein vager Schmerz in der Leistengegend brachte mich zu meinem Arzt. Anscheinend nichts Ungewöhnliches, doch dann bekam er das Ergebnis einer Urinuntersuchung. In meinem Urin fanden sich Spuren von Blut.

»Ich möchte, daß Sie ins Krankenhaus gehen und sich untersuchen lassen ... Nierenfunktion, Zytologie ...«, sagte er in geschäftsmäßigem Ton.

Ich weiß nicht, was er sonst noch sagte. Bei dem Wort »Zytologie« erstarrte ich innerlich. Krebs.

Nebelhaft erinnere ich mich daran, daß er mir erklärte, wann und wo ich zu den diagnostischen Tests erscheinen sollte. Es war eine ganz simple Information, aber ich mußte ihn drei- oder viermal bitten, sie mir zu wiederholen. »Zytologie« – das Wort ging mir nicht mehr aus dem Kopf. Dieses eine Wort gab mir das Gefühl, als sei ich gerade vor meiner eigenen Haustür überfallen worden.

Weshalb meine starke Reaktion? Mein Arzt war bloß gründlich und kompetent, und er ging anhand eines diagnostischen Entscheidungsbaums den ganzen Körper durch. Es bestand eine winzige Wahrscheinlichkeit, daß es Krebs sein könnte. Aber diese rationale Überlegung spielte in dem Augenblick keine Rolle. Im Land der Kranken herrschen die Emotionen unumschränkt. Wenn wir kränklich sind, können wir emotional so ungeheuer zerbrechlich sein, weil unser seelisches Wohlbefinden teilweise auf der Illusion der Unverwundbarkeit beruht. Krankheit, besonders schwere Krankheit, zerstört diese Illusion und ficht die Prämisse an, daß unsere private Welt sicher und geborgen sei. Plötzlich fühlen wir uns schwach, hilflos und verletzlich.

Problematisch wird es, wenn das medizinische Personal sich zwar um den körperlichen Zustand des Patienten kümmert, aber über seine emotionalen Reaktionen hinweggeht. Diese mangelnde Beachtung der emotionalen Realität läßt die wachsende wissenschaftliche Erkenntnis außer acht, daß die emotionalen Zustände sowohl für die Krankheitsanfälligkeit als auch für die Genesung von erheblicher Bedeutung sein können. Der ärztlichen Behandlung fehlt es heute allzu oft an emotionaler Intelligenz.

Jede Begegnung mit einer Krankenschwester oder einem Arzt kann für den Patienten eine Chance sein, beruhigende Informationen und tröstliche Worte zu erfahren, bei unglücklicher Handhabung aber auch ein Anlaß zur Verzweiflung. Allzu oft stehen die medizinischen Betreuer unter Zeitdruck oder interessieren sich nicht für den Kummer der Patienten. Selbstverständlich gibt es auch mitfühlende Schwestern und Ärzte, die sich neben der medizinischen Betreuung die Zeit nehmen, die Patienten zu beruhigen und zu informieren. Doch der Trend geht hin zu einer professionellen Welt, in der das Arztpersonal über den Zwängen der Institution die Verletzlichkeiten der Patienten vergißt oder sich viel zu gehetzt fühlt, um darauf einzugehen. Angesichts der harten Realitäten eines Gesundheitswesens, dessen Tempo zunehmend von Buchhaltern bestimmt wird, hat es den Anschein, als würden sich die Verhältnisse noch verschlimmern.

Es gibt für die Ärzte nicht nur das humanitäre Argument, neben der medizinischen Behandlung auch die seelische Seite zu beachten; überzeugende Gründe sprechen dafür, die psychologische und soziale Realität des Patienten als ein Element des medizinischen Tatbestands und nicht als etwas davon Getrenntes zu betrachten. Es läßt sich inzwischen wissenschaftlich belegen, daß man in der Prävention wie in der Behandlung einen Spielraum effektiven *ärztlichen* Handelns gewinnen kann, wenn man parallel zum körperlichen Gesundheitszustand auch den emotionalen Zustand behandelt. Natürlich nicht in jedem Fall und bei jeder Krankheit. Doch die Prüfung von Hunderten von Fällen zeigt, daß der medizinische Mehrertrag im Mittel hinreichend groß ist, um die Empfehlung zu begründen, daß eine *emotionale* Intervention zumindest im Bereich der schweren Erkrankungen zum Standardrepertoire der ärztlichen Behandlung gehören sollte.

Historisch hat die Medizin in der modernen Gesellschaft ihren Auftrag so verstanden, daß sie die Krankheit – die gesundheitliche Störung – behandelt, dabei aber das subjektive Erleben der Krankheit durch den Patienten außer acht läßt. Patienten, die sich dieser Sicht ihres Problems anschließen, beteiligen sich an einer stummen Verschwörung mit dem Ziel, die Art und Weise, wie sie emotional auf ihre Gesundheitsprobleme reagieren, zu ignorieren oder diese Reaktionen als unerheblich für den Verlauf des Problems abzutun. Diese Haltung wird verstärkt durch eine Modellvorstellung der Medizin, die nichts von der Idee wissen will, daß die Seele den Körper nennenswert beeinflußt.

Es gibt allerdings eine genauso unproduktive Ideologie in der entgegengesetzten Richtung: die Vorstellung, die Leute könnten sich selbst auch von den bösartigsten Krankheiten heilen, indem sie lediglich dafür sorgen, daß sie glücklich sind oder positive Gedanken denken, oder sie seien irgendwie dafür zu »tadeln«, daß sie überhaupt krank geworden sind. Dieses Gerede von »der richtigen Einstellung, die alles heilt«, hat vielfach Verwirrung gestiftet und Mißverständnisse darüber erzeugt, in welchem Ausmaß eine Krankheit durch die Seele beeinflußt werden kann. Es hat, was vielleicht noch schlimmer ist, bei manchen bewirkt, daß sie sich schuld daran fühlen, eine Krankheit zu haben, so als sei das ein Zeichen einer moralischen Verfehlung oder spiritueller Unwürdigkeit.

Die Wahrheit liegt irgendwo zwischen diesen Extremen. Ich möchte anhand der wissenschaftlichen Daten die Widersprüche klären und anstelle des Unsinns ein klareres Verständnis davon vermitteln, wie weit unsere Emotionen an Gesundheit und Krankheit beteiligt sind.

## Die Seele des Körpers: die Bedeutung der Emotionen für die Gesundheit

In einem Laboratorium der medizinischen Fakultät der Universität Rochester wurde 1974 eine Entdeckung gemacht, die das Bild, das die Biologie sich vom Körper machte, veränderte. Der Psychologe Robert Ader entdeckte, daß das Immunsystem lernen kann, genau wie das Gehirn. Das schlug wie eine Bombe ein, denn bis dahin galt in der Medizin, daß nur das Gehirn und das Zentralnervensystem durch eine Verhaltensänderung auf Erfahrung reagieren kann. Aders Entdeckung gab den Anstoß zur Erforschung der, wie sich zeigte, unzähligen Wege, auf denen das Zentralnervensystem und das Immunsystem miteinander kommunizieren, jener biologischen Pfade, die dafür sorgen, daß die Seele, die Emotionen und der Körper nichts Getrenntes, sondern aufs innigste miteinander verwoben sind.

Bei seinem Experiment wurde weißen Ratten ein Medikament verabreicht, das künstlich die Menge der im Blut zirkulierenden, Krankheiten bekämpfenden T-Zellen herabsetzte. Sie erhielten es in Wasser, das mit Saccharin versetzt war. Erhielten die Ratten dann nur das mit Saccharin gesüßte Wasser ohne das Medikament, sank, wie Ader herausfand, die Zahl der T-Zellen gleichfalls, und zwar so stark, daß einige der Ratten erkrankten und starben. Ihr Immunsystem hatte gelernt, in Reaktion auf das gesüßte Wasser T-Zellen zu unterdrücken. Nach dem damaligen Erkenntnisstand hätte genau das nicht passieren dürfen.

Das Immunsystem ist nach einer Formulierung des Neurowissenschaftlers Francisco Varela von der Ecole Polytechnique in Paris »das Gehirn des Körpers«; es definiert, was das Selbst des Körpers ausmacht, was zu ihm gehört und was nicht.[1] Immunzellen wandern im Blutstrom durch den ganzen Körper und kommen mit praktisch jeder anderen Zelle in Berührung. Wenn sie eine Zelle erkennen, lassen sie sie in Ruhe, wenn sie sie nicht erkennen, greifen sie an. Der Angriff verteidigt uns gegen Viren, Bakterien und Krebs, oder er ruft, wenn die Immunzellen einige der körpereigenen Zellen falsch identifizieren, eine Autoimmunkrankheit wie Allergie oder Lupus hervor. Bis zu dem Tage, an dem Ader seine glückliche Zufallsentdeckung machte, war jeder Anatom, jeder Arzt und jeder Biologe überzeugt, daß das Gehirn (mit seinen Fortsätzen, die sich über das Zentralnervensystem durch den ganzen Körper ziehen) und das Immunsystem zwei getrennte Systeme seien, von denen keines auf die Wirkungsweise des anderen Einfluß habe. Es gebe keine Verbindung zwischen den Hirnzentren, die das, was die Ratte schmeckte, überwachten, und den Knochenmarkbereichen, in denen die T-Zellen gebildet werden. Das glaubte zumindest die Wissenschaft seit einem Jahrhundert.

Aders bescheidene Entdeckung hat seitdem eine neue Auffassung über die Zusammenhänge zwischen dem Immunsystem und dem Zentralnervensystem erzwungen. Die Psychoneuroimmunologie, kurz PNI, die sich damit befaßt, ist mittlerweile ein führender medizinischer Forschungszweig. Die Zusammenhänge werden schon in ihrem Namen deutlich: *Psycho* steht für die Seele, *neuro* für das neuroendokrine System (das das Nervensystem und die Hormonsysteme zusammenfaßt) und *Immunologie* für das Immunsystem.

Ein von Ader koordiniertes Netz von Forschern hat herausgefunden, daß die chemischen Botenstoffe, die sowohl im Gehirn als auch im Immunsystem sehr zahlreich auftreten, diejenigen sind, die in größter Konzentration in neuralen Bereichen vorkommen, welche die Emotion regulieren.[2] Dafür, daß es eine direkte physische Verbindung gibt, über welche die Emotionen auf das Immunsystem einwirken, sprechen starke Indizien, die David Felten, ein Kollege Aders in Rochester, gefunden hat. Felten ging von der Beobachtung aus, daß Emotionen eine starke Wirkung auf das autonome (vegetative) Nervensystem haben, das viele Funktionen reguliert, von der Menge des ausgeschütteten Insulins bis zur Höhe des Blutdrucks. Zusammen mit seiner Frau Suzanne und anderen Kollegen spürte Felten dann einen Treffpunkt auf, an dem das autonome Nervensystem sich direkt mit Lymphozyten und Makrophagen, Zellen des Immunsystems, verständigt.[3]

Elektronenmikroskopisch fanden sie synapsenartige Kontakte, wo die Nervenfortsätze des autonomen Systems Endigungen aufweisen, die sich direkt mit diesen Immunzellen berühren. Über diesen physischen Berührungspunkt können die Nervenzellen Neurotransmitter ausschütten, welche die Immunzellen regulieren – tatsächlich gehen Signale auch in die Gegenrichtung. Das ist eine revolutionäre Entdeckung; daß Immunzellen Ziele von Botschaften der Nerven sein könnten, hatte niemand vermutet.

Felten wollte nun noch wissen, wie wichtig diese Nervenendigungen für das Funktionieren des Immunsystems sind. In Tierversuchen entfernte er einige Nerven aus Lymphknoten und der Milz, wo Immunzellen gespeichert bzw. hergestellt werden, und setzte dann Viren ein, um das Immunsystem herauszufordern. Ergebnis: Die Immunreaktion auf das Virus ging gewaltig zurück. Daraus schließt er, daß das Immunsystem ohne diese Nervenendigungen auf die Herausforderung eingedrungener Viren oder Bakterien einfach nicht so reagiert, wie es sollte. Das Nervensystem hat also nicht nur Verbindungen zum Immunsystem, sondern ist für eine angemessene Immunreaktion wesentlich.

Ein anderer wichtiger Weg, auf dem die Emotionen mit dem Immunsystem zusammenhängen, verläuft über die unter Stress ausgeschütteten Hormone. Dazu gehören die Katecholamine (Adrenalin und Noradrenalin), Cortisol und Prolaktin sowie die natürlichen Opiate Beta-Endorphin und Enkephalin, die sich alle stark auf Immunzellen auswirken. Die Zusammenhänge sind kompliziert, doch die hauptsächliche Wirkung besteht darin, daß, wenn diese Hormone durch den Körper wogen, die Immunzellen in ihrer Funktion gehemmt sind: Stress unterdrückt den Immunwiderstand, zumindest vorübergehend, mutmaßlich im Sinne der Energieerhaltung, indem der unmittelbaren Gefahr, die das Überleben stärker bedroht, der Vorrang eingeräumt wird. Bei anhaltendem starkem Stress kann diese Unterdrückung jedoch chronisch werden.[4]

Nachdem sie zuerst einmal die einst radikale Vorstellung akzeptieren mußten, daß es solche Verbindungen überhaupt gibt, entdecken

Mikrobiologen und andere Forscher immer mehr solcher Zusammenhänge zwischen dem Gehirn, dem kardiovaskulären System und dem Immunsystem.[5]

## Giftige Gefühle: Klinische Daten

Trotz dieser Tatsachen haben viele oder die meisten Ärzte noch immer Zweifel, ob Gefühle klinisch von Bedeutung sind. Das liegt auch daran, daß zwar in vielen Untersuchungen festgestellt wurde, daß Stress und negative Emotionen die Wirksamkeit verschiedener Immunzellen beeinträchtigen, daß aber nicht immer klar ist, ob diese Veränderungen hinreichend groß sind, um *medizinisch* bedeutsam zu sein.

Dennoch räumt eine wachsende Zahl von Ärzten den Emotionen ihren Platz in der Medizin ein. Dr. Camran Nezhat, ein hervorragender gynäkologischer Laparoskopie-Chirurg an der Stanford-Universität, sagt zum Beispiel: »Wenn eine Patientin mir an dem Tag, an dem sie zur Operation vorgesehen ist, sagt, daß sie schreckliche Panik hat und sich ihr nicht unterziehen möchte, dann wird nicht operiert.« Nezhat erläutert das: »Es ist jedem Chirurgen bekannt, daß extrem verängstigte Patienten bei der Operation furchtbare Probleme machen. Sie bluten zu stark, sie haben mehr Infektionen und Komplikationen. Ihre Genesung dauert länger. Es ist viel besser, wenn sie ruhig sind.«

Der Grund ist klar: Panik und Angst treiben den Blutdruck hoch, und die durch den Druck geweiteten Adern bluten stärker, wenn sie vom Messer des Chirurgen getroffen werden. Übermäßige Blutung ist eine der unangenehmsten chirurgischen Komplikationen, die gelegentlich zum Tode führen kann.

Unabhängig von solchen ärztlichen Einzelbeobachtungen häufen sich die Anhaltspunkte dafür, daß Emotionen *klinisch* von Bedeutung sind. Die medizinische Bedeutung der Emotion wird wohl nirgendwo so überzeugend deutlich wie in der zusammenfassenden Analyse der Ergebnisse von 101 Untersuchungen, die insgesamt mehrere tausend Männer und Frauen erfaßten. Sie bestätigt, daß beunruhigende Emotionen schlecht für die Gesundheit sind – bis zu einem gewissen Grad.[6] Wer unter chronischer Angst, lang anhaltender Melancholie und Pessimismus, nicht nachlassender Spannung oder Aggressivität, anhaltendem Zynismus oder Argwohn leidet, trägt ein *doppelt* so großes Risiko der Erkrankung – zum Beispiel an Asthma, Arthritis, Kopfschmerzen, Magengeschwüren und Herzleiden (die genannten sind jeweils repräsentativ für eine größere Klasse von Krankheiten). Angesichts dieser Größenordnung sind bedrückende Emotionen ein ebenso schädlicher Risikofaktor wie etwa das Rauchen oder ein hoher Cholesterinspiegel für das Herz, sie stellen also eine erhebliche Gefahr für die Gesundheit dar.

Hier handelt es sich wohlgemerkt um einen allgemeinen statistischen Zusammenhang, und das heißt keineswegs, daß jeder, der solche chronischen Gefühle hat, deshalb leichter einer Krankheit zum Opfer fällt. Es gibt aber noch andere Anhaltspunkte dafür, daß Emotionen eine bedeutende Rolle bei Erkrankungen spielen. Die medizinische Bedeutung von Gefühlen wird klarer, wenn wir uns genauer die Daten für bestimmte Emotionen ansehen, speziell die großen drei – Zorn, Angst und Depression –, mögen ihre biologischen Wirkungsmechanismen auch noch nicht voll verstanden sein.[7]

## Zorn kann selbstmörderisch sein

*Es liegt schon eine Weile zurück, erzählte der Mann, daß eine Beule in seinem Wagen fruchtlose und frustrierende Laufereien nach sich zog. Nach einem endlosen Papierkrieg mit der Versicherung und mit Karosseriefirmen, die den Schaden noch vergrößerten, schuldete er noch 800 Dollar. Dabei war er nicht mal der Schuldige gewesen. Er hatte es dermaßen satt, daß ihn jedesmal, wenn er sich in sein Auto setzte, Ekel überkam. Frustriert verkaufte er es schließlich. Noch Jahre später wurde der Mann fuchsteufelswild, wenn er daran zurückdachte.*

Der Mann wurde ausdrücklich aufgefordert, sich diese bittere Erinnerung ins Gedächtnis zu rufen, im Rahmen einer Studie der medizinischen Fakultät von Stanford über Zorn bei Herzpatienten. Alle untersuchten Patienten hatten einen ersten Herzinfarkt hinter sich, und die Frage war, ob Zorn sich signifikant auf ihre Herzfunktion auswirkte. Der Effekt war eindeutig: Wenn die Patienten Vorgänge schilderten, die sie in Rage versetzten, ging die Pumpleistung ihres Herzens um fünf Prozent zurück.[8] Bei manchen betrug der Rückgang sogar sieben Prozent und mehr – Kardiologen schließen daraus auf einen ischämischen Infarkt, der die Blutversorgung des Herzens selbst gefährdet.

Bei andereren bedrückenden Gefühlen wie etwa Angst oder bei körperlicher Anstrengung wurde kein Rückgang der Pumpleistung beobachtet; Zorn scheint demnach die Emotion zu sein, die dem Herzen am meisten schadet. Wenn die Patienten sich an den aufregenden Vorfall erinnerten, waren sie, wie sie sagten, nur halb so wütend wie zu dem Zeitpunkt, als er sich ereignet hatte; bei einem wirklichen zornigen Zusammenstoß wäre ihr Herz also noch stärker beeinträchtigt gewesen.

Dieses Resultat deutet ebenso wie die Ergebnisse von rund einem Dutzend anderer Untersuchungen darauf hin, daß Zorn das Herz schädigen kann.[9] Die alte Vorstellung, daß eine unter hohem Druck stehende, immer eilige »A-Persönlichkeit« besonders gefährdet sei, hat sich nicht bestätigt, aber diese falsche Theorie hat zu einer neuen Entdeckung geführt: Es ist die Feindseligkeit, die die Menschen gefährdet.

Was man heute über die Feindseligkeit weiß, beruht weitgehend auf Untersuchungen von Dr. Redford Williams von der Duke-Universität.[10] So fand Williams zum Beispiel heraus, daß bei jenen Ärzten, die schon während des Studiums bei einem Feindseligkeits-Test die meisten Punkte erzielten, die Wahrscheinlichkeit, mit 50 Jahren tot zu sein, siebenmal so hoch war wie bei jenen, die in Feindseligkeit eine niedrige Punktzahl erreichten. Eine zornige Veranlagung war ein besserer Vorhersagemaßstab für einen frühen Tod als andere Risikofaktoren wie Rauchen, Bluthochdruck und hoher Cholesterinspiegel. Und an der Universität von Nord-Carolina fand Dr. John Barefoot bei Herzpatienten, die sich einer Angiographie unterziehen – dabei wird zur Beobachtung von Läsionen ein Katheter in die Herzkranzarterie geschoben –, einen Zusammenhang zwischen den Werten bei einem Feindseligkeits-Test und dem Ausmaß und der Schwere der koronaren Herzkrankheit.

Natürlich behauptet niemand, nur Zorn verursache koronare Herzkrankheit; er ist einer von mehreren zusammenwirkenden Faktoren. Peter Kaufman, stellvertretender Leiter der verhaltensmedizinischen Abteilung des National Heart, Lung and Blood Institute, erklärte mir: »Zorn und Feindseligkeit könnten in der frühen Entwicklung der koronaren Herzkrankheit eine kausale Rolle spielen, sie könnten, nachdem die Herzkrankheit begonnen hat, diese verstärken, oder es könnte beides der Fall sein; das ist bislang ungeklärt. Aber denken Sie an einen Zwanzigjährigen, der öfter zornig wird. Jedesmal wird das Herz durch die Steigerung von Herzschlag und Blutdruck zusätzlich belastet. Wenn sich das ständig wiederholt, kann es schon Schaden anrichten«, besonders weil die Turbulenz des Blutstroms in der Kranzarterie mit jedem Herzschlag »Mikrorisse im Gefäß hervorrufen kann, wo sich Ablagerungen entwickeln. Hat jemand einen schnelleren Herzschlag und einen höheren Blutdruck, weil er gewohnheitsmäßig zornig ist, dann kann das im Alter von über 30 Jahren zur beschleunigten Bildung von Ablagerungen und damit zur koronaren Herzkrankheit führen.«[11]

Ist jemand schon herzkrank geworden, so beeinträchtigen die durch Zorn ausgelösten Mechanismen die Pumpleistung des Herzens, wie die Studie über zornige Erinnerungen bei Herzpatienten zeigte. Bei denen, die bereits herzkrank sind, wirkt Zorn sich besonders tödlich aus. Eine Studie der Stanford-Universität an 1012 Männern und Frauen, die nach einem ersten Herzinfarkt acht Jahre lang beobachtet wurden, ergab, daß der Anteil derer, die einen zweiten Infarkt erlitten, am höchsten bei jenen Männern war, die schon am Anfang besonders aggressiv und feindselig waren.[12] Ähnliches ergab eine Yale-Studie an 929 Männern, die Infarkte überlebt hatten und teils bis zu zehn Jahre lang beobachtet wurden.[13] Bei denen, die als leicht erregbar eingestuft werden, ist die Wahrscheinlichkeit, an Herzstillstand zu sterben, dreimal so hoch wie bei den Ausgeglicheneren. Hätten sie außerdem einen hohen Cholesterinspiegel, wäre das durch Zorn hervorgerufene Risiko fünfmal so hoch.

Die Yale-Forscher weisen darauf hin, daß es möglicherweise nicht allein der Zorn ist, der das Risiko, der Herzkrankheit zu erliegen, erhöht, sondern eine ganz ausgeprägte allgemein negative Emotionalität, die regelmäßig Wogen von Stresshormonen durch den Körper schickt. Doch insgesamt ist der Zusammenhang zwischen Emotionen und Herzkrankheit am deutlichsten beim Zorn. In einer Harvard-Studie wurden über 1500 Männer und Frauen, die einen Infarkt erlitten hatten, gebeten, den emotionalen Zustand in den Stunden vor dem Infarkt zu schildern. Das Risiko eines Herzstillstands wird bei bereits Herzkranken durch Zorn mehr als verdoppelt; das erhöhte Risiko hält etwa zwei Stunden lang an, nachdem der Zorn erregt wurde.[14]

Diese Feststellungen bedeuten nicht, daß die Leute versuchen sollten, ihren Zorn zu unterdrücken, wenn er gerechtfertigt ist. Wenn man in der Hitze des Gefechts versucht, derartige Gefühle völlig zu unterdrücken, verstärkt man sogar die körperliche Unruhe, und es kann zu einer Erhöhung des Blutdrucks kommen.[15] Folgt man aber jeder zornigen Regung, so gibt man, wie wir im siebten Kapitel gesehen haben, dem Zorn bloß Nahrung, so daß er in einer ärgerlichen Situation eher als Reaktion aufgerufen wird. Williams löst diesen Widerspruch mit der Erklärung auf, daß es weniger darauf ankomme, ob dem Zorn Ausdruck gegeben wird oder nicht, als vielmehr darauf, ob er chronisch ist. Eine gelegentliche Äußerung von Feindseligkeit ist keine Gefahr für die Gesundheit; das Problem entsteht, wenn die Feindseligkeit sich zu einem regelrechten persönlichen Stil auswächst, der gekennzeichnet ist durch wiederkehrende Gefühle von Argwohn und Zynismus, durch einen Hang zu abfälligen Bemerkungen und durch eindeutigere Anfälle von Zorn und Wut.[16]

Die hoffnungsfrohe Nachricht ist, daß ständiger Zorn kein Todesurteil bedeuten muß: Feindseligkeit ist eine Gewohnheit, die man ablegen kann. In Stanford nahm eine Gruppe von Infarktpatienten an einem Programm teil, das ihnen helfen sollte, jene Einstellungen zu verändern, die sie leicht aufbrausen ließen. Nachdem sie gelernt hatten, ihren Zorn zu beherrschen, war die Zahl der zweiten Infarkte bei dieser Gruppe um 44 Prozent niedriger als bei anderen, die nichts gegen ihre Feindseligkeit getan hatten.[17] Ähnlich positive Wirkungen zeigt ein von Williams erdachtes Programm.[18] Es lehrt, ähnlich wie das Stanford-Programm, Grundelemente der emotionalen Intelligenz, insbesondere Achtsamkeit gegenüber dem sich regenden Zorn, die Fähigkeit, ihn zu regulieren, nachdem er einmal ausgebrochen ist, und Empathie. Die Patienten sollen, sobald ihnen zynische oder feindselige Gedanken in den Sinn kommen, diese aufschreiben. Wenn diese Gedanken nicht vergehen, sollen sie sie abschneiden, indem sie »Halt!« sagen (oder denken). Und sie sollen sich in unangenehmen Situationen – wenn sich beispielsweise ein Aufzug verspätet – statt zynischer, mißtrauischer Gedanken gezielt um vernünftige Gedanken bemühen, und nach einem harmlosen Grund suchen, statt Zorn gegen irgendeine fiktive Person zu hegen, die mit ihrer Gedankenlosigkeit für die Verspätung verantwortlich sein könnte. Schließlich lernen sie, in frustrierenden Situationen die Dinge aus der Sicht des anderen zu betrachten – Empathie ist Balsam für ein zorniges Gemüt.

Williams erklärte mir: »Um sich gegen Feindseligkeit zu wappnen, muß man mehr Vertrauen entwickeln. Alles, was man dazu braucht, ist die richtige Motivation. Wenn die Leute sehen, daß ihre Feindseligkeit sie früh ins Grab bringen kann, sind sie bereit, es zu probieren.«

## *Stress: Unverhältnismäßige und unangebrachte Angst*

*Ich bin einfach dauernd ängstlich und nervös. In der Highschool hat es angefangen. Mein Durchschnitt war eine glatte Eins, und ich war ständig um meine Noten besorgt, ich wollte, daß die anderen Kinder und die Lehrer mich mochten, ich kam immer pünktlich zum Unterricht, und so weiter. Meine Eltern haben immer Bestleistungen und vorbildliches Verhalten von mir erwartet, das war schon ein starker Druck ... Ich glaube, unter diesem Druck bin ich zusammengeklappt, denn im zweiten Jahr auf der Highschool fingen die Probleme mit dem Magen an. Seitdem mußte ich mich vor Koffein und gewürzten Speisen höllisch in acht nehmen. Wenn ich besorgt oder nervös bin, meldet sich sofort mein Magen, und da ich mir meistens um irgendetwas Sorgen mache, ist mir ständig übel.*[19]

Die Zwänge des Lebens rufen Angst hervor, jene Emotion, deren Bedeutung für den Beginn von Krankheiten und für den Verlauf der Genesung am ausgiebigsten wissenschaftlich belegt ist. Insofern als die Angst uns hilft, eine Gefahr nicht auf die leichte Schulter zu nehmen und uns gegen sie zu wappnen (worin wahrscheinlich ihr Nutzen im Laufe der Evolution bestanden hat), hat sie uns gute Dienste geleistet. Doch im modernen Leben ist die Angst meistens unverhältnismäßig und deplaciert; sie wird ausgelöst durch alltägliche Situationen oder durch Einbildungen, nicht durch echte Gefahren. Wenn man immer wieder von Angst befallen wird, ist das ein enormer Stress. Die Frau, die sich mit ihren ständigen Sorgen Magen-Darm-Beschwerden eingehandelt hat, ist ein Schulbeispiel für die Verschärfung gesundheitlicher Probleme durch Angst und Stress.

Der Yale-Psychologe Bruce McEwen hat eine umfangreiche Studie über den Zusammenhang zwischen Stress und Erkrankungen analysiert und dabei eine Vielzahl von Effekten gefunden: Die Immunfunktion wird durch Stress dermaßen geschwächt, daß die Metastasierung von Krebs dadurch beschleunigt wird; es steigt die Anfälligkeit für Virusinfektionen; die Bildung von Ablagerungen wird beschleunigt, was Atherosklerose und Klumpenbildung nach sich zieht, die einen Herzinfarkt auslösen; der Ausbruch von Diabetes Typ I und der Verlauf von Diabetes Typ II wird beschleunigt; Asthmaanfälle werden durch Stress ausgelöst und verschlimmert.[20] Weitere mögliche Folgen von Stress: Geschwürbildung im Magendarmtrakt, Symptome von geschwüriger Dickdarmentzündung und Darmentzündungen generell. Anhaltender Stress kann langfristig auch das Gehirn in Mitleidenschaft ziehen, zum Beispiel den Hippocampus und damit die Gedächtnisfunktion schädigen. Insgesamt, so McEwen, »häufen sich die Belege dafür, daß das Nervensystem sich durch stressige Erfahrungen verschleißt«.[21]

Besonders überzeugende Beweise für die gesundheitlichen Auswirkungen von Stress liefern Untersuchungen über Infektionskrankheiten wie Erkältung, Grippe und Herpes. Den Viren sind wir ständig ausgesetzt, doch gewöhnlich wehrt unser Immunsystem sie ab; nur wenn wir emotional belastet sind, versagt diese Abwehr häufiger. Bei

Experimenten, die direkt die Robustheit des Immunsystems maßen, fand man, daß Stress und Angst es schwächen, wobei aber unklar blieb, ob die Immunschwächung klinisch bedeutsam ist, also ausreicht, um der Krankheit den Weg zu ebnen.[22] Stärkere wissenschaftliche Belege für einen Zusammenhang von Stress und Angst mit Krankheitsanfälligkeit liefern daher sogenannte »prospektive« Untersuchungen: Bei Gesunden wird zunächst eine erhöhte psychische Belastung festgestellt, gefolgt von einer Schwächung des Immunsystems und dem Beginn der Krankheit.

Sheldon Cohen, Psychologe an der Carnegie-Mellon-Universität, hat im englischen Sheffield zusammen mit Wissenschaftlern, die sich speziell mit Erkältungskrankheiten befassen, zunächst sorgfältig gemessen, wie stark der Stress war, den die Versuchspersonen im Alltag empfanden, und sie dann systematisch den für Erkältungskrankheiten verantwortlichen Viren ausgesetzt. Nicht jeder bekommt daraufhin eine Erkältung; ein robustes Immunsystem kann die Viren abwehren und tut es ständig. Je größer der Stress im Alltag war, desto eher zogen die Leute sich, wie Cohen herausfand, eine Erkältung zu. Unter denen, die wenig Stress hatten, erkrankten nach der Virusexposition 27 Prozent an einer Erkältung, unter denen mit großem Stress dagegen 47 Prozent – ein direkter Beweis dafür, daß Stress das Immunsystem schwächt.[23] (Dies bestätigt zwar nur, was alle seit jeher beobachtet oder vermutet haben, aber aufgrund seiner methodischen Strenge ist dies dennoch ein bahnbrechendes Resultat.)

Ein überzeugendes Bild ergab sich auch bei Ehepaaren, die drei Monate lang täglich Buch führten über Aufregungen wie Ehestreitigkeiten; nach besonders heftigen Streitigkeiten erkrankten sie drei bis vier Tage später an einer Erkältung bzw. einer Infektion der oberen Atemwege. Die Verzögerung entspricht genau der Inkubationszeit vieler Viren, die für Erkältungskrankheiten verantwortlich sind; durch große Aufregung wird man also besonders anfällig für sie.[24]

Dieser Zusammenhang zwischen Stress und Infektion gilt auch für das Herpesvirus, das an der Lippe und im Genitalbereich Entzündungen hervorruft. Nach dem ersten Kontakt bleibt das Herpesvirus latent im Körper und wird von Zeit zu Zeit aktiviert. Seine Aktivität läßt sich an der Zahl der Antikörper im Blut ablesen. Auf diese Weise fand man eine Reaktivierung des Herpesvirus bei Medizinstudenten während der jährlichen Zwischenprüfungen, bei Frauen, die sich vor kurzem von ihrem Mann getrennt hatten, und bei Menschen, die unter ständigem Druck lebten, weil sie einen Angehörigen mit Alzheimer-Krankheit versorgten.[25]

Angst schwächt nicht nur die Immunabwehr, sondern wirkt sich auch negativ auf das kardiovaskuläre System aus. Während das größte Risiko einer Herzerkrankung bei Männern von chronischer Feindseligkeit und wiederholten Zornesausbrüchen ausgeht, hält man bei Frauen Angst und Furcht für die gefährlichere Emotion. Von über 1000 Männern und Frauen, die an der Stanford-Universität nach einem ersten Infarkt beobachtet wurden, fand man bei den Frauen, die einen zweiten Infarkt erlitten, eine hochgradige Furchtsamkeit und Angst. Sie zeigte sich in vielen Fällen als eine lähmende Phobie: Die Patientinnen wollten nach dem ersten Infarkt nicht mehr Auto fahren, gaben ihre Arbeit auf oder verließen nicht mehr ihr Haus.[26]

Seelische Belastung und Angst, wie sie eine Arbeit oder eine Lebensführung mit sich bringt, die ständig unter hohem Druck steht – zum Beispiel die alleinstehende Mutter, die ihr Kind zur Tagesstätte bringt, um dann zur Arbeit zu hasten –, hat schleichende körperliche Auswirkungen bis ins kleinste. In einem Experiment an der Universität Pittsburgh setzte der Psychologe Stephen Manuck dreißig Versuchspersonen einer harten, von Angst begleiteten Nervenprobe aus und erfaßte dabei das von den Blutkörperchen ausgeschüttete Adenosintriphosphat (ATP), das Veränderungen an den Blutgefäßen bewirken kann, die Herzinfarkte und Schlaganfälle nach sich ziehen können. Unter starkem Stress stieg der ATP-Spiegel bei den Versuchspersonen steil an, ebenso wie der Herzschlag und der Blutdruck.

Das Gesundheitsrisiko ist verständlicherweise am größten bei denjenigen, deren Arbeit mit großer »nervlicher Belastung« verbunden ist, also bei jenen, die hohen Leistungsanforderungen unterliegen, aber auf die Erbringung der Leistung geringen oder gar keinen Einfluß haben (diese mißliche Lage sorgt zum Beispiel bei Busfahrern für eine große Häufigkeit von erhöhtem Blutdruck). In einer Studie an 569 Patienten mit kolorektalem Karzinom und einer entsprechenden Kontrollgruppe ergab sich zum Beispiel, daß diejenigen, die in den letzten zehn Jahren großen beruflichen Ärger erlebt hatten, 5,5mal häufiger diesen Krebs bekamen als diejenigen, die nicht solchen Stress hatten.[27]

## Die gesundheitlichen Kosten der Depression

*Man hatte bei ihr metastasierenden Brustkrebs diagnostiziert, einen Rückfall und eine Ausbreitung der Malignität mehrere Jahre nach einer, wie sie glaubte, erfolgreichen Operation. Von einer Therapie konnte keine Rede mehr sein, und die Chemotherapie konnte ihr allenfalls noch einige zusätzliche Lebensmonate schenken. Sie war verständlicherweise deprimiert, und zwar so sehr, daß sie jedesmal, wenn sie ihren Onkologen aufsuchte, irgendwann in Tränen ausbrach. Der Onkologe reagierte darauf jedesmal mit der Aufforderung, unverzüglich die Praxis zu verlassen.*

Einmal von der Gefühlskälte des Onkologen abgesehen: War es medizinisch relevant, daß er sich mit der fortwährenden Traurigkeit seiner Patientin nicht abgeben wollte? Wenn eine Krankheit schon so virulent geworden ist, ist kaum damit zu rechnen, daß ihr Verlauf von irgendeiner Emotion nennenswert beeinflußt wird. Die Lebensqualität der letzten Monate dieser Frau wurde ganz gewiß durch ihre Depression getrübt, doch ist bislang noch nicht medizinisch gesichert, daß Melancholie den Verlauf einer Krebserkrankung beeinflussen kann.[28] Man kann allerdings schon nach flüchtiger Durchsicht verschiedener Studien sagen, daß die Depression bei einer Reihe von anderen gesundheitlichen Zuständen eine Rolle spielt, insbesondere verschlimmert sie eine bereits ausgebrochene Krankheit: Es häufen sich die Anhaltspunkte dafür, daß es sich bei schwerkranken Patienten, die deprimiert sind, medizinisch auszahlen würde, wenn man auch ihre Depression behandeln würde.

Die Behandlung der Depression bei internistischen Patienten wird dadurch erschwert, daß ihre Symptome, etwa Appetitlosigkeit und Lethargie, leicht als Anzeichen für andere Krankheiten mißdeutet werden, besonders von Ärzten, die sich mit der psychiatrischen Diagnose nicht auskennen. Diese Unfähigkeit, eine Depression zu diagnostizieren, kann das Problem noch verschärfen, hat sie doch zur Folge, daß die Depression des Patienten – wie im Fall der weinenden Brustkrebspatientin – unerkannt und unbehandelt bleibt. Und bei schwerkranken Patienten kann diese Unterlassung der Diagnose und Behandlung das Sterberisiko erhöhen.

Unter hundert Patienten, die Knochenmarktransplantationen erhielten, starben von den dreizehn, die an Depression litten, zwölf innerhalb eines Jahres, während von den übrigen 87 immerhin 34 zwei Jahre später noch am Leben waren.[29] Unter Patienten mit chronischem Nierenversagen, die eine Dialyse erhielten, starben diejenigen, bei denen eine schwere Depression diagnostiziert wurde, mit großer Wahrscheinlichkeit innerhalb der folgenden zwei Jahre.[30] Depression war ein besserer Vorhersagemaßstab für das Sterben als jedes andere Krankheitssymptom. Die Verbindung zwischen der Emotion und dem Gesundheitszustand wurde hier nicht durch physische Umstände, sondern durch die Einstellung hergestellt: Die deprimierten Patienten befolgten sehr viel schlechter die ärztlichen Vorschriften, sie mogelten zum Beispiel bei der Diät, was sie einem höheren Risiko aussetzte.

Auch die Herzkrankheiten werden offenbar durch die Depression verschärft. Eine Studie an 2832 Männern und Frauen im mittleren Alter, die zwölf Jahre lang beobachtet wurden, ergab bei denen, die an einem nagenden Gefühl der Verzweiflung und der Hoffnungslosigkeit litten, eine erhöhte Sterbehäufigkeit durch Herzkrankheit.[31] Und bei den rund drei Prozent, die an schwersten Depressionen litten, war die Sterbehäufigkeit durch Herzkrankheit, verglichen mit denen, die keine Depression hatten, viermal so hoch.

Ein besonders ernstes Gesundheitsrisiko scheint die Depression für Überlebende eines Herzinfarkts zu sein.[32] Unter den Patienten eines Montrealer Krankenhauses, die nach der Behandlung eines ersten Herzinfarkts entlassen wurden, hatten die deprimierten Patienten ein signifikant höheres Risiko, innerhalb der nächsten sechs Monate zu sterben. Jenes Achtel der Patienten, die an schwerer Depression litten, hatte eine fünfmal so hohe Sterberate wie andere mit vergleichbaren Erkrankungen; der Effekt war ebenso groß wie jener der wichtigsten gesundheitlichen Risiken, die zum Herztod führen, zum Beispiel Insuffizienz der linken Herzkammer oder vorangegangene Infarkte. Daß die Depression die Aussicht auf einen nachfolgenden Infarkt so stark erhöht, liegt möglicherweise an ihrer Auswirkung auf die Variabilität des Herzschlags, die das Risiko einer tödlichen Arhythmie steigert.

Auch bei Hüftknochenfraktur wird die Genesung durch eine Depression erschwert. In einer Studie über ältere Frauen mit Hüftknochenfraktur wurden mehrere tausend bei ihrer Aufnahme ins Krankenhaus psychiatrisch begutachtet. Diejenigen, die bei der Aufnahme an einer Depression litten, blieben im Durchschnitt acht Tage länger als andere, die eine vergleichbare Verletzung hatten, aber keine Depression, und die Wahrscheinlichkeit, daß sie jemals wieder laufen würden, betrug nur ein Drittel. Wurden die deprimierten Frauen jedoch neben der sonstigen ärztlichen Behandlung auch im Hinblick auf ihre Depression psychiatrisch betreut, so benötigten sie weniger physikalische Therapie, um wieder laufen zu können, und mußten seltener innerhalb der drei Monate nach ihrer Entlassung erneut hospitalisiert werden.

Unter den Patienten, deren Zustand so schlimm war, daß sie zu den zehn Prozent gehörten, die am häufigsten ärztliche Hilfe in Anspruch nahmen – oft wegen mehrerer Leiden, zum Beispiel Herzkrankheit in Verbindung mit Diabetes –, litt etwa jeder sechste an Depression. Wurden diese Patienten wegen des Problems behandelt, ging bei denen, die an schwerer Depression litten, die Zahl der Tage im Jahr, an denen sie arbeitsunfähig waren, von 79 auf 51 zurück, und bei denen, die wegen einer milden Depression behandelt wurden, von 62 auf nur 18 Tage.[33]

## Die gesundheitlichen Vorteile positiver Gefühle

Die Beweise dafür, daß Zorn, Angst und Depression sich negativ auf die Gesundheit auswirken, sind, wenn man alles zusammennimmt, zwingend. Zorn und Angst können, wenn sie chronisch sind, die Anfälligkeit für eine ganze Reihe von Krankheiten erhöhen. Was die Depression angeht, so steigert sie vielleicht nicht die Anfälligkeit für Krankheiten, aber sie scheint die Genesung zu erschweren und das Sterberisiko zu erhöhen, besonders bei schwächeren Patienten mit schweren Leiden.

Doch wenn chronische emotionale Belastungen in ihren vielfältigen Formen Gift für die Gesundheit sind, können die gegenteiligen Emotionen bis zu einem gewissen Grade stärkend sein. Das soll nicht heißen, daß positive Emotionen ein Heilmittel sind oder daß Lachen und Glücklichsein etwas am Verlauf einer schweren Erkrankung ändern. Der Vorteil, den positive Emotionen bieten, ist offenbar nicht leicht zu erkennen, aber bei breit angelegten Untersuchungen läßt er sich aus der Masse der komplexen Variablen, die den Krankheitsverlauf beeinflussen, herauspräparieren.

### *Der Preis des Pessimismus – und die Vorzüge des Optimismus*

Der Pessimismus ist, wie die Depression, mit gesundheitlichen Kosten verbunden – und der Optimismus mit entsprechenden Gewinnen. In einer Untersuchung wurde bei 122 Männern, die ihren ersten Herzinfarkt hatten, die Stärke ihres Optimismus bzw. Pessimismus gemessen. Acht Jahre später waren von den 25 pessimistischsten Männern 21 tot; von den 25 optimistischsten waren nur sechs gestorben. Ihre seelische Einstellung erwies sich als ein besserer Vorhersagemaßstab ihres Überlebens als alle medizinischen Risikofaktoren, darunter das Ausmaß der Herzschädigung beim ersten Infarkt, Arterienverstopfung, Cholesterin und Blutdruck. Und in einer anderen Untersuchung hatten unter den Patienten, denen eine Bypass-Operation bevorstand, die optimistischeren eine sehr viel raschere Genesung und weniger medizinische Komplikationen während und nach der Operation als pessimistischere Patienten.[34]

Die Hoffnung hat, genau wie ihr naher Verwandter, der Optimismus, heilende Kraft. Wer viel Hoffnung hat, ist verständlicherweise besser in der Lage, sich unter schwierigen Umständen zu behaupten, auch bei gesundheitlichen Schwierigkeiten. In einer Studie über Patienten, die durch Rückgratverletzungen gelähmt waren, zeigte sich, daß diejenigen, die mehr Hoffnung hatten, ein größeres Maß an physischer Beweglichkeit erlangten als andere, die ähnlich schwer verletzt, aber weniger hoffnungsvoll waren. Die Hoffnung ist besonders wirksam bei Lähmungen durch Rückgratverletzung, denn diese gesundheitliche Tragödie trifft in der Regel Männer, die in den Zwanzigern durch einen Unfall gelähmt werden und es für den Rest ihres Lebens bleiben. Es hängt weitgehend von ihren emotionalen Reaktionen ab, wie sehr sie sich den Anstrengungen unterziehen, die ihnen möglicherweise größere physische und soziale Tüchtigkeit zurückgeben.[35]

Es gibt verschiedene Erklärungen dafür, daß eine optimistische bzw. pessimistische Einstellung sich auf die Gesundheit auswirkt. Einer Theorie zufolge führt Pessimismus zur Depression, die wiederum den Widerstand des Immunsystems gegen Tumore und Infektionen beeinträchtigt – bislang eine unbewiesene Spekulation. Es könnte auch sein, daß Pessimisten sich vernachlässigen; in mehreren Studien wurde festgestellt, daß Pessimisten mehr rauchen und trinken und weniger trainieren als Optimisten und generell in ihrem Gesundheitsverhalten sehr viel nachlässiger sind. Oder es könnte sich irgendwann herausstellen, daß die Physiologie der Hoffnung als solche den Kampf des Körpers gegen die Krankheit auf irgendeine Weise biologisch unterstützt.

## *With a Little Help From My Friends: Der gesundheitliche Wert von Beziehungen*

Setzen Sie den Klang der Stille auf die Liste der emotionalen Gesundheitsrisiken – und enge emotionale Bindungen auf die Liste der schützenden Faktoren. Untersuchungen, die über zwei Jahrzehnte hinweg an über 37000 Menschen durchgeführt wurden, zeigen, daß soziale Isolation – das Gefühl, daß man niemanden hat, mit dem man sich über seine persönlichen Empfindungen austauschen oder mit dem man enge Kontakte haben kann – das Erkrankungs- bzw. Sterberisiko verdoppelt.[36] Die Isolation als solche, stellte ein Bericht in der Zeitschrift *Science* 1987 fest, »ist für die Sterblichkeitsraten ebenso bedeutsam wie Rauchen, hoher Blutdruck, hoher Cholesterinspiegel, Fettleibigkeit und Mangel an körperlicher Bewegung«. Tatsächlich erhöht das Rauchen das Sterblichkeitsrisiko lediglich um den Faktor 1,6, soziale Isolation dagegen um den Faktor 2,0, und so stellt sie ein größeres Gesundheitsrisiko dar.[37]

Isolation macht Männern stärker zu schaffen als Frauen. Bei isolierten Männern war die Sterbewahrscheinlichkeit zwei- bis dreimal so hoch wie bei Männern mit engen sozialen Bindungen; bei isolierten Frauen war das Risiko anderthalbmal so groß wie bei Frauen mit mehr sozialen Verbindungen. Daß Isolation sich auf Männer anders auswirkt als auf Frauen, könnte daran liegen, daß die Beziehungen von Frauen emotional meistens enger sind als die von Männern; einige Stränge solcher sozialen Bindungen könnten für eine Frau tröstlicher sein als dieselbe Zahl von Freundschaften für einen Mann.

Natürlich ist Einsamkeit nicht dasselbe wie Isolation; es gibt viele, die für sich leben und nur wenige Freunde sehen und dabei ganz zufrieden und gesund sind. Das gesundheitliche Risiko liegt in dem subjektiven Gefühl, von den Menschen abgeschnitten zu sein und niemanden zu haben, an den man sich wenden kann. Ein bedenkliches Resultat angesichts der Isolation, die durch die Gewohnheit, einsam vor seinem Fernseher zu hocken, zunimmt, und angesichts der Tatsache, daß in modernen urbanen Gesellschaften gesellige Gepflogenheiten wie Vereine und gegenseitige Besuche wegfallen. Das verleiht Selbsthilfegruppen wie den Anonymen Alkoholikern zusätzlichen Wert als Ersatzgemeinschaften.

Daß Isolation ein mächtiger Faktor des Sterblichkeitsrisikos ist und enge Bindungen heilende Kraft besitzen, zeigt eine Studie an hundert Patienten mit Knochenmarktransplantation.[38] Von den Patienten, die starke emotionale Unterstützung von ihren Ehegatten, Eltern oder Freunden zu haben glaubten, waren 54 Prozent zwei Jahre nach der Transplantation noch am Leben, aber nur 20 Prozent von denen, die von geringer Unterstützung sprachen. Auch haben ältere Menschen, die nach einem Herzinfarkt auf die emotionale Unterstützung von zwei oder mehr Menschen zählen können, eine mehr als doppelt so große Chance, einen Infarkt länger als ein Jahr zu überleben, als Menschen ohne derartige Unterstützung.[39]

Der wohl aussagekräftigste Beleg für die Heilkraft emotionaler Bindungen ist eine 1993 veröffentlichte schwedische Studie.[40] Allen 1933 geborenen männlichen Einwohnern Göteborgs wurde eine unentgeltliche ärztliche Untersuchung angeboten; als man die 752 Männer, die zur Untersuchung gekommen waren, sieben Jahre später erneut anschrieb, waren 41 von ihnen zwischenzeitlich gestorben.

Bei den Männern, die zunächst angegeben hatten, unter starker emotionaler Belastung zu stehen, war die Sterberate dreimal so hoch wie bei denen, die gesagt hatten, ein ruhiges und stilles Leben zu führen. Die Ursachen emotionaler Beunruhigung waren große finanzielle Probleme, Arbeitsplatzunsicherheit oder Entlassung, gerichtliche Verfolgung oder ein Scheidungsverfahren. Drei oder mehr dieser Probleme im Jahr vor der Untersuchung sagten den Tod innerhalb der folgenden sieben Jahre sicherer voraus als medizinische Indikatoren wie hoher Blutdruck, hohe Konzentrationen von Triglyzeriden im Blut oder ein hoher Cholesterinspiegel.

Bei den Männern, die angaben, ein verläßliches Netz von vertrauensvollen Beziehungen zu haben – eine Ehefrau, enge Freunde und dergleichen –, fand sich dagegen *nicht der geringste Zusammenhang* zwischen hoher Belastung und Sterberate. Daß sie Menschen hatten, an die sie sich wenden und mit denen sie reden konnten, Menschen, die ihnen Trost, Hilfe und Anregungen gaben, schützte sie vor der tödlichen Wirkung der Härten und Traumata des Lebens.

Für die Abpufferung von Stress scheint es mehr auf die Qualität der Beziehungen als auf ihre bloße Zahl anzukommen. Negative Beziehungen fordern ihren eigenen Tribut. So wirken sich Ehestreitigkeiten negativ auf das Immunsystem aus.[41] Eine Studie über Zimmergenossen im Studentenwohnheim ergab, daß sie, je weniger sie sich mochten, desto anfälliger für Erkältungen und Grippe waren und um so häufiger den Arzt aufsuchten. John Cacioppo, der Psychologe an der Ohio State University, der diese Untersuchung durchführte, erklärte mir: »Entscheidend für die Gesundheit scheinen die wichtigsten Beziehungen in unserem Leben zu sein, die Leute, die man tagtäglich sieht. Und je bedeutender die Beziehung für unser Leben ist, desto stärker wirkt sie sich auf unsere Gesundheit aus.«[42]

### *Die heilende Kraft emotionaler Unterstützung*

In den »Lustigen Abenteuern des Robin Hood« rät Robin einem jungen Anhänger: »Erzähle uns von deinen Sorgen und sprich frei heraus. Eine Flut von Worten befreit das Herz von seinem Kummer; es ist, als öffnete man das Wehr, wenn der Mühlteich übervoll ist.« Diese Volksweisheit hat viel für sich; ein kummervolles Herz zu entlasten, scheint eine gute Medizin zu sein. Robins Ratschlag wird wissenschaftlich untermauert von dem Psychologen James Pennebaker von der Southern Methodist University, der in einer Reihe von Experimenten gezeigt hat, daß es sich segensreich auf die Gesundheit auswirkt, wenn man Leute dazu bringt, von den Gedanken zu reden, die ihnen am meisten zu schaffen machen.[43] Seine Methode ist bemerkenswert einfach: Er bittet die Leute lediglich, an ungefähr fünf Tagen hintereinander täglich 15 bis 20 Minuten lang über, zum Beispiel, »das traumatischste Erlebnis Ihres ganzen Lebens« oder eine drängende Sorge der Gegenwart zu schreiben. Wenn sie wollen, können sie das, was sie aufgeschrieben haben, ganz für sich behalten.

Der Nutzeffekt dieser Beichte ist beeindruckend: gesteigerte Immunfunktion, signifikanter Rückgang der Arztbesuche in den folgenden sechs Monaten, weniger Fehltage in der Arbeit und sogar eine verbesserte Leberenzymfunktion. Ferner hatten diejenigen, deren Aufzeichnungen das höchste Maß an beunruhigenden Gefühlen verrieten, die größten Verbesserungen in ihrer Immunfunktion. Als der »gesündeste« Weg, beunruhigende Gefühle zur Sprache zu bringen, erwies sich ein ganz bestimmtes Muster: Zunächst wird ein hohes Maß an Traurigkeit, Angst oder Zorn zum Ausdruck gebracht, eben jene Gefühle, die das Thema heraufbeschwört. Diejenigen, bei denen die Genesung die größten Fortschritte macht, beginnen dann in den folgenden Tagen, eine Erzählung zu ersinnen, einen Sinn in ihrem Trauma oder ihrer Seelenqual zu finden.

Dieser Prozeß ähnelt offenbar dem, was in der Psychotherapie passiert, wenn die Leute ihre Probleme erkunden. Pennebakers Feststellungen deuten denn auch einen der Gründe für die Tatsache an, daß es, wie man in anderen Studien herausfand, jenen Patienten, die neben der chirurgischen oder medizinischen Behandlung auch eine Psychotherapie erhalten, in *medizinischer* Hinsicht sehr viel besser geht als denen, die nur eine medizinische Behandlung erhalten.[44]

Den vielleicht eindrucksvollsten Beweis für die klinische Wirkung von emotionaler Unterstützung lieferten Gruppen von Frauen mit fortgeschrittenem metastasiertem Brustkrebs an der Stanford-Universität. Bei diesen Frauen war der Krebs nach einer ersten Behandlung, die in vielen Fällen eine Operation einschloß, zurückgekehrt und breitete sich im Körper aus. Es war, klinisch gesprochen, nur eine Frage der Zeit, bis der sich ausbreitende Krebs sie tötete. Dr. David Spiegel, der Leiter der Studie, war von den Ergebnissen ebenso überrascht wie die Ärzteschaft. Frauen mit fortgeschrittenem Brustkrebs, die sich wöchentlich mit anderen in der Gruppe trafen, überlebten *doppelt so lange* wie Frauen, die allein mit dieser Krankheit konfrontiert waren.[45]

Alle Frauen erhielten die übliche medizinische Versorgung; der einzige Unterschied bestand darin, daß einige zusätzlich in die Gruppe gingen, wo sie sich zusammen mit anderen entlasten konnten, die für ihre Lage Verständnis aufbrachten und bereit waren, ihren Befürchtungen, ihrer Qual und ihrem Zorn Gehör zu schenken. Oft war dies der einzige Ort, an dem die Frauen offen über diese Emotionen sprechen konnten, weil andere, die in ihrem Leben eine Rolle spielten, Angst hatten, mit ihnen über den Krebs und ihren nahen Tod zu sprechen. Die Gruppenteilnehmerinnen lebten durchschnittlich noch weitere 37 Monate, während die Patientinnen, die keine Gruppe aufsuchten, im Schnitt nur noch 19 Monate vor sich hatten – eine zusätzliche Lebenserwartung, die bei diesen Patientinnen mit keinem Medikament oder einer sonstigen medizinischen Behandlung erreichbar war. Dr. Jimmie Holland, Chefpsychiater am Sloan-Kettering-Krebskrankenhaus in New York, erklärte mir dazu: »Jeder Krebspatient sollte in einer Gruppe wie dieser sein.« Wäre es ein neues Medikament gewesen, das diese erweiterte Lebenserwartung erzeugte, hätten sich die pharmazeutischen Unternehmen darum geschlagen, es zu produzieren.

## Emotionale Intelligenz in die medizinische Versorgung bringen

An dem Tag, als eine Routineuntersuchung Blut in meinem Urin ergab, schickte mein Arzt mich zu einem diagnostischen Test, bei dem mir eine radioaktiv markierte Substanz injiziert wurde. Ich lag auf einem Tisch, während ein Röntgenapparat über mir den Weg der Substanz durch meine Nieren und meine Blase verfolgte. Ich hatte bei dem Test Gesellschaft: Ein enger Freund, selber Arzt, war gerade bei mir zu Besuch und bot mir an, mich ins Krankenhaus zu begleiten. Er saß im Zimmer, während der Röntgenapparat, automatisch gesteuert, rotierte, um einen neuen Blickwinkel einzunehmen, surrte und klickte, rotierte, surrte und klickte.

Die Untersuchung dauerte anderthalb Stunden. Ganz am Schluß eilte ein Nierenspezialist herein, stellte sich kurz vor und verschwand wieder, um die Röntgenaufnahmen zu prüfen. Er kam nicht wieder, um mir mitzuteilen, was sie zeigten.

Beim Verlassen des Untersuchungszimmers kamen mein Freund und ich bei dem Nephrologen vorbei. Von der Untersuchung mitgenommen und ein wenig betäubt, hatte ich nicht die Geistesgegenwart, ihm die eine Frage zu stellen, die mir den ganzen Morgen nicht aus dem Kopf gegangen war. Das tat aber mein Begleiter, der Arzt: »Doktor«, sagte er, »der Vater meines Freundes ist an Blasenkrebs gestorben. Er möchte gern wissen, ob Sie auf den Röntgenaufnahmen irgendwelche Anzeichen von Krebs entdeckt haben.«

»Keine Abnormitäten«, war die schroffe Antwort, während der Nephrologe zu seinem nächsten Termin eilte.

Meine Unfähigkeit, die eine Frage zu stellen, an der mir am meisten gelegen war, wiederholt sich tagtäglich tausendfach in jedem Krankenhaus und jeder Klinik. Eine Studie über Patienten im Wartezimmer des Arztes ergab, daß jeder im Mittel drei oder mehr Fragen hatte, die er dem Arzt stellen wollte. Beim Verlassen des Sprechzimmers waren davon jedoch im Mittel nur anderthalb Fragen beantwortet worden.[46] Dies ist nur ein Beleg dafür, daß die emotionalen Bedürfnisse der Patienten von der heutigen Medizin in vielerlei Hinsicht nicht befriedigt werden. Unbeantwortete Fragen nähren Ungewißheit, Furcht, Katastrophenmalerei. Und sie veranlassen Patienten, nur widerwillig Behandlungsvorschriften zu befolgen, die sie nicht vollkommen verstanden haben.

Die Medizin hat etliche Möglichkeiten, ihr Bild von der Gesundheit zu erweitern und auch die emotionalen Realitäten der Krankheit miteinzubeziehen. So könnte man den Patienten routinemäßig vollständigere Informationen gewähren, die für die Entscheidungen über ihre Behandlung von Belang sind; bei gewissen Diensten kann inzwischen jeder eine computergestützte Recherche anfordern, um zu erfahren, was die medizinische Literatur über sein Leiden sagt; dadurch werden die Patienten zu eher ebenbürtigen Partnern, die zusammen mit ihren Ärzten aufgeklärte Entscheidungen treffen können.[47] Außerdem gibt es Programme, die den Patienten in wenigen Minuten beibringen, sich selbstbewußt gegenüber dem Arzt zu verhalten, so daß sie, wenn sie drei Fragen auf dem Herzen haben, während sie im Wartezimmer sitzen, das Sprechzimmer mit drei Antworten verlassen.[48]

Eine hervorragende Gelegenheit, sich mit der emotionalen Dimension auseinanderzusetzen, ergibt sich in den angstvollen Momenten, wenn den Patienten eine Operation oder eine schmerzhafte invasive Untersuchung bevorsteht. An einigen Krankenhäusern hat man Instruktionen für Patienten entwickelt, die ihnen helfen, ihre Befürchtungen zu beschwichtigen und mit ihrem Unbehagen fertig zu werden;

man bringt ihnen zum Beispiel Entspannungstechniken bei, beantwortet ihre Fragen lange vor der Operation und teilt ihnen mehrere Tage vor dem Eingriff mit, wie es ihnen während der Genesung vermutlich ergehen wird. Das Ergebnis: Die Patienten sind nach dem Eingriff im Schnitt zwei bis drei Tage früher wieder auf den Beinen.[49]

Als Krankenhauspatient kann man sich entsetzlich einsam und hilflos fühlen. Deshalb hat man an einigen Krankenhäusern inzwischen Räume eingerichtet, die es gestatten, daß Angehörige bei den Patienten bleiben, für sie kochen und sie versorgen, als wären sie zu Hause – eine fortschrittliche Maßnahme, die, welche Ironie, in der Dritten Welt gang und gäbe ist.[50]

Entspannungsübungen können den Patienten helfen, mit dem Leid, das ihre Symptome mit sich bringen, und mit den Emotionen, die ihre Symptome möglicherweise auslösen oder verschärfen, ein Stück weit fertig zu werden. Vorbildlich ist die Stress Reduction Clinic von Jon Kabat-Zinn im medizinischen Zentrum der Universität von Massachusetts, die den Patienten einen zehnwöchigen Kurs in Achtsamkeit und Yoga bietet; man lernt, auf emotionale Episoden in dem Moment, in dem sie auftreten, zu achten und eine tägliche Übung zu absolvieren, die tiefe Entspannung gewährt. An verschiedenen Krankenhäusern können die Patienten Lehrfilme von diesem Kurs auf ihrem Fernsehgerät anschauen – eine weit bekömmlichere emotionale Diät für Bettlägrige als die üblichen Seifenopern.[51]

Entspannung und Yoga stehen auch im Mittelpunkt des innovativen Programms zur Behandlung Herzkranker, das Dr. Dean Ornisch entwickelt hat.[52] Nach einjähriger Anwendung dieses Programms, das eine fettarme Diät einschließt, bildeten sich bei Patienten, deren Herzkrankheit immerhin einen koronaren Bypass erforderlich gemacht hatte, tatsächlich die Ablagerungen, die die Arterien verstopften, zurück. Die Entspannungsübung sei einer der wichtigsten Teile des Programms, erklärte mir Ornish. Es macht sich, wie das von Kabat-Zinn, die »Entspannungsreaktion« zunutze, wie Dr. Herbert Benson sie nennt, das physiologische Gegenteil der Stress-Erregung, die für so viele Gesundheitsprobleme mitverantwortlich ist.

Schließlich ist da noch der zusätzliche medizinische Nutzen des Arztes und der Krankenschwester, die Empathie aufbringen, die sich auf die Patienten einstellen, die fähig sind, zuzuhören und sich Gehör zu verschaffen. Es geht um die Pflege der »beziehungszentrierten Behandlung«, die von der Erkenntnis ausgeht, daß die Beziehung zwischen Arzt und Patient als solche ein Faktor von Bedeutung ist. Man würde diese Beziehungen bereitwilliger pflegen, wenn die ärztliche

Ausbildung einige grundlegende Instrumente der emotionalen Intelligenz umfaßte, insbesondere die Selbstwahrnehmung und die Künste der Empathie und des Zuhörens.[53]

## Wege zu einer fürsorglichen Medizin

Solche Schritte sind ein Anfang. Damit aber die Medizin die Wirkung der Emotionen in ihre Vorstellungen einbezieht, müssen zwei weitreichende Implikationen der wissenschaftlichen Befunde beherzigt werden:

1. *Wenn man den Menschen hilft, mit ihren beunruhigenden Gefühlen – Zorn, Angst, Depression, Pessimismus und Einsamkeit – besser fertig zu werden, betreibt man bereits gesundheitliche Vorbeugung.* Da die Untersuchungen zeigen, daß diese Emotionen, wenn sie chronisch werden, ebenso schädlich sind wie das Zigarettenrauchen, könnte eine Hilfe zum besseren Umgang mit ihnen sich gesundheitlich ebenso auszahlen, wie wenn man starke Raucher dazu bringt, das Rauchen aufzugeben. Man würde der Volksgesundheit einen großen Dienst erweisen, wenn man bereits den Kindern die elementarsten Fähigkeiten der emotionalen Intelligenz vermittelte, so daß sie zu lebenslangen Gewohnheiten würden. Eine andere sehr lohnende Vorbeugungsstrategie bestünde darin, den Menschen, die das Rentenalter erreichen, einen klugen Umgang mit den Emotionen beizubringen, denn das emotionale Wohlbefinden ist einer der Faktoren, von denen es abhängt, ob ein älterer Mensch rasch verfällt oder bis ins hohe Alter gesund bleibt. Eine dritte Zielgruppe könnten die sogenannten »Risikogruppen« sein – die Ärmsten, alleinstehende berufstätige Mütter, Bewohner von Vierteln mit hoher Kriminalität und dergleichen –, die tagein tagaus unter ungewöhnlich hohem Druck leben und denen es daher gesundheitlich besser ginge, wenn man ihnen hülfe, mit dem emotionalen Tribut, den diese Belastungen fordern, richtig umzugehen.

2. *Viele Patienten können meßbar profitieren, wenn man sich außer um ihre rein medizinischen auch um ihre psychologischen Bedürfnisse kümmert.* Es ist schon ein Schritt zu einer humaneren Medizin, wenn der Arzt oder die Krankenschwester einem besorgten Patienten Trost und Zuspruch gewähren, aber man kann mehr tun. Doch so, wie die Medizin heute betrieben wird, wird die Gelegenheit zu emotionaler Fürsorge allzuoft vertan – ein blinder Fleck der Medizin. Obwohl

man immer mehr erkennt, daß es sich medizinisch bezahlt macht, wenn man sich um die emotionalen Bedürfnisse kümmert, und obwohl vieles dafür spricht, daß zwischen dem emotionalen Zentrum des Gehirns und dem Immunsystem Verbindungen bestehen, haben viele bzw. die meisten Ärzte noch immer Zweifel, ob die Emotionen ihrer Patienten klinisch bedeutsam sind. Die Medizin insgesamt neigte bisher dazu, die Beweise dafür als trivial und anekdotisch, als »überflüssig« oder, schlimmer noch, als Übertreibungen einer kleinen Gruppe von Wichtigmachern abzutun.

Die humanere Medizin, nach der mehr und mehr Patienten streben, ist dennoch in Gefahr. Natürlich gibt es immer noch engagierte Schwestern und Ärzte, die ihre Patienten sensibel und einfühlsam betreuen. Doch findet man eine solche Betreuung immer seltener, da die Kultur der Medizin insgesamt sich wandelt und diese immer stärker den Imperativen der Wirtschaft gehorcht.

Dabei könnte eine humane Medizin wirtschaftlich durchaus von Vorteil sein. Es ist schon seit langem bekannt, daß ein Eingehen auf die emotionalen Nöte der Patienten helfen kann, Geld zu sparen, besonders wenn es dem Ausbruch einer Krankheit vorbeugt oder ihn verzögert oder wenn es dazu beiträgt, daß Patienten rascher genesen. Wie eine Untersuchung an der Mt. Sinai School of Medicine in New York und an der Northwestern-Universität zeigte, verließen ältere Patienten mit Hüftknochenfraktur, die neben der normalen orthopädischen Behandlung zusätzlich eine Therapie wegen Depression erhielten, das Krankenhaus im Schnitt zwei Tage früher; für die rund hundert Patienten wurden Behandlungskosten von 97 361 Dollar eingespart.[54]

Eine solche Betreuung sorgt auch für größere Zufriedenheit der Patienten mit ihren Ärzten und der Behandlung. Auf dem entstehenden Medizinmarkt, wo die Patienten regulär zwischen konkurrierenden Behandlungsplänen wählen können, wird die Zufriedenheit ohne Zweifel in die Formel dieser ganz persönlichen Entscheidungen eingehen; verbitternde Erfahrungen können Patienten dazu bewegen, sich anderswo behandeln zu lassen, während angenehme Erfahrungen sich in Treue umsetzen.

Schließlich könnte die ärztliche Ethik eine solche Behandlungsweise erfordern. Das *Journal of the American Medical Association* kommentiert einen Bericht, dem zufolge die Depression das Sterberisiko nach einer Infarktbehandlung verfünffacht, in einem Leitartikel folgendermaßen: »... nachdem klar erwiesen ist, daß psychologische Faktoren wie Depression und soziale Isolation die Patienten mit koronarer Herzkrankheit dem höchsten Risiko aussetzen, wäre es unethisch, wenn man jetzt nicht damit begänne, diese Faktoren zu behandeln ...«[55]

Wenn die Erkenntnisse über die Zusammenhänge von Emotionen und Gesundheit irgendetwas besagen, dann ist es dies: Eine medizinische Betreuung, die darüber hinweggeht, was die Menschen *empfinden*, wenn sie mit einer chronischen oder schweren Krankheit kämpfen, ist nicht mehr adäquat. Es ist an der Zeit, daß die Medizin sich den Zusammenhang zwischen Emotion und Gesundheit stärker methodisch zunutze macht. Was jetzt noch die Ausnahme ist, könnte und sollte die Regel werden, so daß eine fürsorglichere Medizin für uns alle erreichbar wird. Zumindest würde die Medizin dadurch humaner. Und für manche könnte es die Genesung beschleunigen. »Mitgefühl«, schrieb ein Patient in einem offenen Brief an seinen Chirurgen, »ist mehr als nur Händehalten. Es ist gute Medizin.«[56]

Vierter Teil

# Fenster der Gelegenheit

# 12

# Der Schmelztiegel Familie

*Es ist eine stumme Familientragödie. Carl und Ann zeigen ihrer Tochter Leslie, knapp fünf, wie ein brandneues Videospiel gespielt wird. Doch als Leslie zu spielen beginnt, scheinen die übereifrigen Bemühungen ihrer Eltern, ihr zu »helfen«, sich bloß in die Quere zu kommen. Widersprüchliche Befehle überstürzen sich.*

*»Nach rechts, nach rechts – stop. Stop. Stop!« fordert Ann, die Mutter, und ihre Stimme wird gepreßter und besorgter, als Leslie, an der Lippe saugend und mit weitaufgerissenen Augen auf den Videoschirm starrend, sich abmüht, diese Anweisungen zu befolgen.*

*»Sieh doch, du bist nicht auf der Linie ... Drück nach links! ... Nach links!« befiehlt Carl, der Vater, schroff.*

*Ann, die frustriert ihre Augen verdreht, übertönt seine Anweisung: »Stop! Stop!«*

*Leslie, die es weder ihrem Vater noch ihrer Mutter recht machen kann, verzieht ihr Gesicht zu einer Grimasse und blinzelt, denn ihre Augen füllen sich mit Tränen.*

*Ihre Eltern nehmen Leslies Tränen nicht zur Kenntnis und beginnen, sich zu zanken. »Sie bewegt den Stock nicht so ein bißchen!« sagt Ann wütend zu Carl.*

*Während Leslie die Tränen die Wangen hinunterzukullern beginnen, tut keiner der beiden irgendetwas, woraus man entnehmen könnte, daß sie es bemerken oder daß es sie interessiert. Als Leslie die Hand hebt, um sich die Augen zu trocknen, schnauzt ihr Vater: »Mensch, du mußt die Hand am Stock behalten ... du mußt schußbereit sein. Mensch, drück doch!« Und ihre Mutter bellt: »Mensch, beweg ihn doch ein klitzekleines Stück!«*

*Doch inzwischen ist Leslie leise am schluchzen, in ihrer Qual allein.*

In solchen Augenblicken lernen Kinder gründliche Lektionen. Für Leslie könnte eine Schlußfolgerung aus diesem quälenden Wortwechsel lauten, daß sich weder ihre Eltern noch sonst jemand für ihre Geühle interessieren.[1] Wenn sich derartige Momente im Laufe der Kindheit unzählige Male wiederholen, vermitteln sie emotionale Botschaften, die zu den fundamentalsten eines ganzen Lebens gehören können, Lektionen, die manchmal den ganzen Lebensweg bestimmen. Das Familienleben ist unsere erste Schule für das emotionale Lernen; in diesem engen Kessel lernen wir, wie wir uns selbst empfinden sollen und wie andere auf unsere Empfindungen reagieren, was wir von diesen Empfindungen denken sollen und welche Reaktionen uns offenstehen, wie wir unsere Hoffnungen und Befürchtungen deuten und ausdrücken sollen. Diese Schulung der Gefühle erfolgt nicht bloß mittels der Dinge, die Eltern ihren Kindern direkt sagen oder die sie mit ihnen machen, sondern auch über die Vorbilder, die sie abgeben bezüglich des Umgangs mit ihren eigenen Gefühlen und mit den Gefühlen, die zwischen Mann und Frau ausgetauscht werden. Manche Eltern sind begabte emotionale Lehrer, andere sind entsetzlich.

Wir wissen aus Hunderten von Untersuchungen, daß die Art, wie Eltern ihre Kinder behandeln – ob mit strenger Disziplin oder empathischem Verständnis, mit Gleichgültigkeit oder Wärme usw. –, für das Gefühlsleben des Kindes tiefreichende und bleibende Folgen hat. Dennoch ist erst seit kurzem unumstößlich bewiesen, daß allein schon die Tatsache, emotional intelligente Eltern zu haben, für ein Kind ein enormer Vorteil ist. Die Art und Weise, wie Ehepartner mit den Gefühlen füreinander umgehen, vermittelt, zusätzlich zu ihrem direkten Umgang mit dem Kind, eindrückliche Lektionen, und die Kinder sind gelehrige Schüler, die noch die subtilsten emotionalen Vorgänge in der Familie auffangen. Als Forschungsgruppen an der Universität von Washington, die sich unter der Leitung von Carole Hooven und John Gottman mit der Feinanalyse der Interaktionen zwischen Ehepartnern befaßten, den Umgang der Eltern mit ihren Kindern einbezogen, fanden sie, daß die Paare, die in der Ehe emotional kompetenter waren, zugleich diejenigen waren, die ihren Kindern im Auf und Ab ihrer Gefühle am wirksamsten halfen.[2]

Man untersuchte die Familien im Abstand von vier Jahren, zunächst, als eines ihrer Kinder gerade fünf geworden war, und dann wieder, als es neun war. Die Forschungsgruppe beobachtete die Eltern im Gespräch miteinander und zusätzlich die Familien (darunter die von Leslie), während der Vater oder die Mutter versuchte, dem kleinen Kind zu zeigen, wie ein neues Videospiel funktioniert – eine scheinbar harmlose Interaktion, die aber viel über die emotionalen Ströme verrät, die zwischen Elternteil und Kind verlaufen.

Es gab Mütter und Väter wie Ann und Carl; sie waren herrisch, verloren die Geduld mit der Ungeschicklichkeit ihres Kindes, fingen angewidert oder wütend an zu schreien, einige machten ihr Kind sogar schlecht und nannten es »dumm« – kurz, sie verfielen denselben Neigungen zu Verachtung und Widerwillen, die eine Ehe untergraben. Andere hatten dagegen Geduld mit den Fehlern ihres Kindes und halfen ihm, das Spiel auf seine Weise zu erkunden, statt ihm den elterlichen Willen aufzuzwingen. Die Videospiel-Sitzung war ein erstaunlich leistungsfähiges Barometer für den emotionalen Stil der Eltern.

Als die drei häufigsten emotional ungeeigneten elterlichen Verhaltensweisen stellten sich heraus:

*Völliges Ignorieren der Gefühle.* Diese Eltern behandeln die emotionale Erregung des Kindes als trivial oder lästig, als etwas, das sich irgendwann wieder legt. Sie nutzen emotionale Momente nicht als eine Chance, näher an das Kind heranzukommen oder ihm zu helfen, etwas über emotionale Kompetenz zu lernen.

*Übermäßige Toleranz.* Diese Eltern bemerken, was das Kind empfindet, finden aber alles, was das Kind tut, wie es mit seiner emotionalen Erregung umgeht, prima, auch, wenn das Kind beispielsweise schlägt. Wie jene, die die Gefühle des Kindes ignorieren, raffen diese Eltern sich selten dazu auf, ihrem Kind eine alternative emotionale Reaktion zu zeigen. Sie versuchen, alle Aufregungen zu dämpfen und verlegen sich aufs Schachern und Bestechen, um zu erreichen, daß ihr Kind nicht mehr traurig oder wütend ist.

*Verächtlichkeit, die keinerlei Respekt für die Empfindungen des Kindes beweist.* Diese Eltern äußern sich zumeist mißbilligend und sind streng sowohl in ihrer Kritik wie bei ihren Strafen. Sie verbieten dem Kind beispielsweise jede Äußerung von Unmut und greifen beim geringsten Anzeichen von Gereiztheit zur Strafe. Dies sind die Eltern, die das Kind, wenn es versucht, die Sache aus seiner Sicht darzustellen, wütend anschreien: »Keine Widerworte!«

Schließlich gibt es Eltern, die die Erregung des Kindes als eine Gelegenheit ergreifen, um gewissermaßen als emotionaler Trainer oder Mentor aufzutreten. Sie nehmen die Gefühle ihres Kindes so ernst, daß sie sich bemühen, genau zu verstehen, weshalb es erregt ist (»Bist du wütend, weil Tommy deine Gefühle verletzt hat?«), und ihm zu helfen, positive Wege zur Besänftigung seiner Gefühle zu finden (»Statt ihn zu hauen, solltest du dir ein Spielzeug suchen, mit dem du alleine spielst, bis du wieder Lust hast, mit ihm [Tommy] zu spielen.«).

Damit sie ihr Kind erfolgreich in diesem Sinne trainieren können, müssen die Eltern selbst einigermaßen die Grundlagen der emotionalen Intelligenz beherrschen. So gehört es für ein Kind beispielsweise zu den grundlegenden emotionalen Lektionen, zwischen den Gefühlen zu unterscheiden; wenn der Vater nicht seine eigene Traurigkeit begreift, kann er seinem Sohn nicht helfen, den Unterschied zu verstehen zwischen der Trauer über einen Verlust, dem traurigen Gefühl beim Betrachten eines traurigen Films und der Trauer, die aufkommt, wenn einem Menschen, den das Kind gern hat, etwas Schlimmes passiert. Über diese Unterscheidung hinaus gibt es kompliziertere Einsichten wie etwa die, daß Zorn oft daraus erwächst, daß man sich gekränkt fühlt.

Die emotionalen Lektionen, für die ein Kind reif ist und die es benötigt, ändern sich mit der Zeit. So beginnt, wie wir im neunten Kapitel sahen, das Erlernen der Empathie im Kleinkindalter, wenn die Eltern sich auf die Gefühle ihres Babys einstellen. Zwar werden einige emotionale Fähigkeiten im Laufe der Jahre durch den Umgang mit Freunden verfeinert, doch können Eltern, die sich auf die Emotionen verstehen, ihren Kindern in den Grundlektionen der emotionalen Intelligenz eine große Hilfe sein: die eigenen Gefühle erkennen, mit ihnen umgehen und sie zügeln, sich in andere einfühlen und die Gefühle handhaben, die in ihren Beziehungen entstehen.

Das elterliche Verhalten hat eine ungemein weitreichende Wirkung auf die Kinder.[3] Die Forscher von der Universität von Washington stellten fest, daß die Kinder von emotional klugen Eltern im Vergleich zu solchen, die mit Gefühlen nicht zurechtkommen, ein besseres Verhältnis zu den Eltern haben, größere Zuneigung zu ihnen zeigen und weniger Spannungen mit ihnen haben. Diese Kinder können außerdem mit ihren eigenen Gefühlen umgehen, beruhigen sich leichter, wenn es Aufregung gibt, und sind seltener aufgeregt. Ferner sind die Kinder *physiologisch* entspannter, haben weniger Stresshormone und sonstige physiologische Indikatoren emotionaler Erregung (ein Bild, das, wenn es sich in der Folgezeit erhält, eine bessere körperliche Verfassung erwarten läßt, wie wir im elften Kapitel sahen). Daneben gibt es Vorteile sozialer Natur: Diese Kinder sind bei ihren Altersgenossen beliebter und werden von den Lehrern als die sozial geschickteren eingeschätzt. Sie haben nach dem Urteil ihrer Eltern wie ihrer Lehrer weniger Verhaltensprobleme wie etwa Grobheit oder Aggressivität. Schließlich ergeben sich kognitive Vorteile; diese Kinder sind aufmerksamer und lernen daher besser: Bei gleichem IQ hatten die Fünfjährigen, deren Eltern bessere emotionale Lehrer waren, in der dritten Schulklasse bessere Noten in Rechnen und Lesen; dies spricht eindeutig dafür, den Kindern emotionale Fähigkeiten beizubringen, um sie sowohl auf die Schule als auch aufs Leben vorzubereiten. Wenn die Eltern emotional geschickt sind, zahlt sich das für die Kinder in einer geradezu erstaunlichen Vielfalt von Vorteilen aus, die über das ganze Spektrum der emotionalen Intelligenz reichen und noch darüber hinausgehen.

## Mit dem Herzen beginnen

Die emotionale Kompetenz der Eltern beginnt sich schon in der Wiege auszuwirken. Dr. Barry Brazelton, der berühmte Harvard-Pädiater, diagnostiziert die grundlegende Lebenseinstellung eines Babys mit einem einfachen Test. Er gibt einem acht Monate alten Mädchen zwei Bauklötze und zeigt ihm dann, wie es sie aufeinandersetzen soll. Ein Kind mit einer optimistischen Lebenshaltung, das auf seine eigenen Fähigkeiten vertraut, wird, wie Brazelton schreibt,

*»einen Klotz ergreifen, in den Mund nehmen, damit durch sein Haar fahren, ihn von der Tischkante herunterfallen lassen und beobachten, ob Sie ihn für es aufheben. Tun Sie das, wird es schließlich die gewünschte Aufgabe ausführen und die Klötze aufeinanderstellen. Dann schaut es Sie mit strahlenden Augen erwartungsvoll an, als wollte es sagen: ›Bin ich nicht phantastisch?‹«*[4]

Babys wie dieses haben von den Erwachsenen, die in ihrem Leben eine Rolle spielen, eine ansehnliche Dosis Zustimmung und Ermutigung erhalten; sie rechnen damit, die kleinen Herausforderungen des Lebens zu bestehen. Babys, deren Eltern mutlos, chaotisch oder gleichgültig sind, gehen an diese Aufgabe dagegen in einer Weise heran, die verrät, daß sie von vornherein damit rechnen, es nicht zu schaffen. Nicht, daß diese Babys die Klötze nicht aufeinanderstellen könnten; sie verstehen die Instruktion und besitzen die erforderliche Koordination. Aber auch wenn sie es schaffen, zeigen sie, wie Brazelton schreibt, eine »Armesündermiene«, als wollten sie sagen: »Ich bin nicht gut. Schau, ich hab's nicht geschafft.« Solche Kinder werden wahrscheinlich mit einer defätistischen Einstellung durchs Leben gehen, von den Lehrern keine Ermutigung und kein Interesse erwarten, die Schule als freudlos erleben und am Ende vielleicht abbrechen.

Der Unterschied zwischen den beiden Haltungen – einerseits Kinder, die selbstsicher und optimistisch sind, andererseits solche, die damit rechnen, zu versagen – beginnt in den ersten Lebensjahren Gestalt anzunehmen. Eltern, sagt Brazelton, »müssen verstehen, wie ihr Handeln dazu beitragen kann, das Selbstvertrauen, die Neugier, die Freude am Lernen und die Einsicht in die eigenen Grenzen zu schaffen,« die den Kindern zum Erfolg im Leben verhelfen. Sein Ratschlag stützt sich auf zunehmende wissenschaftliche Erkenntnisse, denen zufolge der Erfolg in der Schule in erstaunlichem Umfang von emotionalen Eigenschaften abhängt, die in den Jahren geformt werden, bevor das Kind in die Schule kommt. Im achten Kapitel sahen wir ja schon, daß Kinder, die mit vier den Impuls, nach einem Marshmallow zu greifen, beherrschen können, vierzehn Jahre später beim SAT-Test einen Vorsprung von 210 Punkten erzielen.

Die beste Gelegenheit, die Bausteine der emotionalen Intelligenz zu formen, ergibt sich in den ersten Lebensjahren, doch auch noch in der Schulzeit lassen sich diese Fähigkeiten weiterhin beeinflussen. Die emotionalen Fähigkeiten, die die Kinder im späteren Leben erwerben, bauen auf denen der ersten Jahre auf. Und diese Fähigkeiten sind, wie wir im siebten Kapitel sahen, die wesentliche Grundlage für das gesamte Lernen. Ein Bericht des National Center for Clinical Infant Programs stellt fest, daß der Schulerfolg weniger vom Faktenwissen oder einer vorzeitigen Lesefähigkeit als vielmehr von emotionalen und sozialen Meßgrößen abhängt: Das Kind muß selbstsicher und aufgeweckt sein; es muß wissen, was für ein Verhalten erwartet wird, und den Impuls zu schlechtem Betragen zügeln können; es muß fähig sein, zu warten, Anweisungen zu befolgen und sich um Hilfe an die Lehrer zu wenden; schließlich muß es fähig sein, seine Bedürfnisse zu äußern und mit anderen Kindern auszukommen.[5]

Dem Bericht zufolge fehlt fast allen Schülern, die in der Schule schlecht abschneiden, eines oder mehrere dieser Elemente emotionaler Intelligenz (unabhängig davon, ob sie außerdem kognitive Schwierigkeiten wie Lernstörungen haben). Das Problem ist von nicht geringer Bedeutung; in einigen Bundesstaaten muß fast jedes fünfte Kind die erste Klasse wiederholen, und wenn diese Kinder dann im Laufe der Jahre immer weiter hinter ihre Altersgenossen zurückfallen, werden sie immer mehr entmutigt, aggressiv und verhaltensauffällig.

Die Schulreife eines Kindes beruht auf der elementaren Fähigkeit, lernen zu können. Der Bericht nennt die sieben wichtigsten Bausteine dieser entscheidenden Fähigkeit – allesamt Elemente der emotionalen Intelligenz:[6]

*1. Selbstvertrauen.* Ein Gefühl, seinen Körper, sein Verhalten und die Welt kontrollieren und meistern zu können; das Kind hat das Gefühl, daß das, was es unternimmt, in der Regel gelingen wird und daß Erwachsene ihm helfen werden.

*2. Neugier.* Das Gefühl, daß es positiv ist und Freude bringt, etwas herauszufinden.

*3. Intentionalität.* Der Wunsch und die Fähigkeit, eine Wirkung zu erzielen und beharrlich an ihr zu arbeiten. Dies hängt eindeutig zusammen mit einem Gefühl der Kompetenz, dem Gefühl, etwas zu können.

*4. Selbstbeherrschung.* Die Fähigkeit, das eigene Handeln altersgemäß zu regulieren und zu kontrollieren; ein Gefühl innerer Kontrolle.

*5. Verbundenheit.* Die Fähigkeit, sich auf andere einzulassen, basierend auf dem Gefühl, von anderen verstanden zu werden und andere zu verstehen.

*6. Kommunikationsfähigkeit.* Der Wunsch und die Fähigkeit, sich über Ideen, Gefühle und Vorstellungen verbal mit anderen auszutauschen. Dies hängt zusammen mit einem Gefühl des Vertrauens zu anderen und der Freude, sich mit anderen, darunter auch Erwachsenen, einzulassen.

*7. Kooperationsbereitschaft.* Die Fähigkeit, in gemeinsamer Aktivität die eigenen Bedürfnisse mit denen anderer abzustimmen.

Ob ein Kind diese Fähigkeiten beim Schulbeginn mitbringt, hängt zum großen Teil davon ab, wie weit seine Eltern – und seine Vorschulbetreuer – ihm im Hinblick auf die Emotionen jene Förderung gewährt haben, die im Hinblick auf die kognitiven Fähigkeiten zum Programm der Vorschule gehört.

## Erwerb der emotionalen Elementarkenntnisse

Angenommen, ein Baby von zwei Monaten wacht um drei Uhr nachts auf und beginnt zu weinen. Die Mutter kommt herein, und in der folgenden halben Stunde nuckelt das Kind zufrieden an der Brust der Mutter, die das Kind liebevoll anschaut und ihm sagt, wie gern sie mit ihm zusammen ist, auch mitten in der Nacht. In der Liebe seiner Mutter geborgen, schlummert das Kind wieder ein.

Jetzt stellen wir uns ein anderes Baby von zwei Monaten vor, das gleichfalls in den frühen Morgenstunden weinend aufgewacht ist; seine Mutter ist nervös und reizbar, denn sie ist nach einem Streit mit ihrem Mann erst vor einer Stunde eingeschlafen. Das Kind verkrampft sich sofort, als die Mutter es abrupt aufnimmt und zu ihm sagt: »Sei bloß still – ich kann nichts mehr ertragen! Los, bringen wir's hinter uns.« Während das Kind saugt, starrt die Mutter mit versteinerter Miene vor sich hin, ohne ihm einen Blick zu gönnen, läßt den Streit mit seinem Vater noch einmal an sich vorüberziehen und wird, während sie darüber nachgrübelt, immer erregter. Das Kind, das ihre Spannung spürt, windet sich, versteift sich, hört auf zu saugen. »Das war alles, was du wolltest? Dann bekommst du auch nichts«, sagt die Mutter. Und genauso abrupt legt sie das Kind in sein Bettchen zurück und stapft hinaus, und anschließend läßt sie es schreien, bis es erschöpft in den Schlaf sinkt.

Die beiden Szenarien stehen in dem Bericht des National Center for Clinical Infant Programs als Beispiele für Interaktionen, die, ständig wiederholt, beim Kleinkind ganz unterschiedliche Gefühle bezüglich der eigenen Person und seiner engsten Beziehungen entstehen lassen.[7] Das erste Baby lernt, daß es auf Menschen vertrauen kann, die seine Bedürfnisse erkennen und ihm helfen werden, und daß es durchsetzen kann, die Hilfe zu erhalten; das zweite stellt fest, daß sich im Grunde keiner etwas aus ihm macht, daß auf Menschen kein Verlaß ist und daß seinen Bemühungen, Trost zu finden, kein Erfolg beschieden ist. Natürlich lernen die meisten Babys zumindest als Kostprobe beide Arten von Interaktionen kennen. Doch je nachdem, welche Art das Verhalten der Eltern gegenüber dem Kind im Laufe der Jahre überwiegend bestimmt, fallen die emotionalen Grundlektionen aus, die dem Kind darüber vermittelt werden, wie geborgen ein Kind in der Welt ist, wie durchsetzungsfähig es ist und wieviel Verlaß auf andere ist. Das Kind lernt, mit Erik Erikson zu sprechen, schließlich ein »Urvertrauen« bzw. Mißtrauen zu empfinden.

Dieses emotionale Lernen setzt in den ersten Lebensmomenten ein und geht während der ganzen Kindheit weiter. All die kleinen Interaktionen zwischen Elternteil und Kind haben einen emotionalen Subtext, und durch die jahrelange Wiederholung dieser Botschaften entwickeln Kinder den Kern ihrer emotionalen Einstellung und ihrer Fähigkeiten. Ein kleines Mädchen, das bei einem Puzzle nicht weiterkommt und seine beschäftigte Mutter bittet, ihm zu helfen, bekommt, wenn die Mutter ehrlich erfreut auf die Bitte reagiert, eine bestimmte Botschaft vermittelt; ganz anders lautet die Botschaft, wenn es nur ein schroffes »Stör mich nicht, ich habe etwas Wichtiges zu erledigen« zu hören bekommt. Bestimmen solche Interaktionen das Verhältnis zwischen Mutter und Kind, dann prägen sie seine emotionalen Erwartungen im Hinblick auf Beziehungen, und die so geprägten Einstellungen werden sein Verhalten in allen Lebensbereichen im Guten wie im Bösen einfärben.

Am meisten gefährdet sind jene Kinder, deren Eltern ganz und gar unfähig sind, ob sie nun unreif sind, Drogen nehmen, an Depressionen oder chronischem Zorn leiden oder lediglich ziellos sind und ein chaotisches Leben führen. Von solchen Eltern ist kaum eine angemessene Betreuung und erst recht keine Einstellung auf die emotionalen Bedürfnisse ihres Kindes zu erwarten. Die bloße Vernachlässigung kann, wie festgestellt wurde, schädlicher sein als die offene Mißhandlung.[8] Eine Untersuchung mißhandelter Kinder zeigte, daß es den vernachlässigten Kleinen am schlimmsten erging: Sie waren in höchstem Maße ängstlich, unaufmerksam und apathisch, abwechselnd aggressiv und introvertiert. Von ihnen mußten 65 Prozent die erste Klasse wiederholen.

Die ersten drei bis vier Lebensjahre sind eine Zeit, in der das Gehirn des Kindes auf rund zwei Drittel seines endgültigen Volumens anwächst und in der seine Komplexität schneller zunimmt, als es je wieder der Fall sein wird. In dieser Phase laufen wichtige Lernprozesse leichter ab als im späteren Leben, darunter vor allem das emotionale Lernen. Schwerer Stress kann in dieser Phase die lernenden Zentren des Gehirns beeinträchtigen. Zwar läßt sich dies, wie wir sehen werden, in gewissem Umfang durch spätere Erfahrungen ausgleichen, doch die Wirkung dieses frühen Lernens geht tief. Die entscheidenden emotionalen Lektionen der vier ersten Lebensjahre haben, wie es in einem Bericht heißt, weitreichende bleibende Folgen:[9]

*»Ein Kind, das seine Aufmerksamkeit nicht fokussieren kann, das argwöhnisch statt vertrauensvoll, traurig oder wütend statt optimistisch, destruktiv statt respektvoll ist, ein Kind, das von Ängsten heimgesucht, von schreckenerregenden Phantasien besessen und generell mit sich unzufrieden ist – ein solches Kind hat insgesamt wenig Chancen, ganz zu schweigen von gleichen Chancen, die Möglichkeiten der Welt für sich selbst in Anspruch zu nehmen.«*

Über die lebenslangen Folgen eines emotional unzureichenden elterlichen Verhaltens und speziell über seine ursächliche Bedeutung für die Aggressivität eines Kindes läßt sich manches aus Langzeitstudien entnehmen, wie sie im Norden des Bundesstaates New York an 870 Kindern durchgeführt wurden, die man vom achten bis zum dreißigsten Lebensjahr beobachtete.[10] Die aggressivsten Kinder – diejenigen, die am schnellsten einen Streit anfingen und ihren Willen gewohnheitsmäßig mit Gewalt durchsetzten – brachen am ehesten die Schule ab und waren mit 30 Jahren wegen Gewaltverbrechen vorbestraft. Außerdem schienen sie ihre Neigung zur Gewalt weiterzugeben: Ihre Kinder waren in der Grundschule genau wie die Unruhestifter, die ihre straffällig gewordenen Eltern gewesen waren.

Aus der Art, wie Aggressivität von einer Generation zur anderen weitergegeben wird, kann man etwas lernen. Angeborene Neigungen einmal ausgeschlossen, verhielten sich die Unruhestifter als Erwachsene in einer Weise, die das Familienleben zu einer Schule der Aggression machte. Als Kinder hatten sie Eltern, die sie mit willkürlicher, unerbittlicher Strenge erzogen; als Erwachsene verhielten sie sich genauso, und zwar unabhängig davon, ob der Vater oder die Mutter in ihrer Kindheit als hochgradig aggressiv identifiziert worden war. Aus aggressiven kleinen Mädchen wurden Mütter, die genauso hart straften wie die aggressiven Jungen als Väter. Und abgesehen davon, daß sie ihre Kinder mit ausgesuchter Strenge bestraften, zeigten sie ansonsten kaum Interesse am Leben ihrer Kinder, ja, sie ignorierten sie weitgehend. So boten diese Eltern ihren Kindern ein lebendiges und gewalttätiges Beispiel der Aggressivität, ein Vorbild, das die Kinder in die Schule und auf den Spielplatz mitnahmen und dem sie ihr Leben lang folgten. Es war nicht unbedingt so, daß die Eltern böswillig waren oder nicht das Beste für ihre Kinder wollten; sie wiederholten vielmehr nur den Erziehungsstil, den ihre eigenen Eltern ihnen vorgelebt hatten.

Die Kinder erhielten nicht bloß dieses gewalttätige Vorbild, sie wurden außerdem willkürlich bestraft; waren die Eltern schlecht gelaunt, wurden sie streng bestraft, waren sie gut gelaunt, konnte es vorkommen, daß sie sich zu Hause schwere Körperverletzungen holten. Die Bestrafung hing also nicht so sehr davon ab, was das Kind getan hatte, sondern davon, wie die Eltern sich gerade fühlten. Das ist genau das Rezept, das bei Kindern das Gefühl erzeugt, wertlos und hilflos zu sein, und ein Gefühl, daß überall Gefahren lauern, die jederzeit zuschlagen können. Die kämpferische und herausfordernde Haltung, die diese Kinder gegenüber der Welt einnehmen, ist, auch wenn man sie mißbilligen muß, im Lichte der häuslichen Erfahrungen, von denen sie erzeugt wird, bis zu einem gewissen Grade verständlich. Wenn man allerdings sieht, wie früh diese entmutigenden Lektionen gelernt werden und wie grausam die Folgen für das Gefühlsleben des Kindes sein können, kann man den Mut verlieren.

## Mißhandlung: die Vernichtung der Empathie

*Im wilden Getümmel der Kindertagesstätte streifte Martin, knapp zweieinhalb, ein kleines Mädchen, das unerklärlicherweise zu weinen begann. Martin griff nach ihrer Hand, doch als sie die Hand zurückzog, schlug Martin ihr auf den Arm.*

*Als ihre Tränen nicht versiegten, schaute Martin weg und schrie: »Hör auf damit!* Hör auf damit!«, *immer wieder, jedesmal schneller und lauter.*

*Martin machte dann einen erneuten Versuch, sie beruhigend zu tätscheln, doch wieder sträubte sie sich. Jetzt bleckte Martin seine Zähne wie ein knurrender Hund und zischte das schluchzende Mädchen an.*

*Ein weiteres Mal begann Martin, dem weinenden Mädchen auf die Schulter zu klopfen, doch die leichten Klapse verwandelten sich rasch in wütende Faustschläge, und obwohl das arme kleine Mädchen gellend schrie, schlug Martin unablässig auf sie ein.*

Diese beunruhigende Szene zeigt, wie Mißhandlung – die wiederholte Erfahrung, von den Eltern nach Lust und Laune geschlagen zu werden – die natürliche Neigung des Kindes zur Empathie verbiegen kann.[11] Martins sonderbare, geradezu brutale Reaktion auf den Kummer seiner Spielkameradin ist typisch für Kinder wie ihn, die seit der frühen Kindheit selbst Opfer von Schlägen und anderen körperlichen Mißhandlungen gewesen sind. Die Reaktion steht in völligem Gegensatz zu den bei Kindern üblichen mitfühlenden Bitten und Bemühungen, einen weinenden Spielkameraden zu trösten, die wir im 7. Kapitel besprochen haben. In Martins gewalttätiger Reaktion im Kindergarten könnten sich durchaus die Lektionen spiegeln, die er zu Hause gelernt hat, wenn er Tränen und Kummer zeigte: Auf Weinen wird zunächst mit einer kurzen tröstenden Geste reagiert, aber wenn er nicht aufhört, folgen böse Blicke und wütendes Geschrei, dann Schläge und schließlich regelrechte Prügel. Das Beunruhigendste ist wohl, daß es Martin an der einfachsten Empathie zu fehlen scheint, der instinktiven Einstellung der Aggression gegen jemanden, der verletzt ist. Er zeigt mit zweieinhalb Jahren im Ansatz die moralischen Impulse eines grausamen und sadistischen Rohlings.

Die Bösartigkeit, die Martin anstelle von Empathie zeigte, war typisch für Kinder wie ihn, die schon in diesem zarten Alter von schweren physischen und emotionalen Mißhandlungen im Elternhaus gezeichnet sind. Martin gehörte zu einer Gruppe von neun solchen mißhandelten Kindern zwischen ein und drei Jahren, die in seiner Tagesstätte zwei Stunden lang beobachtet wurden. Zum Vergleich beobachtete man neun andere Kinder, die ebenfalls aus ärmlichen, stark belasteten Familien stammten, aber nicht körperlich mißhandelt worden waren. Die beiden Gruppen reagierten völlig unterschiedlich, wenn ein anderes Kind sich weh getan hatte oder aufgeregt war. In 23 derartigen Fällen reagierten fünf der neun nicht mißhandelten Kinder auf den Kummer eines anderen mit Anteilnahme, Traurigkeit oder Empathie. Doch in den 27 Fällen, in denen die mißhandelten Kinder sich ebenso hätten verhalten können, zeigte keines auch nur die geringste Anteilnahme; statt dessen reagierten sie auf ein weinendes Kind mit Äußerungen von Furcht und Zorn oder, wie Martin, mit physischer Gewalt.

Ein mißhandeltes kleines Mädchen warf zum Beispiel einem anderen, das in Tränen ausgebrochen war, wütende, drohende Blicke zu. Der einjährige Thomas, auch eines der mißhandelten Kinder, erstarrte vor Angst, als er in der anderen Zimmerecke ein Kind weinen hörte; er saß vollkommen regungslos da, mit angsterfülltem Blick, starr aufgerichtet, und seine Spannung wuchs, als das Weinen nicht aufhörte – so als erwarte er, selbst angegriffen zu werden. Und die ebenfalls mißhandelte 28 Monate alte Kate war geradezu sadistisch: Sie nahm sich den kleineren Joey vor, trat ihn, daß er hinfiel, und als er dalag, schaute sie ihn zärtlich an und begann, ihm sanft auf den Rücken zu klopfen; dieses Klopfen verstärkte sich ohne Rücksicht auf sein Jammern zu immer heftigeren Schlägen. Sie schlug noch sechs- oder siebenmal auf ihn ein, bis er wegkrabbelte.

Natürlich behandeln diese Kinder andere so, wie sie selbst behandelt worden sind. Und die Gefühllosigkeit dieser Kinder ist bloß eine Verschärfung derjenigen, die man bei Kindern beobachtet, die von ihren Eltern ständig getadelt, bedroht und hart bestraft werden. Auch diese Kinder zeigen keine Anteilnahme, wenn Spielkameraden sich weh tun oder weinen; sie bilden offenbar das eine Ende eines Kontinuums der

Gefühlskälte, das in der Brutalität der mißhandelten Kinder gipfelt. Im weiteren Leben ist zu erwarten, daß sie – als Gruppe genommen – kognitive Schwierigkeiten beim Lernen haben, aggressiv und unbeliebt bei ihren Altersgenossen sind (kein Wunder, wenn ihre Brutalität in der Vorschule ein Vorzeichen für Späteres ist), mehr zu Depressionen neigen und als Erwachsene mit dem Gesetz in Konflikt kommen und mehr Gewaltverbrechen begehen.[12]

Dieser Mangel an Empathie läßt sich manchmal, wenn auch nicht oft, über mehrere Generationen zurückverfolgen; man stößt auf brutale Eltern, die in der Kindheit von ihren Eltern brutal behandelt wurden.[13] Er steht in eindringlichem Gegensatz zu der Empathie, die man gewöhnlich bei Kindern von Eltern antrifft, die fürsorglich sind und ihr Kind ermutigen, Anteilnahme an anderen zu zeigen und zu verstehen, was andere bei Bösartigkeit empfinden müssen. Diese Kinder werden nicht zur Empathie angehalten und lernen sie offenbar überhaupt nicht.

Das vielleicht Beunruhigendste an den mißhandelten Kindern ist, wie früh sie anscheinend gelernt haben, wie verkleinerte Versionen ihrer mißhandelnden Eltern zu reagieren. Aber angesichts der Prügel, die sie bisweilen als tägliche Kost verabreicht bekamen, sind die emotionalen Lektionen allzu klar. Erinnern wir uns, daß gerade dann, wenn die Leidenschaften hohe Wellen schlagen oder eine Krise unmittelbar bevorsteht, die primitiven Neigungen der limbischen Hirnzentren in den Vordergrund treten. In solchen Momenten setzen sich im Guten wie im Bösen die Gewohnheiten durch, die das emotionale Gehirn gelernt hat.

Die Tatsache, daß das Gehirn selbst durch Brutalität – oder durch Liebe – geformt wird, läßt die Kindheit als ein spezielles Fenster der Gelegenheit für emotionale Lektionen erscheinen. Diese geprügelten Kinder haben früh und regelmäßig ihre Traumata verpaßt bekommen. Man lernt den emotionalen Lernprozeß, den diese mißhandelten Kinder durchgemacht haben, vielleicht am besten verstehen, wenn man sieht, was für bleibende Eindrücke das Trauma manchmal im Gehirn hinterläßt – und daß sogar diese grausamen Eindrücke getilgt werden können.

# 13

# Trauma und emotionales Umlernen

Som Chit, ein Flüchtling aus Kambodscha, sträubte sich, als ihre drei Söhne verlangten, sie solle ihnen Spielzeugversionen des AK-47-Maschinengewehrs kaufen. Ihre Söhne – 6, 9 und 11 – brauchten die Spielzeuggewehre für ein Spiel, das einige Kinder an ihrer Schule »Purdy« nannten. In dem Spiel benutzt Purdy, der Schurke, eine Maschinenpistole, um eine Gruppe von Kindern zu massakrieren; anschließend richtet er die Waffe gegen sich selbst. Allerdings wandeln die Kinder den Schluß manchmal ab: Dann sind sie es, die Purdy töten.

»Purdy« war die makabre Nachinszenierung einiger Überlebender der katastrophalen Vorgänge vom 17. Februar 1989 an der Cleveland Elementary School in Stockton, Kalifornien. Damals hatte während der Pause für die Erst-, Zweit- und Drittkläßler Patrick Purdy, der rund zwanzig Jahre zuvor selbst diese Klassen an der Cleveland School besucht hatte, am Rande des Schulhofs gestanden und etliche Salven von 7.22mm-Kugeln auf die Hunderte von spielenden Kindern abgefeuert. Sieben Minuten lang überschüttete Purdy den Schulhof mit einem Kugelhagel, dann setzte er sich eine Pistole an den Kopf und erschoß sich. Als die Polizei eintraf, lagen fünf Kinder im Sterben, und 29 waren verwundet.

In den folgenden Monaten tauchte das »Purdy«-Spiel spontan in den Spielen der Jungen und Mädchen der Cleveland Elementary School auf, eines von vielen Anzeichen dafür, daß diese sieben Minuten und ihre Folgen sich in das Gedächtnis der Kinder eingebrannt hatten. Als ich der Schule einen Besuch abstattete, nur eine kurze Fahrradfahrt von der Gegend in der Nähe der University of Pacific entfernt, in der ich aufgewachsen war, lag der Tag, an dem Purdy die Pause in einen Alptraum verwandelt hatte, fünf Monate zurück. Seine Präsenz war noch immer spürbar, obwohl die gräßlichsten Überreste dieser Schießerei – Massen von Einschußlöchern, Blutlachen, Fetzen von Fleisch, Haut und Kopfhaut – am Morgen danach verschwunden waren, abgewaschen und übermalt.

Die tiefsten Narben an der Cleveland School trug jetzt nicht mehr das Gebäude, sondern die Psyche der Kinder und Lehrer, die sich bemühten, das gewohnte Leben fortzusetzen.[1] Am meisten beeindruckte mich, daß jedes winzige Detail, das auch nur im geringsten ähnlich war, immer wieder die Erinnerung an diese wenigen Minuten aufleben ließ. Ein Lehrer erzählte mir zum Beispiel, daß bei der Ankündigung, daß der St. Patrick's Day bevorstehe, eine Woge der Angst durch die Schule ging; einige Kinder kamen auf die Idee, daß der Tag zu Ehren des Mörders Patrick Purdy so benannt worden sei.

»Sobald wir hören, daß eine Ambulanz auf dem Weg zum Altersheim am Ende der Straße vorbeifährt, kommt alles zum Stillstand«, berichtete mir ein anderer Lehrer. »Alle Kinder lauschen gespannt, ob sie hier anhält oder weiterfährt.« Mehrere Wochen lang hatten viele Kinder Angst vor den Spiegeln in den Toilettenräumen; an der Schule ging das Gerücht um, dort lauere »Bloody Virgin Mary«, ein Phantasieungeheuer. Wochen nach der Schießerei kam ein Mädchen völlig aufgelöst zu der Direktorin der Schule, Pat Busher, gelaufen und schrie: »Ich höre Schüsse! Ich höre Schüsse!« Das Geräusch rührte von einer Kette her, die gegen einen Fahnenmast schlug.

Viele Kinder wurden übervigilant, als seien sie ständig auf der Hut vor einer Wiederholung des Schreckens; manche Jungen und Mädchen trieben sich während der Pausen vor den Türen der Klassenräume herum und trauten sich nicht auf den Schulhof hinaus, wo das Morden stattgefunden hatte. Andere spielten nur in kleinen Gruppen und stellten ein jeweils dafür bestimmtes Kind als Wachtposten auf. Viele mieden noch monatelang die »bösen« Stellen, wo Kinder gestorben waren.

Die Erinnerungen lebten auch als beunruhigende Träume weiter, die sich im Schlaf in die unbewachten Seelen der Kinder drängten. Außer von Alpträumen, die auf die eine oder andere Weise die Schießerei selbst wiederholten, wurden die Kinder von Angstträumen heimgesucht, die bei ihnen die Besorgnis hinterließen, daß auch sie demnächst sterben würden. Manche Kinder versuchten, mit offenen Augen zu schlafen, um nicht zu träumen.

Die Psychiater kennen all diese Reaktionen als wichtige Symptome des »posttraumatischen Stress-Syndroms«, kurz PTSD. Den Kern eines solchen Traumas, erklärt Dr. Spencer Eth, ein Kinderpsychiater, der sich auf PTSD bei Kindern spezialisiert hat, bildet »die aufdringliche Erinnerung an das zentrale gewaltsame Geschehen: den letzten Hieb mit einer Faust, das Eindringen eines Messers, den Knall einer Schußwaffe. Die Erinnerungen sind intensive Wahrnehmungserlebnisse: der Anblick, der Klang und der Geruch von Gewehrfeuer; die

Schreie oder das plötzliche Verstummen des Opfers; das Spritzen von Blut; die Polizeisirenen.«

Diese intensiven Momente des Schreckens werden, wie die Neurowissenschaftler heute sagen, zu Erinnerungen, die sich in den emotionalen Schaltungen festsetzen. Tatsächlich sind die Symptome Anzeichen eines übererregten Mandelkerns, der dafür sorgt, daß die lebhaften Erinnerungen an einen traumatischen Moment sich ständig ins Bewußtsein drängen. Die traumatischen Erinnerungen werden zu seelischen Stolperdrähten, die beim geringsten Anzeichen, daß der schreckliche Moment sich wiederholen könnte, Alarm schlagen. Dieses Stolperdraht-Phänomen ist kennzeichnend für emotionale Traumata aller Art, auch für wiederholte körperliche Mißhandlungen in der Kindheit.

Jedes traumatisierende Ereignis kann solche auslösenden Erinnerungen in den Mandelkern einpflanzen: ein Feuer oder ein Autounfall, die Tatsache, daß man eine Naturkatastrophe wie ein Erdbeben oder einen Hurrikan erlebt, daß man vergewaltigt oder ausgeraubt wird. Alljährlich machen Hunderttausende solche Katastrophen durch, und viele oder die meisten tragen jene Art von emotionaler Verwundung davon, die ihren Eindruck im Gehirn hinterläßt.

Gewalttaten sind schädlicher als Naturkatastrophen wie zum Beispiel ein Hurrikan, weil die Opfer der Gewalt das Gefühl haben, intentional als Zielscheibe der Böswilligkeit ausgewählt worden zu sein. Dadurch werden Annahmen über die Vertrauenswürdigkeit von Menschen und die Sicherheit der interpersonalen Welt zerstört, Annahmen, die von Naturkatastrophen unberührt bleiben. Mit einem Schlag wird die soziale Welt zu einem gefährlichen Ort, an dem Menschen zu potentiellen Bedrohungen der eigenen Sicherheit werden.

Menschliche Grausamkeiten prägen den Erinnerungen der Opfer ein Schema auf, das alles, was auch nur vage dem tätlichen Angriff selbst ähnelt, mit Furcht betrachtet. Ein Mann, der von hinten einen Schlag auf den Kopf erhielt, den Angreifer aber nie zu Gesicht bekam, hatte hinterher so große Angst, daß er sich auf der Straße bemühte, direkt vor einer alten Dame zu gehen, um sicher zu sein, daß er nicht noch einmal einen Schlag auf den Kopf erhielt.[2] Eine Frau, die von einem Mann ausgeraubt wurde, der mit ihr einen Aufzug betreten hatte und sie mit vorgehaltenem Messer zum Aussteigen in einem unbewohnten Stockwerk nötigte, hatte wochenlang Angst, nicht nur einen Aufzug zu betreten, sondern auch die U-Bahn oder sonstige geschlossene Räume, wo sie das Gefühl haben konnte, in einer Falle zu sitzen; sie lief aus ihrer Bank, als sie einen Mann in die Jacke greifen sah, wie es der Räuber getan hatte.

Die Spur des Grauens im Gedächtnis – und die daraus resultierende Überwachsamkeit – hält sich manchmal ein Leben lang, wie eine Studie an Überlebenden des Holocaust herausfand. Fast fünfzig Jahre nachdem sie in den Todeslagern der Nazis fast verhungert waren, das Hinmorden ihrer Angehörigen und den ständigen Terror zu ertragen hatten, waren die bedrückenden Erinnerungen noch immer lebendig. Ein Drittel gab an, allgemeine Angst zu empfinden. Fast drei Viertel gaben an, noch immer beklommen zu werden, wenn irgendetwas sie an die Verfolgung durch die Nazis erinnerte, sei es der Anblick einer Uniform, ein Klopfen an der Tür, das Bellen von Hunden oder Rauch, der aus einem Schornstein aufsteigt. Fast 60 Prozent gaben an, fast täglich an den Holocaust zu denken, auch noch nach einem halben Jahrhundert; unter denen, die akute Symptome hatten, litten 80 Prozent an wiederkehrenden Alpträumen. Ein Überlebender sagte: »Wer Auschwitz durchgemacht hat und keine Alpträume hat, ist nicht normal.«

## Grauen, das sich in die Erinnerung gefressen hat

Ein achtundvierzigjähriger Vietnamveteran beschreibt, was er rund vierundzwanzig Jahre nach einem grauenvollen Erlebnis in einem fernen Land empfindet:

*»Ich werde die Erinnerungen einfach nicht los! Die Bilder überfallen mich mit allen Einzelheiten, ausgelöst durch ganz belanglose Dinge, sei es eine Tür, die zuschlägt, der Anblick einer orientalischen Frau, die Berührung eines Bambusgeflechts oder der Geruch eines am Feuer gebratenen Schweins. Gestern abend ging ich zu Bett und hatte zur Abwechslung mal einen guten Schlaf. Dann zog am frühen Morgen eine Sturmfront durch, und es donnerte krachend. Ich wurde schlagartig wach, starr vor Angst. Ich bin direkt wieder in Vietnam, mitten in der Monsunperiode auf meinem Wachtposten. Ich bin sicher, bei der nächsten Salve getroffen zu werden, und überzeugt, daß ich sterben werde. Meine Hände frieren, obwohl mir der Schweiß über den ganzen Körper rinnt. Ich spüre, wie sich mir jedes Nackenhaar sträubt. Mein Atem fliegt, und mein Herz hämmert. Ich rieche einen dumpfen Schwefelgeruch. Plötzlich sehe ich, was von meinem Kumpel Troy übriggeblieben ist … auf einer Bambusplatte, die uns der Vietkong ins Lager geschickt hat … Der nächste Blitz und Donnerschlag läßt mich derart hochfahren, daß ich aus dem Bett falle …«*[3]

Diese grauenhafte Erinnerung, lebendig, frisch und klar, obwohl sie über zwanzig Jahre alt ist, kann bei diesem ehemaligen Soldaten noch immer die Furcht auslösen, die er an jenem verhängnisvollen Tag empfand. Das posttraumatische Stress-Syndrom setzt den neuralen Sollwert für Alarm in gefährlicher Weise herab, so daß der Betroffene auf normale Lebensvorgänge in einer Weise reagiert, als wären es Notfälle. Daran, daß ein so übermächtiges Brandmal in der Erinnerung zurückbleibt, scheint die im zweiten Kapitel besprochene »Entgleisungs«schaltung beteiligt zu sein; je brutaler, schockierender und grauenvoller die Ereignisse, welche die Entgleisung des Mandelkerns auslösen, desto unauslöschlicher ist die Erinnerung. Die neurale Grundlage dieser Erinnerungen besteht anscheinend in einer umfassenden Veränderung in der Chemie des Gehirns, in Gang gesetzt durch einen einzigen Fall von überwältigendem Grauen.[4] Zwar beruhen die PTSD-Befunde in der Regel auf der Wirkung eines einzigen Erlebnisses, doch können ähnliche Folgen auf Grausamkeiten zurückgehen, die über eine Spanne von mehreren Jahren erlitten wurden, wie im Falle von Kindern, die sexuell, physisch oder emotional mißhandelt werden.

Am eingehendsten erforscht man diese Gehirnveränderungen am National Center for Post-Traumatic Stress Disorder, einem Netz von Forschungsstätten in den Krankenhäusern der Veterans Administration, wo es unter den Veteranen von Vietnam und anderen Kriegen viele gibt, die an PTSD leiden; unsere Erkenntnisse über PTSD beruhen überwiegend auf Studien an Veteranen. Sie lassen sich aber auch auf Kinder wie die von der Cleveland School übertragen, die schwere emotionale Traumata erlitten haben.

»Wer Opfer eines verheerenden Traumas geworden ist, ist biologisch nicht mehr derselbe wie vorher«, erklärte mir Dr. Dennis Charney.[5] Charney, ein Yale-Psychiater, ist Direktor der klinischen Neurowissenschaft am National Center. »Ob es der endlose Schrecken des Gefechts war, ob Folterung oder wiederholte Mißhandlung in der Kindheit oder ein einmaliges Erlebnis wie etwa, daß man in einem Hurrikan gefangensaß oder bei einem Autounfall beinahe gestorben wäre, spielt keine Rolle. Jeder unkontrollierbare Stress kann dieselbe biologische Wirkung haben.«

Das entscheidende Wort ist »unkontrollierbar«. Wenn man in einer Katastrophensituation etwas tun, eine gewisse, noch so geringe Kontrolle ausüben kann, geht es einem emotional weit besser, als wenn man völlig hilflos ist. Es liegt an der Hilflosigkeit, wenn man sich von einem Ereignis *subjektiv* überwältigt fühlt. Dr. John Krystal, Direktor des Laboratoriums für klinische Psychopharmakologie am National

Center, erklärte mir: »Angenommen, jemand wird mit einem Messer angegriffen, weiß sich aber zu verteidigen und tut etwas, während ein anderer in derselben Situation denkt: ›Jetzt ist es aus mit mir‹. Der Hilflose ist hinterher anfälliger für PTSD. Man hat das Gefühl, daß das eigene Leben in Gefahr ist *und man nichts tun kann, um ihr zu entrinnen* – in diesem Moment setzt die Veränderung des Gehirns ein.«

Daß PTSD vor allem durch Hilflosigkeit ausgelöst wird, wurde in Laborversuchen mit Ratten gezeigt. Zwei Ratten sitzen in getrennten Käfigen und erhalten schwache, für Ratten aber sehr belastende Elektroschocks von gleicher Stärke. Nur in einem Käfig befindet sich ein Hebel; wird er von der Ratte gedrückt, hört der Schock für beide Ratten auf. Tage- und wochenlang erhalten beide genau die gleiche Menge an Schocks. Doch die Ratte, die sie ausschalten kann, kommt ohne bleibende Zeichen von Stress durch. Nur bei der hilflosen treten die stressbedingten Gehirnveränderungen auf.[6] Für ein Kind, das auf einem Schulhof beschossen wird und ansehen muß, wie seine Kameraden bluten und sterben, oder für einen Lehrer, der das miterlebt und das Blutbad nicht stoppen kann, war diese Hilflosigkeit sicher mit Händen zu greifen.

## PTSD als Störung des limbischen Systems

Es lag Monate zurück, daß ein gewaltiges Erdbeben sie aus dem Schlaf gerüttelt hatte; panisch schreiend war sie durch das dunkle Haus gerannt, um ihren vierjährigen Sohn zu holen. Anschließend hatten sie stundenlang in einem Hauseingang gekauert, der ihnen Schutz vor der nächtlichen Kälte von Los Angeles bot, ohne Nahrung, Wasser oder Licht, während Wellen von Nachbeben den Boden unter ihren Füßen schwanken ließen. Jetzt hatte sie sich weitgehend von der Panik erholt, die sich ihrer in den ersten Tagen danach sofort bemächtigte, wenn eine zuschlagende Tür genügte, um sie vor Angst erzittern zu lassen. Das einzige bleibende Sympton war ihre Schlaflosigkeit, an der sie aber nur litt, wenn ihr Mann nicht zu Hause war, wie es in der Nacht des Erdbebens der Fall gewesen war.

Die wichtigsten Symptome dieser erlernten Ängstlichkeit – und auch PTSD, das stärkste Symptom – läßt sich auf Veränderungen in den limbischen Schaltungen zurückführen, in deren Mittelpunkt der Mandelkern steht.[7] Wesentliche Veränderungen ergeben sich im *Locus caeruleus*, einer Struktur, die die Ausschüttung von zwei sogenannten

Katecholaminen, dem Adrenalin und dem Noradrenalin, reguliert. Diese Neurosubstanzen mobilisieren den Körper für einen Krisenfall, und eine Woge von Katecholaminen hämmert auch Erinnerungen besonders heftig ein. In Fällen von PTSD kommt es bei diesem System zu Überreaktionen; es schüttet Extraportionen dieser Hirnsubstanzen aus, als Reaktion auf Situationen, die keine oder kaum eine Gefahr bedeuten, aber irgendwie an das alte Trauma erinnern; so gerieten die Kinder der Cleveland School in Panik, wenn sie die Sirene eines Rettungswagens hörten, was sie an die Ambulanzen erinnerte, die nach der Schießerei bei ihrer Schule eintrafen.

Der Locus caeruleus und der Mandelkern sind eng miteinander und mit anderen limbischen Strukturen wie dem Hippocampus und dem Hypothalamus verbunden; die Schaltung für die Katecholamine reicht bis in den Kortex. Man nimmt an, daß PTSD-Symptomen wie Angst, Furcht, Hypervigilanz, leichte Erregbarkeit, Bereitschaft zu »Kampf oder Flucht« und der unauslöschlichen Einprägung stark emotionaler Erinnerungen Veränderungen in diesen Schaltungen zugrunde liegen.[8] Bei Vietnamveteranen mit PTSD fand eine Studie 40 Prozent weniger Katecholamin-stoppende Rezeptoren als bei Männern ohne die Symptome, was den Schluß erlaubt, daß ihr Gehirn eine bleibende Veränderung erfahren hatte, wobei ihre Katecholamin-Sekretion unzureichend kontrolliert wurde.[9]

Andere Veränderungen vollziehen sich in der Schaltung, die das limbische Gehirn mit der Hypophyse verbindet, welche die Freisetzung von CRF reguliert, dem wichtigsten Stresshormon, das der Körper produziert, um im Notfall die Kampf-oder-Flucht-Reaktion zu mobilisieren. Durch die Veränderungen wird dieses Hormon im Übermaß erzeugt, besonders im Mandelkern, im Hippocampus und im Locus caeruleus, so daß der Körper für einen Notfall alarmiert wird, der in Wirklichkeit nicht gegeben ist.[10]

Der Psychiater Dr. Charles Nemeroff von der Duke-Universität erklärte mir: »Zuviel CRF läßt einen überreagieren. Wer etwa als Vietnamveteran mit PTSD auf dem Parkplatz des Einkaufszentrums die Fehlzündung eines Autos hört, wird durch die Auslösung von CRF mit den Gefühlen überschwemmt, die er beim ursprünglichen Trauma hatte: Er beginnt zu schwitzen, er hat Angst, er hat Schüttelfrost und einen Tatterich, er kann Flashbacks haben. Bei Menschen, die zuviel CRF produzieren, ist die Schreckreaktion überaktiv. Die meisten Menschen werden, wenn man sich von hinten an sie heranschleicht und plötzlich in die Hände klatscht, erschreckt zusammenzucken, aber nur beim ersten Mal, nicht mehr bei der dritten oder vierten Wiederholung. Bei Menschen mit zuviel CRF tritt dagegen keine Gewöhnung ein; sie reagieren auf das vierte Händeklatschen genauso wie auf das erste.«[11]

Eine dritte Gruppe von Veränderungen vollzieht sich im Opioidsystem des Gehirns, das Endorphine ausschüttet, welche das Schmerzempfinden dämpfen. Es wird ebenfalls überaktiv. Diese neurale Schaltung berührt wiederum den Mandelkern, diesmal gemeinsam mit einer Region in der Großhirnrinde. Die Opioide sind Hirnsubstanzen, die stark betäubend wirken wie Opium und chemisch verwandte Narkotika. Ein hoher Gehalt des Blutes an Opioiden (»die eigenen Morphine des Gehirns«) erhöht die Schmerzunempfindlichkeit; Feldärzte haben diesen Effekt erkannt und festgestellt, daß schwerverwundete Soldaten geringere Dosen an schmerzstillenden Narkotika benötigen als Zivilisten mit weniger schweren Verletzungen.

Etwas Ähnliches geschieht offenbar bei PTSD.[12] Bei erneuter Traumaexposition tritt infolge der dadurch ausgelösten Veränderungen des Endorphingehalts eine *Betäubung* bestimmter Gefühle auf. Das erklärt offenbar verschiedene »negative« psychologische Symptome, die man bei PTSD seit langem kennt: Anhedonie – die Unfähigkeit, Lust zu empfinden – und eine allgemeine emotionale Taubheit, ein dissoziiertes Gefühl, vom Leben und von der Anteilnahme an den Gefühlen anderer abgeschnitten zu sein. Wer mit den Betroffenen zu tun hat, könnte diese Gleichgültigkeit als einen Mangel an Empathie erleben. Ein anderer denkbarer Effekt ist die Dissoziation einschließlich der Unfähigkeit, sich an wichtige Minuten, Stunden oder gar Tage des traumatischen Ereignisses zu erinnern.

Die neuralen Veränderungen bei PTSD scheinen den Betroffenen auch anfälliger für eine weitere Traumatisierung zu machen. Tiere, die man bei verschiedenen Experimenten im jungen Alter einem *milden* Stress aussetzte, waren später weit anfälliger für traumainduzierte Gehirnveränderungen als nicht gestreßte Tiere (das läßt eine Behandlung von Kindern mit PTSD dringlich erscheinen). Dies scheint zu erklären, warum manche nach einer Katastrophe PTSD entwickeln und andere nicht: Der Mandelkern ist bereits auf Gefahren gefaßt, und wenn das Leben ihm erneut eine reale Gefahr beschert, reagiert er mit verstärktem Alarm.

All diese neuralen Veränderungen bieten kurzfristige Vorteile, denn sie erlauben es, mit den harten und grausigen Ausnahmesituationen, durch die sie veranlaßt werden, besser fertig zu werden. In Notfällen ist es adaptiv, wenn man hochgradig vigilant, erregt, auf alles gefaßt und schmerzunempfindlich ist, wenn der Körper auf eine längere physische Beanspruchung vorbereitet ist und wenn Vorgänge, die ansonsten zutiefst beunruhigend sind, einen im Augenblick kalt lassen. Diese kurzfristigen Vorteile werden jedoch zu dauerhaften Problemen, wenn sie durch Veränderungen im Gehirn zu Prädispositionen werden, vergleichbar einem Auto, das sich nicht mehr aus einem hohen Gang herunterschalten läßt. Wenn der Mandelkern und die mit ihm verbundenen Hirnregionen durch ein heftiges Trauma einen neuen Sollwert annehmen, dann gerät durch diese veränderte Erregbarkeit, diese erhöhte Bereitschaft, eine neurale Entgleisung auszulösen, das gesamte Leben an den Rand einer Krisensituation, und schon ein harmloses Ereignis kann eine amokartige Explosion der Angst auslösen.

## Emotionales Umlernen

Solche traumatischen Erinnerungen nisten sich offenbar unabänderlich in die Hirnfunktion ein, denn sie beeinträchtigen ein weiteres Lernen, speziell das erneute Erlernen einer normaleren Reaktion auf diese traumatisierenden Ereignisse. Bei erworbener Furcht wie dem PTSD sind die Mechanismen des Lernens und Erinnerns defekt; auch hier spielt von allen beteiligten Hirnregionen der Mandelkern die Hauptrolle. Bei der Überwindung der erlernten Furcht kommt es aber vor allem auf den Neokortex an.

»Furchtkonditionierung« nennen die Psychologen den Prozeß, durch den etwas, das nicht im geringsten bedrohlich ist, zu etwas Gefürchtetem wird, weil es in der Seele mit etwas Angsterregendem assoziiert wird. Bei Versuchstieren induzierte Ängste können sich, wie Charney bemerkt, über Jahre halten.[13] Die Hirnregion, die diese Furchtreaktion lernt, behält und ihr entsprechend agiert, ist die Schaltung zwischen dem Thalamus, dem Mandelkern und den Präfrontallappen – die Bahn der neuralen Entgleisung.

Wenn jemand durch Furchtkonditionierung lernt, sich vor etwas zu fürchten, legt sich die Furcht normalerweise nach einiger Zeit. Das scheint auf einem natürlichen Umlernen zu beruhen, wenn man dem gefürchteten Objekt erneut begegnet, ohne daß etwas wirklich Angsterregendes auftritt. Hat ein Kind etwa eine Furcht vor Hunden erworben, weil es von einem knurrenden deutschen Schäferhund verfolgt wurde, so verliert es diese Furcht allmählich und spontan, wenn es durch einen Umzug neben dem Besitzer eines freundlichen Schäferhundes zu wohnen kommt und öfter mit dem Hund spielt.

Bei PTSD findet dieses spontane Umlernen nicht statt. Charney vermutet als Ursache die mit PTSD verbundenen Hirnveränderungen, die so stark sind, daß die Mandelkern-Entgleisung praktisch jedesmal auftritt, wenn irgendetwas auftaucht, das auch nur entfernt an das ursprüngliche Trauma erinnert, wodurch die Furcht-Bahnung verstärkt wird. Es kommt also praktisch nie vor, daß das Gefürchtete zusammen mit einem Gefühl der Gelassenheit auftritt – der Mandelkern kann nicht auf eine mildere Reaktion umlernen. »Löschung«, bemerkt er, »setzt offenbar einen aktiven Lernprozeß voraus«, der wiederum bei PTSD-Betroffenen beeinträchtigt ist, »wodurch es zu dem abnormen Beharrungsvermögen emotionaler Erinnerungen kommt.[14]

Doch sogar PTSD läßt sich mit den richtigen Erfahrungen beheben; starke emotionale Erinnerungen und die von ihnen ausgelösten Denk- und Reaktionsmuster *können* sich mit der Zeit ändern. Dieses Umlernen ist, wie Charney vermutet, ein kortikaler Prozeß. Die im Mandelkern eingewurzelte Furcht geht nicht völlig weg, aber der vom Mandelkern an das übrige Gehirn ergehende Befehl, mit Furcht zu reagieren, wird vom präfrontalen Kortex aktiv unterdrückt.

»Die Frage ist, wie schnell man eine erlernte Furcht los wird«, meint Richard Davidson, der Psychologe von der Universität von Wisconsin, der entdeckte, daß der linke präfrontale Kortex dämpfend auf Leid wirkt. In einem Laborversuch, bei dem die Teilnehmer zunächst eine Aversion gegen ein lautes Geräusch erlernten – ein Paradigma für erlernte Furcht und eine abgeschwächte Parallele von PTSD –, stellte Davidson fest, daß diejenigen, bei denen mehr Aktivität im linken präfrontalen Kortex stattfand, die erworbene Furcht rascher überwanden, was ebenfalls auf eine kortikale Beteiligung an dem Verlernen von erlerntem Leid hindeutet.[15]

## Umerziehung des emotionalen Gehirns

Ein eher ermutigendes Resultat im Hinblick auf PTSD ist einer Untersuchung von Holocaust-Überlebenden zu entnehmen, von denen zwei Drittel noch ein halbes Jahrhundert später aktive PTSD-Symptome zeigen. Ein Viertel der Überlebenden, die einmal von solchen Symptomen gequält wurden, litt nicht mehr darunter; das Problem war durch die natürlichen Vorfälle ihres Lebens überwunden worden – so die positive Feststellung. Bei denjenigen, die noch immer die Symptome hatten, waren zerebrale Katecholamin-Veränderungen zu verzeichnen, wie sie für PTSD typisch sind; bei denjenigen, die keine Symptome mehr hatten, fand man keine derartige Veränderung.[16] Dieses und andere, ähnliche Ergebnisse lassen erwarten, daß die zerebralen Veränderungen bei PTSD nicht unauslöschlich festgeschrieben sind und daß selbst die schlimmste emotionale Prägung heilbar ist, kurz, daß es möglich ist, die emotionale Schaltung umzuerziehen. Die frohe Botschaft lautet also, daß Traumata, die so tief sind, daß sie PTSD hervorrufen, verheilen können und daß Umlernen zur Heilung führt.

Eine spontane emotionale Heilung vollzieht sich, zumindest bei Kindern, durch solche Spiele wie »Purdy«. In solchen ständig wiederholten Spielen können Kinder unbeschadet, spielerisch, ein Trauma nochmals durchleben. Die Heilung kann dabei zwei Wege einschlagen: Einerseits wird die Erinnerung in einem Kontext von geringer Angst wiederholt; auf diese Weise wird sie desensibilisiert, und es wird möglich, sie mit nicht-traumatisierten Reaktionen zu verknüpfen. Andererseits erfolgt die Heilung dadurch, daß die Kinder der Tragödie auf magische Weise einen anderen, besseren Ausgang verschaffen; es kommt vor, daß die Kinder, wenn sie »Purdy« spielen, ihn töten, was ihnen ein Gefühl verschafft, dieses traumatische Erlebnis der Hilflosigkeit zu meistern.

Bei jüngeren Kindern, die solche überwältigenden Gewalttaten durchgemacht haben, ist mit Spielen wie »Purdy« zu rechnen. Der Kinderpsychiaterin Dr. Lenore Terr in San Francisco sind diese makabren Spiele bei traumatisierten Kindern zuerst aufgefallen.[17] Sie fand solche Spiele bei Kindern in Chowchilla, Kalifornien, eine gute Stunde Fahrt durch das Central Valley von Stockton entfernt, wo Purdy gewütet hatte; die Kinder waren 1973 auf der Heimfahrt von einem sommerlichen Tagesausflug mitsamt ihrem Bus von Kidnappern entführt worden und hatten ein Martyrium erlebt, das sich über 27 Stunden hinzog.

Fünf Jahre später stellte Terr fest, daß die Opfer die Entführung noch immer in ihren Spielen nachstellten. Mädchen spielten zum Beispiel mit ihren Barbiepuppen symbolische Entführungsspiele. Ein Mädchen, das sich vor dem Urin ekelte, den es von anderen Kindern abbekommen hatte, als sie verängstigt übereinander in einer Ecke lagen, wusch ihre Barbie unablässig. Ein anderes spielte »Barbie auf Reisen«; dabei reist Barbie irgendwo hin, egal wo, und kehrt unversehrt heim – die Pointe des Spiels. Ein drittes Mädchen ließ die Puppe immer wieder in einem Loch festsitzen und ersticken.

Während Erwachsene nach einem überwältigenden Trauma oft an seelischer Abstumpfung leiden und sich jede Erinnerung und jeden

Gedanken an die Katastrophe versagen, gehen Kinder vielfach anders damit um. Wenn sie nicht so oft gegen das Trauma abstumpfen, dann liegt das, wie Terr glaubt, daran, daß sie sich in Phantasien, Spielen und Tagträumen das Martyrium in Erinnerung rufen und durchdenken. Weil sie das Trauma bewußt nachspielen, brauchen sie es nicht zurückzudrängen in machtvolle Erinnerungen, die sich dann später als Flashbacks Bahn brechen können. Bei einem kleineren Trauma, etwa einem Zahnarztbesuch wegen einer Zahnfüllung, kann schon ein ein- oder zweimaliges Nachspielen ausreichen. Ein überwältigendes Trauma muß dagegen in einem grausamen, monotonen Ritual unablässig wieder und wieder nachgespielt werden.

Ein Weg, an das im Mandelkern eingebrannte Bild heranzukommen, ist die Kunst, die ja ein Medium des Unbewußten ist. Das emotionale Gehirn ist, wie wir im ersten Kapitel gesehen haben, stark auf symbolische Bedeutungen und auf das eingestellt, was Freud den »Primärprozeß« genannt hat: die Botschaften der Metapher, der Erzählung, des Mythos, der Künste. Dieser Weg wird vielfach bei der Behandlung traumatisierter Kinder beschritten. Für manche Kinder bietet die Kunst eine Möglichkeit, von einem grausigen Erlebnis zu sprechen, über das sie sich auf andere Weise nicht zu äußern wagen würden.

Der Kinderpsychiater Spencer Eth in Los Angeles, der sich auf die Behandlung solcher Kinder spezialisiert hat, berichtet von einem fünfjährigen Jungen, der zusammen mit seiner Mutter von deren ehemaligem Liebhaber entführt worden war. Der Mann brachte die beiden in ein Motelzimmer und befahl dem Jungen, sich unter einer Decke zu verstecken, während er die Mutter zu Tode prügelte. Der Junge hatte begreifliche Hemmungen, mit Eth über das wüste Erlebnis zu sprechen, dessen Ohren- und Augenzeuge er aus seinem Versteck unter der Decke geworden war. Also ließ Eth ihn ein Bild zeichnen, irgendein Bild.

Der Junge zeichnete einen Rennfahrer mit auffallend großen Augen. Die riesigen Augen bezogen sich, wie Eth glaubt, darauf, daß der Junge gewagt hatte, den Mörder heimlich zu beobachten. In den Zeichnungen traumatisierter Kinder tauchen fast immer solche versteckten Hinweise auf die traumatische Szene auf, und so hat Eth es zum Eröffnungszug seiner Therapie gemacht, die Kinder ein Bild zeichnen zu lassen. Die machtvollen Erinnerungen, die ihnen zu schaffen machen, drängen sich in ihre Bilder ebenso wie in ihre Gedanken. Außerdem hat das Zeichnen als solches schon therapeutischen Wert; damit beginnt die Bewältigung des Traumas.

## Emotionales Umlernen und Genesung vom Trauma

*Irene war zu einer Verabredung gegangen, die mit einer versuchten Vergewaltigung endete. Sie hatte den Angreifer abgewehrt, aber er quälte sie weiter: er belästigte sie mit obszönen Anrufen, drohte ihr Gewalt an, rief mitten in der Nacht an, schlich hinter ihr her und beobachtete sie bei allem, was sie tat. Als sie dann die Polizei um Hilfe bat, wurde das Problem als bedeutungslos abgetan, denn »im Grunde war ja nichts passiert«. Als sie in die Therapie kam, hatte Irene alle Symptome des PTSD, ging überhaupt nicht mehr unter die Leute und fühlte sich wie eine Gefangene in ihrem eigenen Haus.*

Irenes Fall wird zitiert von der Harvard-Psychiaterin Dr. Judith Lewis Herman, die in einem bahnbrechenden Werk die Schritte zur Genesung vom Trauma umreißt. Dr. Herman sieht drei Phasen: Erst muß ein gewisses Gefühl der Sicherheit erlangt werden – damit hatte Irene begonnen; dann gilt es, sich der Details des Traumas zu erinnern und die Verluste zu betrauern, die es mit sich gebracht hatte; schließlich muß wieder ein normales Leben hergestellt werden. Die Reihenfolge dieser Schritte entspricht, wie wir sehen werden, einer natürlichen Logik, denn in diesem Ablauf drückt sich offenbar aus, wie das emotionale Gehirn wieder lernt, das Leben nicht zwangsläufig als einen drohenden Ausnahmezustand zu betrachten.

Der erste Schritt, die Wiedergewinnung eines Gefühls der Sicherheit, verlangt vermutlich, nach Wegen zu suchen, um die allzu angstvollen, allzu leicht ausgelösten emotionalen Schaltungen so weit zu beruhigen, daß ein Umlernen möglich wird.[18] In vielen Fällen wird man den Patienten zunächst einsichtig machen, daß ihre Schreckhaftigkeit und ihre Alpträume, ihre Überwachsamkeit und ihre Panik zu den Symptomen des PTSD gehören. Dadurch verlieren die Symptome etwas von ihrem Schrecken.

Ebenfalls zu Anfang wird man den Patienten helfen, daß sie wieder das Gefühl bekommen, einen gewissen Einfluß auf das zu haben, was mit ihnen geschieht; sie müssen die Lektion der Hilflosigkeit, die ihnen das Trauma vermittelte, direkt verlernen. Irene mobilisierte zum Beispiel ihre Freunde und Verwandten, als Puffer zwischen ihr und ihrem Verfolger zu fungieren, und sie war in der Lage, die Polizei zum Einschreiten zu bewegen.

Das Gefühl von PTSD-Patienten, »unsicher« zu sein, reicht über Befürchtungen, von Gefahren umlauert zu sein, hinaus; ihre Unsicherheit steckt tiefer und beginnt mit dem Gefühl, über das, was in ihrem Körper und mit ihren Emotionen passiert, keine Kontrolle zu haben. Das ist begreiflich, kann doch die Übersensibilisierung der Mandelkern-Schaltung durch PTSD jederzeit eine emotionale Entgleisung auslösen.

Eine Möglichkeit, den Patienten wieder das Gefühl zu geben, daß sie den emotionalen Ausnahmezuständen, die sie mit unerklärlicher Angst überfluten, ihnen den Schlaf rauben oder ihnen, wenn sie schlafen, Alpträume bescheren, nicht völlig ausgeliefert sind, bietet die Medikation. Die Pharmakologen hoffen, eines Tages mit Medikamenten gezielt bei den Wirkungen des PTSD auf den Mandelkern und die mit ihm verbundenen Neurotransmitter-Schaltungen ansetzen zu können. Bislang gibt es allerdings nur Mittel gegen einige dieser Veränderungen, insbesondere die Antidepressiva, die auf das Serotoninsystem einwirken, und Propanolol, das die Aktivierung des sympathischen Nervensystems blockiert. Außerdem können die Patienten Entspannungstechniken erlernen, mit deren Hilfe sie ihre Gereiztheit und Nervosität bezwingen können. Im physiologischen Ruhezustand ist es möglich, der aus den Fugen geratenen emotionalen Schaltung zu der Erkenntnis zu verhelfen, daß das Leben nicht eine einzige Bedrohung ist, und den Patienten wieder ein wenig von dem Sicherheitsgefühl zu geben, das sie vor dem Trauma hatten.

Die Heilung kann auch auf dem Wege erfolgen, daß der Patient, in dieser Sicherheit geborgen, die Geschichte des Traumas wiedererzählt und rekonstruiert; die emotionale Schaltung kann so ein neues, realistischeres Verständnis der traumatischen Erinnerung und ihrer Auslöser und eine entsprechende Reaktion erwerben. Wenn Patienten die grausigen Einzelheiten des Traumas nacherzählen, verändert sich nach und nach die Erinnerung – in ihrer emotionalen Bedeutung ebenso wie in ihrer Auswirkung auf das emotionale Gehirn. Der Fortgang dieser Nacherzählung ist eine heikle Sache; idealerweise entspricht er dem Tempo, das sich zwanglos bei denen einstellt, die von einem Trauma genesen, ohne an PTSD zu leiden. Vielfach scheint eine innere Uhr die aufdringlichen Erinnerungen, die das Trauma wiederauffrischen, zu »dosieren«, so daß Wochen oder Monate vergehen können, in denen die Betroffenen kaum etwas von den schrecklichen Ereignissen wissen.[19]

Es scheint, als ermögliche dieses Abwechseln von Wiedereintauchen und Ruhe eine spontane Überprüfung des Traumas und ein Umlernen der emotionalen Reaktion darauf. Bei Patienten, deren PTSD hartnäckiger ist, kann, wie Dr. Herman sagt, das Nacherzählen ihres Erlebnisses überwältigende Ängste auslösen; dann sollte der Therapeut das Tempo drosseln, damit die Reaktionen des Patienten in einem erträglichen Bereich bleiben, der das Umlernen nicht beeinträchtigt.

Der Patient wird vom Therapeuten ermutigt, die traumatischen Ereignisse so lebhaft wie möglich zu schildern und sich an jedes kleinste Detail zu erinnern. Es geht nicht nur um das, was er im einzelnen gesehen, gehört, gerochen und gefühlt hat, sondern auch um seine Reaktionen, um Angst, Abscheu und Ekel. Das Ziel ist, die gesamte Erinnerung in Worte zu fassen, also auch möglicherweise abgespaltene Teile der Erinnerung, an die man sich nicht bewußt erinnert. Dadurch, daß der Patient die Sinneswahrnehmungen und Gefühle in Worte faßt, werden die Erinnerungen vermutlich stärker unter die Kontrolle des Neokortex gebracht, wo die Reaktionen, die sie entfachen, eher verständlich und dadurch handhabbar gemacht werden können. An diesem Punkt erfolgt das emotionale Umlernen weitgehend durch das nochmalige Durchleben der Ereignisse und die mit ihnen verbundenen Emotionen, nun aber in Geborgenheit und Sicherheit, in der Gesellschaft eines Therapeuten, dem man vertraut. Dadurch wird der emotionalen Schaltung eine bedeutsame Lektion vermittelt: daß man in Verbindung mit den traumatischen Erinnerungen statt des unaufhörlichen Schreckens auch Sicherheit erleben kann.

Der fünfjährige Junge, der das Bild mit den riesigen Augen zeichnete, nachdem er Zeuge des grausigen Mordes an seiner Mutter geworden war, machte anschließend keine weiteren Zeichnungen mehr; er und sein Therapeut Spencer Eth spielten statt dessen Spiele, wodurch eine psychische Bindung entstand. Nur zögernd begann er, die Geschichte des Mordes nachzuerzählen, zunächst auf stereotype Weise, indem er jedesmal jedes Detail in genau der gleichen Weise wiedergab. Doch nach und nach wurde seine Erzählung offener und fließender, und sein Körper war beim Erzählen nicht mehr so angespannt. Jetzt kamen auch die Alpträume nicht mehr so oft, ein Anzeichen einer gewissen »Traumabewältigung«, sagt Eth. Allmählich sprachen sie weniger von den Ängsten, die das Trauma hinterlassen hatte, und mehr von den Alltagsereignissen im Leben des Jungen, der jetzt bei seinem Vater lebte und sich an die neue Umgebung anpassen mußte. Schließlich war der Junge so weit, daß er nur noch von seinem täglichen Leben sprach, weil der Bann des Traumas verblaßte.

Der letzte Schritt, den die Patienten nach Ansicht von Dr. Herman machen müssen, ist die Trauer um den Verlust, den das Trauma mit sich gebracht hat, sei es eine Verletzung, der Tod eines geliebten Menschen, der Bruch einer Beziehung, das Bedauern, etwas nicht getan zu haben, wodurch man einen anderen hätte retten können, oder die Erschütterung der Gewißheit, daß man den Menschen vertrauen kann. Die Trauer, die sich beim Nacherzählen solcher schmerzlichen Ereignisse einstellt, dient einem wichtigen Zweck: der Fähigkeit, das Trauma selbst bis zu einem gewissen Grade loslassen zu können. Statt unaufhörlich an dieses vergangene Erlebnis gefesselt zu sein, können die Patienten beginnen, nach vorn zu blicken, sogar zu hoffen und sich ein neues Leben frei von der Herrschaft des Traumas aufzubauen. Es ist, als wäre das ständige Durchlaufen und Wiedererleben des traumatischen Schreckens durch die emotionale Schaltung ein Zauber, der endlich gebrochen werden konnte. Jetzt muß nicht mehr jeder Sirenenton eine Woge der Angst auslösen, nicht mehr jedes Geräusch in der Nacht einen Flashback des Grauens erzwingen.

Am Ende des Umlernprozesses gilt es, sich in der vom Zauber des Traumas befreiten Welt ein neues Leben einzurichten und ein gewisses Selbstwertgefühl zu schaffen. Das kann in der Form geschehen, daß man bewußt versucht, die Ängste zu überwinden; vergewaltigte Frauen können zum Beispiel beschließen, das Gefühl, künftigen Angriffen ausgeliefert zu sein, dadurch zu bezwingen, daß sie einen Kurs in Selbstverteidigung besuchen. Auch im Bereich der Imagination verschafft sich das neue Leben Geltung. Solange die Menschen vom PTSD beherrscht waren, drehten ihre Tagträume und Phantasien sich um die schmerzlichen Ereignisse, waren sie Geiseln des Traumas. Jetzt können sie sich ein neues Leben ausdenken, können sie in ihren Tagträumen alten Hoffnungen und neuen Möglichkeiten nachgehen; eine davon ist die »Mission des Überlebenden«, der sich berufen fühlt, dem Leben dadurch einen Sinn zu geben, daß er anderen hilft, die ein ähnliches Trauma erlitten haben (so schloß sich eine Frau, die einen Inzest hinter sich hatte, nach beendeter Therapie einer Gruppe an, die Mitarbeiter des Kinderschutzbundes in der Hilfe für Inzestopfer unterweist).

Oft gibt es nach Auskunft von Dr. Herman noch Nachwirkungen oder ein gelegentliches Wiederauftreten von Symptomen, doch läßt sich an ganz bestimmten Zeichen ablesen, daß das Trauma weitgehend überwunden ist. Die physiologischen Symptome gehen beispielsweise auf ein Maß zurück, mit dem man leben kann, und die mit der Erinnerung an das Trauma einhergehenden Gefühle sind erträglich. Bezeichnend ist vor allem, daß die traumatischen Erinnerungen nicht mehr willkürlich über einen hereinbrechen, sondern daß man imstande ist, sie bewußt aufzusuchen, wie jede andere Erinnerung, und daß man sie – was vielleicht noch wichtiger ist – wie jede andere Erinnerung beiseite schieben kann. Es geht schließlich darum, ein neues Leben mit starken, vertrauensvollen Beziehungen und einem System von Überzeugungen aufzubauen, das selbst in einer Welt, in der solche Ungerechtigkeit möglich ist, einen Sinn findet.[20] Kommt das alles zusammen, kann man sagen, daß die Umerziehung des emotionalen Gehirns gelungen ist.

## Psychotherapie als emotionaler Nachhilfeunterricht

Zum Glück kommen katastrophale Ereignisse, die sich als traumatische Erinnerungen einbrennen, im Leben der meisten von uns nur selten vor. Doch die beim Festschreiben traumatischer Erinnerungen wirksame Schaltung ist vermutlich auch in den ruhigeren Lebensphasen am Werk. Daß man von den eigenen Eltern ständig ignoriert wird, daß sie einem Aufmerksamkeit oder Zärtlichkeit versagen, die Erfahrung des Verlassenseins oder des Verlusts oder die soziale Zurückweisung, kurz, die gewöhnlichen Qualen, die man als Kind erleben kann, mögen zwar nie die fieberhafte Zuspitzung des Traumas erreichen, aber dennoch hinterlassen sie zweifellos ihren Stempel auf dem emotionalen Gehirn, bewirken sie Verzerrungen – und Tränen und Wutanfälle – im späteren Gefühlsleben. Wenn das PTSD geheilt werden kann, dann um so mehr die stummeren emotionalen Narben, die so viele von uns tragen – dies ist die Aufgabe der Psychotherapie. Und wenn es darum geht, zu lernen, wie man geschickt mit diesen emotionsgeladenen Reaktionen fertig wird, kommt im allgemeinen die emotionale Intelligenz ins Spiel.

Vielleicht bietet die Dynamik, die sich zwischen dem Mandelkern und den aufgeklärteren Reaktionen des präfrontalen Kortex abspielt, ein neuroanatomisches Modell des Prozesses, in dem die Psychotherapie tiefverwurzelte, aber fehlangepaßte emotionale Gewohnheiten umformt. Joseph LeDoux, der Neurowissenschaftler, der die ausschlaggebende Rolle des Mandelkerns bei emotionalen Ausbrüchen entdeckte, vermutet: »Es scheint, als würde unser emotionales System das, was es einmal gelernt hat, nie verlernen. Die Therapie bringt uns lediglich bei, es zu beeinflussen; sie lehrt unseren Neokortex, wie er unseren Mandelkern hemmen kann. Die Handlungsneigung wird unterdrückt, doch die Emotion, die ihr zugrunde liegt, bleibt in gedämpfter Form erhalten.«

Geht man von der zerebralen Struktur aus, die dem emotionalen Umlernen zugrunde liegt, so ist das, was auch nach einer erfolgreichen

Psychotherapie erhalten bleibt, offenbar eine rudimentäre Reaktion, ein Restbestand der Sensibilität oder der Furcht, auf der eine störende emotionale Gewohnheit beruht.[21] Der präfrontale Kortex kann dem Drang des Mandelkerns zum Wüten zwar Zügel anlegen oder ihn verfeinern, aber die Reaktion als solche kann er nicht verhindern. Wir haben also keinen Einfluß darauf, *wann* wir einen emotionalen Ausbruch haben, doch können wir schon eher bestimmen, *wie lange* er dauert. Eine kürzere Erholungsspanne nach solchen Ausbrüchen könnte durchaus ein Zeichen emotionaler Reife sein.

Was sich im Laufe einer Therapie vor allem zu ändern scheint, sind die *Antworten*, die gegeben werden, wenn einmal eine emotionale Reaktion ausgelöst ist; was hingegen nicht gänzlich verschwindet, ist die Tendenz zum Auslösen der Reaktion. Dafür sprechen verschiedene Studien zur Psychotherapie, die Lester Luborsky und seine Mitarbeiter an der Universität von Pennsylvania durchgeführt haben.[22] Sie analysierten die wesentlichen Beziehungskonflikte, die Dutzende von Patienten in die Psychotherapie gebracht hatten, Probleme wie etwa eine tiefe Sehnsucht danach, akzeptiert zu werden, die Sehnsucht, Nähe zu finden, oder eine Befürchtung, ein Versager oder allzu abhängig zu sein. Ferner analysierten sie die typischen (immer genau das Gegenteil bewirkenden) Antworten, die diese Patienten gaben, wenn diese Wünsche und Befürchtungen in ihren Beziehungen aktiviert wurden; sie waren beispielsweise zu anspruchsvoll, was beim anderen Zorn oder Reserviertheit auslöste, oder sie zogen sich zum Schutz vor einer erwarteten Kränkung zurück, woraufhin der andere wegen der scheinbaren Zurückweisung beleidigt war. Bei solchen unglücklichen Interaktionen wurden die Patienten von verstörenden Empfindungen heimgesucht: Hoffnungslosigkeit und Traurigkeit, Groll und Zorn, Spannung und Furcht, Schuld und Selbstvorwürfen usw. Das spezielle Problem des Patienten schien sich in jeder wichtigen Beziehung bemerkbar zu machen, sei es mit dem Ehepartner oder der Geliebten, dem Kind oder dem Vater oder den Kollegen und Vorgesetzten in der Arbeit.

Im Laufe der Langzeittherapie veränderte sich bei diesen Patienten jedoch zweierlei: Zum einen wurde ihre emotionale Reaktion auf die auslösenden Ereignisse weniger beklemmend, teilweise reagierten sie sogar gelassen darauf, und zum anderen konnten sie durch ihr Verhalten eher erreichen, was sie von der Beziehung wirklich haben wollten. Was sich allerdings nicht änderte, war der Wunsch oder die Befürchtung und die ursprüngliche Gefühlsregung. Gegen Ende der Therapie erlebten sie, verglichen mit dem Anfang, nur noch halb so viele negative emotionale Reaktionen, und doppelt so oft erhielten sie die positive Reaktion, die sie vom anderen ersehnten. An der speziellen Empfindlichkeit, die diesen Bedürfnissen zugrunde lag, änderte sich aber nichts.

Es kann also sein, daß ein Mann, der in der Kindheit einen Elternteil verloren hat und daher überempfindlich auf die Gefahr des Verlassenseins reagiert, ständig versichert zu werden wünscht, daß er den wichtigsten Menschen in seinem Leben nicht verlieren wird. Die Therapie kann jedoch erreichen, daß er auf Situationen, die bei ihm die Furcht vor dem Verlassenwerden wecken, anders reagiert. Wenn seine Frau zum Beispiel für einige Tage verreist, muß es nicht mehr dazu kommen, daß ihn eine angstvolle Panik überfällt oder daß er sich an sie klammert oder böse auf sie wird. Im Gehirn könnte sich dann vielleicht folgendes abspielen: Zwar würde die limbische Schaltung in Reaktion auf Anhaltspunkte für ein gefürchtetes Verlassenwerden Alarmsignale aussenden, doch der präfrontale Kortex und verwandte Bereiche hätten eine neue, gesündere Reaktion gelernt. Kurz, emotionale Lektionen können umgestaltet werden, sogar die ganz tief eingewurzelten Gewohnheiten des Herzens, die in der Kindheit erlernt wurden. Das emotionale Lernen hört nicht auf, solange wir leben.

# 14

# Temperament ist kein Schicksal

Soviel zur Veränderung von erlernten emotionalen Mustern. Doch was ist mit den Reaktionen, die zu unserer genetischen Ausstattung gehören? Läßt sich etwas an den gewohnheitsmäßigen Reaktionen von Menschen ändern, die von Natur aus äußerst launenhaft oder übertrieben zaghaft sind? Dieser Abschnitt des emotionalen Spektrums fällt in den Bereich des Temperaments, jenes Hintergrundrauschens von Gefühlen, die unsere Grundstimmung prägen. Das Temperament läßt sich definieren durch die Stimmungen, die für unser Gefühlsleben typisch sind. In einem gewissen Umfang hat jeder von uns einen solchen Bereich von bevorzugten Emotionen; wir werden mit einem bestimmten Temperament geboren, es ist ein Teil der genetischen Lotterie, die sich im Laufe des Lebens unausweichlich Geltung verschafft. Wer Kinder hat, kennt das: Ein Kind ist von Geburt an still und friedlich, ein anderes reizbar und schwierig. Die Frage ist, ob eine solche biologisch determinierte emotionale Ausstattung sich durch Erfahrung ändern kann: Ist unser emotionales Schicksal durch unsere Biologie besiegelt, oder kann selbst aus einem von Natur aus zaghaften Kind ein Erwachsener mit einem gewissen Selbstbewußtsein werden?

Die eindeutigste Antwort auf diese Frage liefern die Untersuchungen von Jerome Kagan, dem berühmten Entwicklungspsychologen der Harvard-Universität.[1] Kagan postuliert mindestens vier verschiedene Temperamente – schüchtern, kühn, optimistisch und melancholisch –, die jeweils auf einem charakteristischen Muster zerebraler Aktivität beruhen. Hinsichtlich des angeborenen Temperaments gibt es wahrscheinlich unzählige Varianten, die jeweils auf einer angeborenen emotionalen Schaltung beruhen; die Menschen können sich bezüglich jeder Emotion darin unterscheiden, wie leicht sie ausgelöst wird, wie lange sie anhält, wie intensiv sie wird. Kagan erforscht vor allem jene Dimension des Temperaments, die sich zwischen Kühnheit und Schüchternheit erstreckt.

Seit Jahrzehnten haben Mütter ihre Kleinen in Kagans Laboratorium für kindliche Entwicklung im 13. Stock des William James-Gebäudes der Harvard-Universität gebracht, um an seinen Studien zur kindlichen Entwicklung teilzunehmen. Dort entdeckten Kagan und seine Mitarbeiter frühe Anzeichen von Schüchternheit in einer Gruppe von 21 Monate alten Kindern, die zu experimentellen Beobachtungen hingebracht worden waren. Einige waren im freien Spiel mit anderen temperamentvoll und spontan und begannen ohne Zögern, mit anderen Babys zu spielen. Andere waren dagegen unsicher und zögerlich, klammerten sich an ihre Mütter und schauten den anderen still beim Spielen zu. Fast vier Jahre später, als diese Kinder im Kindergarten waren, wurden sie erneut von Kagan und seinen Mitarbeitern beobachtet. In der Zwischenzeit war von den Kindern, die aus sich herausgingen, keines schüchtern geworden, und von den Schüchternen waren zwei Drittel noch immer zurückhaltend.

Aus allzu empfindlichen und furchtsamen Kindern werden, so Kagans Beobachtung, schüchterne und zaghafte Erwachsene; von Geburt an sind rund 15 bis 20 Prozent aller Kinder »verhaltensgehemmt«, wie er sie nennt. Als Kleinkinder verhalten sie sich gegenüber allem, was sie nicht kennen, zaghaft. Bei neuen Gerichten sind sie wählerisch, neuen Tieren oder Orten nähern sie sich nur zögernd, und bei fremden Personen zeigen sie Scheu. Ihre Empfindlichkeit reicht noch weiter; so neigen sie zu Schuldgefühlen und Selbstvorwürfen. Dies sind die Kinder, die in sozialen Situationen von lähmender Angst befallen werden: in der Klasse und auf dem Spielplatz, beim Kennenlernen anderer Menschen, und wann immer die allgemeine Aufmerksamkeit sich auf sie richtet. Als Erwachsene spielen sie die Mauerblümchen, und sie haben eine krankhafte Furcht, eine Rede zu halten oder öffentlich aufzutreten.

»Tom«, einer der Jungen in Kagans Studie, verkörpert den schüchternen Typ. Bei jeder Beobachtung – mit zwei, fünf und sieben Jahren – gehörte er zu den schüchternsten. Als Tom mit dreizehn interviewt wurde, war er angespannt und steif, biß sich auf die Lippe und rang seine Hände, sein Gesicht war ausdruckslos, und ein verkniffenes Lächeln zeigte er nur, als er von seiner Freundin sprach; seine Antworten waren knapp, sein Benehmen unterwürfig.[2] Tom erinnert sich, daß er in den mittleren Kindheitsjahren, bis er ungefähr elf war, übertrieben schüchtern war und jedesmal in Schweiß ausbrach, wenn er sich Spielkameraden nähern mußte. Auch machten ihm heftige Ängste zu schaffen: davor, daß sein Haus niederbrennen könnte, vor einem Sprung ins Schwimmbecken und davor, im Dunkeln allein zu sein. In häufigen Alpträumen wurde er von Ungeheuern angegriffen. Seit ungefähr zwei Jahren sei er nicht mehr so schüchtern, aber in Gegenwart anderer Kinder spürte er noch eine gewisse Angst, und seine Besorgnisse kreisten jetzt um das Abschneiden in der Schule, obwohl er zu den besten fünf Prozent seiner Klasse gehörte. Als Sohn eines Wissenschaftlers würde ihm eine Karriere in diesem Bereich zusagen, da die relative Einsamkeit seinen introvertierten Neigungen entgegenkomme.

Ralph war dagegen in jedem Alter eines der kühnsten Kinder, einer von denen, die am meisten aus sich herausgingen. Immer entspannt und gesprächig, lehnte er sich mit dreizehn gelöst in seinem Sessel zurück, hatte keine nervösen Ticks und sprach in einem selbstsicheren, freundlichen Ton, so als sei der Interviewer ein Gleichaltriger – dabei betrug der Altersunterschied 25 Jahre. In der Kindheit hatte er nur zweimal für kurze Zeit Furcht empfunden – vor Hunden, nachdem ein großer Hund ihn angefallen hatte, als er drei war, und vor dem Fliegen, als er mit sieben von Flugzeugabstürzen gehört hatte. Umgänglich und beliebt, hat Ralph sich nie als schüchtern empfunden.

Die Schüchternen kommen anscheinend mit einer neuralen Schaltung auf die Welt, die sie selbst auf milden Stress stärker reagieren läßt; von Geburt an schlägt ihr Herz in Reaktion auf seltsame oder neuartige Situationen schneller als das anderer Kinder. Als die zurückhaltenden Kleinen mit 21 Monaten zögerten zu spielen, raste ihr Herz vor Angst. Diese leicht erregbare Angst scheint ihrer lebenslangen Schüchternheit zugrunde zu liegen: Sie behandeln jede neue Person oder Situation, als sei sie eine potentielle Gefahr. Daran mag es liegen, wenn Frauen im mittleren Alter, die sich erinnern, als Kind besonders schüchtern gewesen zu sein, im Vergleich zu ihren eher extrovertierten Altersgenossinnen stärker zu Ängsten, Sorgen und Schuldgefühlen neigen und vermehrt an stressbedingten Problemen wie Migränekopfschmerzen, Reizmagen und anderen Magenproblemen leiden.[3]

## Die Neurochemie der Ängstlichkeit

Der Unterschied zwischen dem vorsichtigen Tom und dem kühnen Ralph beruht Kagan zufolge auf der Erregbarkeit einer neuralen Schaltung, deren Mittelpunkt der Mandelkern bildet. Kagan vermutet, daß Menschen wie Tom, die zu Ängstlichkeit neigen, mit einer Neurochemie auf die Welt kommen, die für eine leichte Erregbarkeit dieser Schaltung sorgt, weshalb sie das Unbekannte meiden, vor Ungewißheit zurückschrecken und Angst erleiden. Bei Menschen wie Ralph ist das

Nervensystem auf einen sehr viel höheren Schwellenwert für die Erregung des Mandelkerns eingestellt; sie lassen sich nicht so leicht ängstigen, gehen von Natur aus mehr aus sich heraus und sind darauf erpicht, unbekannte Orte zu erkunden und neue Menschen kennenzulernen.

Mit welcher Anlage ein Kind geboren ist, erkennt man schon früh daran, wie schwierig und reizbar es als Kleinkind ist und wie verlegen es angesichts eines unbekannten Objekts oder einer unbekannten Person wird. Während etwa jedes fünfte Kind zur schüchternen Sorte gehört, haben rund vierzig Prozent das kühne Temperament, zumindest bei der Geburt.

Kagan stützt sich zum Teil auf Beobachtungen an Katzen, die ungewöhnlich scheu sind; etwa jede siebte Hauskatze zeigt ein ähnlich furchtsames Verhalten wie die schüchternen Kinder; sie scheut vor Unbekanntem zurück (statt die legendäre Neugier einer Katze zu zeigen), sie zögert, neues Territorium zu erkunden, und sie greift nur die kleinsten Nager an, weil sie sich an größere nicht herantraut, über die sich ihre Artgenossen mit Begeisterung hermachen würden. Direkt im Gehirn angebrachte Sonden haben gezeigt, daß bei diesen schüchternen Katzen Teile des Mandelkerns ungewöhnlich erregbar sind; das gilt besonders, wenn sie etwa das drohende Geschrei einer anderen Katze hören.

Die Schüchternheit regt sich bei Katzen, wenn sie etwa einen Monat alt sind; das ist der Zeitpunkt, an dem ihr Mandelkern reif genug ist, um die Kontrolle der zerebralen Schaltung für die Annäherung oder Meidung zu übernehmen. Der Reifezustand des Gehirns von einmonatigen Kätzchen ähnelt dem von achtmonatigen Babys; mit acht oder neun Monaten tritt, wie Kagan vermerkt, bei Babys die »Fremdenfurcht« auf – wenn die Mutter den Raum verläßt und ein Fremder anwesend ist, beginnt das Kind zu weinen. Schüchterne Kinder könnten, wie Kagan vermutet, eine chronisch hohe Konzentration von Noradrenalin oder anderen Hirnsubstanzen ererbt haben, die den Mandelkern aktivieren und dadurch die Erregbarkeitsschwelle herabsetzen, wodurch er leichter erregt wird.

Ein Anzeichen dieser erhöhten Sensibilität ist zum Beispiel darin zu sehen, daß junge Männer und Frauen, die als Kinder sehr schüchtern waren, in einem Laborversuch, bei dem sie Belastungen wie etwa strengen Gerüchen ausgesetzt werden, sehr viel länger einen beschleunigten Puls behalten als ihre mehr extrovertierten Altersgenossen; eine Woge von Noradrenalin verlängert bei ihnen die Erregung des Mandelkerns und über neurale Verbindungen die Erregung des sympathischen Nervensystems.[4] Kagan findet bei schüchternen Kindern im ganzen Bereich der Meßwerte für das sympathische Nervensystem eine höhere Reaktionsbereitschaft: vom höheren Blutdruck im Ruhezustand über eine größere Weitung der Pupille bis zu einem höheren Noradrenalinpegel im Urin.

Ein anderes Barometer für Schüchternheit ist das Schweigen. Wann immer Kagans Mitarbeiter schüchterne und kühne Kinder in einer natürlichen Umgebung beobachteten – in ihrer Kindergartengruppe, zusammen mit anderen Kindern, die sie nicht kannten, oder im Gespräch mit einem Interviewer –, die schüchternen Kinder sprachen weniger. Ein schüchternes Mädchen, das den Kindergarten besuchte, sagte nichts, wenn es von anderen Kindern angesprochen wurde, und verbrachte den größten Teil des Tages damit, den anderen beim Spielen zuzuschauen. Ein schüchternes Verstummen angesichts von Unbekanntem oder vor einer wahrgenommenen Bedrohung deutet nach Kagans Vermutung auf die Aktivität einer neuralen Schaltung hin, die zwischen dem Vorderhirn, dem Mandelkern und angrenzenden limbischen Strukturen verläuft, welche die Fähigkeit zum Vokalisieren kontrollieren (dieselben Schaltungen bewirken, daß es uns unter Stress »die Kehle zuschnürt«).

Bei diesen sensiblen Kindern besteht die große Gefahr, daß sie, beginnend mit der sechsten oder siebten Klasse, eine Angststörung wie etwa Panikanfälle entwickeln. Eine Untersuchung an 754 Jungen und Mädchen in diesen Klassen entdeckte 44, die schon mindestens einen Panikanfall erlitten hatten oder mehrere Vorläufersymptome aufwiesen. Diese Angsterlebnisse wurden gewöhnlich durch die üblichen Anlässe ausgelöst, die in der frühen Adoleszenz für Beunruhigung sorgen – ein erstes Rendezvous, eine wichtige Prüfung –, Anlässe, mit denen die meisten Kinder fertig werden, ohne ernstere Probleme zu bekommen. Doch Teenager, die von ihrem Temperament her schüchtern waren und schon früher durch neue Situationen ungewöhnlich verängstigt worden waren, bekamen Paniksymptome wie Herzklopfen, Atemnot oder ein Gefühl, als müßten sie ersticken, und zugleich hatten sie das Gefühl, daß ihnen etwas Schreckliches zustoßen werde, etwa, daß sie verrückt werden oder sterben. Die Forscher hielten die Fälle nicht für signifikant genug, um die psychiatrische Diagnose »Panikstörung« zu stellen, merkten aber an, daß bei diesen Teenagern ein höheres Risiko besteht, daß sie später diese Störung entwickeln; viele Erwachsene, die an Panikanfällen leiden, geben an, diese hätten im Teenageralter eingesetzt.[5]

Das Einsetzen von Angstanfällen hing eng mit der Pubertät zusammen. Mädchen mit geringen Anzeichen der Pubertät meldeten keine derartigen Anfälle, doch von denen, die die Pubertät hinter sich hatten, gaben acht Prozent an, Panik erlebt zu haben. Nachdem sie einmal einen solchen Anfall gehabt haben, sind sie in Gefahr, jene Angst vor einer Wiederholung zu entwickeln, die Menschen mit Panikstörung dazu bringt, sich vor dem Leben zu fürchten.

## Ich mach' mir keine Sorgen: das fröhliche Temperament

In den zwanziger Jahren verließ meine Tante June als junge Frau ihre Heimat in Kansas City und begab sich auf eigene Faust nach Shanghai – für eine Frau ohne Begleitung in jenen Jahren eine gefährliche Reise. Dort lernte June einen britischen Kriminalbeamten kennen, der zur Kolonialpolizei dieses internationalen Zentrums des Handels und der Intrigen gehörte, und heiratete ihn. Als Shanghai zu Beginn des Zweiten Weltkriegs von den Japanern besetzt wurde, wurden meine Tante und ihr Mann in dem Gefangenenlager interniert, das in dem Buch »Empire of the Sun« und dem gleichnamigen Film geschildert wird. Nach fünf entsetzlichen Jahren in dem Lager hatten sie und ihr Mann buchstäblich alles verloren. Ohne einen Pfennig wurden sie nach British Columbia repatriiert.

Ich weiß noch, wie ich als Kind June zum ersten Mal traf, eine ältere Frau von überschäumendem Temperament, deren Leben einen bemerkenswerten Weg genommen hatte. Später erlitt sie einen Schlaganfall, der sie teilweise lähmte; nach einem langwierigen und mühsamen Genesungsprozeß konnte sie wieder gehen, aber sie hinkte. In jener Zeit machte ich einen Ausflug mit June, die damals in den Siebzigern war. Irgendwie verirrte sie sich, und nach einigen Minuten hörte ich einen schwachen Schrei – June rief um Hilfe. Sie war gestürzt und kam allein nicht wieder hoch. Ich eilte zu ihr, und während ich ihr aufhalf, jammerte und klagte sie nicht, sondern lachte über ihre mißliche Lage. Ihr einziger Kommentar war ein unbeschwertes »Na, jetzt kann ich wenigstens wieder gehen«.

Die Emotionen mancher Menschen, zu denen auch meine Tante gehört, neigen offenbar von Natur aus zum positiven Pol; sie sind von einer natürlichen Fröhlichkeit und Unbeschwertheit, während andere mürrisch und trübsinnig sind. Diese Dimension des Temperaments – Überschwenglichkeit am einen und Melancholie am anderen Ende – hängt anscheinend von der relativen Aktivität des rechten und des linken präfrontalen Bereichs ab, den oberen Polen des emotionalen

Gehirns. Diese Erkenntnis beruht weitgehend auf den Forschungen des Psychologen Richard Davidson von der Universität von Wisconsin. Er entdeckte, daß Menschen, bei denen der linke Frontallappen eine stärkere Aktivität zeigt als der rechte, von fröhlichem Temperament sind; sie haben meistens Freude an Menschen und an dem, was das Leben ihnen bietet, und nach Rückschlägen kommen sie rasch wieder auf die Beine, wie meine Tante June. Diejenigen, bei denen die rechte Seite aktiver ist, neigen dagegen zu Negativität und zu verdrießlicher Laune; sie werden von den Schwierigkeiten des Lebens leicht aus der Bahn geworfen – man könnte sagen, daß sie leiden, weil sie ihre Sorgen und Depressionen nicht abschalten können.

In einem von Davidsons Experimenten wurden Versuchsteilnehmer mit der stärksten Aktivität im linken Frontalbereich jenen fünfzehn gegenübergestellt, die rechts die größte Aktivität zeigten. Diejenigen mit ausgeprägter rechter frontaler Aktivität ließen bei einem Persönlichkeitstest ein charakteristisches Muster der Negativität erkennen; sie entsprechen der Karikatur, die Woody Allen in seinen komischen Rollen entwirft, dem Schwarzmaler, der in der kleinsten Geringfügigkeit eine Katastrophe sieht; sie neigen zu Niedergeschlagenheit und Übellaunigkeit, und sie sind mißtrauisch gegenüber einer Welt, die in ihren Augen voller überwältigender Schwierigkeiten und lauernder Gefahren steckt. Diejenigen mit stärkerer linker frontaler Aktivität sehen die Welt dagegen ganz anders. Umgänglich und fröhlich, empfinden sie zumeist eine gewisse Freude, sind häufiger guter Laune, haben ein ausgeprägtes Selbstbewußtsein und finden, daß es sich lohnt, am Leben teilzunehmen. Bei psychologischen Tests ergibt sich für sie ein geringeres lebenslanges Risiko, von Depressionen und anderen emotionalen Störungen heimgesucht zu werden.[6]

Menschen mit einer Anamnese von klinischer Depression hatten, wie Davidson fand, eine geringere Hirnaktivität im linken Frontallappen und eine höhere im rechten als andere, die nie eine Depression gehabt hatten. Dasselbe Muster stellte er bei Patienten fest, bei denen vor kurzem eine Depression diagnostiziert wurde. Davidson vermutet, daß diejenigen, die eine Depression überwinden, gelernt haben, die Aktivität im linken Frontallappen zu erhöhen – eine Spekulation, die noch experimentell überprüft werden muß.

Zwar beziehen sich seine Untersuchungen nur auf die rund dreißig Prozent an den beiden Extremen, doch kann man praktisch jeden anhand seines Hirnwellenbildes als zum einen oder anderen Typ tendierend einstufen, sagt Davidson. Der Temperamentsgegensatz zwischen den Mürrischen und den Fröhlichen macht sich vielfältig bemerkbar, im Großen wie im Kleinen. Bei einem Experiment wurden den Teilnehmern kurze Filmausschnitte gezeigt, darunter amüsante von einem Gorilla, der sich badet, oder von einem spielenden jungen Hund, und bedrückende wie ein Lehrfilm für Krankenschwestern, der grausige Operationsbilder zeigte. Die trübsinnigen Typen mit aktiver rechter Hemisphäre fanden die lustigen Filme nur mäßig amüsant, während sie auf das chirurgische Blutbad mit extremer Furcht und Ekel reagierten. Die fröhliche Gruppe reagierte auf die Chirurgie nur minimal; am stärksten waren bei ihnen Reaktionen des Entzückens, als sie die lustigen Filme sahen.

Es hängt also offenbar von unserem Temperament ab, ob wir mit einer negativen oder positiven emotionalen Stimmungslage auf das Leben reagieren. Die Neigung zu einem melancholischen oder fröhlichen Temperament wird – genau wie die zu Schüchternheit oder Kühnheit – im ersten Lebensjahr deutlich, was entschieden dafür spricht, daß auch sie genetisch determiniert ist. Die Frontallappen reifen ebenso wie der größte Teil des Gehirns noch in den ersten Lebensmonaten, und so kann ihre Aktivität bis zum Alter von etwa zehn Monaten nicht zuverlässig gemessen werden. Doch schon bei so jungen Kindern fand Davidson, daß sich aufgrund der Aktivität der Frontallappen vorhersagen ließ, ob sie weinen würden, wenn ihre Mutter den Raum verließ. Die Korrelation war fast hundertprozentig: Von Dutzenden von Kindern, die auf diese Weise getestet wurden, hatte jedes Kind, das weinte, eine erhöhte Aktivität auf der rechten Seite, während die Kinder, die nicht weinten, eine höhere Aktivität auf der linken hatten.

Doch selbst wenn diese grundlegende Dimension des Temperaments von Geburt an oder nahezu von Geburt an feststeht, sind diejenigen unter uns, die ein mürrisches Wesen haben, nicht zwangsläufig dazu verurteilt, niedergeschlagen und verdrossen durchs Leben zu gehen. Die emotionalen Lektionen der Kindheit haben manchmal eine tiefgreifende Wirkung auf das Temperament und können eine angeborene Prädisposition sowohl verstärken als auch dämpfen. Dank der großen Plastizität des Gehirns in der Kindheit können Erfahrungen in dieser Zeit für den Rest des Lebens eine bleibende Wirkung auf die Ausformung der neuralen Bahnen haben. Welche Art von Erfahrungen das Temperament günstig beeinflussen kann, wird vielleicht am besten deutlich an einer Beobachtung, die sich aus Kagans Forschungen an schüchternen Kindern ergab.

## Zähmung des übererregbaren Mandelkerns

Die ermutigende Erkenntnis aus Kagans Studien besagt, daß nicht alle ängstlichen Kinder später vor dem Leben zurückschrecken – Temperament ist kein Schicksal. Mit den richtigen Erfahrungen kann der übererregbare Mandelkern gezähmt werden. Entscheidend sind die emotionalen Lektionen und Reaktionen, die das Kind im Laufe seiner Entwicklung lernt. Für das schüchterne Kind kommt es am Anfang darauf an, wie es von seinen Eltern behandelt wird und wie es folglich lernt, mit seiner angeborenen Schüchternheit umzugehen. Eltern, die ihren Kindern Erfahrungen ermöglichen, die ihnen Schritt für Schritt Mut machen, bieten ihnen möglicherweise ein lebenslanges Korrektiv für ihre Ängstlichkeit.

Etwa vierzig Prozent aller Kinder, die mit allen Anzeichen eines übererregbaren Mandelkerns auf die Welt kommen, haben ihre Schüchternheit bis zum Kindergartenalter verloren.[7] Aus Beobachtungen an diesen zuvor furchtsamen Kindern im häuslichen Rahmen wird deutlich, daß es wesentlich von den Eltern und besonders den Müttern abhängt, ob ein von Natur aus schüchternes Kind mit der Zeit mutiger wird oder ob es weiterhin vor Unbekanntem zurückschreckt und durch eine Herausforderung aus dem Gleichgewicht gerät. Wie Kagans Forschungsteam herausfand, waren manche Mütter der Ansicht, ihr schüchternes Kind vor allem bewahren zu müssen, was es aufregen könnte; andere fanden es wichtiger, ihrem schüchternen Kind zu helfen, daß es lernte, mit diesen aufregenden Dingen fertig zu werden, und es auf diese Weise an die kleinen Kämpfe des Lebens anzupassen. Die beschützende Einstellung leistete offenbar der Furchtsamkeit Vorschub, vermutlich dadurch, daß sie den Kleinen Gelegenheiten vorenthielt, bei denen sie hätten lernen können, ihre Ängste zu überwinden. Die Erziehungsphilosophie des »Sich-anzupassen-Lernens « half den furchtsamen Kindern offenbar, tapferer zu werden.

Als die Babys etwa sechs Monate alt waren, wurde durch Beobachtungen zu Hause festgestellt, daß die behütenden Mütter ihre Kleinen, wenn sie verstimmt waren oder weinten, zu beschwichtigen suchten, indem sie sie aufnahmen und auf dem Arm hielten, und zwar länger als jene Mütter, die ihren Kindern zu helfen versuchten, diese Momente der Erregung meistern zu lernen. Als man verglich, wie oft und wie lange die Kleinen auf den Arm genommen wurden, wenn sie ruhig bzw. wenn sie aufgeregt waren, zeigte sich, daß die behütenden Mütter ihre Kinder während der aufgeregten Phasen sehr viel länger auf dem Arm hielten als während der ruhigen Phasen.

Als die Kinder ungefähr ein Jahr alt waren, trat ein weiterer Unterschied zutage: Die behütenden Mütter waren nachsichtiger und umschweifiger, wenn es galt, den Kleinen Grenzen zu setzen, weil sie etwas taten, was ihnen schaden konnte, wenn sie beispielsweise etwas in den Mund nahmen, was sie verschlucken konnten. Die anderen Mütter waren energisch, setzten eindeutige Grenzen, gaben direkte Befehle, die dem Kind bestimmte Dinge verwehrten, und forderten Gehorsam.

Wieso wird Ängstlichkeit durch Entschiedenheit verringert? Kagan vermutet, daß das Kind etwas lernt, wenn es auf ein Objekt zukrabbelt, das ihm faszinierend (der Mutter aber gefährlich) erscheint, und von ihrer Warnung aufgehalten wird: »Geh da nicht ran!« Plötzlich muß sich das Kind mit einer gewissen Unsicherheit auseinandersetzen. Wenn sich diese Herausforderung im ersten Lebensjahr Hunderte von Malen wiederholt, übt das Kind in kleinen Dosen beständig die Erfahrung ein, dem Unerwarteten zu begegnen. Genau das müssen ängstliche Kinder lernen, und sie lernen es besonders gut in handlichen Dosen. Wenn die Eltern liebevoll sind, aber nicht bei jeder kleinen Aufregung herbeieilen, um das Kleine aufzunehmen und zu trösten, lernt es allmählich, selbst mit solchen Erlebnissen fertig zu werden. Wenn diese zuvor furchtsamen Kinder mit zwei Jahren erneut in Kagans Laboratorium kommen, neigen sie sehr viel weniger dazu, in Tränen auszubrechen, wenn ein Fremder sie stirnrunzelnd anblickt oder wenn ihnen die Manschette zum Blutdruckmessen um den Arm gelegt wird.

Kagans Schlußfolgerung: »Es hat den Anschein, daß Mütter, die ihr hochgradig reaktives Kind in der Hoffnung auf ein positives Resultat vor Frustration und Angst bewahren, die Unsicherheit des Kindes vergrößern und das Gegenteil bewirken.«[8] Die behütende Strategie erreicht also das Gegenteil, indem sie dem schüchternen Kind gerade die Gelegenheit verwehrt, zu lernen, wie es sich angesichts des Unbekannten selbst beruhigt und dadurch seine Ängste bis zu einem gewissen Grade bewältigt. Unter neurologischem Aspekt bedeutet das vermutlich, daß ihren präfrontalen Schaltungen die Chance genommen wurde, alternative Reaktionen zur reflexartigen Furcht zu erlernen; möglicherweise wird ihre Neigung zu ungezügelter Furchtsamkeit bloß durch Wiederholung verstärkt.

Bei der anderen Strategie sieht Kagan die Dinge, wie er mir erklärte, folgendermaßen: »Die Kinder, die bei Erreichen des Kindergartenalters ein wenig von ihrer Scheu abgelegt haben, haben offenbar Eltern, die einen sanften Druck auf sie ausüben, mehr aus sich herauszugehen. Dieses Temperamentsmerkmal ist zwar nicht so leicht zu verändern wie andere, vermutlich, weil es eine physiologische Grundlage hat, aber es gibt keinen menschlichen Wesenszug, der sich nicht ändern könnte.«

Manche schüchternen Kinder werden im Laufe der Kindheit mutiger, wenn die Erfahrung fortgesetzt in diesem Sinne auf die entsprechende neurale Schaltung einwirkt. Eines der Anzeichen, die darauf hindeuten, daß ein schüchternes Kind diese angeborene Hemmung vermutlich überwinden wird, ist ein höheres Maß an sozialer Kompetenz: wenn es kooperativ ist und mit anderen Kindern gut auskommt, wenn es Empathie beweist, wenn es bereit ist, abzugeben und zu teilen, wenn es rücksichtsvoll ist und enge Freundschaften zu schließen vermag. Diese Eigenschaften kennzeichneten eine Gruppe von Kindern, denen mit vier Jahren ein schüchternes Temperament zugeschrieben worden war, die dieses aber mit zehn Jahren abgelegt hatten.[9]

Bei den schüchternen Vierjährigen, deren Temperament sich im Laufe dieser sechs Jahre kaum änderte, waren dagegen eher geringe emotionale Fähigkeiten festzustellen: Sie neigten unter Stress eher dazu, zu weinen und die Fassung zu verlieren; ihre Emotionen waren unangemessen; sie waren furchtsam, verdrießlich oder quengelig; auf kleine Frustrationen reagierten sie übermäßig mit Zorn; sie konnten nur schwer eine Gratifikation aufschieben; sie reagierten überempfindlich auf Kritik und waren mißtrauisch. Diese emotionalen Mängel lassen natürlich erwarten, daß sie, falls sie ihre anfängliche Scheu, sich auf andere einzulassen, überwinden können, in den Beziehungen zu anderen Kindern Schwierigkeiten haben werden.

Es ist hingegen leicht einzusehen, warum die emotional kompetenteren, wenn auch vom Temperament her schüchternen Kinder spontan ihre Schüchternheit ablegten. Da sie sozial gewandter waren, konnte man bei ihnen viel eher eine Reihe von positiven Erfahrungen mit anderen Kindern erwarten: Auch wenn sie zunächst zögerten, etwa mit einem neuen Spielkameraden zu sprechen, konnten sie doch, wenn das Eis erst einmal gebrochen war, sozial glänzen. Wenn solche sozialen Erfolge sich über viele Jahre regelmäßig wiederholen, so trägt das zwangsläufig dazu bei, die Schüchternen selbstsicherer zu machen.

Diese Fortschritte zu mehr Kühnheit sind ermutigend; sie lassen den Schluß zu, daß auch angeborene emotionale Verhaltensweisen sich bis zu einem gewissen Grad ändern können. Ein Kind, das von Geburt an leicht zu ängstigen ist, kann lernen, angesichts des Unbekannten gelassener – oder sogar aufgeschlossen – zu sein. Es mag sein, daß Furchtsamkeit – oder jedes andere Temperament – zu den biologischen Gegebenheiten unseres Gefühlslebens gehört, aber unsere Erbmerkmale beschränken uns nicht zwangsläufig auf ein bestimmtes emotionales Menü. Auch die genetischen Zwänge lassen uns noch einen gewissen Spielraum. Das Verhalten wird, wie Verhaltensgenetiker beobachten, nicht allein von den Genen bestimmt; unsere Umwelt und besonders das, was wir erleben und lernen, während wir aufwachsen, hat prägenden Einfluß auf die Form, in der unsere Temperamentsveranlagung sich im Laufe des Lebens äußert. Unsere emotionalen Fähigkeiten sind nicht biologisch festgelegt; sie lassen sich verbessern, wenn wir nur das Richtige lernen. Das liegt im Reifungsprozeß des menschlichen Gehirns begründet.

## Die Kindheit: ein Fenster der Gelegenheit

Das menschliche Gehirn ist bei der Geburt keineswegs fertig ausgeformt. Seine Formung setzt sich das ganze Leben hindurch fort; sein intensivstes Wachstum erlebt es in der Kindheit. Bei der Geburt enthält das Gehirn weit mehr Neurone, als im reifen Gehirn übrigbleiben; durch den Vorgang der »Auslese« verliert das Gehirn jene neuronalen Verbindungen, die weniger benutzt werden, und es verstärkt die Verbindungen bei jenen synaptischen Schaltungen, die am stärksten genutzt wurden. Durch Entfernen unwesentlicher Neurone verbessert die Auslese das Signal-Rausch-Verhältnis, indem es die Ursache des »Rauschens« beseitigt. Dieser unablässige Prozeß verläuft sehr rasch; innerhalb von Stunden oder Tagen können synaptische Verbindungen entstehen. Das Gehirn wird – besonders in der Kindheit – durch Erfahrung geformt.

Den klassischen Beweis für die Einwirkung der Erfahrung auf das Gehirnwachstum lieferten die beiden Neurowissenschaftler und Nobelpreisträger Thorsten Wiesel und David Hubel.[10] Sie zeigten, daß es bei Katzen und Affen für die Entwicklung der Synapsen, die Signale vom Auge zur Sehrinde vermitteln, wo diese Signale interpretiert werden, eine kritische Phase während der ersten Lebensmonate gibt. Blieb ein Auge in dieser Phase verschlossen, so bildete sich die Zahl der Synapsen von diesem Auge zur Sehrinde zurück, während sich die Zahl der Synapsen vom offenen Auge vervielfachte. Wenn das geschlossene Auge nach Beendigung der kritischen Phase wieder geöffnet wurde, war das Tier auf diesem Auge praktisch blind. Dem Auge selbst fehlte zwar nichts, doch war die Zahl der Schaltungen zur Sehrinde zu gering, als daß Signale von diesem Auge hätten interpretiert werden können.

Beim Menschen erstreckt sich die kritische Phase für den Gesichtssinn über die ersten sechs Lebensjahre. Normales Sehen sorgt in dieser Zeit dafür, daß immer komplexere neurale Schaltungen aufgebaut werden, die vom Auge zur Sehrinde verlaufen. Wird ein Auge auch nur für wenige Wochen durch ein Pflaster verschlossen, kann die Sehfähigkeit dieses Auges meßbar zurückgehen. Ist ein Auge in dieser Phase über mehrere Monate verschlossen und wird dann wieder geöffnet, so ist die Sehschärfe dieses Auges dauerhaft beeinträchtigt.

Einen nachdrücklichen Beweis für die Wirkung der Erfahrung auf das sich entwickelnde Gehirn liefern Experimente mit »reichen« und »armen« Ratten.[11] Die »reichen« Ratten lebten in kleinen Gruppen in Käfigen, die eine Fülle von Ablenkungen für Ratten wie Leitern und Tretmühlen enthielten. In den Käfigen der »armen« Ratten fehlte es an jeglicher Ablenkung. Der Neokortex der reichen Ratten entwickelte in wenigen Monaten ein sehr komplexes Netz von synaptischen Verknüpfungen zwischen den Neuronen, gegen das die neuronale Verschaltung der armen Ratten sehr dürftig ausfiel. Der Unterschied war so groß, daß das Gehirn der reichen Ratten schwerer war, und außerdem waren sie, was wohl nicht überrascht, weit intelligenter als die armen Ratten, wenn es darum ging, sich in einem Labyrinth zurechtzufinden. Ähnliche Experimente mit Affen ergaben die gleichen Unterschiede zwischen solchen, die »reich« beziehungsweise »arm« an Erfahrung waren, und beim Menschen dürfte es sich nicht anders verhalten.

Die Psychotherapie, die gleichbedeutend ist mit einem systematischen emotionalen Umlernen, liefert einen hervorragenden Beleg dafür, daß Erfahrung sowohl die emotionalen Gewohnheiten zu verändern als auch das Gehirn zu formen vermag. Den eindrucksvollsten Beweis ergab eine Studie an Patienten, die wegen Zwangsneurose in Behandlung waren.[12] Zu den geläufigeren Zwangshandlungen gehört das Händewaschen, das so oft – bis zu mehrere hundertmal täglich – geschehen kann, daß die Haut des Betroffenen platzt. Zwangsneurotiker weisen, wie PET-Untersuchungen zeigten, eine über das Normalmaß hinausgehende Aktivität in den Präfrontallappen auf.[13]

In der Studie erhielt die Hälfte der Patienten die übliche medikamentöse Behandlung mit Fluotexin (besser bekannt unter der Markenbezeichnung Prozac), die andere Hälfte eine Verhaltenstherapie. Während der Therapie wurden sie systematisch mit dem Objekt ihrer

Verfolgungs- oder Zwangsneurose konfrontiert, durften aber die Zwangshandlung nicht vollziehen; Patienten mit Waschzwang wurden an ein Waschbecken gestellt, durften sich aber nicht waschen. Gleichzeitig lernten sie, die Befürchtungen und Ängste, von denen sie umgetrieben wurden, in Frage zu stellen, zum Beispiel, daß sie wegen der unterlassenen Waschung erkranken und sterben würden. Nach monatelanger Behandlung verblaßten die Zwangsvorstellungen, genau wie bei der Medikation.

Bemerkenswert war allerdings, daß, wie die PET-Untersuchung ergab, die Aktivität eines wichtigen Teils des emotionalen Gehirns, des Nucleus caudatus, bei den verhaltenstherapierten Patienten ebenso markant zurückging wie bei jenen, die erfolgreich mit Fluotexin behandelt worden waren. Bei ihnen hatte die Erfahrung genauso wirksam wie die Medikation die Hirnfunktion verändert und den Symptomen abgeholfen!

## Entscheidend wichtige Fenster

Wir Menschen brauchen unter allen Arten am längsten, bis unser Gehirn völlig ausgereift ist. In der Kindheit entwickeln sich die einzelnen Hirnareale unterschiedlich schnell, und mit dem Einsetzen der Pubertät beginnt eine radikale Auslese im gesamten Gehirn. Mehrere, für das Gefühlsleben wichtige Areale reifen äußerst langsam. Während die sensorischen Rindenareale in der frühen Kindheit reifen, entwickeln sich die Frontallappen, Sitz der emotionalen Selbstkontrolle, des Verstehens und der geschickten Reaktion, bis in die späte Adoleszenz hinein, bis zu einem Alter von sechzehn bis achtzehn Jahren.[14]

Die in Kindheit und Jugend ständig wiederholten Gewohnheiten des Umgangs mit den Emotionen tragen ihrerseits zur Formung dieser Schaltungen bei. Dadurch wird die Kindheit zu einem wichtigen Fenster der Gelegenheit für die Formung lebenslanger Neigungen; in der Kindheit erworbene Gewohnheiten verfestigen sich in der synaptischen Verdrahtung der neuralen Architektur und sind später schwerer zu ändern. Angesichts der Bedeutung der Präfrontallappen für den Umgang mit Emotionen kann man aus dem sehr langen Fenster für die synaptische Auslese in dieser Hirnregion durchaus folgern, daß die Erfahrungen eines Kindes im Laufe der Jahre bleibende Verknüpfungen in den regulatorischen Schaltungen des emotionalen Gehirns herstellen können. Wichtige Erfahrungen sind, wie wir gesehen haben, der

Umstand, wie verläßlich und aufgeschlossen die Eltern sind, ferner, daß das Kind Gelegenheiten und Anleitung hat, um zu lernen, mit seinem eigenen Kummer fertig zu werden und seine Impulse zu kontrollieren, und es gehört dazu Übung in Empathie. Auch können Vernachlässigung oder Mißhandlung, die fehlende Einstimmung einer egozentrischen oder gleichgültigen Mutter oder brutale Züchtigung der emotionalen Verschaltung ihren Stempel aufdrücken.[15]

Zu den wesentlichsten emotionalen Lektionen, die zuerst im Kleinkindalter gelernt und dann während der ganzen Kindheit verfeinert werden, gehört es, sich bei Aufregungen selbst zu beruhigen. Säuglinge werden von Betreuungspersonen beruhigt: Wenn eine Mutter ihr Baby weinen hört, nimmt sie es auf den Arm und wiegt es, bis es sich beruhigt. Dank dieser biologischen Einstimmung, meinen einige Theoretiker, beginnt das Kind zu lernen, wie es dies auch allein erreichen kann.[16] Während einer kritischen Phase zwischen dem zehnten und achtzehnten Lebensmonat bildet der orbitofrontale Bereich des präfrontalen Kortex rasch die Verbindungen zum limbischen Gehirn aus, durch die er zum entscheidenden An-Aus-Schalter für Kummer wird. Das unzählige Male wiederholte Erlebnis, beruhigt zu werden, hilft dem Kind zu lernen, sich selbst zu beruhigen, wodurch, so die Überlegung, die Verbindungen in dieser Schaltung für die Kontrolle des Kummers verstärkt werden, mit der Folge, daß es sein Leben lang besser in der Lage ist, sich selbst zu beruhigen, wenn es aufgeregt ist.

Die Kunst, sich zu beruhigen, erlernt man natürlich im Laufe vieler Jahre, und man erlernt natürlich auch neue Wege, da die Reifung des Gehirns dem Kind immer raffiniertere emotionale Werkzeuge zur Verfügung stellt. Im Mittelpunkt einer anderen wichtigen Schaltung, deren Formung sich über die ganze Kindheit erstreckt, steht der Vagusnerv, der einerseits das Herz und andere Teile des Körpers reguliert und andererseits Signale von der Nebennierenrinde zum Mandelkern schickt und ihn veranlaßt, die Katecholamine auszuschütten, die auf die Kampf-oder-Flucht-Reaktion vorbereiten. Eine Forschungsgruppe der Universität von Washington, die die Wirkung der Erziehung untersuchte, entdeckte, daß die Funktion des Vagusnervs durch eine emotional geschickte Betreuung verbessert wird.

Wie der Psychologe John Gottman, der die Untersuchung leitete, erklärte, »können Eltern den Tonus des Vagus ihres Kindes (das ist der Anspannungszustand, von dem es abhängt, wie leicht der Vagus reagiert) beeinflussen, indem sie es emotional trainieren: wenn sie mit ihm über seine Gefühle sprechen und ihm zeigen, wie es sie begreifen kann, wenn sie seine emotionalen Fehlhaltungen nicht bemängeln, sondern ihm mit Problemlösungen helfen, wenn sie ihm zeigen, was es als Alternative tun kann, statt zu schlagen oder sich, wenn es traurig ist, zurückzuziehen.« Kinder, deren Eltern sich in diesem Sinne verhielten, waren besser in der Lage, die Vagusaktivität zu unterdrücken, die den Mandelkern dazu anhält, den Körper mit den Kampf-oder-Flucht-Hormonen zu präparieren, und konnten sich daher manierlicher verhalten.

Es leuchtet ein, daß es für die wichtigsten Fähigkeiten der emotionalen Intelligenz jeweils kritische Phasen gibt, die sich über mehrere Jahre der Kindheit erstrecken. Die jeweilige Phase ist ein Fenster der Gelegenheit, dem Kind positive emotionale Gewohnheiten beizubringen; läßt man die Gelegenheit verstreichen, wird es später im Leben sehr viel schwieriger, Korrekturen anzubringen. Die massive Formung und Auslese der neuralen Schaltungen in der Kindheit dürfte der tiefere Grund dafür sein, daß frühe emotionale Leiden und Traumata sich im Erwachsenenleben so nachhaltig und in allen Bereichen auswirken. Das könnte auch erklären, warum die Psychotherapie oft soviel Zeit braucht, um diese Strukturen zu beeinflussen und warum diese sich auch nach der Therapie vielfach als verborgene Neigungen behaupten, mögen sie auch von neuen Einsichten und neu erlernten Reaktionen überdeckt sein.

Natürlich bleibt das Gehirn das ganze Leben hindurch plastisch, wenn auch nicht in dem spektakulären Ausmaß, das wir in der Kindheit beobachten. Jegliches Lernen ist mit einer Veränderung im Gehirn verbunden, einer Verstärkung von synaptischen Verbindungen. Die zerebralen Veränderungen bei Patienten, die wegen Zwangsneurose behandelt wurden, zeigen, daß emotionale Gewohnheiten bei nachhaltiger Bemühung sogar auf der neuralen Ebene das ganze Leben hindurch beeinflußbar sind. Was bei PTSD (oder in der Therapie) mit dem Gehirn geschieht, entspricht den Effekten, die alle wiederholten oder intensiven emotionalen Erfahrungen im Guten wie im Bösen mit sich bringen.

Eltern vermitteln ihren Kindern einige der wichtigsten Lektionen in dieser Hinsicht, und es sind ganz verschiedene emotionale Gewohnheiten, die sie ihnen beibringen, je nachdem, ob sie dem Kind durch Einstimmung bedeuten, daß seine emotionalen Bedürfnisse erkannt und befriedigt werden, und ihm bei einer fälligen Bestrafung Empathie beweisen, oder ob sie, mit sich selbst beschäftigt, die Not des Kindes ignorieren und es durch Brüllen und Schlagen willkürlich bestrafen. In einem gewissen Sinne ist die Psychotherapie vielfach ein heilender Nachhilfeunterricht für das, was früher im Leben schiefgegangen ist oder versäumt wurde. Sollten wir nicht alles tun, was uns möglich ist, um diese Notwendigkeit gar nicht erst entstehen zu lassen, indem wir den Kindern von vornherein die Erziehung und Anleitung gewähren, die die wesentlichen emotionalen Fähigkeiten kultiviert?

Fünfter Teil

# Emotionale Bildung

# 15

# Die Kosten der emotionalen Unbildung

Anfangs war es ein belangloser Streit, aber er war eskaliert. Ian Moore, ein Oberstufenschüler, und Tyrone Sinkler, ein Unterstufenschüler an der Thomas Jefferson High School in Brooklyn, hatten sich mit einem Kumpel, dem fünfzehnjährigen Khalil Sumpter, gestritten. Dann hatten sie begonnen, auf ihm herumzuhacken und Drohungen auszustoßen. Schließlich kam es zur Explosion.

Khalil, der Angst hatte, daß Ian und Tyrone ihn zusammenschlagen würden, brachte eines Morgens eine Pistole Kaliber .38 mit zur Schule und erschoß, fünf Meter von einem Schulwächter entfernt, die beiden Jungen in der Eingangshalle aus kürzester Entfernung.

Dieser bestürzende Vorfall kann als ein weiterer Hinweis verstanden werden, wie dringend ein Unterricht gebraucht wird, in dem die Kinder lernen, mit Emotionen umzugehen, Meinungsverschiedenheiten friedlich zu regeln und schlicht miteinander auszukommen. Die Erzieher, schon seit langem beunruhigt über die nachlassenden Leistungen in Rechnen und Lesen, erkennen jetzt ein anderes und noch alarmierenderes Defizit: emotionale Unbildung.[1] Und während man lobenswerte Anstrengungen unternimmt, den Wissensstand anzuheben, wird dieses neue und besorgniserregende Defizit in den gängigen Lehrplänen überhaupt nicht angesprochen. Der gegenwärtige Schwerpunkt an den Schulen, sagte ein Lehrer aus Brooklyn, läßt den Schluß zu, daß »wir uns mehr darum sorgen, wie gut die Schüler lesen und schreiben können, als darum, ob sie nächste Woche noch am Leben sind«.

Anzeichen des Defizits kann man in gewalttätigen Vorfällen wie der Erschießung von Ian und Tyrone erkennen, die in amerikanischen Schulen allmählich gang und gäbe werden. Dies sind aber keine isolierten Ereignisse; daß die Probleme bei den Jugendlichen und Kindern zunehmen, kann man für die Vereinigten Staaten, die weltweite Entwicklungen immer als erste erleben, aus den folgenden statistischen Zahlen entnehmen:[2]

1990 waren in den USA, verglichen mit zwanzig Jahren zuvor, so viele Jugendliche wegen Gewaltverbrechen in Haft wie noch nie; die Verurteilungen Jugendlicher wegen Vergewaltigung hatten sich verdoppelt; die Zahl der von Jugendlichen begangenen Morde hatte sich vervierfacht, hauptsächlich wegen der häufigeren Schießereien.[3] In diesen zwanzig Jahren hat sich die Selbstmordrate von Jugendlichen verdreifacht, ebenso wie die Zahl der Kinder unter vierzehn, die einem Mord zum Opfer fielen.[4]

Immer mehr Mädchen werden schwanger, und sie werden dies in immer jüngerem Alter. Die Geburtenrate bei Mädchen von zehn bis vierzehn Jahren war 1993 fünf Jahre hintereinander stetig gestiegen – »Babys kriegen Babys«, sagen manche –, ebenso wie der Anteil der unerwünschten Schwangerschaften von Jugendlichen und die Nötigung zum Geschlechtsverkehr durch Gleichaltrige. Die Häufigkeit von Geschlechtskrankheiten bei Jugendlichen hat sich in den letzten dreißig Jahren verdreifacht.[5]

Sind diese Zahlen schon entmutigend, so sind sie vollkommen trostlos, wenn man die afroamerikanische Jugend, vor allem in den Innenstädten, betrachtet – alle Zahlen sind weit höher, teils doppelt, teils dreifach so hoch oder noch höher. So hat sich der Heroin- und Kokainkonsum unter weißen Jugendlichen in den zwanzig Jahren bis 1990 ungefähr verdreifacht; unter afroamerikanischen Jugendlichen schnellte er innerhalb von zwanzig Jahren auf das *Dreizehnfache* hoch.[6]

Die häufigste Ursache von Behinderung bei Jugendlichen sind seelische Krankheiten. Von schwereren oder leichteren Symptomen der Depression sind bis zu einem Drittel der Jugendlichen betroffen; unter Mädchen verdoppelt sich die Häufigkeit von Depressionen in der Pubertät. Eßstörungen bei jungen Mädchen sind sprunghaft angestiegen.[7]

Schließlich werden, wenn sich die Dinge nicht ändern, die langfristigen Aussichten für die heutigen Kinder, daß sie in der Ehe zusammen ein stabiles und fruchtbares Leben führen werden, mit jeder Generation düsterer. Wir haben ja im elften Kapitel gesehen, daß die Scheidungsrate in den siebziger und achtziger Jahren bei 50 Prozent lag, daß aber zu Beginn der neunziger Jahre für Neuvermählte vorausgesagt wurde, daß zwei von drei Eheschließungen junger Leute mit der Scheidung enden werden.

## Ein emotionales Unbehagen

Diese alarmierenden statistischen Zahlen sind dem Kanarienvogel vergleichbar, der den Bergmann im Stollen vor einem Mangel an Sauerstoff warnt. Die Misere der Kinder von heute kann man außer an solchen ernüchternden Zahlen auch an weniger auffälligen Dingen ablesen, an den alltäglichen Problemen, die sich noch nicht zu totalen Krisen ausgewachsen haben. Am aufschlußreichsten sind vielleicht – ein direktes Barometer der sinkenden emotionalen Kompetenz – die Ergebnisse einer landesweiten Erhebung unter amerikanischen Kindern von sieben bis sechzehn Jahren, die deren emotionale Verfassung in der Mitte der siebziger und Ende der achtziger Jahre vergleicht.[8] Nach den Einschätzungen von Eltern und Lehrern zu urteilen, hat sich die Lage der Kinder stetig verschlechtert. Nicht, daß ein einzelnes Problem besonders herausragte, nur ging alles langsam, aber sicher in die falsche Richtung. Im Durchschnitt kamen die Kinder in folgender Hinsicht schlechter weg:

*Rückzug oder soziale Probleme:* sind lieber allein; sind verschwiegen; schmollen oft; haben keine Energie; fühlen sich niedergeschlagen; sind zu abhängig.

*Ängstlich und deprimiert:* sind einsam; haben viele Befürchtungen und Sorgen; glauben, perfekt sein zu müssen; fühlen sich ungeliebt; finden sich nervös oder traurig und deprimiert.

*Aufmerksamkeits- oder Denkprobleme:* können nicht aufpassen; können nicht stillsitzen; hängen Tagträumen nach; handeln ohne zu überlegen; sind zu nervös, um sich zu konzentrieren; erledigen ihre Aufgaben schlecht; können sich nicht von bestimmten Gedanken lösen.

*Delinquent oder aggressiv:* treiben sich mit Kindern herum, die in Schwierigkeiten kommen; lügen und betrügen; zanken sich oft; sind gemein zu anderen; fordern Beachtung; zerstören Eigentum anderer; wollen zu Hause und in der Schule nicht gehorchen; sind stur und launisch; schwatzen zu viel; ärgern einen oft; sind aufbrausend.

Keines dieser Probleme ist für sich genommen besorgniserregend, doch zusammengenommen sind sie Anzeichen eines großen Wandels, einer neuartigen schleichenden Vergiftung, die das Erlebnis der Kindheit verdirbt und tiefgreifende Defizite in den emotionalen Kompetenzen deutlich macht. Dieses emotionale Unbehagen ist offenbar der

Preis, den Kinder weltweit für das moderne Leben zu zahlen haben. Von Amerikanern wird oft beklagt, daß ihre Probleme im Vergleich zu anderen Kulturen besonders schlimm seien, doch zeigen Untersuchungen in vielen Ländern, daß die Verhältnisse genauso schlimm oder schlimmer sind als in den Vereinigten Staaten. So bewerteten Eltern und Lehrer in den Niederlanden, in China und Deutschland die Probleme in den achtziger Jahren genauso, wie sie 1976 für amerikanische Kinder ermittelt wurden. Und in einigen Ländern waren die Kinder in einer schlechteren Verfassung als gegenwärtig in den USA, darunter Australien, Puerto Rico, Frankreich und Thailand.

Aber das dürfte nicht mehr lange so bleiben. Die allgemeinen Tendenzen, die die Abwärtsspirale der emotionalen Kompetenz antreiben, beschleunigen sich in den USA stärker als in vielen anderen hochentwickelten Ländern. In einem Vergleich englischsprachiger Industrieländer (USA, Kanada, Australien, Großbritannien, Neuseeland) mit westeuropäischen Ländern und Japan schnitten amerikanische Kinder mit am schlechtesten ab unter Aspekten wie: Anteil der Kinder, die in Armut leben, die bei alleinerziehenden Eltern leben, Verfügbarkeit von Vorschulprogrammen und Unterstützung der Kinderbetreuung, Schwangerschaften und Geburten bei Minderjährigen und Krankenversicherungsleistungen für sie und ihre Eltern.[9]

Dennoch ist kein Kind, ob reich oder arm, der Gefahr enthoben; diese Probleme sind allgemein und kommen in allen ethnischen, rassischen und Einkommensgruppen vor. Kinder, die in Armut leben, haben zwar die schlechtesten Werte, was emotionale Fähigkeiten angeht, doch ist das *Tempo* der Verschlechterung im Laufe der Jahrzehnte nicht größer als bei Mittelschicht- oder reichen Kindern: alle zeigen denselben stetigen Niedergang. Außerdem gab es eine entsprechende Verdreifachung der Zahl der Kinder, die psychologische Hilfe erhielten (vielleicht ein gutes Zeichen, daß Hilfe leichter erreichbar ist), und eine annähernde Verdoppelung der Zahl der Kinder, die so große emotionale Probleme haben, daß sie eigentlich Hilfe bräuchten, aber keine erhalten (ein schlechtes Zeichen) – von etwa neun Prozent im Jahre 1976 auf achtzehn Prozent im Jahre 1989.

Urie Bronfenbrenner, der berühmte Entwicklungspsychologe von der Cornell-Universität, der den internationalen Vergleich im Hinblick auf das Wohlergehen der Kinder durchführte, sagt: »Da es an geeigneten Systemen der Unterstützung fehlt, brechen unter der hohen Belastung von außen sogar starke Familien auseinander. Die Hektik, Labilität und Unbeständigkeit des Familienalltags greift in allen Schichten unserer Gesellschaft um sich, auch bei den Gebildeten und

Wohlhabenden. Auf dem Spiel steht nichts Geringeres als die nächste Generation, vor allem die Jungen, die den verheerenden Auswirkungen von Scheidung, Armut und Arbeitslosigkeit besonders stark ausgesetzt sind. An der hoffnungslosen Lage der Kinder und Familien in Amerika hat sich nichts geändert... Wir berauben Millionen von Kindern ihrer Kompetenz und ihres moralischen Rangs.«[10]

Dies ist nicht bloß ein amerikanisches, sondern ein globales Problem, denn der weltweite Wettlauf um die Senkung der Lohnkosten setzt die Familie wirtschaftlich unter Druck. In Familien, die finanziell in Bedrängnis sind, gehen beide Eltern arbeiten, und in den langen Stunden, die sie fort sind, sind die Kinder sich selbst oder dem Fernseher als Babysitter überlassen; dabei wachsen mehr Kinder als je zuvor in Armut auf; dabei breitet sich die Ein-Eltern-Familie immer mehr aus; dabei werden mehr Säuglinge und Kleinkinder einer Tagesbetreuung überlassen, die so kläglich ist, daß man von Vernachlässigung sprechen muß. Aus alledem folgt selbst bei Eltern, die es gut meinen, daß die unzähligen kleinen, aufbauenden Gesten zwischen Mutter und Kind, durch die emotionale Kompetenzen entstehen, immer mehr wegfallen.

Wenn die Familien es nicht mehr schaffen, allen unseren Kindern ein solides Fundament für das Leben zu geben, was sollen wir tun? Wenn man sich genauer anschaut, wie bestimmte Probleme entstehen und funktionieren, erkennt man, daß schwerwiegende Probleme auf bestimmten Defiziten an emotionalen und sozialen Kompetenzen beruhen – und daß gezielte Korrektur- und Vorbeugemaßnahmen mehr Kinder davor bewahren könnten, vom Weg abzukommen.

## Zähmung der Aggression

Jimmy, ein Viertkläßler, war ein widerwärtiger Bursche, als ich in die erste Grundschulklasse ging. Er war eines von den Kindern, die einem das Essensgeld stehlen, die einem das Fahrrad wegnehmen und einem, kaum daß man ein Wort gesagt hat, eine runterhauen. Jimmy war der typische Schläger, der bei der geringsten Provokation – oder auch ganz ohne – eine Schlägerei anfängt. Wir hatten alle mächtig Angst vor Jimmy und hielten uns von ihm fern. Alle haßten und fürchteten Jimmy; keiner wollte mit ihm spielen. Es war so, als räumte ihm, wo immer er auf dem Schulhof erschien, ein unsichtbarer Leibwächter die Kinder aus dem Weg.

Kinder wie Jimmy haben eindeutig Probleme. Weniger eindeutig dürfte sein, daß eine so offenkundige Aggressivität in der Kindheit auf emotionale und andere Probleme in der Zukunft hindeutet. Als Jimmy sechzehn war, saß er wegen tätlicher Angriffe im Gefängnis.

Aus vielen Untersuchungen wird deutlich, daß kindliche Aggressivität bei Burschen wie Jimmy im ganzen späteren Leben Spuren hinterläßt.[11] Die Eltern solcher aggressiven Kinder wechseln, wie wir gesehen haben, zwischen Vernachlässigung und harten, willkürlichen Bestrafungen hin und her, ein Verhalten, das die Kinder ein bißchen paranoid oder aggressiv macht – was man vielleicht verstehen kann.

Nicht alle gereizten Kinder sind Schläger; manche sind introvertierte soziale Außenseiter, die überreagieren, wenn sie geneckt werden oder wenn sie etwas als Kränkung oder Ungerechtigkeit empfinden. Allen diesen Kindern ist jedoch eine Fehlwahrnehmung gemeinsam: Sie sehen Kränkungen, wo keine Kränkung beabsichtigt war, und in ihrer Einbildung sind ihre Kameraden ihnen gegenüber feindseliger, als es wirklich der Fall ist. Das bringt sie dazu, daß sie neutrale Handlungen als bedrohlich wahrnehmen – ein harmloses Anrempeln wird als gezielter Racheakt verstanden – und ihrerseits angreifen. Daraufhin werden sie natürlich von anderen Kindern gemieden, was sie noch mehr isoliert. Solche gereizten, isolierten Kinder sind überaus empfindlich für Ungerechtigkeiten und eine unfaire Behandlung; sie sehen sich selbst gewöhnlich als Opfer und können eine ganze Liste von Fällen aufzählen, in denen Lehrer sie für etwas getadelt haben, was sie gar nicht gemacht haben. Was diese Kinder noch auszeichnet: Haben sie sich erst in den Zorn hineingesteigert, fällt ihnen als Reaktion bloß eines ein – um sich zu schlagen.

Diese einseitige Wahrnehmung wird in einem Experiment deutlich, bei dem man Schläger zusammen mit einem friedlicheren Kind Videos betrachten läßt. Auf einem Video fallen einem Jungen die Bücher herunter, als ein anderer ihn anrempelt; als die umstehenden Kinder lachen, wird der Junge, dem die Bücher heruntergefallen sind, wütend und schlägt auf eines der lachenden Kinder ein. In der Besprechung nach Betrachten des Videos findet der Schlägertyp durchweg, daß der Junge, der losgeschlagen hat, im Recht ist. Noch bezeichnender ist, daß die Schlägertypen bei der nachträglichen Beurteilung, wie aggressiv die im Video gezeigten Jungen sind, denjenigen, der dem anderen die Bücher aus der Hand geschlagen hat, als aggressiver einstufen und die Wut desjenigen, der sich gegen die Lacher wendet, gerechtfertigt finden.[12]

Dieses vorschnelle Urteil zeugt von einer starken Verzerrung der Wahrnehmung bei Menschen, die ungewöhnlich aggressiv sind; sie handeln aufgrund einer vermeintlichen Feindseligkeit oder Bedrohung und beachten nicht genügend, was wirklich los ist. Sobald sie sich bedroht glauben, handeln sie ohne weitere Überlegung. Wenn ein aggressiver Junge zum Beispiel mit einem anderen Dame spielt und der andere, obwohl er nicht an der Reihe ist, einen Stein bewegt, interpretiert er den Zug augenblicklich als »Mogelei« und überlegt nicht eine Sekunde, ob es nicht vielleicht ein argloser Irrtum war. Er unterstellt von vornherein nicht Arglosigkeit, sondern Böswilligkeit, und reagiert automatisch mit Feindseligkeit. Die reflexartige Wahrnehmung einer feindseligen Handlung geht Hand in Hand mit einer ebenso automatischen aggressiven Reaktion; statt dem anderen klarzumachen, daß er sich geirrt hat, fängt er sofort an, ihn zu beschuldigen, anzubrüllen und zu schlagen. Und je automatischer die Aggression für ihn wird, desto mehr schrumpft das Repertoire an Alternativen – Höflichkeit oder Scherze.

Solche Kinder sind insofern emotional verletzlich, als sie eine niedrige Schwelle der Aufregung haben und sich öfter über mehr Dinge ärgern; wenn sie dann aufgeregt sind, können sie nicht klar denken und fallen in die erlernte Gewohnheit zurück, zuzuschlagen. Der Psychologe Kenneth Dodge von der Vanderbilt-Universität hat das in einem Experiment gezeigt. Er ließ aggressive und nichtaggressive Jungen Videoaufnahmen von Szenen auf dem Spielplatz bewerten, zum Beispiel von einem Kind, das sich an einer Schlange von anderen Kindern vorbei nach vorn drängelte. Mitten in der Bewertung der Videos wurden die einzelnen Jungen »zufällig« Zeuge eines Gesprächs, das ein Junge mit dem Versuchsleiter führte und das scheinbar aus Versehen über die Haussprechanlage mitzuhören war (in Wirklichkeit wurde es vom Tonband eingespielt); in diesem Gespräch äußerte der Junge, daß er den, der gerade sein Urteil über die Videos abgab, überhaupt nicht ausstehen könne; wenn er mit ihm in einem Raum zusammentreffen würde, gäbe es wahrscheinlich eine Schlägerei; während er dies sagte, wurde seine Stimme immer lauter.

Die Jungen, die das mitbekamen, regten sich natürlich darüber auf. Der Versuchsleiter sagte ihnen jedoch, sie sollten, ehe der andere Junge hereinkäme, mit der Bewertung der übrigen Videos fortfahren. Bei den nichtaggressiven Jungen wirkte sich die vermeintliche Bedrohung nicht darauf aus, wie feindselig oder gutartig sie die Kinder auf den Videos einstuften. Doch die aggressiven Jungen sahen von nun an selbst in gutartigen Szenen eine feindselige Absicht.[13]

Diese Verzerrungen der Wahrnehmung in Richtung Feindseligkeit sind bereits in den ersten Klassen da. Zwar sind die meisten Kinder, besonders die Jungen, im Kindergarten und in der ersten Klasse noch ziemlich wild, doch die aggressiveren Kinder haben selbst in der zweiten Klasse noch nicht gelernt, sich ein wenig zurückzunehmen. Während andere Kinder allmählich lernen, Konflikte auf dem Schulhof durch Verhandlung und Kompromiß beizulegen, greifen die Schläger mehr und mehr auf Gewalt und Drohungen zurück. Sie bekommen dafür eine soziale Quittung: Schon zwei bis drei Stunden nach einem ersten Schulhofkontakt mit einem Schläger sagen andere Kinder, daß sie ihn nicht mögen.[14]

In Langzeitstudien, die den Weg der Kinder vom Vorschulalter bis zur Adoleszenz verfolgten, ergab sich, daß von den Erstkläßlern, die sich nicht einfügen, nicht mit anderen Kindern auskommen, ihren Eltern nicht gehorchen und sich ihren Lehrern widersetzen, fast die Hälfte als Jugendliche straffällig wird.[15] Natürlich befinden sich nicht alle aggressiven Kinder auf der schiefen Bahn, die später in Gewalt und Kriminalität mündet. Doch unter allen Kindern ist bei ihnen das Risiko am größten, daß sie irgendwann Gewaltverbrechen begehen.

Die Tendenz zur Kriminalität wird erstaunlich früh im Leben dieser Kinder deutlich. Kindergartenkinder in Montreal, die mit fünf Jahren als besonders feindselig und auffällig eingestuft wurden, hatten nur fünf bis acht Jahre später eine weit ansehnlichere Latte von Straftaten als andere. Dreimal häufiger als andere Kinder gaben sie zu, jemanden, der ihnen nichts getan hatte, zusammengeschlagen zu haben, Ladendiebstahl begangen zu haben, bei einer Rauferei eine Waffe benutzt zu haben, Autos aufgebrochen oder Autoteile gestohlen zu haben und betrunken gewesen zu sein – und das alles, bevor sie vierzehn Jahre alt waren.[16]

Der prototypische Weg in Gewalt und Kriminalität beginnt mit Kindern, die in der ersten und zweiten Klasse aggressiv und schwer zu handhaben sind.[17] Meist trägt ihre ungenügende Impulskontrolle von den ersten Schuljahren an zu schlechten Schulleistungen bei; sie gelten als »dumm« und sehen sich selbst so – ein Urteil, das dadurch bestätigt wird, daß man sie in Sonderklassen abschiebt (das erhöhte Maß an »Hyperaktivität« oder Lernstörungen bei solchen Kindern bedeutet nicht, daß das bei allen so ist). Kinder, die schon vor ihrem ersten Schultag zu Hause gelernt haben, wie man jemanden »zwingt« – nämlich durch Einschüchterung –, werden auch von den Lehrern abgeschrieben, die schon große Mühe haben, die Kinder bei der Stange zu halten. Da diese Kinder sich natürlich nicht an die Unterrichtsdisziplin halten, vergeuden sie mit ihrer Widersetzlichkeit viel Zeit, die sie zum Lernen hätten nutzen können; ihr absehbares Schulversagen steht gewöhnlich in der dritten Klasse fest.

In der vierten oder fünften Klasse werden diese Kinder, die inzwischen als Schläger oder als »schwierig« gelten, von ihren Klassenkameraden abgelehnt; sofern es ihnen überhaupt gelingt, fällt es ihnen schwer, Freunde zu finden, und sie sind zu Schulversagern geworden. Selbst ohne Freunde, neigen sie zu anderen sozialen Außenseitern. Zwischen der vierten und der neunten Klasse legen sie sich darauf fest, zu den Außenseitern zu gehören und im Widerspruch zum Gesetz zu leben: Schulschwänzerei, Trinken und Drogenkonsum steigen auf das Fünffache, wobei die größte Steigerung zwischen der siebten und achten Klasse erfolgt. In den mittleren Schuljahren schließt sich ihnen ein anderer Typ von »Spätzündern« an, die sich von ihrem herausfordernden Verhalten angezogen fühlen; oft sind es Kinder, auf die zu Hause niemand aufpaßt und die schon in der Grundschule angefangen haben, sich auf der Straße herumzutreiben. Meist bricht diese Gruppe von Außenseitern im Highschool-Alter die Schule ab und driftet mit Bagatelldelikten wie Ladendiebstahl, Diebstahl und Drogenhandel in die Kriminalität ab.

(In dieser Entwicklung tritt ein aufschlußreicher Unterschied zwischen Jungen und Mädchen zutage. Von den Mädchen in der vierten Klasse, die »ungezogen« waren – sie hatten Schwierigkeiten mit Lehrern und verletzten die Disziplin, waren aber bei ihren Klassenkameraden nicht unbeliebt –, hatten, wie eine Untersuchung ergab, 40 Prozent am Ende der Highschool-Zeit ein Kind.[18] Das war das Dreifache der durchschnittlichen Häufigkeit von Schwangerschaften bei Mädchen an ihren Schulen. Mit anderen Worten: Asoziale Mädchen werden als Teenager nicht gewalttätig – sie werden schwanger.)

Natürlich führt nicht nur ein einziger Weg zu Gewalt und Kriminalität; viele andere Faktoren können das Kind einem Risiko aussetzen: wenn es etwa in einem Viertel mit hoher Kriminalität aufwächst, wo es stärker Versuchungen zu Verbrechen und Gewalt ausgesetzt ist, oder wenn es aus einer Familie kommt, die in angespannten Verhältnissen oder in Armut lebt. Doch keiner dieser Faktoren führt zwangsläufig zu gewalttätigem, verbrecherischem Leben. Wenn man alle sonstigen Bedingungen gleichhält, sind es die bei aggressiven Kindern wirksamen psychologischen Kräfte, die vor allem die Wahrscheinlichkeit erhöhen, daß sie als Gewaltverbrecher enden. Wie der Psychologe Gerald Patterson sagt, der den Weg von Hunderten von Jungen bis ins frühe Erwachsenenalter verfolgt hat, »können die asozialen Handlungen eines Fünfjährigen als prototypisch für die Taten des straffälligen Jugendlichen gelten«.[19]

## Schulung für Schläger

Die Neigung, die aggressive Kinder mit durchs Leben nehmen, ist geradezu eine Garantie dafür, daß sie Schwierigkeiten bekommen werden. Eine Studie fand bei jugendlichen Straftätern, die wegen Gewaltverbrechen verurteilt waren, und bei aggressiven Highschool-Schülern eine gemeinsame Geisteshaltung: Jemanden, mit dem sie Schwierigkeiten haben, sehen sie sogleich als Gegner, und sie schließen voreilig auf eine feindselige Einstellung des anderen ihnen gegenüber; sie bemühen sich nicht um weitergehende Informationen und denken nicht daran, sich um eine friedliche Klärung der Differenzen zu bemühen. Dabei kommt ihnen die negative Konsequenz einer gewaltsamen Lösung – meistens ein Kampf – nie in den Sinn. Ihre aggressive Neigung ist in ihren Augen durch Ansichten wie die folgenden gerechtfertigt: »Es ist in Ordnung, jemanden zu schlagen, wenn man wahnsinnig wütend ist; wenn man vor einem Kampf zurückschreckt, halten alle einen für einen Feigling; und eigentlich leiden Leute, die übel zusammengeschlagen werden, gar nicht so schlimm.«[20]

Doch rechtzeitige Hilfe kann diese Einstellungen verändern und den Weg eines Kindes in die Kriminalität beenden; mehrere experimentelle Programme haben solchen aggressiven Kindern mit einigem Erfolg geholfen, zu lernen, ihre asoziale Neigung zu kontrollieren, ehe sie zu ernsteren Problemen führt. An der Duke-Universität hat man mit wuterfüllten Unruhestiftern im Grundschulalter sechs bis zwölf Wochen lang zweimal wöchentlich Schulungssitzungen von je 40 Minuten durchgeführt. Man brachte den Jungen zum Beispiel bei, zu erkennen, daß einige der sozialen Signale, die sie als feindselig deuteten, in Wirklichkeit neutral oder freundlich waren. Sie lernten, sich in andere Kinder hineinzuversetzen, ein Gefühl dafür zu bekommen, wie sie von anderen gesehen wurden und was andere Kinder bei den Interaktionen, die sie so wütend gemacht hatten, gedacht oder empfunden haben mochten. Ferner wurden sie direkt darin geschult, ihre Wut zu beherrschen, indem sie Szenen spielten, die sie möglicherweise in Wut versetzten, beispielsweise dadurch, daß sie geneckt wurden. Eine der wichtigen Fähigkeiten für die Wutbeherrschung bestand in der Überwachung ihrer eigenen Gefühle; sie lernten, darauf zu achten, was sie körperlich empfanden – zum Beispiel Erröten oder Anspannung der Muskeln –, wenn sie wütend wurden, und diese Gefühle als Hinweis zu verstehen, um innezuhalten und zu überlegen, was sie als nächstes tun sollten, statt impulsiv zuzuschlagen.

Der Psychologe John Lochman, der an der Entwicklung des Programms beteiligt war, erklärte mir: »Jetzt diskutieren sie über Situationen, die sie kürzlich erlebt haben, beispielsweise, daß einer sie in der Eingangshalle angerempelt hat und sie dachten, es sei Absicht gewesen. Die Kinder reden darüber, was sie in dem Fall getan hätten. Einer sagte zum Beispiel, er habe den, der ihn angerempelt hat, bloß scharf angeguckt und ihm gesagt, daß er das nicht nochmal tun darf, und dann sei er weitergegangen. Dadurch konnte er eine gewisse Stärke zeigen und seine Selbstachtung wahren, ohne eine Rauferei zu beginnen.«

Das findet Anklang, denn vielen solcher aggressiven Jungen macht es zu schaffen, daß sie so leicht in Wut geraten, und daher lernen sie bereitwillig, wie man seine Wut zügelt. Solche besonnenen Reaktionen wie bis zehn zu zählen, so daß der Impuls zum Zuschlagen verflogen ist, ehe sie reagieren, oder wegzugehen geschehen im Eifer des Gefechts natürlich nicht automatisch; die Jungen üben solche Alternativen in Rollenspielen ein, bei denen sie etwa in einen Bus steigen, wo andere Kinder sie verhöhnen. So können sie freundliche Reaktionen erproben, die ihre Würde wahren und ihnen etwas anderes ermöglichen, als zu schlagen, zu brüllen oder in Schande davonzulaufen.

Drei Jahre nach der Schulung verglich Lochman diese Jungen mit anderen, die genauso aggressiv gewesen, aber nicht in den Genuß der Schulung gekommen waren. Die Jungen, die das Programm absolviert hatten, waren in der Adoleszenz weniger störend im Unterricht, hatten mehr positive Selbstgefühle und neigten weniger zum Trinken oder zum Drogenkonsum. Und je länger sie am Programm teilgenommen hatten, desto weniger aggressiv waren sie als Teenager.

## Depressionsvorbeugung

*Es hatte immer so ausgesehen, als käme Dana, 16, gut mit anderen aus. Doch jetzt hatte sie auf einmal keine Beziehung zu anderen Mädchen, und was ihr noch mehr Kummer machte, auch mit Freunden brachte sie keine feste Bindung zustande, obwohl sie mit ihnen schlief. Mürrisch und ständig erschöpft, verlor Dana das Interesse am Essen und an jeder Art von Zerstreuung; sie sagte, sie wisse nicht, was sie tun könne, um einen Ausweg aus ihrer Stimmung zu finden, und sie denke an Selbstmord.*

*Sie war in Depression verfallen, seit ihre letzte Beziehung in die Brüche gegangen war. Sie sagte, sie könne mit keinem Jungen ausge-*

*hen, ohne daß es sofort zu sexuellen Intimitäten komme, auch wenn ihr gar nicht wohl dabei sei, und sie sei nicht imstande, eine Beziehung zu beenden, auch wenn sie unbefriedigend sei. Sie ginge mit Jungen ins Bett, sagte sie, und dabei wollte sie sie doch bloß näher kennenlernen.*

*Sie hatte gerade zu einer anderen Schule gewechselt und war zu schüchtern und ängstlich, um sich mit den Mädchen dort anzufreunden. So fing sie zum Beispiel kein Gespräch von sich aus an und sagte nur etwas, wenn jemand sie ansprach. Sie sah sich nicht in der Lage, den anderen zu vermitteln, wie sie war, und sie wußte noch nicht einmal, was sie antworten sollte, wenn jemand zu ihr sagte: »Hallo, wie geht's?«*[21]

Dana nahm an einem experimentellen Therapieprogramm für an Depression leidende Jugendliche an der Columbia-Universität teil. Die Behandlung zielte darauf, ihr zu helfen, daß sie lernte, besser mit ihren Beziehungen zurechtzukommen: eine Freundschaft aufzubauen, sich gegenüber anderen Teenagern selbstsicherer zu fühlen, auf Grenzen der sexuellen Annäherung zu bestehen, vertrauensvoll mit anderen umzugehen, ihre eigenen Gefühle zum Ausdruck zu bringen. Es war praktisch ein Nachhilfeunterricht in den elementarsten emotionalen Fähigkeiten. Und es klappte; ihre Depression ging weg.

Vor allem bei jungen Leuten werden Depressionen durch Beziehungsprobleme ausgelöst. Schwierigkeiten haben sie ebensooft in der Beziehung zu ihren Eltern wie zu ihren Altersgenossen. Häufig können oder wollen Kinder und Jugendliche, die eine Depression haben, nicht über ihren Kummer sprechen. Offenbar unfähig, ihre Gefühle genau einzuordnen, legen sie eine mürrische Reizbarkeit, Ungeduld, Launenhaftigkeit und Zorn an den Tag, besonders gegenüber den Eltern. Das erschwert es wiederum ihren Eltern, dem deprimierten Kind die emotionale Unterstützung und Anleitung zu geben, die es eigentlich braucht, und setzt eine Abwärtsspirale in Gang, die meistens in ständigen Streitereien und Entfremdung endet.

Ein anderes fünfzehnjähriges Mädchen, das im Columbia-Programm behandelt wurde, war deshalb deprimiert, weil es mit der Mutter Streit darüber hatte, ob es zu jung sei, um sich mit Jungen zu treffen. Die Mutter, eine Immigrantin, meinte, Ausgehen zieme sich nicht für eine junge Frau, solange sie noch nicht zwanzig sei; sie gehöre nach Hause und habe dort zu helfen, meinte die Mutter, so wie sie es in ihrer Kindheit erlebt habe. Begreiflich, daß sie sich am Ende anschrien. Die Tochter versank in Depression.

In den Therapiesitzungen lernte die Tochter, ihre Ansichten gegenüber der Mutter in einer Weise zu vertreten, die diese besser verstehen konnte – ein gewisses Verständnis für den Standpunkt der Mutter zu zeigen, ruhig und klar zu argumentieren und einen Kompromiß anzustreben. In gemeinsamen Therapiesitzungen mit Mutter und Tochter lernte diese, daß es bestimmte Befürchtungen und ganz andere kulturelle Annahmen über den Umgang zwischen jungen Frauen und Männern waren, die ihre Mutter so reagieren ließen. Also besann sie sich auf einen Kompromiß: sich nur zu Hause mit Freunden zu treffen. Ihre Depression verschwand.

Diese beiden Fälle sind aufschlußreich. Fragt man sich unbefangen nach den Ursachen von Depressionen bei jungen Leuten, werden Defizite in zwei Bereichen der emotionalen Kompetenz deutlich: Einerseits fehlt es an der Fähigkeit, mit Beziehungen umzugehen, andererseits werden Rückschläge in einer Weise interpretiert, die die Depression fördert. Eine gewisse Neigung zur Depression ist sicherlich angeboren, doch zum Teil beruht diese Neigung offenbar auch auf umkehrbaren, pessimistischen Denkgewohnheiten, die die Kinder dazu prädisponieren, auf die kleinen Niederlagen des Lebens – eine schlechte Note, Streit mit den Eltern, eine soziale Zurückweisung – mit Depressionen zu reagieren. Vieles deutet darauf hin, daß die Neigung zur Depression, was auch immer ihre Grundlage sei, sich unter jungen Leuten zusehends ausbreitet.

## Kosten der Moderne: Depressionen nehmen zu

Die bevorstehende Jahrtausendwende leitet eine Epoche der Melancholie ein, so wie das 20. Jahrhundert eine Epoche der Angst war. Aus internationalen Untersuchungen ergibt sich das Bild einer Epidemie der Depression, die mit der Anpassung an die moderne Welt Hand in Hand geht. Seit Beginn des Jahrhunderts hat sich weltweit für jede neue Generation gegenüber der Elterngeneration das Risiko erhöht, im Laufe des Lebens irgendwann an einer schweren Depression zu erkranken, und das heißt, nicht bloß traurig zu sein, sondern an lähmender Lustlosigkeit, tiefer Niedergeschlagenheit, Selbstmitleid und einem überwältigenden Gefühl der Hoffnungslosigkeit zu leiden.[22] Dabei sinkt das Eintrittsalter mehr und mehr. Kindliche Depression, einst praktisch unbekannt (oder zumindest unerkannt), wird zu einem festen Bestandteil der modernen Welt.

Zwar nimmt die Wahrscheinlichkeit, an Depression zu erkranken, mit dem Alter zu, doch die größten Steigerungsraten findet man unter jungen Leuten. Für die nach 1955 Geborenen ist die Wahrscheinlichkeit, irgendwann an einer schweren Depression zu erkranken, in vielen Ländern dreimal so hoch wie für ihre Großeltern. Bei den vor 1905 geborenen Amerikanern betrug der Anteil derer, die irgendwann im Leben eine typische Depression hatten, knapp ein Prozent; unter den ab 1955 Geborenen hatten bis zum vierundzwanzigsten Lebensjahr sechs Prozent schon eine Depression erlebt. Die Wahrscheinlichkeit, bis zum vierunddreißigsten Lebensjahr an einer typischen Depression zu erkranken, war für die zwischen 1945 und 1954 Geborenen zehnmal so hoch wie für die zwischen 1905 und 1914 geborene Generation.[23] Und mit jeder Generation sinkt das Alter, in dem die Depression zum ersten Mal auftritt.

Dieselbe Tendenz fand eine internationale Untersuchung an mehr als 39000 Menschen in Puerto Rico, Kanada, Italien, Deutschland, Frankreich, Taiwan, im Libanon und in Neuseeland. In Beirut standen die Depressionsfälle in engem Zusammenhang mit politischen Ereignissen; während des Bürgerkriegs schnellten sie in die Höhe. In Deutschland betrug der Anteil derer, die bis zum fünfunddreißigsten Lebensjahr an einer Depression erkrankten, bei den vor 1914 Geborenen vier Prozent, bei den zwischen 1935 und 1944 Geborenen vierzehn Prozent. Weltweit erkrankten die Generationen, die in politisch unruhigen Zeiten aufwuchsen, häufiger an Depressionen, doch gilt der generelle Aufwärtstrend unabhängig von allen politischen Ereignissen.

Weltweit scheint auch das Alter beim erstmaligen Auftreten einer Depression bis ins Kindesalter abzusinken. Fachleute, die ich nach den vermutlichen Ursachen befragte, vertraten verschiedene Theorien:

Dr. Frederick Goodwin, seinerzeit Direktor des National Institute of Mental Health, meinte: »Die Kernfamilie unterliegt einer ungeheuren Erosion; die Scheidungsziffer hat sich verdoppelt, Eltern haben immer weniger Zeit für ihre Kinder, und die Mobilität hat zugenommen. Diejenigen, die heute aufwachsen, wissen nicht mehr viel von ihrer größeren Verwandtschaft. Wenn diese verläßlichen Quellen der Selbstidentifikation verlorengehen, wird man anfälliger für Depressionen.«

Dr. David Kupfer, Leiter der Psychiatrie an der Universität Pittsburgh, verwies auf eine andere Entwicklung: »Mit der verstärkten Industrialisierung nach dem Zweiten Weltkrieg ging für alle eine gewisse Sicherheit verloren. In immer mehr Familien kümmern sich die Eltern nicht mehr um die Bedürfnisse ihrer heranwachsenden Kinder. Das ist keine direkte Depressionsursache, aber es begründet eine Anfälligkeit. Frühe emotionale Stressfaktoren können die neuronale Entwicklung beeinträchtigen, und das kann noch Jahrzehnte später zu einer Depression führen, wenn man unter starkem Stress steht.«

Der Psychologe Martin Seligman von der Universität von Pennsylvania meinte: »In den letzten dreißig bis vierzig Jahren hat der Individualismus zugenommen, während die religiösen Überzeugungen und die verläßliche Unterstützung durch die Gemeinschaft und die Großfamilie zurückgegangen sind. Damit sind Möglichkeiten, die einen bei Rückschlägen und Mißerfolgen auffangen können, verlorengegangen. Wenn man einen Mißerfolg als etwas nicht mehr rückgängig zu Machendes empfindet und derart aufbläht, daß er das ganze Leben vergiftet, ist man in Gefahr, eine momentane Niederlage zu einer dauerhaften Ursache von Hoffnungslosigkeit zu machen. Wenn man dagegen eine weitere Perspektive hat, indem man beispielsweise an Gott und ein Leben nach dem Tode glaubt, ist der Verlust des Arbeitsplatzes bloß eine temporäre Niederlage.«

Die Depression bei den jungen Leuten ist auf jeden Fall, unabhängig von der Ursache, ein dringendes Problem. Die Schätzungen über die Zahl der Kinder und Jugendlichen, die in den USA in einem Jahr an Depression leiden, bewegen sich, anders als die über ihre Depressionsanfälligkeit im Laufe des Lebens, in einem breiten Spielraum. Epidemiologische Studien, die als strenges Kriterium die offiziellen diagnostischen Symptome der Depression anlegen, ergaben, daß bei Jungen und Mädchen zwischen zehn und dreizehn Jahren der Anteil derer, die im Laufe eines Jahres eine typische Depression durchmachen, acht oder gar neun Prozent beträgt; andere Studien schätzen ihn allerdings nur halb so hoch ein, und einige sogar nur auf rund zwei Prozent. Mit der Pubertät verdoppelt sich beinahe der Anteil bei den Mädchen – von den Mädchen zwischen vierzehn und sechzehn leiden bis zu sechzehn Prozent an depressiven Anfällen –, während er bei den Jungen unverändert bleibt.[24]

## Der Verlauf der Depression bei Jugendlichen

Daß man die Depression bei Kindern nicht bloß behandeln, sondern vor allem *verhüten* sollte, macht eine beunruhigende Entdeckung deutlich: Schon milde depressive Episoden bei einem Kind können schwerere Episoden im späteren Leben verheißen.[25] Dies stellt die herkömmliche Annahme in Frage, wonach Depressionen in der Kindheit langfristig bedeutungslos sind, da die Kinder angeblich »aus ihr herauswachsen«. Natürlich ist jedes Kind von Zeit zu Zeit traurig; in Kindheit und Jugend kommen, genau wie im Erwachsenenleben, hin und wieder kleine und große Enttäuschungen und Verluste und die damit einhergehende Trauer vor. Nicht diesen Anlässen muß vorgebeugt werden; Prävention ist vielmehr bei jenen Kindern angezeigt, die von der Trauer herabsinken in eine Schwermut, die sie hoffnungslos, reizbar und introvertiert werden läßt, also für Fälle einer sehr viel ernsteren Melancholie.

Nach den Unterlagen, die die Psychologin Maria Kovacs vom Western Psychiatric Institute and Clinic in Pittsburgh zusammengetragen hat, erlitten drei Viertel der Kinder, deren Depression hinreichend schwer war, daß sie zur Behandlung überwiesen wurden, anschließend eine Episode von schwerer Depression.[26] Kovacs untersuchte Kinder, bei denen Depression diagnostiziert wurde, teilweise schon im Alter von acht Jahren, um sie dann alle paar Jahre wieder zu begutachten, bis einige von ihnen 24 Jahre alt waren.

Die depressiven Episoden der Kinder, bei denen typische Depression festgestellt wurde, dauerten im Schnitt elf Monate, doch bei jedem sechsten Kind zogen sie sich über achtzehn Monate hin. Die milde Depression, die bei manchen Kindern schon mit fünf einsetzte, war weniger behindernd, dauerte aber weit länger – im Schnitt etwa vier Jahre. Außerdem besteht, wie Kovacs herausfand, bei Kindern mit einer schwächeren Depression ein größeres Risiko, daß sie sich zu einer typischen Depression verstärkt, einer sogenannten »doppelten Depression«. Wer eine doppelte Depression entwickelt, neigt viel stärker dazu, daß die Episoden mit den Jahren wiederkehren. Kinder, die eine depressive Episode hatten, litten als Jugendliche und junge Erwachsene im Durchschnitt jedes dritte Jahr an Depression oder manisch-depressiver Erkrankung.

Die Kosten für das Kind gehen über das Leiden, das die Depression als solche verursacht, hinaus. Kovacs erklärte mir: »Kinder erlernen im Umgang mit ihresgleichen die sozialen Fähigkeiten, zum Beispiel, was man tun muß, wenn man etwas möchte und es nicht bekommt; sie beobachten, was andere Kinder in der Situation tun, und probieren es dann selbst aus. Doch die depressiven Kinder gehören meist zu denen, die in der Schule übergangen werden, mit denen andere Kinder nicht oft spielen.«[27]

Die Verdrossenheit oder Traurigkeit, die solche Kinder empfinden, bringt sie dazu, keine sozialen Kontakte aufzunehmen oder wegzuschauen, wenn ein anderes Kind mit ihnen in Verbindung treten will – ein soziales Signal, das das andere Kind nur als Abweisung auffassen kann; im Endergebnis werden depressive Kinder auf dem Spielplatz abgelehnt oder übergangen. Da ihre interpersonale Erfahrung dadurch lückenhaft bleibt, verpassen sie das, was sie normalerweise im spielerischen Getümmel lernen würden, wodurch sie zu sozialen und emotionalen Nachzüglern werden, die vieles nachholen müssen, wenn die Depression vergangen ist.[28] Im Vergleich von depressiven Kindern mit solchen ohne Depression zeigte sich denn auch, daß sie sozial weniger kompetent waren, weniger Freunde hatten, seltener als andere als Spielkameraden bevorzugt wurden, weniger geschätzt wurden und problematischere Beziehungen zu anderen Kindern hatten.

Der Preis, den diese Kinder für ihre Depression zu bezahlen haben, besteht außerdem in schlechten Schulleistungen; die Depression beeinträchtigt ihr Gedächtnis und ihre Konzentration, macht es ihnen schwerer, im Unterricht aufzupassen und sich den Lernstoff einzuprägen. Ein Kind, das an nichts Freude hat, wird kaum die Energie aufbringen, schwierigere Aufgaben zu meistern, und das Erlebnis des Fließens beim Lernen wird ihm völlig verschlossen bleiben. Kovacs stellte fest, daß, je länger die Depression dauerte, die Noten der Kinder um so schlechter wurden und sie bei Leistungstests um so schlechter abschnitten, so daß sie häufiger nachsitzen mußten. Zwischen der Dauer der Depression und dem Notendurchschnitt bestand eine direkte Korrelation, mit einem regelmäßigen Tief während der Episode. Diese Plackerei in der Schule trägt natürlich nur dazu bei, die Depression zu vertiefen. Kovacs bemerkt dazu: »Man muß sich das einmal klarmachen: Das Kind, das sich schon deprimiert fühlt, wird auch noch aus der Schule geworfen und sitzt dann allein zu Hause herum, statt mit anderen Kindern zu spielen.«

## Denkweisen, die Depression hervorrufen

Pessimistische Deutungen der Niederlagen, die das Leben mit sich bringt, verstärken wie bei Erwachsenen das Gefühl der Hilflosigkeit und Hoffnungslosigkeit, das der Depression bei Kindern zugrunde liegt. Daß Menschen, die *bereits* depressiv sind, so denken, ist seit langem bekannt. Erst vor kurzem hat man dagegen erkannt, daß Kinder, die sehr anfällig für Melancholie sind, schon zu dieser pessimistischen Sichtweise neigen, *bevor* sie depressiv werden. Diese Erkenntnis führt zu dem Schluß, daß es ein Fenster der Gelegenheit gibt, sie gegen die Depression zu impfen, bevor diese zuschlägt.

Anhaltspunkte dafür liefern Untersuchungen darüber, wie Kinder ihre Fähigkeit einschätzen, auf die Vorgänge in ihrem Leben Einfluß zu nehmen, beispielsweise Verbesserungen zu erreichen. Dabei müssen die Kinder sich anhand solcher Statements wie »Wenn ich zu Hause Probleme habe, kann ich besser als die meisten Kinder dazu beitragen, die Probleme zu lösen« oder »Wenn ich fleißig lerne, bekomme ich gute Noten« selber einstufen. Trifft nach Aussage der Kinder keine dieser positiven Beschreibungen auf sie zu, so glauben sie nicht, daß sie etwas tun können, um die Dinge zu beeinflussen; dieses Gefühl der Hilflosigkeit ist am stärksten bei jenen Kindern, die am stärksten deprimiert sind.[29]

Eine aufschlußreiche Studie befragte Fünft- und Sechstkläßler nach der Zeugnisausgabe. Zeugnisse gehören, wie wir alle wissen, zu den bedeutendsten Ursachen von Freude und Verzweiflung in der Kindheit. Deutliche Unterschiede bestehen jedoch in der Einschätzung der eigenen Rolle des Kindes, wenn eine Note schlechter ausgefallen ist als erwartet. Diejenigen, die eine schlechte Note einem persönlichen Mangel zuschreiben (»Ich bin dumm«), fühlen sich stärker deprimiert als andere, die sie auf etwas zurückführen, an dem sie etwas ändern können (»Wenn ich meine Hausaufgaben in Mathe mache, werde ich eine bessere Note kriegen«).[30]

Eine Gruppe von Dritt-, Viert- und Fünftkläßlern, die von ihren Klassenkameraden abgelehnt worden waren, wurde von Forschern daraufhin beobachtet, wer davon im folgenden Jahr in seiner neuen Klasse weiterhin ein sozialer Außenseiter blieb. Ob sie depressiv wurden, hing offenbar entscheidend davon ab, wie sich die Kinder selbst die Ablehnung erklärten. Diejenigen, die ihre Ablehnung einem persönlichen Mangel zuschrieben, wurden noch deprimierter. Die Optimisten, die glaubten, etwas tun zu können, um die Lage zu verbessern, waren hingegen trotz fortgesetzter Ablehnung nicht sonderlich deprimiert.[31] In einer anderen Studie über Kinder, die den bekanntermaßen stressigen Übergang zur siebten Klasse machten, reagierten die Kinder, die die pessimistische Einstellung hatten, auf große Belastungen in der Schule und auf etwaigen zusätzlichen Stress zu Hause, indem sie depressiv wurden.[32]

Daß eine pessimistische Einstellung Kinder hochgradig depressionsanfällig macht, beweist am schlagendsten eine Studie, bei der Kinder von der dritten Klasse an über fünf Jahre beobachtet wurden.[33] Die verläßlichste Vorhersage, daß sie eine Depression bekommen würden, erlaubte bei den jüngeren Kindern ein Schicksalsschlag, zum Beispiel die Scheidung der Eltern oder ein Todesfall in der Familie, der das

Kind verstört und verwirrt zurückließ, wobei die Eltern vermutlich auch noch als schützender Puffer weitgehend ausfielen.

Mit den Jahren ergab sich bei den Kindern eine bedeutsame Veränderung in der Beurteilung der positiven und negativen Ereignisse in ihrem Leben, die sie zunehmend ihren eigenen Merkmalen zuschrieben: Ich bekomme gute Noten, weil ich intelligent bin; ich habe wenige Freunde, weil ich nicht lustig bin. Diese Veränderung setzt offenbar allmählich ein, während die Kinder die dritte bis fünfte Klasse besuchen. Dabei verfallen die Kinder, die eine pessimistische Einstellung entwickeln – die also die Rückschläge in ihrem Leben einem schlimmen persönlichen Mangel zuschreiben –, zunehmend in depressive Stimmungen, wenn sie einen Rückschlag erleiden. Offenbar verstärkt das Erlebnis der Depression noch zusätzlich diese pessimistischen Denkweisen, so daß das Kind auch dann, wenn die Depression verschwunden ist, eine emotionale Narbe zurückbehält, eine Reihe von Überzeugungen, die von der Depression genährt werden und die sich bei ihm festsetzen: daß es zu guten Schulleistungen außerstande sei, daß es unsympathisch sei und daß es nichts tun könne, um seinen trübsinnigen Stimmungen zu entrinnen. Diese fixen Ideen können das Kind nur noch anfälliger für eine weitere Depression machen.

## Wie man die Depression umgeht

Die gute Nachricht: Alles deutet darauf hin, daß das Depressionsrisiko sinkt, wenn man Kindern beibringt, ihre Schwierigkeiten produktiver anzugehen.* An einer Highschool in Oregon stellten Psychologen bei nahezu jedem vierten Schüler eine »kleine Depression« fest, deren Schweregrad einstweilen nicht ausreichte, um von mehr als einem gewöhnlichen Unglücklichsein zu sprechen.[34] Bei eini-

* Bei Kindern ist im Unterschied zu Erwachsenen die Medikation offensichtlich keine Alternative zur Therapie oder zur vorbeugenden Erziehung in der Behandlung der Depression; Medikamente werden im kindlichen Organismus anders abgebaut als beim Erwachsenen. Tricyklische Antidepressiva, die bei Erwachsenen oft erfolgreich sind, haben in kontrollierten Versuchen mit Kindern keine bessere Wirkung erzielt als ein unwirksames Placebo. Neuere Depressionsmittel, auch Prozac, sind bislang noch nicht für die Anwendung bei Kindern getestet. Desipramin, eines der bei Erwachsenen am häufigsten (und sichersten) angewandten Tricyklide, steht bei der amerikanischen Arzneimittelbehörde gegenwärtig im Verdacht, für Todesfälle unter Kindern verantwortlich zu sein.

gen könnte sich daraus in überschaubarer Zeit eine richtige Depression entwickelt haben.

In einem speziellen Kurs außerhalb der Schulzeit lernten 75 der an der milden Depression leidenden Schüler, die mit der Depression einhergehenden Denkweisen in Frage zu stellen; man brachte ihnen bei, wie man es geschickter anstellt, Freundschaften zu schließen, wie man besser mit seinen Eltern auskommt und wie man sich stärker an sozialen Aktivitäten beteiligt, die Spaß machen. Am Ende des achtwöchigen Programms hatten 55 Prozent der Teilnehmer ihre milde Depression überwunden; von den Schülern, die ebenso depressiv gewesen waren, aber nicht an dem Programm teilgenommen hatten, hatte dagegen nur ein Viertel begonnen, aus ihrer Depression auszusteigen. Von den Schülern der Vergleichsgruppe war ein Jahr später ein Viertel in eine typische Depression verfallen, von den Teilnehmern an dem Vorbeugungsprogramm dagegen nur 14 Prozent. Der Kurs hatte, obwohl er nur acht Sitzungen umfaßte, offenbar das Risiko der Depression halbiert.[35]

Ähnlich vielversprechende Ergebnisse erzielte ein wöchentlich stattfindender Sonderkurs mit Zehn- bis Dreizehnjährigen, die Streit mit ihren Eltern hatten und gewisse Anzeichen von Depression erkennen ließen. Außerhalb der Schulzeit brachte man ihnen einige elementare emotionale Fähigkeiten bei, zum Beispiel, wie man Meinungsverschiedenheiten beilegt, daß man erst überlegen soll, bevor man handelt; außerdem lernten sie – und das war vielleicht das wichtigste –, die mit der Depression verbundenen pessimistischen Ansichten in Frage zu stellen, beispielsweise, nach einem schlechten Prüfungsergebnis nicht zu denken »Ich bin einfach nicht schlau genug«, sondern den Entschluß zu fassen, fleißiger zu lernen.

»In diesen Kursen lernt das Kind, daß Stimmungen wie Angst, Traurigkeit oder Zorn nicht einfach über einen kommen, ohne daß man irgendeinen Einfluß darauf hätte, sondern daß man seine Gefühle durch das, was man denkt, verändern kann«, erklärt der Psychologe Martin Seligman, der an der Entwicklung des zwölfwöchigen Programms beteiligt war. Weil das Infragestellen der deprimierenden Gedanken die heraufziehende düstere Stimmung besiegt, ist es, wie Seligman hinzufügt, »ein sofortiger Verstärker, der zur Gewohnheit wird«.

Auch hier reduzierten die Sonderkurse die Depressionshäufigkeit um die Hälfte – und zwar noch zwei Jahre später, während die unmittelbare Nachwirkung sehr viel stärker war. Ein Jahr nach Ende des Kurses erreichten nur acht Prozent der Teilnehmer bei einem Depressionstest mittlere bis hohe Werte, gegenüber 29 Prozent der Kinder einer Vergleichsgruppe. Nach zwei Jahren ließen etwa zwanzig Prozent der Teilnehmer gewisse Anzeichen einer zumindest milden Depression erkennen, gegenüber 44 Prozent in der Vergleichsgruppe.

Möglicherweise ist es besonders hilfreich, wenn diese emotionalen Fähigkeiten am Beginn der Adoleszenz erlernt werden. »Diese Burschen«, bemerkt Seligman, »werden mit den Schmerzen, die die Ablehnung durch die anderen einem Jugendlichen bereitet, offenbar besser fertig. Es scheint, als hätten sie das an einem entscheidenden Punkt gelernt, wo das Risiko der Depression hoch ist, am Beginn des Teenageralters. Und offensichtlich sitzt die Lektion und verfestigt sich mit den Jahren, woraus ich schließe, daß die Kerle sie im täglichen Leben anwenden.«

Die neuen Programme finden den Beifall anderer Fachleute für kindliche Depression. »Wenn man bei einer psychiatrischen Krankheit wie der Depression wirklich etwas erreichen will, muß man etwas machen, bevor die Kinder krank werden«, meinte Kovacs. »Eine psychologische Impfung ist die richtige Lösung.«

## Eßstörungen

Als ich Ende der sechziger Jahre klinische Psychologie studierte, kannte ich zwei Frauen, die an Eßstörungen litten, was mir allerdings erst viele Jahre später klar wurde. Die eine war eine glänzende Mathematikstudentin in Harvard, mit der ich seit den ersten Studienjahren befreundet war, die andere arbeitete am Massachusetts Institute of Technology. Die Mathematikerin konnte es, obwohl sie spindeldürr war, einfach nicht über sich bringen zu essen; sie empfinde Ekel vor dem Essen, erklärte sie. Die Bibliothekarin hatte eine üppige Figur, und sie verschlang mit Leidenschaft Speiseeis, Sara Lee-Karottenkuchen und andere Süßigkeiten; anschließend ging sie, wie sie mir einmal mit einer gewissen Verlegenheit gestand, heimlich auf die Toilette und brachte sich selbst zum Erbrechen. Bei der Mathematikerin würde man heute Magersucht, Anorexia nervosa, bei der Bibliothekarin Bulimie diagnostizieren.

Damals gab es diese Bezeichnungen noch nicht. Es gab allenfalls erste Äußerungen von Klinikern zu diesem Problem; der bahnbrechende Artikel über Eßstörungen von Hilda Bruch, der Pionierin in dieser Hinsicht, erschien 1969.[36] Bruch wunderte sich über Frauen, die sich zu Tode hungerten, und vermutete als eine von mehreren Ursachen ein Unvermögen, körperliche Instinkte – darunter natürlich besonders den Nahrungstrieb – richtig wahrzunehmen und angemessen darauf zu reagieren. Die klinische Literatur über Eßstörungen ist seither unübersehbar geworden und hat eine Fülle von Hypothesen über die Ursachen hervorgebracht, angefangen damit, daß immer jüngere Mädchen sich gezwungen glauben, mit unerreichbar hohen Vorbildern weiblicher Schönheit zu konkurrieren, bis hin zu aufdringlichen Müttern, die ihre Töchter in ein kontrollierendes Netz von Schuld und Tadel verstricken.

Die meisten dieser Hypothesen hatten einen großen Haken: sie waren Extrapolationen aus Beobachtungen, die in der Therapie gemacht wurden. Aus wissenschaftlicher Sicht wünschte man sich eher, daß große Gruppen von Menschen über eine Reihe von Jahren hinweg untersucht werden, um herauszufinden, wer schließlich an dem Problem erkrankt. Eine solche Untersuchung erlaubt einen sauberen Vergleich, dem man zum Beispiel entnehmen kann, ob kontrollierende Eltern bei einem Mädchen eine Neigung zu Eßstörungen hervorrufen. Sie erlaubt darüber hinaus, das Bündel von Bedingungen zu identifizieren, die zu dem Problem führen, und diese von Bedingungen zu unterscheiden, die als scheinbare Ursache in Frage kommen, tatsächlich aber ebenso häufig bei Menschen anzutreffen sind, die frei von dem Problem sind, wie bei jenen, die zur Behandlung kommen.

In einer derartigen Untersuchung an über 900 Mädchen, die die siebte bis zehnte Klasse besuchten, wurde klar, daß emotionale Defizite – vornehmlich das Unvermögen, zwischen bedrückenden Gefühlen zu unterscheiden und diese zu kontrollieren – zu den wichtigsten Faktoren zählen, die zu Eßstörungen führen.[37] An der Highschool in einem wohlhabenden Vorort von Minneapolis gab es in der zehnten Klasse immerhin 61 Mädchen, die bereits ernste Symptome von Anorexie oder Bulimie hatten. Je schwerer das Problem, desto stärker reagierten die Mädchen auf Rückschläge, Schwierigkeiten und kleinere Ärgernisse mit intensiven negativen Gefühlen, mit denen sie nicht umzugehen wußten, und desto weniger war ihnen bewußt, was sie genau empfanden. Kam zu diesen beiden emotionalen Tendenzen eine ausgeprägte Unzufriedenheit mit dem eigenen Körper hinzu, war das Ergebnis Anorexie oder Bulimie. Wie sich herausstellte, waren allzu kontrollierende Eltern keine bedeutende Ursache von Eßstörungen. (Bruch hatte schon darauf hingewiesen, daß man nicht erwarten dürfe, daß nachträglich konstruierte Theorien zutreffen; es kann beispielsweise leicht passieren, daß Eltern *in Reaktion* auf die Eßstörung ihrer Tochter, aus dem verzweifelten Wunsch heraus, ihr zu helfen, eine sehr kontrollierende Haltung entwickeln.) Als irrelevant erwiesen sich auch solche beliebten Erklärungen wie Angst vor der Sexualität, ein frühes Einsetzen der Pubertät und geringe Selbstachtung.

Die Kausalkette, die von dieser Untersuchung aufgedeckt wurde, begann vielmehr mit dem Eindruck, den es auf junge Mädchen macht, wenn sie in einer Gesellschaft aufwachsen, die unnatürliche Schlankheit für ein Zeichen weiblicher Schönheit hält. So brach eine Sechsjährige in Tränen aus, als ihre Mutter sie aufforderte, schwimmen zu gehen; sie sagte, im Badeanzug wirke sie dick. Dabei hatte sie ein für ihre Größe normales Gewicht, wie ihr Kinderarzt bestätigte, der von dem Vorfall berichtet.[38] In einer Untersuchung von 271 jungen Teenagern fand die Hälfte der Mädchen, daß sie zu dick seien, obwohl die überwiegende Mehrheit Normalgewicht hatte. Allerdings zeigte die Minneapolis-Studie, daß die Zwangsvorstellung, übergewichtig zu sein, allein noch keine hinreichende Erklärung dafür liefert, daß einige Mädchen Eßstörungen entwickeln.

Manche Fettleibigen können Angst, Wut und Hunger nicht auseinanderhalten, und so deuten sie all diese Gefühle als Hunger, was sie dazu bringt, sich zu überessen, sobald sie aufgeregt sind.[39] Bei diesen Mädchen scheint etwas Ähnliches abzulaufen. Die Psychologin Gloria Leon von der Universität von Minnesota, die die Untersuchung über junge Mädchen und Eßstörungen durchführte, beobachtete bei diesen Mädchen, daß sie »ihre Gefühle und die körperlichen Signale kaum kennen; das war der verläßlichste Vorhersagemaßstab dafür, daß sie innerhalb der nächsten zwei Jahre eine Eßstörung entwickeln würden. Die meisten Kinder lernen, zwischen ihren Empfindungen zu unterscheiden, so daß sie wissen, ob sie gelangweilt, wütend, deprimiert oder hungrig sind – das ist ein elementarer Bestandteil des emotionalen Lernens. Diese Mädchen haben jedoch Schwierigkeiten, zwischen ihren einfachsten Gefühlen zu unterscheiden. Wenn sie zum Beispiel Probleme mit ihrem Freund haben, wissen sie nicht genau, ob sie wütend, ängstlich oder deprimiert sind – sie erleben bloß einen diffusen Gefühlssturm, mit dem sie nicht klarkommen. Dafür lernen sie aber, daß sie sich besser fühlen, wenn sie etwas essen; das kann zu einer tiefverwurzelten emotionalen Gewohnheit werden.«

Wenn aber diese Gewohnheit, sich durch Essen zu beruhigen, mit dem von den Mädchen empfundenen Zwang, dünn zu bleiben, zusammentrifft, sind Eßstörungen vorprogrammiert. »Zuerst fangen sie vielleicht an, übermäßig zu essen«, erklärt Leon. »Weil sie aber dünn bleiben wollen, erbrechen sie oder greifen zu Abführmitteln oder treiben intensiv Sport, um das angefressene Übergewicht loszuwerden.

Dieses Bemühen, mit der emotionalen Verwirrung fertig zu werden, kann auch die Form annehmen, daß das Mädchen überhaupt nicht mehr ißt – damit verschafft es sich das Gefühl, diese überwältigenden Gefühle zumindest einigermaßen unter Kontrolle zu haben.«

Beim Zusammentreffen unzureichender Wahrnehmung der eigenen Gefühle mit geringen sozialen Fähigkeiten können diese Mädchen, falls sie Streit mit Freunden oder Eltern haben, nichts Wirksames tun, um die Beziehung wieder einzurenken und ihren eigenen Kummer zu beschwichtigen. Statt dessen löst die Aufregung bei ihnen die Eßstörung aus, ob nun als Bulimie, als Anorexie oder schlicht als Überessen. Um solche Mädchen wirksam zu behandeln, muß man ihnen – davon ist Leon überzeugt – in den emotionalen Fähigkeiten, die ihnen fehlen, Nachhilfeunterricht geben. »Nach den Erkenntnissen der Kliniker«, erklärte sie mir, »funktioniert die Therapie besser, wenn man die Defizite anspricht. Diese Mädchen müssen lernen, ihre Gefühle zu erkennen, und sie müssen lernen, sich zu beruhigen und mit ihren Beziehungen besser klarzukommen, ohne wieder auf ihre fehlangepaßten Eßgewohnheiten zurückzugreifen.«

## Only the Lonely: Schulabbrecher

Ein Drama in der Grundschule: Ben, ein Viertkläßler mit wenigen Freunden, hat gerade von Jason, seinem einzigen Kumpel, gehört, daß sie in dieser Mittagspause nicht zusammen spielen werden – Jason möchte lieber mit Chad spielen. Ben, niedergeschmettert, läßt seinen Kopf hängen und weint. Als seine Tränen versiegt sind, geht Ben zu dem Tisch hinüber, an dem Jason und Chad ihr Essen einnehmen.

»Ich hasse dich wie die Pest!« schreit Ben Jason ins Gesicht.

»Warum?« fragt Jason.

»Weil du gelogen hast«, sagt Ben in anklagendem Tonfall. »Du hast gesagt, du würdest diese ganze Woche mit mir spielen, und das war gelogen.«

Steif kehrt Ben, still vor sich hinweinend, an seinen verlassenen Tisch zurück. Jason und Chad kommen zu ihm und versuchen, mit ihm zu reden, aber Ben will von ihnen nichts hören, stopft sich die Ohren zu und rennt aus dem Speisesaal, um sich hinter den Abfalltonnen zu verstecken. Einige Mädchen, die Zeugen der Szene waren, versuchen Frieden zu stiften, gehen Ben nach und sagen ihm, daß Jason bereit ist, auch mit ihm zu spielen. Aber Ben will davon nichts wissen und sagt, sie sollten ihn in Ruhe lassen. Schmollend und schluchzend leckt er seine Wunden, in trotziger Einsamkeit.[40]

Sicherlich eine ergreifende Szene, denn fast jeder lernt irgendwann im Laufe von Kindheit und Jugend das Gefühl kennen, abgelehnt und ohne Freunde zu sein. Was aber an Bens Reaktion besonders folgenreich ist, ist sein Versäumnis, auf Jasons Bemühungen um die Wiederherstellung ihrer Freundschaft einzugehen, eine Haltung, die seine mißliche Lage an dem Punkt, wo sie hätte enden können, verlängert. Diese Unfähigkeit, wichtige Fingerzeige zu erfassen, ist typisch für Kinder, die unbeliebt sind; wie wir im zehnten Kapitel gesehen haben, vermögen sozial abgelehnte Kinder emotionale und soziale Signale meistens nicht zu deuten, und wenn sie sie verstehen, stehen ihnen nur begrenzte Reaktionen zu Gebote.

Der Schulabbruch ist ein ausgesprochenes Risiko für Kinder, die soziale Außenseiter sind. Bei Kindern, die von ihren Kameraden abgelehnt werden, ist die Abbruchquote zwei- bis achtmal so groß wie bei Kindern, die Freunde haben. Einer Studie zufolge hatten rund 25 Prozent der Kinder, die in der Grundschule unbeliebt waren, vor dem Highschoolabschluß die Schule abgebrochen, gegenüber einer allgemeinen Abbruchquote von acht Prozent.[41] Kein Wunder: Man muß sich nur einmal vorstellen, was es heißt, dreißig Stunden pro Woche an einem Ort zu verbringen, wo einen niemand mag.

Es sind zwei emotionale Neigungen, die Kinder als soziale Außenseiter enden lassen: zum einen der Hang zu Zornesausbrüchen und zur Wahrnehmung von Feindseligkeit auch dort, wo keine vorhanden ist, zum anderen Schüchternheit, Ängstlichkeit und soziale Scheu. Doch abgesehen von diesen Temperamentsfaktoren werden vor allem solche Kinder abgeschoben, die »nicht ganz richtig« sind, deren linkische Art anderen wiederholt Unbehagen bereitet.

»Nicht ganz richtig« sind bei diesen Kindern zum Beispiel die emotionalen Signale, die sie aussenden. Grundschüler, die wenige Freunde hatten, machten bei der Aufgabe, Emotionen wie Ekel oder Wut verschiedenen Gesichtern zuzuordnen, die verschiedene Emotionen zeigten, sehr viel mehr Fehler als Kinder, die beliebt waren. Als Kindergartenkinder erläutern sollten, wie man sich mit jemandem anfreundet oder wie man ihn von einem Kampf abhält, gaben die unbeliebten Kinder – diejenigen, mit denen andere nicht gern spielten – Antworten, die das genaue Gegenteil bewirken (auf die Frage, was man tun soll, wenn beide Kinder dasselbe Spielzeug haben wollen, sagten sie zum Beispiel »ihn hauen«), oder sprachen vage davon, daß sie einen Erwachsenen zu Hilfe rufen würden. Als Teenager im Rollenspiel die Gefühle der

Trauer, der Wut oder der Bosheit darstellen sollten, gaben die Unbeliebteren unter ihnen die am wenigsten überzeugende Darstellung. Es ist wohl nicht erstaunlich, daß solche Kinder schließlich glauben, selber nichts tun zu können, um Freunde zu gewinnen; ihre soziale Inkompetenz wird zu einer sich selbst erfüllenden Prophezeiung. Statt neue Wege zu erlernen, auf denen man Freunde gewinnen könnte, wiederholen sie bloß, was schon bisher nicht funktioniert hat, oder verfallen auf noch unangemessenere Reaktionen.[42]

In dem Lotteriespiel der Beliebtheit schneiden diese Kinder bei entscheidenden emotionalen Kriterien schlecht ab: Andere finden, daß es keinen Spaß macht, mit ihnen zusammen zu sein, und sie wissen nicht, was sie tun müssen, damit ein anderes Kind sich gut fühlt. Unbeliebte Kinder neigen, wie Beobachtungen gezeigt haben, beim Spiel weit mehr als andere dazu, zu mogeln, zu schmollen oder aufzuhören, wenn sie am Verlieren sind, beziehungsweise zum Angeben und Prahlen, wenn sie gewonnen haben. Natürlich möchten die meisten bei einem Spiel gewinnen, doch die meisten können, ob sie nun gewinnen oder verlieren, ihre emotionale Reaktion so zügeln, daß die Beziehung zu dem Freund, mit dem sie spielen, nicht darunter leidet.

Während Kinder, die die sozialen Zwischentöne nicht erkennen, die dauernd Schwierigkeiten haben, Emotionen zu deuten und darauf angemessen zu reagieren, als soziale Außenseiter enden, gilt dies selbstverständlich nicht für Kinder, die sich zeitweilig von den anderen übergangen fühlen. Denen, die ständig ausgeschlossen und zurückgewiesen werden, haftet dagegen der quälende Außenseiterstatus durch ihre ganze Schulzeit an. Damit verbindet sich ein hohes Risiko, später in sozialen Randbereichen zu landen. Vor allem in der Wärme enger Freundschaften und im Getümmel des Spiels verfeinern Kinder die sozialen und emotionalen Fähigkeiten, die sie später im Leben in Beziehungen einbringen. Kinder, die von diesem Lernbereich ausgeschlossen werden, sind zwangsläufig benachteiligt.

Verständlicherweise sprechen diejenigen, die abgelehnt werden, von großer Angst und vielen Sorgen, davon, daß sie deprimiert und einsam sind. Es hat sich sogar gezeigt, daß der Grad der Beliebtheit eines Kindes in der dritten Klasse ein besserer Vorhersagemaßstab für psychische Probleme mit achtzehn Jahren war als alles andere, darunter die Beurteilungen von Lehrern und Krankenschwestern, die schulische Leistung und der IQ, ja sogar das Abschneiden bei psychologischen Tests.[43] Und wie wir gesehen haben, sind Menschen, die wenige Freunde haben und ständig allein sind, später im Leben einem größeren Risiko ausgesetzt, körperlich zu erkranken und früh zu sterben.

Wie der Psychoanalytiker Harry Stack Sullivan darlegte, sind es unsere ersten engen Freundschaften mit »dicken Freunden« vom gleichen Geschlecht, in denen wir lernen, enge Beziehungen herzustellen, Differenzen auszutragen und unsere tiefsten Empfindungen mitzuteilen. Doch bei sozial abgelehnten Kindern ist die Wahrscheinlichkeit, daß sie in den wichtigen Grundschuljahren einen besten Freund haben, nur halb so groß wie bei ihren Kameraden, und so entgeht ihnen eine der wesentlichen Chancen für emotionales Wachstum.[44] Es kommt darauf an, wenigstens einen Freund zu haben, mögen alle anderen einem auch den Rücken kehren (und mag diese Freundschaft auch gar nicht so fest sein).

## Anleitung zur Freundschaft

Es besteht Hoffnung für abgelehnte Kinder, trotz ihrer Ungeschicklichkeit. Ein Kursus der »Anleitung zur Freundschaft« für unbeliebte Kinder, den der Psychologe Steven Asher von der Universität von Illinois ersonnen hat, zeigte einen gewissen Erfolg.[45] Asher suchte sich die Dritt- und Viertkläßler, die in ihrer Klasse am wenigsten beliebt waren, und unterwies sie in sechs Sitzungen unter anderem darin, »wie man es schafft, daß Spiele mehr Spaß machen« oder »wie man freundlich, lustig und nett ist«. Um die Kinder nicht zu stigmatisieren, erklärte er sie zu seinen »Beratern«; er sagte, ihm gehe es darum, herauszufinden, wie man erreicht, daß es mehr Spaß macht, Spiele zu spielen.

Die Kinder wurden angeleitet, sich so zu verhalten, wie Asher es bei beliebteren Kindern beobachtet hatte. Sie wurden zum Beispiel ermutigt, bei Uneinigkeit über die Regeln über alternative Lösungen und Kompromisse nachzudenken (statt sich zu schlagen); während des Spiels mit dem anderen zu sprechen, sich nach ihm zu erkundigen; zuzuhören und nach dem anderen Kind zu schauen, um zu sehen, wie es vorankommt; etwas Nettes zu sagen, wenn es gut vorankommt; zu lächeln und Hilfe oder Vorschläge oder Ermutigung anzubieten. Diese elementaren sozialen Konventionen probierten die Kinder dann beim Spielen – zum Beispiel von Mikado – mit einem Klassenkameraden aus, und hinterher wurde ihnen gesagt, wie gut sie gewesen waren. Dieser Minikurs in verträglichem Verhalten hatte einen bemerkenswerten Effekt: Die teilnehmenden Kinder – sie waren ausgesucht worden, weil sie in ihrer Klasse die unbeliebtesten waren – nahmen ein Jahr später auf der Beliebtheitsskala ihrer Klassenkameraden einen soliden mittleren Platz ein. Keines von ihnen war ein sozialer Star, aber es war auch keines ein Außenseiter.

Ähnliche Resultate erzielte der Psychologe Steven Nowicki von der Emory-Universität.[46] Sein Programm schult soziale Außenseiter in der Verfeinerung ihrer Fähigkeit, die Gefühle anderer Kinder zu verstehen und angemessen darauf zu reagieren. Die Kinder üben zum Beispiel, Gefühle wie Glück und Traurigkeit auszudrücken, und werden anhand von Videoaufnahmen angeleitet, ihren Gefühlsausdruck zu verbessern. Ihre verbesserten Fähigkeiten probieren sie dann bei einem Kind aus, mit dem sie sich anfreunden möchten.

Solche Programme verzeichneten bei der Steigerung der Beliebtheit abgelehnter Kinder eine Erfolgsquote von 50–60 Prozent. Den größten Erfolg haben diese Programme (zumindest in der vorliegenden Form) offenbar bei Dritt- und Viertkläßlern, weniger in höheren Klassen, und sozial unbeholfenen Kindern helfen sie anscheinend mehr als sehr aggressiven. Aber das läßt sich alles noch auf spezielle Adressaten abstimmen; das hoffnungsvolle Zeichen ist, daß man viele oder die meisten abgelehnten Kinder mit einer einfachen emotionalen Nachhilfe in den Kreis der Freundschaft hineinbringen kann.

## Alkohol und Drogen: Sucht als Selbstbehandlung

Die Studenten auf dem nahegelegenen Campus nennen es »drinking to black«, »Trinken bis zur Bewußtlosigkeit« – sie saufen Bier, bis sie umkippen. Eines der Verfahren besteht darin, an einem Gartenschlauch einen Trichter anzubringen, so daß man eine Dose Bier in etwa zehn Sekunden runterkippen kann. Die Methode ist keine isolierte Kuriosität; zwei Fünftel der männlichen Studenten nehmen, wie eine Umfrage ergab, bei einer Gelegenheit sieben oder mehr Drinks, und elf Prozent bezeichnen sich als »starke Trinker«. Man könnte ebensogut »Alkoholiker« sagen.[47] Etwa die Hälfte der männlichen und fast 40 Prozent der weiblichen Studenten betrinken sich mindestens zweimal im Monat.[48]

Ging der Drogenkonsum unter jungen Leuten in den USA während der achtziger Jahren allgemein zurück, so gibt es eine stetige Tendenz zu vermehrtem Alkoholkonsum bei immer jüngeren Jahrgängen. Bei einer Umfrage gaben 1993 schon 35 Prozent der Studentinnen an, sie tränken, um betrunken zu werden, 1977 waren es erst zehn Prozent;

allgemein trinkt jeder dritte Student, um betrunken zu werden. Dadurch entstehen andere Risiken: 90 Prozent aller an Universitäten und Colleges gemeldeten Vergewaltigungen ereigneten sich, nachdem entweder der Angreifer oder das Opfer – oder beide – getrunken hatten.[49] Alkoholbedingte Unfälle sind die Haupttodesursache unter jungen Leuten zwischen 15 und 24.[50]

Experimente mit Drogen und Alkohol mögen als ein Passageritus für Jugendliche erscheinen, doch für manche kann diese erste Kostprobe langwierige Folgen haben. Bei den meisten Alkoholikern und Drogenabhängigen gehen die Anfänge der Sucht auf das Teenageralter zurück, wenngleich von denen, die damit experimentieren, nur wenige als Alkoholiker oder Drogenabhängige enden. Am Ende der Highschool haben 90 Prozent Alkohol probiert, doch nur etwa 14 Prozent werden schließlich Alkoholiker; von den Millionen Amerikanern, die mit Kokain experimentiert haben, werden weniger als fünf Prozent süchtig.[51] Worauf ist die Differenz zurückzuführen?

Das größte Suchtrisiko besteht sicherlich für jene, die in Vierteln mit hoher Kriminalität leben, wo Crack an der Straßenecke verkauft wird und der Dealer das augenfälligste Beispiel wirtschaftlichen Erfolges ist. Manche werden vielleicht süchtig, nachdem sie selber Kleindealer geworden sind, andere einfach durch den leichten Zugang oder eine Jugendkultur, die die Droge mit einem verlockenden Glanz umgibt – ein Faktor, der das Risiko des Drogenkonsums in jedem Milieu erhöht, auch und vielleicht besonders bei den Wohlhabendsten. Aber dennoch bleibt die Frage: Wer von denen, die diesen Verlockungen und Pressionen ausgesetzt sind und die dann experimentieren, wird aller Wahrscheinlichkeit nach eine dauerhafte Sucht entwickeln?

Einer aktuellen wissenschaftlichen Theorie zufolge benutzen diejenigen, die eine Sucht entwickeln und zunehmend von Alkohol oder Drogen abhängig werden, diese Substanzen als eine Art Medikament, um Gefühle der Angst, der Wut oder der Depression zu beschwichtigen. Durch ihr frühes Experimentieren stoßen sie auf eine chemische Zubereitung, mit der sie die Gefühle der Angst oder der Melancholie, unter denen sie litten, beschwichtigen können. So waren es unter mehreren hundert Schülern der siebten und achten Klasse, die zwei Jahre lang beobachtet wurden, die mit den größten emotionalen Problemen, bei denen anschließend die höchste Quote von Alkohol- oder Drogenmißbrauch festgestellt wurde.[52] Das ist vielleicht eine Erklärung dafür, daß so viele junge Leute mit Drogen und Alkohol experimentieren können, ohne süchtig zu werden, während andere fast sofort süchtig werden: Die am stärksten Suchtgefährdeten scheinen in der Droge oder im Alkohol eine schnelle Methode zu finden, um Emotionen zu dämpfen, die sie seit Jahren bedrückt haben.

Der Psychologe Ralph Tarter vom Western Psychiatric Institute and Clinic in Pittsburgh erklärt dazu: »Für diejenigen, die biologisch prädisponiert sind, ist der erste Alkoholgenuß oder die erste Drogendosis ungeheuer verstärkend, auf eine Weise, die andere einfach nicht erleben. Viele ehemalige Drogenabhängige sagen mir: Als ich meine erste Droge nahm, fühlte ich mich zum ersten Mal normal. Es stabilisiert sie physiologisch, jedenfalls kurzfristig.«[53] Das ist natürlich der teuflische Tauschhandel bei der Sucht: ein kurzlebiges gutes Gefühl gegen das stetige Zerrinnen des eigenen Lebens.

Die Tendenz, eher in der einen als in der anderen Substanz emotionale Erleichterung zu finden, hängt offenbar von bestimmten emotionalen Mustern ab. So gibt es zum Beispiel zwei emotionale Wege zum Alkoholismus. Einer beginnt damit, daß jemand als Kind nervös und ängstlich ist und dann als Jugendlicher entdeckt, daß Alkohol die Angst dämpft. Sehr oft sind es Kinder – zumeist Söhne – von Alkoholikern, die ihrerseits schon zum Alkohol gegriffen haben, um ihre Nerven zu beruhigen. Ein biologisches Indiz dieses Musters ist Unteraktivität des angstregulierenden Neurotransmitters GABA; ein Mangel an GABA wird als hohe Spannung erlebt. Eine Studie fand heraus, daß Söhne von alkoholischen Vätern eine niedrige GABA-Konzentration hatten und sehr ängstlich waren, doch wenn sie Alkohol tranken, stieg ihre GABA-Konzentration, während ihre Angst zurückging.[54] Diese Söhne von Alkoholikern trinken, um ihre Spannung zu verringern; im Alkohol finden sie eine Entspannung, die anscheinend auf andere Weise nicht zu erreichen war. Die Betreffenden sind möglicherweise anfällig dafür, neben dem Alkohol auch Sedativa zu mißbrauchen, wegen desselben angstreduzierenden Effekts.

Diese Sehnsucht nach Ruhe scheint ein emotionales Indiz einer genetischen Anfälligkeit für Alkoholismus zu sein. Eine Studie an 1300 Verwandten von Alkoholikern ergab, daß unter Kindern von Alkoholikern die Gefahr, selbst zu Alkoholikern zu werden, bei denen am größten war, die angaben, ständig hochgradige Angst zu haben. Die Forscher kamen sogar zu dem Schluß, daß der Alkoholismus sich bei den Betroffenen als »Selbstmedikation von Angstsymptomen« entwickelt.[55]

Ein zweiter emotionaler Weg zum Alkoholismus geht zurück auf hochgradige Unruhe, Impulsivität und Langeweile. In der frühen Kindheit sind die Betroffenen ständig gereizt und schwer handhabbar, in der Grundschule haben sie den »Zappelphilipp«, sind hyperaktiv und bekommen Schwierigkeiten, eine Neigung, die, wie wir gesehen haben, solche Kinder dazu treiben kann, sich Freunde am Rande der Gesellschaft zu suchen – was manchmal zu einer kriminellen Karriere oder zu der Diagnose »antisoziale Persönlichkeitsstörung« führt. Die Hauptbeschwerde der Betroffenen (es sind vornehmlich Männer) ist Unruhe; ihre Hauptschwäche ist ungehemmte Impulsivität; ihre gewöhnliche Reaktion auf Langeweile – die sie oft empfinden – ist eine impulsive Suche nach Risiko und Erregung. Menschen mit diesem Muster – das möglicherweise auf Defiziten bei zwei anderen Neurotransmittern, Serotonin und MAO, beruht – entdecken als Erwachsene, daß Alkohol ihre Unruhe dämpfen kann. Und die Tatsache, daß sie Monotonie nicht ertragen können, macht sie bereit, alles mögliche auszuprobieren; zusammen mit ihrer allgemeinen Impulsivität fördert sie bei ihnen die Neigung, neben dem Alkohol eine fast beliebige Liste von Drogen zu mißbrauchen.[56]

Manche werden von der Depression zum Trinken getrieben, doch oft verschlimmern die Stoffwechseleffekte des Alkohols nach einem kurzen Auftrieb nur noch die Depression. Diejenigen, die den Alkohol als emotionales Palliativ benutzen, tun es sehr viel häufiger, um ihre Angst zu beschwichtigen, als wegen einer Depression; die Gefühle von Menschen, die depressiv sind, werden – zumindest vorübergehend – von einer ganz anderen Klasse von Drogen beschwichtigt. Sich dauernd unglücklich zu fühlen schafft ein größeres Risiko der Sucht nach Stimulantien wie Kokain, die ein direktes Gegenmittel gegen depressive Gefühle sind. Bei mehr als der Hälfte der Patienten – so das Ergebnis einer Studie –, die in einer Klinik für Kokainabhängige behandelt wurden, hätte man eine schwere Depression diagnostiziert, bevor sie süchtig wurden, und je tiefer die vorhergegangene Depression, desto stärker war die Sucht.[57]

Zu einer anderen Art von Anfälligkeit führt chronischer Zorn. In einer Untersuchung an 400 Patienten, die wegen Abhängigkeit von Heroin und anderen Opioiden behandelt wurden, ergab sich als auffälligstes emotionales Muster eine seit jeher bestehende Schwierigkeit, mit Zorn und Jähzorn fertig zu werden. Einige der Patienten sagten selbst, daß sie sich mit Opiaten endlich normal und entspannt fühlten.[58]

Zwar mag es für den Mißbrauch von Substanzen in vielen Fällen eine zerebrale Grundlage geben, doch kann man mit den Gefühlen, die Menschen dazu treiben, sich mit Alkohol oder Drogen eine »Selbstmedikation« zu verschaffen, auch ohne Rückgriff auf Medikamente fertig werden. Die Anonymen Alkoholiker und andere Rehabilitationsprogramme haben das seit Jahrzehnten bewiesen. Indem man die Fähigkeit erwirbt, mit diesen Gefühlen umzugehen – die Angst zu beschwichtigen, die Depression zu verscheuchen oder die Wut zu besänftigen –, beseitigt man von vornherein den Impetus, zu Drogen oder Alkohol zu greifen. Diese elementaren emotionalen Fähigkeiten werden in Behandlungsprogrammen für Drogen- und Alkoholabhängige nachträglich gelehrt. Weit besser wäre es natürlich, wenn sie schon früh im Leben erlernt würden, lange vor der Entstehung der Sucht.

## Nie wieder Krieg: Ein letzter gemeinsamer Weg der Prävention

Während der letzten zehn Jahre wurde verschiedenen Dingen der Reihe nach der »Krieg« erklärt: der Schwangerschaft von jugendlichen Müttern, den Schulabbrechern, den Drogen und zuletzt der Gewalt. Der Haken an solchen Kampagnen ist freilich, daß sie zu spät kommen, erst dann, wenn das angepeilte Problem bereits epidemische Ausmaße angenommen und im Leben der jungen Leute Wurzeln geschlagen hat. Es handelt sich um eine Krisenintervention, so als würde man zur Lösung eines Problems einen Rettungswagen schicken, statt eine Impfung zu verabreichen, die die Krankheit von vornherein abwehren würde. Wir müssen, statt noch mehr solcher »Kriege« zu führen, dem Präventionsgedanken folgen und unseren Kindern jene Fähigkeiten vermitteln, die ihnen erlauben, sich dem Leben zu stellen, Fähigkeiten, die ihre Aussichten verbessern, all diese Verhängnisse zu vermeiden.[59]

Wenn ich den Stellenwert der emotionalen und sozialen Defizite betone, leugne ich damit nicht die Bedeutung anderer Risikofaktoren wie der Herkunft aus einer unvollständigen, das Kind mißhandelnden oder chaotischen Familie oder aus einem verarmten, kriminalitäts- und drogenverseuchten Milieu. Schon die Armut allein genügt, um Kindern emotionale Schläge zu versetzen: Ärmere Kinder sind schon mit fünf Jahren furchtsamer, ängstlicher und trauriger als bessergestellte Altersgenossen und haben mehr Verhaltensprobleme wie etwa häufige Wutanfälle, bei denen sie Sachen zerstören, eine Tendenz, die sich bis in die Jugendzeit fortsetzt. Der Druck der Armut untergräbt auch das Familienleben: Eltern geben seltener herzlichen Gefühlen Ausdruck, Mütter – sie sind oft alleinstehend und arbeitslos – sind häufiger depressiv, und man greift häufiger zu harten Bestrafungen wie Brüllen, Schlagen und physischen Drohungen.[60]

Doch jenseits aller familiären und ökonomischen Bedingungen kommt der emotionalen Kompetenz eine Bedeutung zu; von ihr kann es abhängen, ob ein Kind von diesen Härten zugrunde gerichtet wird oder ob es in sich einen unverwüstlichen Kern findet, um sie zu überstehen. Wie Langzeituntersuchungen an Hunderten von Kindern zeigen, die in Armut, in einer das Kind mißhandelnden Familie oder bei einem psychisch schwerkranken Elternteil aufwachsen, besitzen diejenigen, die sich selbst von der zermürbendsten Not nicht unterkriegen lassen, wichtige emotionale Fähigkeiten.[61] Dazu gehört eine gewinnende, umgängliche Art, die andere Menschen für sie einnimmt, Selbstvertrauen, ein optimistisches Beharrungsvermögen bei Mißerfolgen und Frustrationen, die Fähigkeit, Aufregungen rasch zu verwinden, und ein unbeschwertes Wesen.

Doch die überwiegende Mehrheit der Kinder muß sich solchen Schwierigkeiten stellen, ohne diese Vorzüge zu besitzen. Viele dieser Fähigkeiten sind natürlich angeboren, beruhen auf dem Zufall der Gene, doch selbst Temperamentseigenschaften lassen sich, wie wir im sechzehnten Kapitel gesehen haben, zum Besseren hin beeinflussen. Selbstverständlich kann man politisch und ökonomisch eingreifen, die Not lindern und sonstige soziale Bedingungen, die zu diesen Problemen führen, verbessern. Doch abgesehen von diesen taktischen Maßnahmen, die auf der gesellschaftlichen Prioritätenliste immer weiter nach hinten zu rücken scheinen, kann man Kindern vieles bieten, was ihnen hilft, mit solchen entmutigend harten Bedingungen besser fertig zu werden.

Nehmen wir zum Beispiel die emotionalen Störungen, Beschwerden, die ungefähr jeder zweite Amerikaner irgendwann im Laufe seines Lebens durchmacht. In einer repräsentativen Stichprobe bei 8098 Amerikanern wurde festgestellt, daß 48 Prozent irgendwann an mindestens einem psychiatrischen Problem litten.[62] Am schwersten beeinträchtigt waren die 14 Prozent, die drei oder mehr psychiatrische Probleme zugleich entwickelten. Diese am stärksten geplagte Gruppe kam für 60 Prozent aller überhaupt vorkommenden psychiatrischen Erkrankungen und für 90 Prozent der schwersten, arbeitsunfähig machenden Störungen auf. Sie benötigen jetzt intensive Pflege, doch der optimale Ansatz wäre, diesen Problemen, wo immer es möglich ist, von vornherein vorzubeugen. Gewiß kann man nicht jede Geistesstörung verhindern, aber bei einigen und vielleicht sogar bei vielen ist es möglich. Ronald Kessler, der Soziologe von der Universität von Michigan, der die Untersuchung durchführte, erklärte mir: »Wir müssen früh im Leben intervenieren. Nehmen wir ein junges Mädchen, das in der sechsten Klasse eine soziale Phobie hat und in der Unterstufe der Highschool zu trinken beginnt, um mit ihren sozialen Ängsten fertig zu werden. Wenn sie mit Ende zwanzig in unserer Studie auftaucht, ist sie immer noch ängstlich, ist inzwischen zur Alkohol- wie zur Drogenkonsumentin geworden, und sie ist depressiv, weil ihr Leben so verpfuscht ist. Die große Frage ist: Was hätten wir zu einem früheren Zeitpunkt ihres Lebens tun können, um die ganze Abwärtsspirale zu verhindern?«

Dasselbe gilt natürlich für Schulabbrecher oder für das Gewaltproblem oder für die meisten aus der langen Liste von Gefährdungen, denen junge Leute heute ausgesetzt sind. Erziehungsprogramme zur Prävention des einen oder anderen Einzelproblems wie Drogenkonsum und Gewalt haben in den letzten zehn Jahren eine ungeahnte Ausbreitung erfahren und auf dem Feld der Pädagogik eine eigene kleine Industrie entstehen lassen. Viele davon haben sich aber als unwirksam erwiesen, darunter etliche von denen, die auf sehr raffinierte Weise vermarktet wurden und breite Anwendung gefunden haben. Zum Verdruß der Erzieher gibt es darunter auch einige, die dem Auftreten der Probleme, denen sie vorbeugen sollten, sogar Vorschub geleistet haben, was besonders den Drogenkonsum und den Teenagersex betrifft.

### Information reicht nicht aus

Ein aufschlußreiches Beispiel ist der sexuelle Mißbrauch von Kindern. 1993 wurden in den USA jährlich an die 200 000 erwiesene Fälle gemeldet, eine Zahl, die jährlich um rund zehn Prozent wächst. Die Schätzungen weichen stark voneinander ab, doch die meisten Fachleute sind sich einig, daß bis zum Alter von siebzehn Jahren 20 bis 30 Prozent der Mädchen und etwa halb so viele Jungen in irgendeiner Form Opfer sexuellen Mißbrauchs werden (die Schwankungen hängen neben anderen Faktoren auch davon ab, wie man »sexuellen Mißbrauch« definiert).[63] Es gibt kein bestimmtes Profil des durch sexuellen Mißbrauch besonders verwundbaren Kindes, doch die meisten fühlen sich bei dem, was ihnen zugestoßen ist, ungeschützt, außerstande, sich selbst dagegen zu erwehren, und isoliert.

Angesichts dieser Risiken hat man an vielen Schulen Programme zur Verhinderung sexuellen Mißbrauchs angeboten. Die meisten dieser Programme beschränken sich auf Grundinformationen über den sexuellen Mißbrauch; so lernen die Kinder, wie sich eine »gute« von einer »schlechten« Berührung unterscheidet, werden sie vor den Gefahren gewarnt und ermutigt, sich einem Erwachsenen anzuvertrauen, wenn ihnen etwas Widriges zugestoßen ist. Wie eine landesweite Befragung von 2000 Kindern ergab, bewahrte diese Minimalaufklärung die Kinder jedoch kaum davor, von einem gewalttätigen Mitschüler oder einem Kinderbelästiger gequält zu werden.[64] Schlimmer noch: Die Kinder, die lediglich diese Grundinformationen hatten und anschließend Opfer einer unzüchtigen Handlung geworden waren, waren nur *halb* so oft bereit, sie zu melden, wie Kinder, die keinerlei Informationen erhalten hatten.

Anders die Kinder, die eine umfassendere Schulung unter Einbeziehung entsprechender emotionaler und sozialer Kompetenzen erhalten hatten: Sie konnten sich besser davor schützen, belästigt zu werden; sie zeigten eine viel größere Bereitschaft, zu verlangen, in Ruhe gelassen zu werden, zu schreien oder sich zur Wehr zu setzen, zu drohen, daß sie es melden würden, und es tatsächlich zu melden, wenn ihnen wirklich etwas Schlimmes zugestoßen war. Dieser letzte Pluspunkt, daß sie die Mißhandlung melden, ist eine wirksame Vorbeugung: Viele Kindesbelästiger vergehen sich an Hunderten von Kindern. Kindesbelästiger in den Vierzigern hatten, wie eine Studie ergab, seit ihrer Jugendzeit im Durchschnitt jeden Monat ein Opfer; ein Bericht über einen Busfahrer und einen Highschool-Computerlehrer enthüllte, daß sie gemeinsam Jahr für Jahr rund 300 Kinder belästigten, doch keines der Kinder meldete den sexuellen Mißbrauch; der Mißbrauch kam erst ans Licht, nachdem einer der Jungen, die von dem Lehrer mißbraucht worden waren, anfing, seine Schwester sexuell zu mißbrauchen.[65]

Die Kinder, die die »umfassenderen« Aufklärungsprogramme erhalten hatten, waren dreimal so häufig bereit, einen Mißbrauch zu melden, als die Kinder mit der Minimalaufklärung. Worauf beruhte der Erfolg? Diese Programme versuchten das Thema nicht in einem Anlauf zu erledigen, sondern verteilten sich als Bestandteil der Gesundheits- oder Sexualerziehung über mehrere Gelegenheiten und Klassenstufen im Laufe der Schulzeit. Die Eltern wurden mit herangezogen, dem Kind parallel zu dem, was es in der Schule lernte, die wesentliche Botschaft zu vermitteln (und Kinder, deren Eltern das taten, konnten sich am besten gegen drohenden sexuellen Mißbrauch zur Wehr setzen).

Entscheidend waren außerdem soziale und emotionale Kompetenzen. Es genügt nicht, daß ein Kind weiß, was eine »gute« und eine »schlechte« Berührung ist; Kinder müssen soviel Selbstwahrnehmung besitzen, daß sie *spüren*, wann eine Situation nicht in Ordnung oder bedrückend ist, längst bevor es zu Berührungen kommt. Sie müssen darüber hinaus so selbstsicher und selbstbewußt sein, daß sie ihren bedrückenden Gefühlen trauen und danach handeln, auch wenn ein Erwachsener ihnen vielleicht einzureden versucht, daß »alles in Ordnung« ist. Und dann müssen sie auch noch über verschiedene Handlungsmöglichkeiten verfügen, um das drohende Geschehen zu durchkreuzen, angefangen vom Weglaufen bis hin zu der Drohung, es zu melden. Besser sind deshalb Programme, die den Kindern beibringen, für das, was sie wollen, mutig einzutreten, ihre Rechte zu behaupten, statt passiv zu sein, ihre Grenzen zu kennen und sie zu verteidigen.

Am wirksamsten waren daher Programme, die den Kindern außer der Grundinformation über sexuellen Mißbrauch einen Kernbestand von emotionalen und sozialen Kompetenzen vermittelten. Sie brachten den Kindern bei, positivere Lösungsansätze für interpersonale Konflikte zu finden, mehr Selbstvertrauen zu haben, sich nicht selbst die Schuld zu geben, wenn etwas passierte, und das Gefühl zu haben, daß sie auf ein hilfreiches Netzwerk von Lehrern und Eltern zurückgreifen konnten, wenn etwas Schlimmes passierte. Und wenn ihnen tatsächlich etwas Schlimmes zustieß, waren sie viel eher bereit, es zu melden.

## *Die aktiven Ingredienzien*

Aufgrund dieser Befunde hat man sich noch einmal überlegt, welche Ingredienzien ein optimales Vorbeugungsprogramm enthalten müßte, ausgehend von denen, die sich nach unvoreingenommener Bewertung als tatsächlich wirksam erwiesen hatten. In einem von der W. T. Grant-Foundation geförderten Fünfjahresprojekt hat ein Konsortium von Forschern diese Landschaft gesichtet und die aktiven Ingredienzien herausdestilliert, auf denen offenbar der Erfolg der wirksamen Programme beruhte.[66] Die Liste der wesentlichen Fähigkeiten, die nach Auffassung des Konsortiums ungeachtet des spezifischen Problems, dem vorgebeugt werden soll, zu behandeln sind, liest sich wie die Ingredienzien der emotionalen Intelligenz (siehe in Anhang D die vollständige Liste).[67]

Zu den emotionalen Fähigkeiten gehört Selbstwahrnehmung; Erkennen, Ausdruck und Handhabung von Gefühlen; Impulskontrolle und Gratifikationsaufschub; Handhabung von Stress und Angst. Für die Impulskontrolle ist es wichtig, zwischen Fühlen und Handeln unterscheiden zu können und zu lernen, bessere emotionale Entscheidungen zu treffen, indem man zunächst dem Handlungsimpuls Einhalt gebietet, um alternative Handlungsmöglichkeiten und ihre Folgen zu überdenken, bevor man handelt. Viele Kompetenzen sind interpersonal: soziale und emotionale Signale deuten, zuhören, negativen Einflüssen widerstehen können, sich in andere hineinversetzen und verstehen, welches Verhalten in einer bestimmten Situation annehmbar ist.

Sie gehören zu den für das Leben wesentlichen emotionalen und sozialen Fähigkeiten, und mit ihnen kommt man den meisten, wenn nicht allen Schwierigkeiten zumindest teilweise bei, die in diesem Kapitel erörtert wurden. Diese Fähigkeiten bieten eine Abwehr gegen nahezu jedes spezielle Problem – man hätte genauso gut zeigen können, daß emotionale und soziale Kompetenzen Teenager etwa gegen das Problem der unerwünschten Schwangerschaft oder gegen Selbstmord wappnen.

Gewiß sind an all diesen komplexen Problemen das biologische Schicksal, das Geschehen in der Familie, die Armutsverhältnisse und die Straßenkultur in unterschiedlichem Ausmaß kausal beteiligt. Das Ganze läßt sich nicht mit einer einzigen Maßnahme, auch nicht einer solchen, die bei den Emotionen ansetzt, bewältigen. Doch in dem Maße, wie emotionale Defizite zur Gefährdung des Kindes beitragen – und wir haben gesehen, daß sie erheblich dazu beitragen –, müssen emotionale Stützmaßnahmen beachtet werden, nicht unter Ausschließung anderer Antworten, sondern neben ihnen. Dann erhebt sich die Frage: Wie würde eine Erziehung der Emotionen aussehen?

# 16

# Schulung der Gefühle

> Die größte Hoffnung einer Nation liegt
> in der rechten Erziehung ihrer Jugend.
> *Erasmus von Rotterdam*

Die fünfzehn Fünftkläßler, die wie Indianer auf dem Boden sitzen, bilden eine Runde. Bei diesem seltsamen Anwesenheitsappell reagieren die Schüler auf den Aufruf ihres Namens nicht, wie in den Schulen üblich, mit einem geistesabwesenden »Hier«, sondern rufen eine Zahl aus, die anzeigt, wie sie sich fühlen; »eins« bedeutet gedrückte Stimmung, »zehn« volle Energie.

Heute ist die Stimmung gehoben:

»Jessica.«

»Zehn. Ich bin putzmunter, weil Freitag ist.«

»Patrick.«

»Neun. Aufgeregt, ein bißchen nervös.«

»Nicole.«

»Zehn. Friedlich, glücklich ...«

Die Kinder haben Unterricht in »Self Science« am Nueva Learning Center, einer Schule, die in der vormaligen herrschaftlichen Villa der Familie Crocker eingerichtet wurde, jener Dynastie, die eine der größten Banken San Franciscos gründete. Jetzt ist in dem Gebäude, das einer Miniaturausgabe des Opernhauses von San Francisco ähnelt, eine Privatschule untergebracht. Sie bietet einen möglicherweise modellhaften Kurs in emotionaler Intelligenz an.

Im Fach Self Science geht es um die Gefühle, die eigenen und die, welche in Beziehungen auftauchen. Das Thema verlangt seiner Natur nach, daß Lehrer und Schüler sich mit dem emotionalen Gefüge des Schullebens befassen, ein Thema, das in fast allen Schulen Amerikas entschieden übergangen wird. Hier gehört es zur Strategie, die Spannungen und Traumata der Kinder zum Thema des Tages zu machen; die Lehrer sprechen die wirklichen Probleme an: Gekränktheit, weil man übersehen wurde, Neid, Meinungsverschiedenheiten, die zu einem Kampf auf dem Schulhof eskalieren könnten. Karen Stone McCown, die Leiterin der Nueva-Schule, die den Lehrplan für Self Science entwickelt hat, sagt dazu erläuternd: »Das Lernen vollzieht sich nicht isoliert von den Gefühlen der Kinder. Emotionale Bildung ist für das Lernen genauso wichtig wie der Unterricht in Rechnen und Lesen.«[1]

Self Science ist erster Vorbote einer Idee, die an den Schulen Amerikas immer mehr Anklang findet. Der Unterricht läuft unter verschiedenen Bezeichnungen, darunter »soziale Entwicklung«, »Lebenskunde« oder »soziales und emotionales Lernen«. An Howard Gardners Idee der multiplen Intelligenz anknüpfend, sprechen manche von »personalen Intelligenzen«. Allen gemeinsam ist das Ziel, die soziale und emotionale Kompetenz der Kinder im Rahmen des regulären Stundenplans anzuheben – nicht bloß als Nachhilfe für Kinder, die ins Straucheln kommen und als »schwierig« erkannt werden, sondern im Sinne von Fähigkeiten und Voraussetzungen, die für jedes Kind wichtig sind.

Die Kurse für emotionale Bildung haben gewisse entfernte Vorläufer in der Bewegung für »affektive Erziehung« in den sechziger Jahren. Damals meinte man, daß psychologische und motivationale Lektionen gründlicher erlernt würden, wenn das, was theoretisch unterrichtet wurde, an einer unmittelbaren Erfahrung anknüpfte. Die Bewegung für emotionale Erziehung stellt den Begriff der »affektiven Erziehung« jedoch auf den Kopf: Sie benutzt das Gefühl nicht für Bildungszwecke, sondern bildet das Gefühl als solches.

Der unmittelbare Anstoß zu vielen dieser Kurse und der Impetus, der für ihre Verbreitung sorgt, gehen auf eine laufende Reihe von schulischen »Vorbeugungs«programmen zurück, die jeweils ein spezielles Problem ansprechen: Rauchen, Drogenkonsum, Schwangerschaft, Schulabbruch und zuletzt Gewalt unter Jugendlichen. Wie wir im letzten Kapitel gesehen haben, ergab die W.T. Grant-Studie über Vorbeugungsprogramme gegen Probleme, die von der Gewalt über Drogenkonsum und frühe Schwangerschaft bis zum Schulabbruch reichen, daß diese Programme am wirksamsten sind, wenn sie einen Kernbestand an emotionalen und sozialen Kompetenzen vermitteln, zum Beispiel die Impulskontrolle, den Umgang mit Wut und die Suche nach kreativen Lösungen für mißliche soziale Zustände. Diese Erkenntnis hat eine neue Generation von Interventionen hervorgebracht.

Interventionen, die den spezifischen, bei Problemen wie Aggressivität oder Depression vorliegenden emotionalen und sozialen Defiziten abhelfen sollen, können, wie wir im siebzehnten Kapitel gesehen haben, den Kindern eine sehr effektive Stärkung vermitteln. Der Nachteil ist aber, daß sie überwiegend als Experimente von forschenden Psychologen durchgeführt wurden. Die Erkenntnisse, die bei diesen eng begrenzten Programmen gewonnen wurden, müssen nun generalisiert und zur Grundlage von Vorbeugungsmaßnahmen für die gesamte Schülerschaft gemacht werden, die in der Hand der gewöhnlichen Lehrer liegen.

Selbstverständlich werden die jungen Leute auch bei dieser anspruchsvolleren und effektiveren Vorbeugungsmethode über Probleme wie Aids, Drogen und dergleichen aufgeklärt, und zwar dann, wenn sie in ihrem Leben relevant werden. Doch vor allem wird fortlaufend die entscheidende Kompetenz vermittelt, die bei jedem dieser speziellen Probleme gefragt ist: die emotionale Intelligenz.

Bei diesem neuen Ansatz, emotionale Bildung in die Schulen hineinzubringen, werden die Gefühle und das soziale Leben selbst zum Thema gemacht, statt daß man diese für das Kind unausweichlichen Tatsachen als unerhebliche Störungen abtut oder sie, falls sie zu Eruptionen führen, als gelegentliche disziplinarische Fehltritte an den psychologischen Berater oder an die Schulleitung verweist.

Die Kurse selbst mögen auf den ersten Blick ereignislos erscheinen, und noch viel weniger hat man den Eindruck, daß sie die dramatischen Probleme, denen sie gelten, zu lösen vermögen. Das liegt aber weitgehend daran, daß die Lektionen – wie eine gute Erziehung in der Familie – in kleinen, aber wirksamen Portionen vermittelt werden, die sich in regelmäßigen Abständen über mehrere Jahre verteilen. Auf diese Weise gehen die emotionalen Lehren in Fleisch und Blut über; die ständig wiederholten Erfahrungen schlagen sich im Gehirn als verstärkte Bahnen nieder, als neurale Gewohnheiten, die bei Belastungen, Frustrationen und Verletzungen zur Anwendung kommen. Mögen die alltäglichen Inhalte der Kurse für emotionale Bildung noch so banal erscheinen – für unsere Zukunft ist das, was sie hervorbringen, nämlich anständige Menschen, so wichtig wie noch nie.

## Eine Lektion in Kooperation

Vergleichen Sie das, was Sie aus Ihrer eigenen Schulzeit kennen, mit dem folgenden Einblick in eine Stunde »Self Science«:

Eine Gruppe von Fünftkläßlern soll das Spiel »Cooperation Squares« spielen, bei dem die Schüler sich zusammentun, um quadratische Puzzlespiele zusammenzufügen. Die Schwierigkeit: Sie dürfen weder reden noch Gesten machen.

Jo-An Varga, die Lehrerin, teilt die Klasse in drei Gruppen auf, die jeweils einen eigenen Tisch zugewiesen bekommen. Drei mit dem Spiel vertraute Beobachter erhalten einen Bewertungsbogen, auf dem sie zum Beispiel festhalten, wer in der Gruppe das Heft in die Hand nimmt und die Zusammenarbeit organisiert, wer den Clown macht, wer stört.

Die Schüler kippen die Puzzleteile auf den Tisch und gehen ans Werk. Schon nach rund einer Minute ist klar, daß eine Gruppe erstaunlich wirkungsvoll als Team zusammenarbeitet; sie brauchen nur einige Minuten, um fertigzuwerden. In der zweiten Gruppe bemühen sich die vier Schüler jeder für sich um sein eigenes Puzzle, aber sie kommen überhaupt nicht weiter. Daraufhin beginnen sie allmählich, ihr erstes Quadrat in gemeinsamem Bemühen zusammenzustellen, und sie machen als gemeinsame Gruppe weiter, bis alle Puzzles fertig sind.

Die dritte Gruppe strampelt sich währenddessen noch immer ab und hat gerade ein Puzzle annähernd fertig, das aber auch eher einem Trapez als einem Quadrat ähnelt. Sean, Fairlie und Rahman müssen erst noch die reibunsglose Koordination entdecken, auf die die beiden anderen Gruppen gekommen sind. Sie sind unzweifelhaft frustriert, prüfen hektisch die auf dem Tisch liegenden Teile, stürzen sich auf denkbar erscheinende Möglichkeiten und legen sie neben die teilweise fertigen Quadrate, nur um von der fehlenden Passung enttäuscht zu sein.

Die Spannung löst sich ein wenig, als Rahman zwei der Teile nimmt und sie sich wie eine Maske vor die Augen hält; seine Partner kichern. Dies erweist sich als ein Wendepunkt der heutigen Stunde.

Jo-An Varga, die Lehrerin, möchte sie etwas ermutigen: »Wer schon fertig ist, darf denen, die noch an der Aufgabe sind, einen ganz bestimmten Tip geben.«

Dagan schlendert zu der Gruppe, die sich noch immer abmüht, hinüber und deutet auf zwei Teile, die aus dem Quadrat herausragen: »Die beiden Teile müßt ihr umdrehen.« Plötzlich erfaßt Rahman mit nachdenklich verzogenem Gesicht die neue Gestalt, und rasch sind die Teile an der richtigen Stelle eingesetzt, zunächst bei diesem, dann auch bei den anderen Puzzles. Als das letzte Teil beim letzten Puzzle der dritten Gruppe eingesetzt wird, kommt spontaner Beifall auf.

Als die Klasse dann über den Anschauungsunterricht in Teamarbeit, den sie gerade erhalten hat, nachdenkt, kommt es zu einem anderen, heftigeren Wortwechsel. Rahman, hochgewachsen und mit buschigen schwarzen Haaren, die zu einem etwas längeren Bürstenschnitt gestutzt sind, und Tucker, der Beobachter der Gruppe, geraten in eine hitzige Diskussion über die Regel, daß nicht gestikuliert werden darf. Tucker, dessen blonde Haare bis auf eine Schmalzlocke säuberlich gekämmt sind, trägt ein ausgebeultes blaues T-Shirt, das von dem Motto »Be Responsible« verziert wird, was seine offizielle Rolle irgendwie unterstreicht.

»Du darfst *auch* ein Teil anbieten – das ist *kein* Gestikulieren«, sagt Tucker zu Rahman in einem entschiedenen, argumentierenden Tonfall.

»Das ist *doch* Gestikulieren«, beharrt Rahman mit Nachdruck.

Varga bemerkt die steigende Lautstärke und das immer aggressivere Stakkato des Wortwechsels und nähert sich ihrem Tisch. Dies ist ein kritischer Vorgang, ein spontaner Austausch hitziger Gefühle; in Augenblicken wie diesem machen sich die Lektionen, die die Schüler bereits gelernt haben, bezahlt, und mit größtem Gewinn können neue Lektionen erteilt werden. Und die in solchen spannenden Momenten angewandten Lektionen werden, wie jeder gute Lehrer weiß, im Gedächtnis der Schüler haften bleiben.

»Ich meine dies nicht als Tadel – ihr habt sehr gut zusammengearbeitet –, aber Tucker, versuche doch, was du meinst, in einem Ton zu sagen, der nicht so tadelnd klingt«, schlägt Varga vor.

Tucker sagt – jetzt in einem ruhigeren Ton – zu Rahman: »Du darfst ein Teil hinlegen, wo du glaubst, daß es hingehört, und du darfst den anderen geben, was du glaubst, daß sie brauchen, ohne Gestikulieren. Einfach anbieten.«

Rahman entgegnet in gereiztem Ton: »Man könnte einfach so machen« – er kratzt sich am Kopf, um eine harmlose Bewegung anzudeuten – »und er würde sagen, es ist *kein Gestikulieren!*«

Hinter Rahmans Wut steckt offensichtlich mehr als dieser Streit um die Frage, was eine Geste darstellt und was nicht. Seine Blicke wandern immer wieder zu dem Bewertungsbogen, den Tucker ausgefüllt hat und der, auch wenn es noch nicht zur Sprache kam, die Ursache der Spannung zwischen Tucker und Rahman ist. Auf dem Bewertungsbogen hat Tucker hinter der Frage »Wer ist störend?« Rahmans Namen eingetragen.

Varga, die Rahmans Blicke zu dem kränkenden Formular bemerkt hat, wagt eine Vermutung und sagt zu Tucker: »Er glaubt, du hättest ihn mit einem negativen Wort – störend – belegt. Wie hast du das gemeint?«

»Ich habe nicht gemeint, daß es eine *schlimme* Störung war«, sagt Tucker, jetzt versöhnlich.

Rahman kauft ihm das nicht ab, aber auch er klingt jetzt ruhiger: »Das ist doch an den Haaren herbeigezogen, wenn du mich fragst.«

Varga empfiehlt, die Sache positiv zu sehen. »Tucker will sagen, daß man das, was als störend empfunden werden konnte, auch als einen Aufheiterungsversuch verstehen könnte, als es frustrierend war.«

»Aber störend«, protestiert Rahman, jetzt sachlicher, »das ist, wie wenn wir uns alle genau konzentrieren würden, und ich würde so machen« – er verzieht sein Gesicht zu einer clownesken Grimasse, indem er seine Augen hervorquellen läßt und seine Backen aufbläst – »das wäre störend.«

Varga versucht, emotional ein bißchen mehr nachzuhelfen, und sagt zu Tucker: »Du hast helfen wollen, aber nicht gemeint, daß er auf schlimme Art gestört hat. Aber so, wie du darüber gesprochen hast, klang es anders. Du mußt Rahman zuhören und seine Gefühle akzeptieren. Rahman hat gesagt, daß er negative Wörter wie ›störend‹ als unfair empfindet. Er mag nicht so bezeichnet werden.«

Dann fährt sie, zu Rahman gewandt, fort: »Es gefällt mir, wie du dich gegenüber Tucker verteidigst. Du greifst nicht an. Aber für dich ist es nicht angenehm, mit einem Wort wie ›störend‹ bezeichnet zu werden. Als du dir diese Teile vor die Augen hieltest, hatte ich den Eindruck, daß du frustriert warst und die Sache aufheitern wolltest. Aber Tucker hat es ›störend‹ genannt, weil er deine Absicht nicht verstanden hat. Ist es so?«

Beide Jungen nicken zustimmend, während die anderen Schüler die Puzzles wegräumen. Dieses kleine Melodrama im Klassenzimmer geht zu Ende. »Fühlst du dich jetzt besser«, fragt Varga, »oder bedrückt dich noch etwas?«

»Doch, ist schon in Ordnung«, sagt Rahman, und nun, da er das Gefühl hat, daß man ihm zuhört und ihn verstanden hat, klingt seine Stimme sanfter. Auch Tucker nickt lächelnd. Die Jungen merken, daß die anderen sich alle schon in die nächste Stunde begeben haben, machen gleichzeitig kehrt und stürzen hinaus.

## Nachträgliche Analyse: ein Kampf, der nicht zum Ausbruch kam

Während andere Schüler hereinkommen und sich ihre Plätze suchen, analysiert Varga, was eben passiert ist. Der hitzige Wortwechsel und seine Abkühlung: Die Jungen machen Gebrauch von dem, was sie über Konfliktlösung gelernt haben. Das, was normalerweise zu einem Konflikt eskaliert, beginnt, wie Varga sagt, damit, »daß man nicht kommuniziert, daß man Unterstellungen macht und voreilige Schlußfolgerungen zieht, daß man eine aggressive Botschaft aussendet, die es den anderen schwermacht, aufzunehmen, was man sagt.«

In Self Science lernen die Schüler, daß es nicht darum geht, einen Konflikt überhaupt zu vermeiden, sondern darum, Meinungsverschiedenheiten und Verstimmungen aufzulösen, bevor sie sich zu einem totalen Kampf aufschaukeln. Die Art, wie Tucker und Rahman ihren Disput führten, läßt Spuren dieser früheren Lektionen erkennen. So bemühten sich beide, ihre Ansicht auf eine Weise zu äußern, die den Konflikt nicht anheizte. Dieses selbstbewußte Auftreten (im Unterschied zu Aggression oder Passivität) wird am Nueva-Center von der dritten Klasse an gelehrt. Die Schüler sollen ihre Ansichten freimütig äußern, aber so, daß es sich nicht zur Aggression aufschaukelt. Während am Anfang ihres Disputs keiner der beiden den anderen anschaute, zeigten sie schließlich Anzeichen eines »aktiven Zuhörens«, sahen einander an, stellten Blickkontakt her und schickten die stummen Hinweise aus, die einem Sprecher zu verstehen geben, daß man ihm zuhört.

Indem die Jungen – mit einem bißchen Nachhilfe – diese Instrumente anwenden, werden »selbstbewußtes Auftreten« und »aktives Zuhören« für sie mehr als bloß leere Worte in einer Prüfung – sie werden zu Reaktionsweisen, von denen sie gerade dann Gebrauch machen können, wenn sie sie am dringendsten benötigen.

Im emotionalen Bereich ist Meisterschaft besonders schwer zu erreichen, weil Fähigkeiten dann erworben werden müssen, wenn man gewöhnlich am wenigsten in der Lage ist, neue Informationen aufzunehmen und neue Reaktionsgewohnheiten zu erlernen – wenn man aufgeregt ist. In diesen Momenten kann man Nachhilfe gut gebrauchen. »Um sich selbst zu beobachten, wenn man so aufgeregt ist, braucht jeder, ob Erwachsener oder Fünftkläßler, eine gewisse Hilfe«, erläutert Varga. »Das Herz hämmert, die Hände schwitzen, man ist furchtbar nervös, und dabei versucht man, offen zuzuhören und gleichzeitig seine Selbstbeherrschung zu bewahren, um die Sache zu überstehen, ohne zu brüllen, zu fluchen oder in Abwehrhaltung den Mund zuzumachen.«

Wer weiß, wie rauh es unter Jungen der fünften Klasse zugehen kann, wird vielleicht am bemerkenswertesten finden, daß Tucker und Rahman ihre Ansichten zu verteidigen suchten, ohne zu Flüchen, Geschimpfe und Gebrüll zu greifen. Keiner ließ seine Gefühle zu einem verachtungsvollen »fuck you!« oder einem Faustkampf eskalieren, und keiner ließ den anderen einfach stehen und marschierte aus dem Raum. Was zum Keim einer richtigen Schlacht hätte werden können, trug statt dessen zur Beherrschung der Feinheiten der Konfliktlösung bei. Wie anders hätte alles unter anderen Umständen verlaufen können. Täglich verwickeln sich junge Burschen aus geringerem Anlaß in Schlägereien – und Schlimmeres.

## Sorgen des Tages

In der Runde, mit der der Self Science-Kurs üblicherweise beginnt, werden nicht immer so hohe Zahlen genannt wie heute. Wenn eine Eins, Zwei oder Drei anzeigt, daß einer sich entsetzlich fühlt, kann man nachfragen: Möchtest du darüber reden, warum du dich so fühlst? Ist der Schüler dazu bereit (niemand wird gedrängt, über Dinge zu reden, über die er nicht reden möchte), eröffnet sich die Möglichkeit, den Anlaß der Beunruhigung zu erörtern, und die Chance, kreative Wege des Umgangs mit ihm zu überlegen.

Die Sorgen, die da zutage treten, hängen von der Klassenstufe ab. In der Unterstufe geht es meistens um Hänseleien, darum, daß sich einer übergangen fühlt, um Ängste. Etwa mit der sechsten Klasse tauchen andere Sorgen auf: verletzte Gefühle, weil man nicht um ein Date gebeten oder übergangen wurde; Freunde, die unreif sind; die üblichen Beschwerden der Jüngeren: »Die großen Kerle hacken auf mir herum.« »Meine Freunde rauchen und wollen mich dauernd dazu bringen, es auch zu tun.«

Das sind die Themen, die im Leben eines Kindes von großer Bedeutung sind und die, wenn überhaupt, nicht direkt in der Schule, sondern beim Mittagessen, während der Busfahrt zur Schule oder bei einem Freund zu Hause erörtert werden. Meistens behalten die Kinder solche Sorgen für sich, quälen sich nachts allein damit herum, weil sie niemanden haben, mit dem sie darüber reden können. Im Self Science-Kurs werden sie zu Themen des Tages.

Was immer da diskutiert wird, kann dem expliziten Ziel der Self Science dienen, das Selbstgefühl des Kindes und seine Beziehungen zu anderen zu erhellen. Der Kurs folgt zwar einem Lehrplan, der aber so flexibel ist, daß man auch aus solchen Ereignissen wie dem Konflikt zwischen Rahman und Tucker Nutzen ziehen kann. Die von den Schülern vorgebrachten Probleme sind die lebensechten Fallbeispiele, auf welche Schüler und Lehrer die Fähigkeiten, die sie erlernen, anwenden können, zum Beispiel die Methoden der Konfliktlösung, die die erregte Auseinandersetzung zwischen den beiden Jungen dämpften.

## Das ABC der emotionalen Intelligenz

Der Self Science-Lehrplan, seit fast zwanzig Jahren in Anwendung, gilt heute als Vorbild für die Unterweisung in emotionaler Intelligenz. Die Stunden können ein erstaunliches Niveau erreichen; die Nueva-Direktorin Karen Stone McCown erklärte mir dazu: »Wenn wir die Wut behandeln, lernen die Kinder begreifen, daß es fast immer eine Sekundärreaktion ist, und daß sie prüfen sollen, was dahinter steckt: Bist du gekränkt? Eifersüchtig? Unsere Kinder lernen, daß man immer mehrere Möglichkeiten hat, auf eine Emotion zu reagieren, und daß das Leben um so reicher sein kann, je mehr Möglichkeiten man kennt, auf eine Emotion zu reagieren.«

Eine Liste der in Self Science behandelten Inhalte stimmt fast Punkt für Punkt mit den Ingredienzien der emotionalen Intelligenz überein – und mit den wesentlichen Fähigkeiten, die als Vorbeugung gegen die Fallstricke, die Kindern drohen, empfohlen werden (siehe in Anhang E die vollständige Liste).[2] Zu den unterrichteten Themen gehören Selbstwahrnehmung in dem Sinne, daß man seine Gefühle erkennt und ein Vokabular für sie entwickelt und daß man die Zusammenhänge zwischen Gedanken, Gefühlen und Reaktionen wahrnimmt; die Erkenntnis, ob eine Entscheidung von Gedanken oder Gefühlen bestimmt ist, die Einsicht in die Folgen alternativer Entscheidungen und die Anwendung dieser Einsichten auf Probleme wie Drogen, Rauchen und Sex. Selbstwahrnehmung bedeutet auch, daß man seine Stärken und Schwächen erkennt und sich selbst in einem positiven, aber realistischen Lichte sieht (womit man einen in der Bewegung für »Selbstachtung« so häufigen Stolperstein vermeidet).

Ein anderer Schwerpunkt ist der Umgang mit den Emotionen: Die

Kinder machen sich klar, was hinter einem Gefühl steckt (z. B. die Verletzung, die die Wut anfacht), und lernen, wie man mit Ängsten, Wut und Traurigkeit umgeht. Ein weiterer Schwerpunkt ist die Übernahme der Verantwortung für Entscheidungen und Handlungen und die Einhaltung von Verpflichtungen.

Eine wichtige soziale Fähigkeit ist die Empathie, das Verstehen der Gefühle anderer und die Einfühlung in ihre Lage, sowie die Respektierung abweichender Ansichten anderer. Ein zentrales Thema sind die Beziehungen; hier lernen die Kinder, ein guter Zuhörer und Fragesteller zu sein, zwischen dem, was einer sagt oder tut, und den eigenen Reaktionen und Urteilen zu unterscheiden und selbstbewußt statt wütend oder passiv zu sein; sie erlernen die Künste der Kooperation, der Konfliktlösung und der Aushandlung eines Kompromisses.

In Self Science werden keine Noten erteilt – das Abschlußexamen ist das Leben selbst. Doch am Ende der achten Klasse, wenn die Schüler Nueva verlassen und zur Highschool überwechseln, wird jeder einem »sokratischen Examen«, einer mündlichen Prüfung in Self Science unterzogen. Kürzlich wurde im Schlußexamen beispielsweise gefragt: »Beschreibe eine angemessene Reaktion, mit der du einem Freund hilfst, einen Konflikt zu lösen, bei dem es um jemanden geht, der ihn drängt, Drogen zu probieren, oder um einen Freund, der gern andere hänselt.« Oder: »Nenne ein paar vernünftige Wege, um mit Stress, Zorn und Furcht fertig zu werden.«

Aristoteles, dem so sehr an emotionaler Geschicklichkeit lag, würde das, wenn er heute lebte, vermutlich gutheißen.

## Emotionale Bildung im Stadtzentrum

Skeptiker werden verständlicherweise fragen, ob ein Kurs wie Self Science auch in einer weniger privilegierten Umgebung funktionieren kann oder ob er nur in einer kleinen Privatschule wie Nueva möglich ist, wo jedes Kind in irgendeiner Hinsicht begabt ist. Kurz, kann emotionale Kompetenz auch dort vermittelt werden, wo sie vielleicht am dringendsten benötigt wird, im Chaos einer im Zentrum einer Großstadt gelegenen staatlichen Schule? Um das zu erfahren, kann man die Augusta Lewis Troup Middle School in New Haven, Connecticut, besuchen, die vom Nueva Learning Center sozial und ökonomisch ebenso weit entfernt ist wie geographisch.

Die Atmosphäre an der Troup-Schule ist sicherlich weitgehend von derselben Lernbegeisterung geprägt – man nennt sie auch »Troup Magnet Academy of Science« –, und sie ist eine von zwei Schulen im Bezirk, die Schüler der fünften bis achten Klassen aus ganz New Haven für einen erweiterten naturwissenschaftlichen Unterricht aufnehmen sollen. Die Schüler dort können über eine Satellitenschüssel Astronauten in Houston direkt nach der Physik des Weltalls befragen oder ihre Computer so programmieren, daß sie Musik spielen. Doch trotz dieser vorzüglichen Lernbedingungen sind die Weißen wie in vielen anderen Großstädten in die Vororte von New Haven und auf Privatschulen ausgewichen und haben an der Troup-Schule eine Schülerschaft zurückgelassen, die sich zu rund 95 Prozent aus Schwarzen zusammensetzt.

Nur einige Blocks vom Yale-Campus entfernt – wieder eine ganz andere, ferne Welt –, liegt die Troup-Schule in einem verfallenden Arbeiterviertel, das in den fünfziger Jahren 20 000 Einwohner zählte, die in den benachbarten Fabriken arbeiteten, von Olin Brass Mills bis Winchester Arms. Die Zahl dieser Arbeitsplätze ist heute auf unter 3000 gesunken, und damit ist der wirtschaftliche Horizont der dort lebenden Familien geschrumpft. New Haven ist, wie so viele Industriestädte Neuenglands, in einen Abgrund von Armut, Drogen und Gewalt versunken.

In Reaktion auf die dringenden Nöte dieses städtischen Alptraums schuf eine Gruppe von Yale-Psychologen und Erziehern in den achtziger Jahren das Social Competence Program, eine Reihe von Kursen, die praktisch dasselbe Gebiet abdecken wie der Self Science-Lehrplan der Nueva-Schule. An der Troup-Schule hat man allerdings einen direkteren und unverhüllteren Zugang zu den Themen. Es ist keine bloße akademische Übung, wenn die Schüler der achten Klasse im Sexualkundeunterricht lernen, wie persönliche Entscheidungen ihnen helfen können, Krankheiten wie Aids zu vermeiden. New Haven hat von allen US-Städten den höchsten Anteil an aidskranken Frauen; etliche Mütter von Troup-Schülern und auch einige der Schüler haben die Krankheit. Die Schüler haben hier trotz des erweiterten Lehrplans mit allen Problemen der amerikanischen Innenstädte zu kämpfen; bei vielen Kindern ist die häusliche Situation so chaotisch, wenn nicht gar entsetzlich, daß sie es an manchen Tagen nicht schaffen, zur Schule zu kommen.

Das auffälligste Zeichen, das den Besucher begrüßt, ist, wie an allen Schulen von New Haven, ein gelbes Schild in der vertrauten, diamantenförmigen Form eines Verkehrsschildes, aber mit der Aufschrift »DROGENFREIE ZONE«. Am Eingang empfängt mich Mary Ellen Collins, die »Förderin« der Schule, eine Allzweck-Ombudsfrau, die sich, wenn spezielle Probleme auftauchen, darum kümmert; zu ihren Aufgaben gehört auch, die Lehrer in der Erfüllung des Programms für soziale Kompetenz zu unterstützen. Wenn ein Lehrer sich über die Gestaltung einer Stunde im unklaren ist, kommt Collins in den Unterricht und zeigt, wie man es macht.

»Ich unterrichte an dieser Schule seit zwanzig Jahren«, sagt Frau Collins, nachdem sie mich begrüßt hat. »Schauen Sie sich dieses Viertel an – ich kann mir nicht mehr vorstellen, nur noch Lernfächer zu unterrichten, bei den Problemen, die diese Kinder im Alltag haben. Denken Sie nur an die Kinder, die sich damit abquälen, daß sie selbst oder jemand in ihrer Familie Aids haben; ich glaube kaum, daß sie es bei der Diskussion über Aids sagen würden, aber wenn das Kind weiß, daß der Lehrer auch bei einem emotionalen Problem und nicht bloß bei Lernproblemen zuhört, dann kann es zu diesem Gespräch kommen.«

Im zweiten Stock des alten Backsteingebäudes geleitet Joyce Andrews ihre Fünftkläßler durch den Kurs für soziale Kompetenz, den sie dreimal wöchentlich haben. Wie alle anderen Lehrer von fünften Klassen hat Andrews einen speziellen Sommerkurs für die Gestaltung des Unterrichts besucht, aber nach ihrem Schwung zu schließen, fällt ihr die Unterrichtung der Themen in sozialer Kompetenz nicht schwer.

In der heutigen Stunde geht es um das Erkennen von Gefühlen; es ist eine entscheidende emotionale Fähigkeit, Gefühle benennen und so besser zwischen ihnen unterscheiden zu können. Die Schüler hatten die Aufgabe, Bilder aus einer Zeitschrift, die das Gesicht eines Menschen zeigen, zusammenzustellen, die Emotion, die das Gesicht zeigt, zu benennen und anzugeben, woran man erkennt, daß die betreffende Person diese Gefühle hat. Nachdem sie die Aufgaben eingesammelt hat, listet Andrews die Gefühle – Trauer, Sorge, Erregung, Glück usw. – an der Tafel auf und beginnt mit den achtzehn Schülern, die es heute geschafft haben, zur Schule zu kommen, ein schnelles Frage-und-Antwort-Spiel. Die Schüler, deren Tische jeweils zu viert eine Gruppe bilden, strecken aufgeregt ihre Hände in die Höhe und versuchen, ihre Aufmerksamkeit zu erregen, um ihre Antworten loszuwerden.

Andrews setzt unter die Liste an der Tafel das Wort »frustriert« und fragt: »Wer war schon mal frustriert?« Alle Hände schießen in die Höhe.

»Wie fühlt man sich, wenn man frustriert ist?«

Die Antworten kommen wie aus der Pistole geschossen: »Müde.« »Durcheinander.« »Man kann nicht klar denken.« »Besorgt.«

Als die Liste um »verärgert« erweitert wird, sagt Joyce: »Das kenne ich – wann ist ein Lehrer verärgert?«

»Wenn alle schwatzen«, meint ein Mädchen lächelnd.

Ohne eine Sekunde zu verlieren, teilt Frau Andrews ein Arbeitsblatt aus. Untereinander sind Gesichter von Jungen und Mädchen abgebildet, die jeweils eine der sechs elementaren Emotionen – glücklich, traurig, zornig, erstaunt, ängstlich, angewidert – zeigen; daneben wird die entsprechende Aktivität der Gesichtsmuskulatur beschrieben, zum Beispiel:

ÄNGSTLICH:
Der Mund ist offen und zurückgezogen.
Die Augen sind aufgerissen und die inneren Winkel gehen nach oben.
Die Augenbrauen sind erhoben und zusammengezogen.
Die Stirn ist in der Mitte gerunzelt.[3]

Während die Kinder von Andrews Klasse das Blatt durchlesen, wandert der Ausdruck von Furcht, Zorn, Erstaunen oder Ekel über ihr Gesicht, da sie die Bilder imitieren, indem sie die der jeweiligen Emotion entsprechende Anweisung für die Gesichtsmuskeln befolgen. Dieser Stoff stammt direkt aus Paul Ekmans Untersuchung über den Gesichtsausdruck; als solcher wird er in fast jedem universitären Einführungskurs in die Psychologie geboten – und selten, wenn überhaupt, in der Grundschule. Man könnte meinen, diese elementaren Kenntnisse über die Verknüpfung eines Namens mit einem Gefühl und des Gefühls mit dem ihm entsprechenden Gesichtsausdruck seien so selbstverständlich, daß man sie gar nicht zu unterrichten bräuchte. Dennoch kann der Unterricht erstaunlich verbreiteten Mängeln an emotionaler Bildung entgegenwirken. Schlägertypen auf dem Schulhof schlagen oft wütend zu, weil sie neutrale Botschaften und Ausdrücke fälschlich als feindselig interpretieren, und Mädchen, die Zorn nicht von Angst oder Hunger unterscheiden können, entwickeln Eßstörungen.

## Verdeckte emotionale Erziehung

Während ständig neue Themen und Punkte in den Lehrplan hineindrängen, wehren sich manche Lehrer, die sich verständlicherweise überlastet fühlen, gegen das Ansinnen, den Kernunterricht zugunsten eines weiteren zusätzlichen Kurses einzuschränken. So zeichnet sich jetzt die Strategie ab, für die emotionale Erziehung nicht einen Kurs einzurichten, sondern die Unterweisung über Gefühle und Beziehungen mit anderen Themen zu verbinden, die bereits zum Lehrplan gehören. Die emotionale Erziehung läßt sich mit Lesen und Schreiben, Gesundheit, Naturwissenschaft, Sozialkunde und anderen üblichen Kursen zwanglos verbinden. In einigen Klassenstufen ist *»Life Skills Class«* [Lebenspraktische Fähigkeiten] an den Schulen von New Haven ein eigenes Thema, doch in anderen Jahrgängen wird die Entwicklung sozialer Fähigkeiten in Kurse wie Lesen oder Gesundheit integriert. Einige der Gegenstände werden sogar in den Mathematikunterricht eingebaut, vor allem für das Lernen wichtige Fähigkeiten wie die, Ablenkungen abzustellen, sich zum Lernen zu motivieren und die eigenen Impulse zu zügeln, damit man sich dem Lernen widmen kann.

Für einige Programme zur Entwicklung emotionaler und sozialer Fähigkeiten ist gar kein gesonderter Platz im Lehrplan vorgesehen; ihr Stoff durchdringt vielmehr das gesamte schulische Geschehen. Ein Modell für diesen Ansatz, praktisch ein unsichtbarer Kurs in emotionaler und sozialer Kompetenz, ist das Child Development Project, das ein Team unter Leitung des Psychologen Eric Schaps geschaffen hat. Derzeit ist das Projekt an einigen über die USA verteilten Schulen in der Erprobung, überwiegend in Stadtvierteln, die gleichfalls viele der Probleme der heruntergekommenen Innenstadt von New Haven haben.[4]

Das Projekt bietet vorbereitete Unterrichtsmaterialien, die sich in bestehende Lehrfächer einfügen. Für den Leseunterricht von Erstkläßlern gibt es zum Beispiel die Geschichte »Frosch und Kröte sind Freunde«; Frosch möchte gern mit seinem Freund Kröte, der Winterschlaf hält, spielen, und um ihn früher zu wecken, spielt er ihm einen Streich. Die Geschichte dient als Aufhänger für eine Diskussion über Freundschaft und über Fragen wie die, was Menschen empfinden, wenn man ihnen einen Streich spielt. Eine Reihe von Erlebnissen thematisiert Dinge wie Selbstbewußtsein, die Wahrnehmung der Bedürfnisse von Freunden, was einer empfindet, wenn er gehänselt wird, oder was es heißt, Gefühle mit Freunden zu teilen. Ein wohlüberlegter Lehrplan bietet für die Kinder, die die Grund- und Mittelschulklassen durchlaufen, immer anspruchsvollere Geschichten, die den Lehrern die Möglichkeit eröffnen, Fragen wie das Sichhineinversetzen in andere oder Fürsorge zu erörtern.

Emotionale Lektionen lassen sich auch in der Weise in das schulische Geschehen einfügen, daß man Lehrern Unterstützung in der Frage anbietet, wie Schüler, die sich schlecht benehmen, an diszipliniertes Verhalten gewöhnt werden können. Das Child Development Project geht davon aus, daß man den Kindern gerade bei solchen Gelegenheiten sehr gut fehlende Fähigkeiten – Impulskontrolle, Darlegung ihrer Gefühle, Konfliktlösung – beibringen kann und daß es bessere Erziehungsmittel gibt als den Zwang. Wenn ein Lehrer zum Beispiel sieht, wie drei Erstkläßler sich streiten, wer von ihnen den ersten Platz in der Schlange vor dem Speisesaal bekommt, kann er ihnen vorschlagen, daß jeder eine Zahl raten soll und der Gewinner als erster geht; die unmittelbare Lehre daraus ist, daß es unparteiische, faire Verfahren gibt, solche winzigen Streitigkeiten zu regeln; die tiefere Lehre ist, daß Streitigkeiten überhaupt durch Verhandlung geregelt werden können. Und da dies eine Methode ist, die diese Kinder auch bei anderen, ähnlichen Streitfällen anwenden können (Ich zuerst! ist schließlich in den unteren Klassen, wenn nicht sogar in der einen oder anderen Form über lange Strecken des Lebens epidemisch), hat sie eine positivere Botschaft als das allgegenwärtige, autoritäre »Laßt das!«

## Fahrplan der Gefühle

»Meine Freundinnen Alice und Lynn wollen nicht mit mir spielen.«

Diese ergreifende Klage stammt von einem Mädchen einer dritten Klasse an der John Muir Elementary School in Seattle. Die anonyme Absenderin hat sie in den »Briefkasten« in ihrem Klassenzimmer geworfen – genaugenommen eine entsprechend bemalte Pappschachtel –, dem sie und ihre Klassenkameraden ihre Beschwerden und Probleme anvertrauen sollen, damit die ganze Klasse darüber sprechen und sich überlegen kann, wie man ihnen abhilft. Die Namen der Betroffenen werden dabei nicht erwähnt; der Lehrer oder die Lehrerin macht vielmehr darauf aufmerksam, daß jedes Kind ab und zu solche Probleme hat und daß sie alle lernen müssen, wie man damit umgeht. Wenn sie darüber reden, was es für ein Gefühl ist, übergangen zu werden, oder was man tun kann, um einbezogen zu werden, haben sie die Chance, neue Lösungen für diese Schwierigkeiten auszuprobieren – ein Korrektiv für das eingleisige Denken, das die einzige Möglichkeit der Lösung von Meinungsverschiedenheiten im Konflikt sieht.

Dank des Briefkastens kann man flexibel festlegen, welche Krisen und Probleme in der Stunde behandelt werden, denn eine allzu starre Tagesordnung könnte mit den fließenden Realitäten der Kindheit nicht im Einklang sein. Wenn die Kinder größer werden und sich ändern, ändern sich auch die aktuellen Sorgen. Emotionale Lektionen sind am wirksamsten, wenn sie der Entwicklung des Kindes angepaßt sind und in den verschiedenen Altersstufen in einer Weise wiederholt werden, die dem jeweiligen Verständnis und den Anforderungen des Kindes entspricht.

Eine Frage ist, wie früh man anfangen soll. Manche meinen, die ersten Lebensjahre seien nicht verfrüht. Nach Ansicht des Harvard-Pädiaters T. Berry Brazelton könnten viele Eltern davon profitieren, wenn man sie als emotionale Mentoren ihrer Säuglinge und Kleinkinder schulte, wie es in einigen Hausbesuchsprogrammen geschieht. Viel spricht dafür, in Vorschulprogrammen wie *Head Start* die sozialen und emotionalen Fähigkeiten systematischer zu fördern; die Lernbereitschaft von Kindern hängt, wie wir im sechzehnten Kapitel gesehen haben, zu einem großen Teil vom Erwerb dieser grundlegenden emotionalen Fähigkeiten ab. Die Vorschuljahre sind entscheidend für die Begründung fundamentaler Fähigkeiten, und es gibt Anhaltspunkte dafür, daß das Programm *Head Start*, richtig durchgeführt (eine wichtige Einschränkung), positive langfristige emotionale und soziale Auswirkungen auf das Leben seiner Absolventen haben kann, sogar bis in das frühe Erwachsenenalter hinein: weniger Drogenprobleme und Verhaftungen, bessere Ehen, bessere Erwerbsfähigkeit.[5]

Solche Interventionen haben den größten Erfolg, wenn sie sich nach dem emotionalen Entwicklungsfahrplan richten.[6] Wie das Geschrei von Neugeborenen beweist, haben Babys von Geburt an intensive Gefühle. Das Gehirn des Neugeborenen ist jedoch noch längst nicht ausgereift; die Emotionen des Kindes erreichen, wie wir im siebzehnten Kapitel gesehen haben, ihre vollständige Reife erst dann, wenn sein Nervensystem voll entwickelt ist – ein Prozeß, der sich nach einer angeborenen biologischen Uhr über die ganze Kindheit und bis in die frühe Jugendzeit hinzieht. Das Gefühlsrepertoire eines Neugeborenen ist primitiv, verglichen mit der emotionalen Bandbreite eines Fünfjährigen, die wiederum beschränkt ist, gemessen an der Fülle der Gefühle eines Teenagers. Erwachsene machen allzu leicht den Fehler, von Kindern einen Reifegrad zu erwarten, der ihr Alter weit übersteigt, weil sie nicht bedenken, daß es für jede Emotion einen vorprogrammierten Zeitpunkt des Auftretens in der Entwicklung eines Kindes gibt. Ein Vater, der zum Beispiel seinen Vierjährigen wegen seiner Prahlerei tadelt, vergißt, daß das Selbstbewußtsein, aus dem Bescheidenheit erwachsen kann, in der Regel nicht vor dem fünften Lebensjahr auftritt.

Der Fahrplan der emotionalen Entwicklung ist mit verwandten Entwicklungsreihen verknüpft, vor allem der Kognition auf der einen und der zerebralen und biologischen Reifung auf der anderen Seite. Emotionale Fähigkeiten wie Empathie und emotionale Selbstregulierung beginnen sich praktisch vom Säuglingsalter an zu entwickeln. Das Jahr des Eintritts in den Kindergarten markiert eine maximale Reifung der »sozialen Emotionen« – Gefühle wie Verlegenheit und Bescheidenheit, Eifersucht und Neid, Stolz und Selbstvertrauen –, die alle die Fähigkeit voraussetzen, sich mit anderen zu vergleichen. Wenn die Fünfjährige in die erweiterte soziale Welt der Schule eintritt, betritt sie zugleich die Welt des sozialen Vergleichs. Diese Vergleiche werden nicht bloß durch die äußere Veränderung hervorgelockt, sondern auch durch das Auftreten einer kognitiven Fähigkeit: sich hinsichtlich bestimmter Qualitäten wie Beliebtheit, Attraktivität oder Skateboard-Geschicklichkeit mit anderen vergleichen zu können. In diesem Alter kann zum Beispiel eine ältere Schwester, die nur Einser im Zeugnis hat, die jüngere Schwester auf den Gedanken bringen, vergleichsweise »dumm« zu sein.

Der Psychiater Dr. David Hamburg, Präsident der Carnegie Corporation, die einige wegweisende Programme zur emotionalen Erziehung evaluiert hat, betrachtet die Jahre des Übergangs in die Grundschule und dann noch einmal des Übergangs in die Unterstufe der Highschool beziehungsweise der Mittelschule als entscheidende Punkte in der Anpassung des Kindes.[7] Vom sechsten bis zum elften Lebensjahr, sagt Hamburg, »ist die Schule ein Schmelztiegel und eine bestimmende Erfahrung, die sich bis in die Adoleszenz der Kinder und noch darüber hinaus stark bemerkbar macht. Das Selbstwertgefühl des Kindes hängt wesentlich davon ab, ob es das Klassenziel erreicht. Wenn es in der Schule versagt, entwickelt es die kontraproduktiven Einstellungen, die seine Aussichten für das ganze Leben verdüstern können.« Eine der Voraussetzungen, um von der Schule zu profitieren, sieht Hamburg in der Fähigkeit, »die Gratifikation aufzuschieben, in angemessener Weise sozial verantwortlich zu sein, seine Emotionen zügeln zu können und eine optimistische Einstellung zu haben«, mit anderen Worten, in der emotionalen Intelligenz.[8]

Die Pubertät ist, weil sich in dieser Zeit in der Biologie, den Denkfähigkeiten und der Hirnfunktion des Kindes ein außerordentlicher Wandel vollzieht, auch eine entscheidende Zeit für emotionale und soziale Lehren. Zum Teenageralter bemerkt Hamburg, daß »die meisten Jugendlichen zwischen zehn und fünfzehn sind, wenn sie mit Sexualität, Alkohol und Drogen, Rauchen und anderen Versuchungen in Berührung kommen«.[9]

Der Übergang zur Mittelschule oder in die Unterstufe der Highschool markiert das Ende der Kindheit und ist allein schon eine enorme emotionale Herausforderung. Praktisch alle Schüler erleben, von allen sonstigen Problemen abgesehen, beim Eintritt in dieses neue Schulsystem einen Tiefpunkt ihres Selbstvertrauens und ein Hochschnellen ihres Selbstbewußtseins; ihre ganzen Vorstellungen über sich selbst sind unsicher und im Aufruhr. Einen der schwersten Schläge erleidet ihre »soziale Selbstachtung«, das Vertrauen in ihre Fähigkeit, Freunde zu gewinnen und zu halten. In diesem kritischen Augenblick ist es, wie Hamburg darlegt, für Jungen und Mädchen ungeheuer hilfreich, wenn man ihre Fähigkeit stärkt, enge Beziehungen aufzubauen und Krisen in Freundschaften durchzustehen, und wenn man ihr Selbstvertrauen pflegt.

Beim Eintritt in die Mittelschule, genau an der Schwelle der Adoleszenz, stellt Hamburg bei Schülern, die eine emotionale Erziehung erfahren haben, einen Unterschied fest: Die neuen Anpassungszwänge, die von den Gleichaltrigen ausgehen, die Anhebung der schulischen Anforderungen sowie die Versuchungen, zu rauchen und Drogen zu nehmen, sind für sie nicht so problematisch wie für ihre Altersgenossen, die keine entsprechenden Programme absolviert haben. Sie haben emotionale Fähigkeiten erworben, die sie zumindest kurzfristig gegen die Unruhe und die Nötigungen, denen sie entgegengehen, immun machen.

## Auf den Zeitpunkt kommt es an

In dem Maße, wie Entwicklungspsychologen und andere die Entfaltung der Emotionen erfassen, können sie sich genauer dazu äußern, welche Lektionen Kinder im Zuge der Entfaltung der emotionalen Intelligenz jeweils lernen sollten und welche dauerhaften Defizite bei denen zu erwarten sind, die es versäumen, die richtigen Kompetenzen zum festgesetzten Zeitpunkt zu erwerben – oder welche nachträglichen Erfahrungen das Versäumte wettmachen könnten.

In dem Programm von New Haven erhalten die Kinder in den untersten Klassen zum Beispiel grundlegenden Unterricht in Selbstwahrnehmung, Beziehungen und im Treffen von Entscheidungen. In der ersten Klasse sitzen die Schüler im Kreis und rollen den »Gefühle-Würfel«, auf dessen Seiten Wörter wie ›traurig‹ oder ›aufgeregt‹ stehen. Wenn sie an die Reihe kommen, schildern sie eine Gelegenheit, bei der sie dieses Gefühl hatten, eine Übung, die ihnen mehr Sicherheit in der Verknüpfung von Gefühlen und Wörtern gibt und die zugleich die

Empathie fördert, da sie hören, daß andere dieselben Gefühle haben wie sie selbst.

In der vierten und fünften Klasse, wenn Freundschaftsbeziehungen gewaltige Bedeutung für ihr Leben bekommen, erhalten sie Lektionen, die ihnen zu besser funktionierenden Freundschaften verhelfen: Empathie, Impulskontrolle und Zügelung des Zorns. Bei dem *Life Skills*-Kurs, in dem die Fünftkläßler der Troup-Schule versuchten, Emotionen vom Gesichtsausdruck abzulesen, geht es wesentlich um Empathie. Für die Impulskontrolle gibt es ein auffallend plaziertes »Ampel-Poster« mit sechs Schritten:

| | |
|---|---|
| ROT | 1. Halte an, beruhige dich und denke, bevor du handelst. |
| GELB | 2. Benenne das Problem und sag, wie du dich fühlst. |
| | 3. Setze ein positives Ziel. |
| | 4. Denke an viele Lösungen. |
| | 5. Bedenke im voraus die Folgen. |
| GRÜN | 6. Geh los und probiere es mit dem besten Plan. |

Die »Ampel«-Vorstellung wird regelmäßig beschworen, wenn ein Kind beispielsweise im Begriff ist, wütend um sich zu schlagen, sich bei einer Kränkung beleidigt zurückzuziehen oder in Tränen auszubrechen, weil es gehänselt wird; sie verweist auf eine Reihe konkreter Schritte, mit diesen emotionsgeladenen Momenten maßvoller umzugehen. Über den Umgang mit den Gefühlen hinaus zeigt sie einen Weg zu wirksamerem Handeln. Und ist sie einmal zum gewohnten Weg geworden, mit dem ungestümen emotionalen Impuls umzugehen – zu denken, bevor man aus dem Gefühl heraus handelt –, kann sie sich zur grundlegenden Strategie der Auseinandersetzung mit den Risiken der Jugendzeit und darüber hinaus entwickeln.

In der sechsten Klasse beziehen sich die Lektionen direkter auf die Versuchungen und Nötigungen zu Sex, Drogen und Alkohol, die nun immer stärker in das Leben der Kinder treten. In der neunten Klasse, wenn die Teenager mit weniger eindeutigen sozialen Realitäten konfrontiert werden, wird die Fähigkeit betont, verschiedene Perspektiven einzunehmen, die eigene ebenso wie die von anderen Beteiligten. »Wenn ein Bursche sauer ist, weil er gesehen hat, daß seine Freundin mit einem anderen Kerl sprach«, sagt einer der Lehrer von New Haven, »muß man ihn ermutigen, sich auch zu überlegen, um was es da möglicherweise aus der Sicht der beiden geht, statt sich gleich in eine Konfrontation zu stürzen.«

## Emotionale Erziehung als Vorbeugung

Einige der wirksamsten Programme zur emotionalen Erziehung wurden als Antwort auf ein bestimmtes Problem entwickelt, namentlich das Problem der Gewalt. Einer dieser vom Präventionsgedanken inspirierten Kurse zur emotionalen Erziehung ist das Resolving Conflict Creatively Program, das an mehreren hundert staatlichen Schulen in New York und überall im Lande rasch an Boden gewinnt. In dem Konfliktlösungskurs geht es um die Schlichtung von Streitigkeiten unter Schülern, die zu Vorfällen wie der Erschießung von Ian Moore und Tyrone Sinkler durch ihren Klassenkameraden in der Eingangshalle der Jefferson High School eskalieren können.

Für Linda Lantieri, die Begründerin des Resolving Conflict Creatively-Kurses und Leiterin des nationalen Zentrums für diese Methode, geht deren Mission weit über die Verhütung von Kämpfen hinaus. Sie sagt: »Das Programm zeigt den Schülern, daß sie außer Passivität oder Aggression noch viele Möglichkeiten haben, mit einem Konflikt umzugehen. Wir zeigen ihnen die Sinnlosigkeit von Gewalt und ersetzen sie durch konkrete Fähigkeiten. Die Kinder lernen, für ihre Rechte einzutreten, ohne zur Gewalt zu greifen. Das sind Fähigkeiten fürs ganze Leben, und nicht nur für die, die am meisten zur Gewalt neigen.«[10]

In einer Übung überlegen sich die Schüler, wie ein einziger, noch so geringfügiger realistischer Schritt ihnen hätte helfen können, einen Konflikt, den sie miteinander hatten, beizulegen. In einer anderen Übung spielen sie eine Szene nach, in der eine größere Schwester versucht, ihre Hausaufgaben zu machen, aber von der lauten Rapmusik, die ihre kleinere Schwester hört, dabei gestört wird. Schließlich hat sie es satt und stellt die Musik aus, obwohl die jüngere dagegen protestiert. Die Klasse überlegt sich, wie sie das Problem zur Zufriedenheit beider Schwestern hätten lösen können.

Der Erfolg des Konfliktlösungs-Programms beruht auch darauf, daß es sich nicht nur auf das Klassenzimmer beschränkt, sondern auch den Schulhof und die Cafeteria einbezieht, wo es öfter vorkommt, daß Gereiztheit in Aggression umschlägt. Deshalb werden einige Schüler zu Vermittlern ausgebildet, eine Aufgabe, die sie schon in den letzten Jahren der Grundschule wahrnehmen können. Wenn die Spannung explodiert, können die Schüler sich an einen Vermittler wenden, der ihnen bei der Konfliktlösung hilft. Die Fälle, mit denen die Schulhof-Vermittler umzugehen lernen, umfassen Raufereien, Rassenzusammenstöße, höhnische Bemerkungen und Drohungen und was das Schulleben sonst noch an Zündstoff enthält.

Die Vermittler lernen, sich so auszudrücken, daß beide Seiten von ihrer Unparteilichkeit überzeugt sind. Eine Taktik besteht darin, sich mit den Beteiligten hinzusetzen und sie dazu zu bringen, dem jeweils anderen zuzuhören, ohne ihn zu unterbrechen oder zu beschimpfen. Sie sorgen dafür, daß jede Seite sich erst einmal beruhigt und dann ihre Position darlegt; anschließend müssen beide das Gesagte mit eigenen Worten wiedergeben, damit klar ist, daß sie wirklich verstanden haben, worum es geht. Daraufhin denken alle zusammen über Lösungen nach, mit denen beide Seiten leben können; oft haben die Vereinbarungen die Form eines unterschriebenen Vertrages.

Abgesehen von der Vermittlung eines vorliegenden Streitfalls lernen die Schüler durch das Programm, Meinungsverschiedenheiten von vornherein anders zu sehen. Das Programm, sagt Angel Perez, der schon in der Grundschule als Vermittler ausgebildet wurde, »hat mein Denken verändert. Früher dachte ich, wenn jemand auf mir herumhackt, wenn mir einer was tut, dann gibt's nur eins: kämpfen, irgendwas tun, um es ihm heimzuzahlen. Seit ich dieses Programm hatte, denke ich positiver. Wenn jemand mir etwas Negatives getan hat, versuche ich nicht, es in derselben Weise zu rächen – ich versuche, das Problem zu lösen.« Und es ist ihm passiert, daß andere in seiner Gemeinschaft diese Haltung übernommen haben.

Das Ziel von Resolving Conflict Creatively ist zwar die Verhütung von Gewalt, doch hat es in den Augen von Lantieri eine allgemeinere Mission. Die Fähigkeiten, die man braucht, um Gewalt vorzubeugen, lassen sich nach ihrer Meinung nicht von dem vollständigen Spektrum der emotionalen Kompetenz trennen; die Erkenntnis, wie man sich fühlt oder wie man mit einem Impuls oder mit Kummer umgeht, ist für die Gewaltverhütung ebenso wichtig wie die Zügelung des Zorns. In dem Trainingsprogramm geht es vielfach um emotionale Grundkenntnisse, etwa um das Erkennen unterschiedlicher Gefühle und ihre Benennung oder um Empathie. Als sie auf die Bewertung der Erfolge ihres Programms zu sprechen kommt, verweist Lantieri ebenso stolz auf die Tatsache, daß die »Fürsorge unter den Kindern« zugenommen hat, wie auf die seltener gewordenen Raufereien, Demütigungen und Beschimpfungen.

Eine ähnliche Annäherung an die emotionale Erziehung erlebte ein Konsortium von Psychologen, die nach Möglichkeiten suchten, jungen Menschen zu helfen, die auf dem besten Weg zu einem von Verbrechen und Gewalt geprägten Leben waren. Den Weg, den die meisten nehmen, haben, wie wir im fünfzehnten Kapitel sahen, Dutzende von Studien über solche Jungen eindeutig belegt: In den ersten Schuljahren fallen sie durch Impulsivität und Jähzorn auf, am Ende der Grundschule sind sie zu sozialen Außenseitern geworden, dann schließen sie sich in den mittleren Schuljahren einer Clique an, die sich aus ebensolchen wie sie selbst zusammensetzt, und verfallen auf kriminelle Touren. Wenn sie erwachsen werden, sind diese Jungen bereits vorbestraft und haben eine Neigung zur Gewalttätigkeit entwickelt.

Als man sich überlegte, wie man solche Jungen von dem Weg, der in Gewalt und Kriminalität endet, herunterholen könnte, kam man erneut auf ein Programm zur emotionalen Erziehung.[11] Eines davon, entwickelt von einem Konsortium unter Beteiligung Mark Greenbergs von der Universität von Washington, ist das PATHS-Curriculum (PATHS ist das Akronym für »Parents and Teachers Helping Students«). Diejenigen, die am offenkundigsten auf eine kriminelle und gewalttätige Laufbahn zusteuern, brauchen diese Hilfe am stärksten, doch nimmt die gesamte Klasse am Kurs teil, um die problematischere Teilgruppe nicht zu stigmatisieren.

Immerhin können alle Kinder von diesen Stunden profitieren. So lernen die Kinder in den ersten Schuljahren, ihre Impulse zu kontrollieren; ohne diese Fähigkeit können sie kaum dem Unterricht folgen und fallen im Lernerfolg und in den Noten zurück. Außerdem lernen sie, ihre Gefühle zu erkennen; das PATHS-Curriculum umfaßt fünfzig Stunden über verschiedene Emotionen; mit den elementarsten wie Glück und Zorn werden die Jüngsten vertraut gemacht, später werden dann kompliziertere Gefühle wie Eifersucht, Stolz und Schuld behandelt. In den Stunden, die der emotionalen Wahrnehmung gewidmet sind, lernen die Kinder, darauf zu achten, was sie und ihre Mitmenschen empfinden und – besonders wichtig für diejenigen, die zur Aggression neigen – zu erkennen, wann jemand wirklich feindselig ist und wann man selbst dem anderen Feindseligkeit unterstellt.

Eine der wichtigsten Lektionen ist natürlich, wie man mit dem Zorn umgeht. Was den Zorn (und alle übrigen Emotionen) betrifft, lernen die Kinder den Grundsatz, daß »alle Gefühle, die man hat, akzeptabel sind«, während für die Reaktionen gilt, daß einige akzeptabel sind und andere nicht. Um den Kindern Selbstbeherrschung beizubringen, wird die »Ampel«-Übung benutzt, die auch im New Haven-Kurs verwendet wird. In anderen Einheiten gibt man den Kindern Hilfe bei ihren Freundschaften – ein Mittel gegen die soziale Ablehnung, die ein Kind in die Kriminalität treiben kann.

## Neue Aufgaben der Schule: Lehren durch das eigene Vorbild, fürsorgliche Gemeinschaften

Da immer mehr Kinder von der Familie keine sichere Lebensorientierung mehr erhalten, bleibt die Schule als der einzige Ort übrig, wo die Gemeinschaft Defizite der Kinder an emotionaler und sozialer Kompetenz korrigieren kann. Das heißt nicht, daß die Schule allein für all die sozialen Institutionen einspringen kann, von denen allzu viele zusammengebrochen sind oder kurz vor dem Zusammenbruch stehen. Doch da jedes Kind (zumindest anfangs) zur Schule geht, bietet sie eine Gelegenheit, alle Kinder mit grundlegenden Lektionen für die Lebensführung zu erreichen, die sie sonst vielleicht nie erhalten würden. Emotionale Erziehung bedeutet einen erweiterten Auftrag für die Schule; sie muß wettmachen, was die Familie bei der Sozialisierung der Kinder versäumt. Diese beängstigende Aufgabe verlangt zwei bedeutende Änderungen: daß die Lehrer über ihren herkömmlichen Auftrag hinausgehen und daß die Mitglieder der Gemeinschaft sich mehr um die Schule kümmern.

Vielleicht kommt es gar nicht so sehr darauf an, ob es einen Kurs gibt, der sich ausdrücklich der emotionalen Erziehung widmet, oder nicht; viel bedeutsamer dürfte sein, *wie* dieser Unterricht vermittelt wird. Wohl in keinem anderen Fach kommt es so sehr auf die Eigenart des Lehrers an, denn die Art, wie ein Lehrer mit seiner Klasse umgeht, ist an sich schon ein Modell, eine praktische Lektion in emotionaler Kompetenz – oder deren Mangel. Wenn ein Lehrer auf einen Schüler reagiert, lernen zwanzig oder dreißig eine Lektion.

Hinsichtlich des Lehrertyps, der bereit ist, solche Kurse zu übernehmen, findet eine automatische Auslese statt; nicht jeder ist vom Temperament her dafür geeignet. Zunächst müssen Lehrer unbefangen über Gefühle sprechen können; nicht jeder Lehrer kann das oder möchte das. Die übliche Ausbildung bereitet die Lehrer kaum oder überhaupt nicht auf diese Art von Unterricht vor. Deshalb sehen alle Programme zur emotionalen Erziehung eine mehrwöchige Sonderausbildung für angehende Lehrer vor.

Viele Lehrer mögen anfangs zögern, sich an ein Thema zu wagen, das mit ihrer Ausbildung und ihren üblichen Aufgaben so wenig zu tun hat; wenn sie es aber einmal probieren, werden die meisten eher angezogen als abgestoßen sein. Als die Lehrer an den Schulen von New Haven erfuhren, daß sie eine Ausbildung erhalten würden, um die neuen Kurse in emotionaler Erziehung zu geben, äußerten sich die meisten unwillig. Nachdem sie die Kurse ein Jahr lang gegeben hatten, sagten über 90 Prozent, es mache ihnen Spaß und sie wollten sie im folgenden Jahr wieder unterrichten.

## Ein erweiterter Auftrag für die Schule

Über die Lehrerausbildung hinaus erweitert die emotionale Erziehung unser Bild von der Aufgabe der Schule, macht sie deutlich, daß die Schule als Agentur der Gesellschaft darauf achtet, daß Kinder diese für das Leben wichtigen Lektionen lernen – das ist eine Rückkehr zur klassischen Rolle der Erziehung. Dieses erweiterte Ziel verlangt, daß man, abgesehen von den Einzelheiten des Lehrplans, alle Gelegenheiten innerhalb und außerhalb des Unterrichts nutzt, um den Schülern zu helfen, aus persönlichen Krisen Lektionen in emotionaler Kompetenz zu machen. Es stellen sich außerdem die besten Erfolge ein, wenn die Lehrinhalte in der Schule mit dem abgestimmt werden, was bei den Kindern zu Hause passiert. Viele Programme zur emotionalen Erziehung sehen spezielle Kurse für die Eltern vor, in denen diese darüber unterrichtet werden, was ihre Kinder lernen – nicht bloß, um das in der Schule Vermittelte zu ergänzen, sondern um jenen Eltern zu helfen, die glauben, sich mit dem Gefühlsleben ihrer Kinder gründlicher befassen zu müssen.

Dadurch erhalten die Kinder in allen Lebensbereichen übereinstimmende Botschaften hinsichtlich der emotionalen Kompetenz. Über die Schulen von New Haven sagt Shriver: »Wenn die Kinder in der Cafeteria aneinandergeraten, werden sie zu einem Schüler-Vermittler geschickt, der sich mit ihnen zusammensetzt und ihren Konflikt mit demselben Verfahren, sich in den anderen hineinzuversetzen, das sie im Kurs gelernt haben, durcharbeitet. Auch der Trainer benutzt das Verfahren bei Konflikten auf dem Spielfeld. Wir machen Kurse für Eltern, damit sie diese Methoden mit ihren Kindern zu Hause anwenden können.«

Eine derartige parallele Verstärkung dieser emotionalen Lektionen ist optimal: nicht nur im Klassenzimmer, sondern auch auf dem Schulhof; nicht nur in der Schule, sondern auch zu Hause. Dadurch werden die Schule, die Eltern und die Gemeinschaft enger miteinander verflochten. Was die Kinder in den Kursen für emotionale Erziehung gelernt haben, wird dann nicht in der Schule zurückgelassen, sondern in den wirklichen Herausforderungen des Lebens auf die Probe gestellt, angewandt und verfeinert werden.

Dieser Schwerpunkt verändert die Schule auch in der Weise, daß er einen Schulgeist entstehen läßt, der die Schule zu einer »fürsorglichen Gemeinschaft« macht, in der die Schüler sich respektiert fühlen, in der sie spüren, daß man sich um sie kümmert, in der sie eine Bindung an Klassenkameraden, an Lehrer und an die Schule selbst entwickeln.[12] So bieten Schulen in Gegenden wie New Haven, wo die Familien zusehends zerfallen, eine Reihe von Programmen, die fürsorgliche Menschen aus der Gemeinde dazu heranziehen, sich um Schüler zu kümmern, deren Familienleben, gelinde gesagt, am Schwanken ist. An den Schulen von New Haven wirken verantwortungsbewußte Erwachsene als ehrenamtliche Mentoren, als verläßliche Begleiter für Schüler, die nicht mitkommen und die zu Hause keinen oder kaum einen Erwachsenen haben, der sich regelmäßig um sie kümmert.

Kurz, die optimale Gestaltung von Programmen zur emotionalen Erziehung sieht so aus, daß man früh damit beginnt, daß sie altersgemäß sind, daß sie sich über die ganze Schulzeit verteilen und daß sie die Schule, die Familie und die Gemeinschaft in gemeinsamen Bemühungen vereinen.

Zwar fügt sich vieles davon nahtlos in bestehende Elemente des Schulalltags ein, aber dennoch greifen diese Programme erheblich in die vorhandenen Lehrpläne ein. Es wäre naiv, bei der Einführung solcher Programme an den Schulen nicht mit Hindernissen zu rechnen. Viele Eltern werden der Ansicht sein, daß das Thema an sich zu persönlich sei, um in der Schule behandelt zu werden (ein Argument, das an Glaubwürdigkeit gewinnt, wenn die Eltern selbst diese Themen ansprechen, das aber weniger überzeugt, wenn sie es nicht tun). Auch den Lehrern mag es widerstreben, einen weiteren Teil des Schultags für Themen zu opfern, die anscheinend so wenig mit den Lernfächern zu tun haben; einigen Lehrern wird es nicht behagen, diese Themen zu unterrichten, und alle werden dafür eine Sonderausbildung benötigen. Auch einige Kinder werden sich sträuben, besonders dann, wenn diese Kurse nichts mit ihren wirklichen Sorgen zu tun haben oder sie das Gefühl haben, daß sie sich aufdringlich in ihre Privatsphäre mischen. Schließlich ist da noch das Problem, eine hohe Qualität aufrechtzuerhalten und zu verhüten, daß schlaue Erziehungsvermarkter mit stümperhaft gestalteten Programmen für emotionale Kompetenz hausieren gehen, die genauso scheitern wie zuvor die falsch angelegten Kurse über Drogen oder verfrühte Schwangerschaft.

Warum sollte man es angesichts all dieser Schwierigkeiten überhaupt probieren? Weil die Ergebnisse dafür sprechen.

## Bewirkt emotionale Erziehung überhaupt etwas?

Das ist der Alptraum eines jeden Lehrers: Eines Tages schlägt Tim Shriver die Lokalzeitung auf und liest, daß Lamont, einer seiner früheren Lieblingsschüler, in einer Straße von New Haven neunmal angeschossen wurde und in Lebensgefahr schwebt. »Lamont war einer der Schulsprecher, ein ungeheuer großer – 1,88 Meter – und ungeheuer beliebter, hilfreicher Kamerad, der immer lächelte«, erinnert sich Shriver. »Damals kam Lamont gern in eine von mir geleitete Führungsgruppe, wo wir anhand eines Problemlösungsmodells namens SOCS Ideen wälzten.«

Das Akronym SOCS steht für »Situation, Options, Consequence, Solutions«, eine Vier-Stufen-Methode: Sag, was die Situation ist und was du davon hältst; überlege dir deine Optionen zur Lösung des Problems und die möglichen Konsequenzen, entscheide dich für eine Lösung und führe sie aus. Lamont, fügte Shriver hinzu, erörterte gern phantasievolle, aber erfolgverheißende Ideen, wie man den drängenden Problemen der Highschool beikommen könnte, zum Beispiel Schwierigkeiten mit Freundinnen oder wie man Raufereien verhüten kann.

Nun schienen diese paar Lektionen ihn nach dem Ende der Highschool im Stich gelassen zu haben. Lamont, der sich in einem Meer von Armut, Drogen und Waffen auf den Straßen herumgetrieben hatte, lag jetzt mit 26 in einem Krankenhausbett, in Verbände gehüllt, sein Körper von Kugeln durchsiebt. Shriver eilte ins Krankenhaus und traf einen Lamont an, der kaum sprechen konnte, seine Mutter und seine Freundin über ihn gebeugt. Als er seinen ehemaligen Lehrer erblickte, winkte er ihn heran und flüsterte, während Shriver sich vorbeugte: »Shrive, wenn ich hier rauskomme, wende ich die SOCS-Methode an.«

Lamont durchlief die Hillhouse Highschool, bevor dort der Kurs zur sozialen Entwicklung gegeben wurde. Wäre sein Leben anders verlaufen, wenn er während seiner ganzen Schulzeit in den Genuß einer solchen Erziehung gekommen wäre, wie es bei den Kindern an den staatlichen Schulen von New Haven inzwischen der Fall ist? Einiges spricht dafür, wenngleich man es nie genau wissen kann.

»Eines ist klar«, sagt Tim Shriver. »Das Versuchsgelände für soziale Problemlösungen ist nicht bloß das Klassenzimmer, sondern die Cafeteria, die Straßen, das Zuhause.« Dazu einige Aussagen von Lehrern, die am New Haven-Programm teilnehmen. Einer erinnerte sich an den Besuch einer noch unverheirateten ehemaligen Schülerin, die ihm sagte, sie wäre jetzt fast sicher eine ledige Mutter, »wenn sie in unserem Kurs für soziale Entwicklung nicht gelernt hätte, für ihre Rechte einzutreten«. Eine andere Lehrerin erzählt, daß die Beziehung einer Schülerin zu ihrer Mutter so schlecht war, daß ihre Gespräche regelmäßig im Geschrei endeten; nachdem das Mädchen gelernt hatte, sich zu beruhigen und erst zu denken, bevor sie reagierte, berichtete die Mutter der Lehrerin, daß sie jetzt miteinander reden könnten, ohne »hochzugehen«.[13] An der Troup Middle School überreichte eine Sechstkläßlerin ihrer Lehrerin im Kurs für soziale Entwicklung einen Zettel; darauf stand, daß ihre beste Freundin schwanger sei, mit niemandem darüber reden könne, was sie tun solle, und sich umbringen wolle – sie wisse aber, daß die Lehrerin sich um sie kümmern werde.

Zu diesen kleinen Siegen muß man einen Vorfall an einer Highschool in East Harlem hinzurechnen, wo das Resolving Conflict Creatively Program angewandt wird. Zwei Mädchen, die wegen ihrer Beziehungen zu demselben Jungen eifersüchtig aufeinander waren, fingen an, übereinander herzuziehen; aus dem Klatsch wurden böse Blicke, Geflüster, Gerüchte, Anschuldigungen. Dann erschien das eine Mädchen vor dem Haus der anderen mit einem Messer und mehreren Freunden, die ihre Drohungen untermauerten. Am nächsten Tag in der Schule bekam ein Schüler-Vermittler Wind von den eskalierenden Spannungen und brachte beide dazu, einer Vermittlung zuzustimmen. Nach einer zweistündigen Sitzung, in der sie entdeckten, daß ihre Feindseligkeit von einer aufdringlichen »Freundin« angestachelt worden war, unterschrieben sie einen Vertrag, sich gegenseitig in Ruhe zu lassen – und sie hielten ihn.[14]

Das sind greifbare Gewinne. Doch abgesehen von solchen Anekdoten über das eine oder andere Leben, das gebessert oder gerettet wurde, bleibt die empirische Frage, wieviel die Kurse für emotionale Erziehung denen, die sie durchlaufen, wirklich bringen. Nach den vorliegenden Erkenntnissen wird zwar niemand durch solche Kurse über Nacht ein anderer, doch wenn die Kinder von Klasse zu Klasse das Curriculum durcharbeiten, kommt es zu erkennbaren Verbesserungen bezüglich der Stimmung in der Schule und der Einstellung – und dem Grad der emotionalen Kompetenz – der Mädchen und Jungen, die daran teilnehmen.

Es gibt einige objektive Evaluationen, die im besten Fall Schüler aus diesen Kursen mit gleichwertigen Schülern, die nicht daran teilnehmen, vergleichen und das Verhalten der Kinder durch unabhängige Beobachter bewerten lassen. Eine andere Methode vergleicht ein und dieselben Schüler vor und nach dem Kursbesuch anhand objektiver

Maßstäbe ihres Verhaltens, etwa der Zahl der Raufereien auf dem Schulhof oder der Suspendierungen vom Unterricht. Faßt man diese Bewertungen zusammen, ergeben sich weitreichende Gewinne, was die emotionale und soziale Kompetenz der Kinder, ihr Verhalten innerhalb und außerhalb des Klassenzimmers und ihre Lernfähigkeit angeht (Details siehe in Anhang F):

EMOTIONALE SELBSTWAHRNEHMUNG

- besseres Erkennen und Benennen der eigenen Emotionen
- besser imstande, die Ursachen von Gefühlen zu verstehen
- Erkennen des Unterschieds zwischen Gefühlen und Taten

UMGANG MIT EMOTIONEN

- Frustrationstoleranz und Zügelung des Zorns verbessert
- weniger verbale Demütigungen, Kämpfe und Unterrichtsstörungen
- besser imstande, Zorn angemessen auszudrücken, ohne Tätlichkeiten
- weniger Suspendierungen und Schulverweise
- weniger aggressiv oder selbstzerstörerisch
- mehr positive Ansichten über sich selbst, die Schule und die Familie
- werden besser mit Stress fertig
- weniger Einsamkeit und soziale Angst

EMOTIONEN PRODUKTIV NUTZEN

- verantwortungsbewußter
- verbesserte Aufmerksamkeit und Konzentration auf die vorliegende Aufgabe
- weniger impulsiv; mehr Selbstbeherrschung
- besseres Abschneiden bei Leistungstests

EMPATHIE: DEUTEN VON EMOTIONEN

- besser imstande, sich in einen anderen hineinzuversetzen
- erhöhte Empathie und besseres Gespür für die Gefühle anderer
- können anderen besser zuhören

UMGANG MIT BEZIEHUNGEN

- gesteigerte Fähigkeit, Beziehungen zu analysieren und zu verstehen
- besser im Lösen von Konflikten und Beilegen von Streitigkeiten
- besser im Lösen von Problemen in Beziehungen
- selbstsicherer und gewandter in der Kommunikation
- beliebter und offener; freundlich und teilnahmsvoll gegenüber Gleichaltrigen

- mehr von Gleichaltrigen begehrt
- interessierter und rücksichtsvoller
- »sozialer« und harmonischer in Gruppen
- mehr Gemeinsamkeit, Kooperation und Hilfsbereitschaft
- demokratischer im Umgang mit anderen.

Ein Punkt auf dieser Liste verdient besondere Beachtung: Programme für emotionale Erziehung verbessern die *akademischen* Leistungsergebnisse und die schulische Leistung der Kinder. Das ist kein Einzelbefund; er ist in solchen Studien immer wieder anzutreffen. In einer Zeit, in der allzu vielen Kindern die Fähigkeit fehlt, mit ihren Aufregungen fertig zu werden, zuzuhören oder sich zu konzentrieren, sich für ihre Arbeit verantwortlich zu fühlen oder sich für das Lernen zu interessieren, trägt alles, was diese Fähigkeiten stärkt, zu ihrer Erziehung bei. Insofern hilft emotionale Erziehung der Schule, ihren Lehrauftrag zu erfüllen. Auch in einer Zeit der Rückbesinnung auf die Kernaufgaben und der Haushaltskürzungen spricht vieles dafür, daß diese Programme dazu beitragen, den Niedergang der Erziehung umzukehren und die Schule in der Erfüllung ihrer eigentlichen Aufgabe zu stärken, so daß der Aufwand sich lohnt.

Über diese Erziehungsvorteile hinaus helfen die Kurse den Kindern, ihre Rollen im Leben besser auszufüllen: Sie werden zu besseren Freunden, Schülern, Söhnen und Töchtern – und es ist zu erwarten, daß sie in Zukunft bessere Ehemänner und Ehefrauen, Mitarbeiter und Chefs, Eltern und Bürger sein werden. Zwar kann man nicht mit gleicher Sicherheit von jedem Jungen und jedem Mädchen sagen, daß sie diese Fähigkeiten erwerben werden, doch soweit sie sie erwerben, hilft es uns allen. »Die steigende Flut hebt alle Boote«, sagt Tim Shriver. »Nicht bloß die Kinder mit Problemen, sondern alle Kinder können von diesen Fähigkeiten profitieren; sie stellen eine Impfung fürs ganze Leben dar.«

## Charakter, Moral und die Künste der Demokratie

Es gibt ein altmodisches Wort für die Gesamtheit der Fähigkeiten, welche die Intelligenz der Gefühle darstellt: *Charakter*. Charakter, schreibt der Gesellschaftstheoretiker Amitai Etzioni von der George Washington-Universität, ist »der psychologische Muskel, den moralisches Verhalten erfordert«.[15] Und der Philosoph John Dewey erkannte, daß eine moralische Erziehung am wirksamsten ist, wenn die Lektionen den Kindern im Verlauf realer Ereignisse beigebracht werden, nicht bloß als abstrakte Lektionen – die Vorgehensweise der emotionalen Erziehung.[16]

Etzioni macht darauf aufmerksam, daß Charakterentwicklung eine Grundlage demokratischer Gesellschaften sei. Emotionale Intelligenz stärkt diese Grundlage. Das Fundament des Charakters ist die Selbstdisziplin; das tugendhafte Leben basiert, wie Philosophen seit Aristoteles immer wieder bemerkt haben, auf Selbstbeherrschung. Ein anderer Grundpfeiler des Charakters ist die Fähigkeit, sich selbst zu motivieren und sich selbst zu bestimmen, sei es bei der Erledigung der Hausaufgaben, der Fertigstellung einer Arbeit oder beim frühen Aufstehen am Morgen. Auch die Fähigkeit, eine Gratifikation zu verschieben sowie seine Handlungsimpulse zu zügeln und zu kanalisieren, ist, wie wir gesehen haben, eine grundlegende emotionale Fähigkeit, die man früher als »Willenskraft« bezeichnet hat. »Um an anderen recht zu handeln, müssen wir uns – unsere Gelüste, unsere Leidenschaften – unter Kontrolle haben«, schreibt Thomas Lickona über die Charaktererziehung.[17] »Um die Emotion unter der Kontrolle der Vernunft zu halten, bedarf es der Willenskraft.«

Es bringt sozialen Gewinn, wenn man von seiner Selbstbezogenheit und seinen egoistischen Impulsen Abstand nehmen kann; man wird dadurch offen für die Empathie, für richtiges Zuhören, für das Sichhineinversetzen in andere. Empathie bringt, wie wir gesehen haben, Anteilnahme, Altruismus und Mitgefühl mit sich. Wenn man die Welt mit den Augen eines anderen betrachtet, fallen die Stereotype des Vorurteils in sich zusammen, und daraus erwachsen Toleranz und Anerkennung von Unterschieden. Unsere zunehmend pluralistische Gesellschaft ist auf diese Fähigkeiten angewiesen; sie gestatten den Menschen, in gegenseitiger Achtung miteinander zu leben, und sie schaffen die Möglichkeit eines produktiven öffentlichen Diskurses. Es sind die grundlegenden Künste der Demokratie.[18]

Die Schule, vermerkt Etzioni, wirkt entscheidend an der Charakterbildung mit, indem sie Selbstdisziplin und Empathie einschärft, die wiederum ein aufrichtiges Engagement für staatsbürgerliche und moralische Werte ermöglichen.[19] Dazu genügt es nicht, den Kindern Vorträge über Werte zu halten; sie müssen die Werte einüben, und das geschieht, wenn Kinder die wesentlichen emotionalen und sozialen Fähigkeiten entwickeln. In diesem Sinne geht emotionale Erziehung Hand in Hand mit einer Erziehung, die auf Charakterbildung, moralische Entwicklung und staatsbürgerliches Engagement zielt.

## Ein letztes Wort

Während ich dieses Buch beschließe, fesseln beunruhigende Zeitungsmeldungen meine Aufmerksamkeit. Waffen, heißt es in der einen, seien in Amerika an die erste Stelle gerückt und hätten Verkehrsunfälle als Haupttodesursache verdrängt. Die andere besagt, daß die Zahl der Morde im letzten Jahr um drei Prozent gestiegen sei.[20] Besonders besorgniserregend ist die in der letzteren Meldung zitierte Vorhersage eines Kriminologen, wir befänden uns in einer Flaute vor einem »Sturm des Verbrechens«, der in den kommenden zehn Jahren zu erwarten sei. Er begründet das mit dem Hinweis, daß die Zahl der von vierzehn- bis fünfzehnjährigen Teenagern begangenen Morde zunehme und daß diese Altersgruppe den Kamm eines kleinen Babybooms darstelle, der in den nächsten zehn Jahren den Altersabschnitt zwischen 18 und 24 Jahren erreichen werde, in dem die Gewaltkriminalität innerhalb einer Verbrecherkarriere ihren Höchstwert erreicht. Die Vorzeichen dieser Entwicklung sind schon da: Einem dritten Artikel zufolge zeigen die Zahlen des Justizministeriums für die vier Jahre von 1988 bis 1992 einen Anstieg von 68 Prozent bei den Jugendlichen, denen Mord, schwere Körperverletzung, Raub und Vergewaltigung vorgeworfen wird, wobei die schwere Körperverletzung allein einen Anstieg um 80 Prozent verzeichnet.[21]

Diese Teenager sind die erste Generation, die sich ohne weiteres nicht nur einfache Waffen, sondern automatische Waffen beschaffen kann, so wie die Generation ihrer Eltern die erste war, die allgemeinen Zugang zu Drogen hatte. Die Tatsache, daß Teenager ständig Waffen bei sich tragen, hat zur Folge, daß Meinungsverschiedenheiten, die früher zu Faustkämpfen geführt hätten, leicht in Schießereien enden können. Und diese Teenager sind, wie ein anderer Experte vermerkt, »nicht besonders gut darin, Streitigkeiten zu vermeiden«.

Daß sie in dieser wichtigen lebenspraktischen Fähigkeit so schlecht sind, liegt natürlich auch daran, daß unsere Gesellschaft sich nicht darum gekümmert hat, sicherzustellen, daß jedes Kind die Grundbegriffe des Umgangs mit Zorn beziehungsweise der positiven Konfliktlösung erlernt, so wie wir uns auch nicht darum gekümmert haben, Empathie, Impulskontrolle oder sonstige Grundprinzipien der emotionalen Kompetenz zu vermitteln. Indem wir die emotionalen Lektionen, die die Kinder erlernen, dem Zufall überlassen, riskieren wir, das Fenster der Gelegenheit weitgehend ungenutzt vorbeiziehen zu lassen, das die langsame Reifung des Gehirns dem Bemühen bietet, ein vernünftiges Repertoire von Emotionen aufzubauen.

Zwar hat die emotionale Erziehung bei manchen Pädagogen starkes Interesse gefunden, doch die Kurse sind bislang noch dünn gesät; die meisten Lehrer, Schulleiter und Eltern wissen gar nicht, daß es sie gibt. Die besten Modelle befinden sich überwiegend außerhalb des normalen Schulwesens in einer Handvoll Privatschulen und einigen hundert staatlichen Schulen. Natürlich bietet kein Programm, auch dieses nicht, eine Antwort auf jedes Problem. Doch angesichts der Krisen, vor denen wir und unsere Kinder stehen, und angesichts der Hoffnungen, zu denen die Kurse in emotionaler Erziehung berechtigen, müssen wir uns fragen: Sollten wir diese für das Leben überaus wichtigen Fähigkeiten nicht jedem Kind beibringen, jetzt mehr denn je?

Und wenn nicht jetzt, wann dann?

# Anhang

# A

# Was ist Emotion?

Ein Wort darüber, was ich unter »Emotion« verstehe, einem Begriff, über dessen genaue Bedeutung sich Psychologen und Philosophen seit mehr als hundert Jahren in Spitzfindigkeiten ergehen. Das *Oxford English Dictionary*, das es ganz genau nimmt, definiert »Emotion« als »eine Beunruhigung oder Störung der Seele, Gefühl, Leidenschaft; ein heftiger oder erregter Gemütszustand«. Ich verstehe unter Emotion ein Gefühl mit den ihm eigenen Gedanken, psychologischen und biologischen Zuständen sowie den ihm entsprechenden Handlungsbereitschaften. Es gibt Hunderte von Emotionen mitsamt ihren Mischungen, Variationen, Mutationen und Nuancen. Im Grunde gibt es so viele Verästelungen der Emotion, daß uns die Worte dafür fehlen.

Die Forscher sind sich nach wie vor uneins darüber, welche Emotionen genau als primär gelten können, als das Blau, Rot und Gelb des Gefühls, auf das alle Mischungen zurückgehen, ja, sie sind sich noch nicht einmal einig, ob es solche primären Emotionen überhaupt gibt. Einige Theoretiker schlagen andere Grundfamilien vor, doch gehen nicht alle damit einig. Hier die Hauptkandidaten und einige Mitglieder der entsprechenden Familien:

Zorn
Wut, Empörung, Groll, Aufgebrachtheit, Entrüstung, Verärgerung, Erbitterung, Verletztheit, Verdrossenheit, Reizbarkeit, Feindseligkeit und im Extremfall vielleicht krankhafter Haß und Gewalttätigkeit.

Trauer
Leid, Kummer, Freudlosigkeit, Trübsal, Melancholie, Selbstmitleid, Einsamkeit, Niedergeschlagenheit, Verzweiflung und, falls pathologisch, schwere Depression.

Furcht
Angst, Furchtsamkeit, Nervosität, Besorgnis, Bestürzung, Bangigkeit,

Zaghaftigkeit, Bedenklichkeit, Gereiztheit, Grauen, Entsetzen, Schrecken; als psychopathologische Erscheinung: Phobie und Panik.

FREUDE
Glück, Vergnügen, Behagen, Zufriedenheit, Seligkeit, Entzücken, Erheiterung, Fröhlichkeit, Stolz, Sinneslust, Erregung, Verzückung, Gratifikation, Befriedigung, Euphorie, Laune, Ekstase und im Extremfall Manie.

LIEBE
Akzeptanz, Freundlichkeit, Vertrauen, Güte, Affinität, Hingabe, Anbetung, Vernarrtheit, Agape.

ÜBERRASCHUNG
Schock, Erstaunen, Verblüffung, Verwunderung.

EKEL
Verachtung, Geringschätzung, Verschmähen, Widerwille, Abneigung, Aversion, Überdruß.

SCHAM
Schuld, Verlegenheit, Kränkung, Reue, Demütigung, Bedauern, Kasteiung und Zerknirschung.

Selbstverständlich behebt diese Liste nicht jeden Zweifel über die Einordnung einer Emotion. Was ist zum Beispiel mit solchen Mischungen wie Eifersucht, einer Spielart von Zorn, der zudem Trauer und Furcht beigemengt sind? Und was ist mit den Tugenden wie Hoffnung und Glaube, Mut und Versöhnlichkeit, Festigkeit und Gleichmut? Oder mit einigen der klassischen Laster, Gefühlen wie Zweifel, Selbstgefälligkeit, Faulheit und Trägheit, und was mit der Langeweile? Es gibt keine klaren Antworten; die wissenschaftliche Debatte über die Einteilung der Emotionen geht weiter.

Die Behauptung, daß es eine Handvoll von Kernemotionen gibt, stützt sich auf die Entdeckung Paul Ekmans (Universität von Kalifornien, San Francisco), daß vier von ihnen (Furcht, Zorn, Trauer, Glück) anhand ihres Gesichtsausdrucks von Menschen aller Kulturen erkannt werden, darunter auch von Angehörigen schriftloser Völker, die vermutlich nicht durch Film oder Fernsehen beeinflußt sind – eine Tatsache, die für die Universalität der Kernemotionen spricht. Ekman hat Fotos, die sachlich-präzise Gesichter darbieten, Angehörigen so entlegener Kulturen wie der Fore in Neuguinea gezeigt, die als isolierter, steinzeitlicher Stamm im unzugänglichen Bergland leben, und die Kernemotionen wurden nach seinen Feststellungen überall von den Menschen richtig erkannt. Darwin war wohl der erste, der diese Universalität der Gesichtsausdrücke für Emotionen bemerkt hat, und er sah darin einen Beweis dafür, daß die Kräfte der Evolution diese Signale unserem Zentralnervensystem eingeprägt haben.

Bei der Suche nach Grundprinzipien folge ich Ekman und anderen, die die Emotionen in Familien oder Dimensionen einteilen und die Hauptfamilien – Zorn, Trauer, Furcht, Glück, Liebe, Scham und so weiter – als Beispiele für die unendlichen Nuancen unseres Gefühlslebens nehmen. Jede dieser Familien hat ihren inneren emotionalen Kern, von dem die verwandten Formen in zahllosen Mutationen ausstrahlen. In den Außenbezirken liegen die *Stimmungen*, die stärker gedämpft sind und weit länger anhalten als eine Emotion (es kommt selten vor, daß einer den ganzen Tag wutentbrannt herumläuft, während es nicht so selten ist, daß jemand in einer mürrischen, reizbaren Stimmung ist, in der sich unschwer kürzere Wutanfälle auslösen lassen). Nach den Stimmungen kommen die *Temperamente*, eine Bereitschaft, eine gegebene Emotion oder Stimmung hervorzurufen, welche die Menschen melancholisch, verzagt oder fröhlich werden läßt. Außerhalb dieser emotionalen Dispositionen liegen die regelrechten emotionalen *Störungen* wie etwa eine klinische Depression oder eine unaufhörliche Angst, bei denen man das Gefühl hat, ständig in einem toxischen Zustand gefangen zu sein.

# B

# Kennzeichen der emotionalen Seele

Erst in den letzten Jahren ist ein wissenschaftliches Modell der emotionalen Seele entstanden, das erklärt, warum das, was wir tun, so weitgehend von Emotionen angetrieben ist – warum wir in einem Augenblick so rational und im nächsten so irrational sein können – und in welchem Sinne die Emotionen ihre eigenen Gründe und ihre eigene Logik haben. Die zwei besten Bewertungen der emotionalen Seele haben unabhängig voneinander Paul Ekman und Seymour Epstein geliefert, letzterer klinischer Psychologe an der Universität von Massachusetts, der seine klinischen Befunde und seine sorgfältigen Beobachtungen anhand systematischer Experimente überprüft. Ekman und Epstein gehen zwar von unterschiedlichem Forschungsmaterial aus, doch bieten sie zusammen eine grundlegende Liste der Qualitäten, durch die sich Emotionen vom übrigen Seelenleben unterscheiden.

## Eine prompte, aber ungenaue Reaktion

Die emotionale Seele ist sehr viel schneller als die rationale Seele, sie handelt augenblicklich, ohne auch nur eine Sekunde lang abzuwägen, was sie tut. Ihre Promptheit schließt die bedächtige, analytische Reflexion aus, die das Kennzeichen der denkenden Seele ist. In der Evolution dürfte es bei dieser Promptheit vermutlich um die grundlegende Entscheidung gegangen sein, worauf die Aufmerksamkeit zu richten sei, und, nachdem etwa in der Begegnung mit einem anderen Tier Wachsamkeit hergestellt war, in Sekundenbruchteilen Entscheidungen zu treffen wie diese: Frißt es mich, oder fresse ich es? Organismen, die sich mit der Beantwortung dieser Fragen zuviel Zeit ließen, dürften nicht allzu viele Nachkommen gehabt haben, die ihre langsamer agierenden Gene weitergeben konnten.

Handlungen, die der emotionalen Seele entspringen, sind gekennzeichnet von einer besonders ausgeprägten Gewißheit – ein Nebenprodukt einer vereinfachten Art, die Dinge zu sehen, die für die rationale Seele manchmal sehr verwirrend ist. Wenn sich die Aufregung gelegt hat, gelegentlich sogar mitten in der Reaktion, ertappen wir uns bei dem Gedanken: »Wieso habe ich das gemacht?« Daran merkt man, daß die rationale Seele sich des augenblicklichen Geschehens voll bewußt wird, aber eben nicht mit der Schnelligkeit der emotionalen Seele.

Da es vorkommt, daß das Auslösen einer Emotion praktisch mit ihrem Ausbruch zusammenfällt, muß der Mechanismus, der die Wahrnehmung bewertet, ungeheuer schnell wirksam werden, selbst für das Gehirn, das mit Einheiten von Tausendstelsekunden arbeitet. Diese Einschätzung eines Handlungsbedarfs muß automatisch erfolgen, so rasch, daß sie gar nicht erst in die bewußte Wahrnehmung dringt. Diese prompte, unüberlegte emotionale Reaktion überkommt uns regelrecht, ehe wir richtig begreifen, was geschieht.

Diese rasche Wahrnehmungsweise verzichtet um der Schnelligkeit willen auf Genauigkeit, sie verläßt sich auf die ersten Eindrücke und reagiert auf den Gesamteindruck oder auf die auffälligsten Aspekte. Sie nimmt die Dinge auf einmal und ganzheitlich auf und reagiert, ohne sich die Zeit für eine bedächtige Analyse zu nehmen. Dabei kann es passieren, daß hervorstechende Elemente den Eindruck bestimmen und sich gegen eine sorgfältige Bewertung der Details durchsetzen. Der große Vorteil ist, daß die emotionale Seele eine emotionale Realität (er ist mir böse; sie lügt; dies macht ihn traurig) auf der Stelle erfassen kann und die intuitiven Schnellbeurteilungen trifft, vor wem wir uns in acht nehmen müssen, wem wir vertrauen können oder wer Kummer hat. Die emotionale Seele ist unser Radar für Gefahren; hätten wir (oder unsere Vorfahren) gewartet, bis die rationale Seele diese Beurteilungen getroffen hätte, dann hätten wir uns möglicherweise nicht nur geirrt – wir wären vielleicht sogar tot. Der Nachteil ist, daß diese Eindrücke und intuitiven Urteile, weil sie im Handumdrehen gewonnen bzw. getroffen werden, falsch oder irreführend sein können.

Nach Auffassung von Paul Ekman ist die Promptheit, mit der Emotionen uns überfallen können, bevor wir recht gewahr werden, daß sie eingesetzt haben, ein wesentlicher Grund dafür, daß sie so hochgradig adaptiv sind: sie mobilisieren uns, auf dringende Anlässe zu reagieren, ohne daß wir Zeit mit der Überlegung vergeuden, ob und wie wir reagieren sollen. Ekman kann mit dem System, das er entwickelt hat, um anhand subtiler Veränderungen des Gesichtsausdrucks Emotionen aufzuspüren, Mikro-Emotionen feststellen, die in Sekundenbruchteilen über das Gesicht huschen. Wie Ekman und seine Mitarbeiter entdeckt haben, beginnen Veränderungen der Gesichtsmuskulatur, in denen sich eine Emotion äußert, innerhalb weniger Tausendstelsekunden nach dem Ereignis, das die Reaktion auslöst, und die für eine Emotion typischen physiologischen Veränderungen – etwa die Blockierung des Blutstroms oder die Beschleunigung des Herzschlags – setzen ebenfalls innerhalb von Sekundenbruchteilen ein. Diese Promptheit gilt besonders für eine intensive Emotion wie die Furcht angesichts einer plötzlich auftretenden Gefahr.

Die volle Intensität einer Emotion kann Ekman zufolge nur einige Sekunden anhalten, jedenfalls nicht Minuten, Stunden oder Tage. Er begründet das so: Würde eine Emotion ungeachtet veränderter Umstände für längere Zeit das Gehirn und den Körper besetzt halten, so wäre das nicht adaptiv. Würden die Emotionen, die ein einzelnes Ereignis ausgelöst hat, uns unverändert weiter beherrschen, nachdem der Anlaß verschwunden ist, und ungeachtet dessen, was sonst noch rings um uns passiert, so wären unsere Gefühle schlechte Anleitungen zum Handeln. Für anhaltende Emotionen muß auch der Auslöser fortbestehen und kontinuierlich die Emotion wecken, wie es der Fall ist, wenn der Verlust eines geliebten Menschen uns längere Zeit trauern läßt. Gefühle, die stundenlang anhalten, sind meistens Stimmungen, eine gedämpfte Form von Emotionen. Stimmungen geben den Dingen eine affektive Färbung, formen aber nicht so stark unsere Wahrnehmungen und Handlungen, wie es die volle Intensität einer Emotion tut.

## Was man zuerst empfindet und anschließend denkt

Da die rationale Seele etwas länger braucht als die emotionale Seele, um die Dinge zu registrieren und darauf zu reagieren, kommt der »erste Impuls« in einer emotionalen Situation aus dem Herzen, nicht aus dem Kopf. Es gibt außerdem so etwas wie eine zweite, auf die Sofortreaktion folgende emotionale Reaktion, die sich in unseren Gedanken langsam zusammenbraut, ehe sie zum Gefühl wird. Dieser zweite Weg zum Auslösen von Emotionen ist stärker der bewußten Entscheidung zugänglich, und meistens sind wir uns der Gedanken, die dahin führen, durchaus bewußt. Bei dieser Art von emotionaler Reaktion hat die Bewertung mehr Spielraum; für die Emotionen, die geweckt werden, sind unsere Gedanken, ist die Kognition entscheidend. Nachdem wir eine Bewertung getroffen haben – »dieser Taxifahrer haut mich übers Ohr«; »das ist ein entzückendes Baby« –, folgt eine entsprechende emotionale Reaktion. In diesem langsameren Ablauf gehen dem Gefühl deutlicher artikulierte Gedanken voraus. Kompliziertere Emotionen wie die Verlegenheit oder die Furcht vor einer bevorstehenden Prüfung schlagen diesen langsameren Weg ein und entfalten sich erst nach Sekunden oder gar Minuten – dies sind Emotionen, die aus Gedanken hervorgehen.

Anders beim schnellen Reaktionsablauf, wo das Fühlen dem Denken vorauszugehen oder mit ihm zusammenzufallen scheint. Diese emotionale Schnellfeuer-Reaktion tritt in dringenden Situationen ein, bei denen es um Leben oder Tod geht. Darin besteht eben die Leistung solcher schnellen Entscheidungen: sie bringen uns augenblicklich auf Trab, um einer kritischen Lage zu begegnen. Unsere intensivsten Gefühle sind unwillkürliche Reaktionen; wir können nicht darüber entscheiden, wann sie ausbrechen. »Liebe«, schrieb Stendhal, »ist wie ein Fieber, das unabhängig vom Willen kommt und geht.« Nicht nur die Liebe, auch der Zorn und die Furcht überkommen uns, scheinen uns zuzustoßen, ohne daß wir es wollen. Sie können daher auch ein Alibi sein: »Die Tatsache«, schreibt Ekman, »daß *wir uns unsere Emotionen nicht aussuchen können*«, erlaubt es den Menschen, sich darauf herauszureden, sie seien von Emotionen beherrscht gewesen.

So wie es schnelle und langsame Wege zur Emotion gibt – einen über die unmittelbare Wahrnehmung und einen über das bewußte Denken –, so gibt es auch Emotionen, die sich auf Wunsch einstellen. Ein Beispiel ist das absichtlich manipulierte Gefühl, das bei Schauspielern üblich ist, wie die Tränen, die kommen, wenn man sich um dieser Wirkung willen vorsätzlich traurigen Erinnerungen hingibt. Doch Schauspieler sind bloß geübter in der vorsätzlichen Nutzung des zweiten Weges zur Emotion, der vom Denken zum Fühlen führt. Während wir nicht ohne weiteres Einfluß darauf haben, welche spezifischen Emotionen eine bestimmte Art von Gedanken auslösen wird, können wir sehr wohl entscheiden – und oft tun wir es auch –, woran wir denken wollen. So wie sexuelle Vorstellungen sexuelle Gefühle in uns wecken können, so können glückliche Erinnerungen uns aufheitern und melancholische Gedanken uns besinnlich stimmen.

Doch gewöhnlich ist es nicht so, daß die rationale Seele entscheidet, welche Emotionen wir haben »sollten«. In der Regel suchen die Gefühle uns vielmehr heim wie eine vollendete Tatsache. Was die rationale Seele im Regelfall beeinflussen kann, ist der *Ablauf* dieser Reaktionen. Wir entscheiden, von wenigen Ausnahmen abgesehen, nicht darüber, *wann* wir wütend, traurig usw. sind.

## Eine symbolische, kindliche Realität

Die emotionale Seele folgt einer *assoziativen* Logik; sie nimmt Elemente, die eine Realität symbolisieren oder eine Erinnerung an sie auslösen, für die Realität selbst. Deshalb sprechen Gleichnisse, Metaphern und Bilder direkt die emotionale Seele an, ebenso wie die Künste: Romane, Filme, Gedichte, Lieder, Theater und Oper. Große spirituelle Lehrer wie Buddha und Jesus haben an die Herzen ihrer Jünger gerührt, indem sie sich in der Sprache der Emotion ausgedrückt und ihre Lehre in Parabeln, Fabeln und Geschichten gekleidet haben. Aus rationaler Sicht sind religiöse Symbole und Rituale kaum verständlich – sie sind in der Sprache des Herzens formuliert.

Diese Logik des Herzens – der emotionalen Seele – umschreibt Freud sehr schön mit seinem Begriff des »primärprozessualen« Denkens; es ist die Logik der Religion und der Poesie, der Psychose und der Kinder, des Traums und des Mythos (»Träume sind persönliche Mythen, Mythen sind gemeinsame Träume«, hat Joseph Campbell gesagt). Der Primärprozeß ist der Schlüssel, der die Inhalte von Werken wie James Joyces *Ulysses* erschließt: Im primärprozessualen Denken bestimmen lose Assoziationen den Fluß der Erzählung; ein Objekt wird zum Symbol eines anderen; ein Gefühl löst ein anderes ab und steht für dieses; Ganzheiten werden zu Teilen verdichtet. Es gibt keine Zeit, kein Gesetz von Ursache und Wirkung. Im Primärprozeß gibt es nicht einmal so etwas wie das »Nein« – alles ist möglich. Die psychoanalytische Methode besteht teilweise in der Kunst, diese Sinnsubstitutionen zu entziffern und aufzulösen.

Wenn die emotionale Seele dieser Logik und ihren Regeln folgt, wobei ein Element für ein anderes steht, dann müssen die Dinge nicht unbedingt durch ihre objektive Identität definiert sein: Was zählt, ist, wie sie *wahrgenommen* werden; die Dinge sind das, als was sie erscheinen. Das, woran uns etwas erinnert, kann weit wichtiger sein als das, was es »ist«. Im Gefühlsleben können Identitäten denn auch wie ein Hologramm sein in dem Sinne, daß ein einziges Teil ein Ganzes evoziert. Während die rationale Seele, wie Seymour Epstein sagt, logische Verknüpfungen zwischen Ursachen und Wirkungen herstellt, ist die emotionale Seele nicht wählerisch und verknüpft Dinge, die bloß ähnliche auffallende Merkmale haben.

Die emotionale Seele ist in vieler Hinsicht kindlich, um so mehr, je stärker die Emotion wird. Da ist zum Beispiel das *kategorische* Denken, das nur Schwarz oder Weiß, aber keine Grautöne kennt; ärgert sich einer über einen Fauxpas, dann denkt er beispielsweise als erstes: »*Alles*, was ich sage, ist falsch.« Ein weiteres Merkmal dieser kindlichen Art ist das *personalisierte* Denken, das Ereignisse in verzerrter Weise als auf einen selbst bezogen wahrnimmt, wie bei dem Autofahrer, der nach einem Unfall erklärte: »Der Telefonmast kam direkt auf mich zu.«

Diese kindliche Denkweise ist *selbstbestätigend*; sie unterdrückt oder ignoriert Erinnerungen oder Tatsachen, die ihre Ansichten in Frage stellen würden, und greift begierig solche auf, die sie stützen.

Die rationale Seele äußert ihre Ansichten nur unter Vorbehalt; neue Tatsachen können eine Ansicht widerlegen und zu einer anderen führen; sie stützt sich auf objektive Tatsachen. Die emotionale Seele hält ihre Ansichten dagegen für absolut wahr, und deshalb läßt sie Tatsachen, die das Gegenteil beweisen, unberücksichtigt. Darum ist es so schwer, mit jemandem zu argumentieren, der emotional erregt ist: Sie können aus logischer Sicht noch so recht haben, Ihr Argument zählt nicht, wenn es mit der emotionalen Überzeugung des Augenblicks nicht übereinstimmt. Gefühle stützen sich auf ihre eigenen Wahrnehmungen und »Beweise« und rechtfertigen sich selbst.

## Die Vergangenheit wird der Gegenwart übergestülpt

Wenn irgendetwas an einem Ereignis einer emotionsgeladenen Erinnerung ähnelt, löst die emotionale Seele die Gefühle aus, die sich mit dem vergangenen Ereignis verbinden. Die emotionale Seele reagiert auf die Gegenwart so, *als sei sie die Vergangenheit*. Der Haken daran ist, daß wir, vor allem bei einer schnellen und automatischen Bewertung, möglicherweise nicht erkennen, daß die einstigen Gegebenheiten nicht mehr stimmen. Wer durch schmerzhafte Prügel in der Kindheit gelernt hat, auf einen zornigen Blick mit Angst und heftigem Abscheu zu reagieren, wird diese Reaktion eingeschränkt auch noch als Erwachsener zeigen, wenn ein finsterer Blick nicht mehr Prügel nach sich zieht.

Bei starken Gefühlen liegt die ausgelöste Reaktion auf der Hand. Es gibt aber verschwommene oder verdeckte Gefühle, bei denen wir uns der emotionalen Reaktion, die wir erleben, nicht recht bewußt werden, obwohl sie auf subtile Weise darauf abfärbt, wie wir auf die Gegenwart reagieren. Die gegenwärtigen Gedanken und Reaktionen nehmen dann die Färbung der damaligen Gedanken und Reaktionen an, auch wenn es den Anschein hat, als ginge die Reaktion ausschließlich auf die gegenwärtigen Umstände zurück. Unsere emotionale Seele spannt dann die rationale Seele für ihre Zwecke ein, und so erfinden wir Erklärungen für unsere Gefühle und Reaktionen – Rationalisierungen –, die sie aus der Gegenwart begründen, ohne uns über den Einfluß der emotionalen Erinnerung Rechenschaft zu geben. In diesem Sinne ist es möglich, daß wir keine Ahnung haben, was wirklich vorgeht, obwohl wir die feste Gewißheit haben, genau zu wissen, was geschieht. In solchen Momenten hat die emotionale Seele die rationale Seele mit sich fortgezogen und für ihre eigenen Ziele genutzt.

## Zustandsspezifische Realität

Die emotionale Seele funktioniert in hohem Grade *zustandsspezifisch*, abhängig von dem jeweils vorherrschenden Gefühl. Wenn wir romantische Gefühle haben, denken und handeln wir ganz anders, als wenn wir wütend oder niedergeschlagen sind; im Mechanismus der Emotion hat jedes Gefühl sein eigenes spezifisches Repertoire an Gedanken, Reaktionen, ja sogar Erinnerungen. In Momenten heftiger Emotion treten diese zustandsspezifischen Repertoires ganz in den Vordergrund.

Ein Indiz dafür, daß ein solches Repertoire wirksam ist, ist das selektive Gedächtnis. Es gehört zu der Reaktion auf eine emotionale Situation, daß die Erinnerung und die Handlungsoptionen neu geordnet werden, wodurch die relevantesten an die Spitze der Hierarchie gelangen und folglich am ehesten umgesetzt werden. Zudem besitzt jede Emotion, wie wir gesehen haben, ihre spezifische biologische Signatur, ein Mosaik von radikalen Veränderungen, die den Körper mit sich reißen, wenn diese Emotion beherrschend wird, sowie eine unverwechselbare Reihe von Signalen, die der Körper automatisch aussendet, wenn er von ihr beherrscht wird.

# C

# Der neurale Schaltkreis der Furcht

Wir wissen, daß der Mandelkern zentral für die Furcht ist. Als bei der Patientin, die für die Neurologen »S. M.« heißt, durch eine seltene Hirnerkrankung der Mandelkern zerstört wurde, während andere Hirnstrukturen intakt blieben, verschwand die Furcht aus ihrem seelischen Repertoire. Sie konnte weder den Ausdruck von Furcht auf dem Gesicht anderer erkennen noch selbst diesen Ausdruck hervorbringen. Ihr Neurologe sagte: »Würde man S. M. eine Pistole an die Schläfe setzen, dann würde sie intellektuell wissen, daß sie sich fürchten muß, aber sie würde keine Furcht empfinden, wie Sie oder ich es tun würden.«

Bei der Kartierung der Schaltungen für Furcht sind die Neurowissenschaftler am genauesten fortgeschritten, doch eine vollständige Kartierung ist beim gegenwärtigen Stand der Wissenchaft für keine der Emotionen durchgeführt. Die Furcht ist ein passendes Beispiel für das Verstehen der neuralen Dynamik der Emotion. In der Evolution spielt die Furcht eine besondere Rolle, denn wohl keine andere Emotion ist so wichtig für das Überleben. In der Neuzeit sind unbegründete Ängste dagegen der Fluch des Alltags, und so leiden wir unter Gereiztheit, Angst und banalen Sorgen – oder, im pathologischen Extremfall, unter Panikanfällen, Phobien oder obsessiven Zwangsvorstellungen.

Angenommen, Sie sind nachts allein im Haus und lesen ein Buch, als Sie plötzlich aus einem anderen Zimmer einen Krach hören. Was sich anschließend in Ihrem Gehirn abspielt, bietet einen Einblick in den neuralen Schaltkreis der Furcht. Die erste Schaltung nimmt dieses Geräusch als bloße physikalische Wellen auf und transformiert sie in die Sprache des Gehirns, um Sie aufzurütteln. Diese Schaltung geht vom Ohr zum Hirnstamm und dann zum Thalamus. Dort trennen sich zwei Äste: ein kleineres Bündel von Projektionsfasern führt zum Mandelkern und zum nahegelegenen Hippocampus, die andere, längere Bahn führt zur Hörrinde im Temporallappen, wo Geräusche analysiert und verstanden werden.

Der Hippocampus, ein zentraler Speicherplatz für Erinnerungen, vergleicht diesen »Krach« rasch mit ähnlichen Geräuschen, die Sie schon gehört haben, um herauszufinden, ob es ein vertrautes Geräusch ist: Ist dies ein »Krach«, den Sie sofort erkennen? Unterdessen führt die Hörrinde eine eingehendere Analyse des Geräusches durch, um seine Quelle herauszufinden: Ist es die Katze? Ein Fensterladen, der gegen die Hauswand schlägt? Ein Herumtreiber? Die Hörrinde tischt ihre Hypothese auf – es könnte die Katze sein, die eine Lampe vom Tisch gestoßen hat, aber es könnte auch ein Herumtreiber sein – und schickt diese Nachricht zum Mandelkern und zum Hippocampus, die sie rasch mit ähnlichen Erinnerungen vergleichen.

Wenn die Schlußfolgerung beruhigend ist (es ist nur der Fensterladen, der bei jedem stärkeren Windstoß gegen die Hauswand knallt), steigert sich der allgemeine Alarm nicht zur nächsten Stufe. Wenn Sie sich aber noch nicht sicher sind, tritt eine weitere Spirale von hin und her gehenden Signalen zwischen Mandelkern, Hippocampus und dem präfrontalen Kortex in Aktion, die Ihre Unsicherheit weiter erhöht und Ihre Aufmerksamkeit fesselt, so daß es für Sie noch dringlicher wird, die Quelle des Geräusches zu identifizieren. Erbringt diese zusätzliche eingehende Analyse keine befriedigende Antwort, löst der Mandelkern einen Alarm aus, sein Zentralbereich aktiviert den Hypothalamus, den Hirnstamm und das autonome Nervensystem.

In diesem Moment der Besorgnis und der unterschwelligen Angst wird deutlich, wie hervorragend der Mandelkern als zentrales Alarmsystem des Gehirns konstruiert ist. Der Mandelkern enthält mehrere Bündel von Neuronen mit eigenen Projektionen, deren Rezeptoren auf unterschiedliche Neurotransmitter eingestellt sind, vergleichbar mit den Sicherheitsfirmen, in denen Telefonistinnen in Bereitschaft stehen, um die nächste Feuerwehrstation, die Polizei und einen Nachbarn anzurufen, sobald eine häusliche Alarmanlage Ärger signalisiert.

Die einzelnten Teile des Mandelkerns empfangen unterschiedliche Informationen. In den zum Mandelkern gehörenden Nucleus lateralis münden Projektionen vom Thalamus, von der Hör- und von der Sehrinde. Geruchswahrnehmungen gelangen über den Riechkolben in die kortikomediale Gruppe des Mandelkerns, Geschmackswahrnehmungen und Nachrichten von den Eingeweiden gelangen in den zentralen Bereich. Diese einlaufenden Signale machen den Mandelkern zu einem permanenten Wachtposten, der jede sensorische Wahrnehmung kritisch prüft.

Vom Mandelkern gehen Projektionen zu allen wichtigen Teilen des Gehirns aus. Von der zentralen und der medialen Gruppe verläuft ein

Ast zu jenen Bereichen des Hypothalamus, die die Notfallreaktionssubstanz des Körpers ausschütten, das Corticoliberin, das über eine Kaskade anderer Hormone die Kampf- oder-Flucht-Reaktion mobilisiert. Der Nucleus basalis des Mandelkerns schickt Fasern zum Corpus striatum, der eine Verbindung zum Bewegungssystem des Körpers herstellt. Und über den benachbarten Nucleus centralis schickt der Mandelkern Signale über das verlängerte Mark ans autonome Nervensystem und aktiviert eine Vielzahl von entfernten Reaktionen im kardiovaskulären System, den Muskeln und den Eingeweiden.

Von der basolateralen Gruppe des Mandelkerns verlaufen Äste zum Gyrus cinguli und zu den Fasern, die als »zentrales Höhlengrau« bezeichnet werden, Zellen, die die großen Skelettmuskeln regulieren. Es sind diese Zellen, die einen Hund drohend die Zähne fletschen und eine Katze einen Buckel machen lassen, wenn jemand in ihr Territorium eindringt. Beim Menschen bewirken diese Bahnen eine Straffung der Stimmbänder und erzeugen die hohe Stimme, wenn man erschrokken ist.

Eine andere Bahn führt vom Mandelkern zu Locus caeruleus im Hirnstamm, der seinerseit Noradrenalin erzeugt und über das ganze Gehirn verteilt. Der Endeffekt des Noradrenalins besteht darin, die Reaktionsfähigkeit der Hirnbereiche, die es empfangen, insgesamt zu erhöhen, wodurch die sensorischen Schaltungen empfindlicher werden. Noradrenalin durchflutet den Kortex, den Hirnstamm und das limbische System selbst und versetzt das ganze Gehirn in Spannung. Jetzt genügt schon das gewohnte Knarren des Hauses, um Sie vor Angst erbeben zu lassen. Diese Veränderungen vollziehen sich überwiegend außerhalb des Bewußtseins, so daß Sie noch keine bewußte Furcht empfinden.

Doch sobald Sie wirklich Furcht empfinden, sobald also die unbewußte Angst ins Bewußtsein dringt, löst der Mandelkern unverzüglich eine weitreichende Reaktion aus. Er weist Zellen im Hirnstamm an, einen furchtsamen Ausdruck in Ihr Gesicht zu legen, Sie nervös und schreckhaft zu machen, unkoordinierte Bewegungen Ihrer Muskeln einzufrieren, Ihren Herzschlag zu beschleunigen, Ihren Blutdruck zu erhöhen und Ihre Atemfrequenz zu senken (vielleicht fällt Ihnen auf, daß Sie plötzlich den Atem anhalten, wenn eine Furcht Sie beschleicht, um deutlicher zu hören, was es ist, wovor Sie sich fürchten). Das ist nur ein Teil eines breiten, genau koordinierten Spektrums von Veränderungen, welche der Mandelkern und mit ihm zusammenhängende Bereiche veranlassen, wenn sie in einer kritischen Situation das Gehirn mit Beschlag belegen.

Unterdessen weisen der Mandelkern und der mit ihm verbundene Hippocampus jene Zellen, die Neurotransmitter aussenden, an, zum Beispiel Dopamin-Ausschüttungen auszulösen, die dazu führen, daß die Aufmerksamkeit sich auf die Quelle Ihrer Furcht – die seltsamen Geräusche – heftet und die Muskeln in Bereitschaft versetzt, entsprechend zu reagieren. Gleichzeitig übermittelt der Mandelkern den sensorischen Bereichen für Sehen und Aufmerksamkeit den Befehl, daß die Augen Ausschau nach allem halten, was für die aktuelle kritische Situation relevant sein könnte. Die kortikalen Gedächtnissysteme werden zugleich in der Weise neu geordnet, daß Erkenntnisse und Erinnerungen, die für den vorliegenden emotionalen Notfall die größte Relevanz besitzen, ganz rasch aufgerufen werden können und gegenüber weniger relevanten Gedanken Vorrang erhalten.

Sind diese Signale ausgeschickt, so hat die Furcht Sie voll im Griff: Sie bemerken die charakteristische innere Anspannung, das rasende Herz, die Anspannung der Muskeln im Hals- und Schulterbereich und das Zittern Ihrer Gliedmaßen; Ihr Körper erstarrt, während Sie mit gespannter Aufmerksamkeit auf weitere Geräusche lauschen, und blitzschnell geht es Ihnen durch den Kopf, welche Gefahren dort lauern und wie Sie darauf reagieren könnten. Dieser ganze Ablauf – von der Überraschung über die Ungewißheit und die Beklemmung bis zur Furcht – kann sich innerhalb einer Sekunde abspielen. (Zusätzliche Informationen liefert Jerome Kagans Buch *Galen's Prophecy*, New York 1994.)

# D

# W. T. Grant Consortium: Aktive Ingredienzien von Präventionsprogrammen?

EMOTIONALE FÄHIGKEITEN

- Erkennen und Benennen von Gefühlen
- Ausdruck von Gefühlen
- Einschätzung der Heftigkeit von Gefühlen
- Umgang mit Gefühlen
- Verschieben der Gratifikation
- Zügelung der Impulse
- Verringerung von Stress
- Erkennen des Unterschieds zwischen Gefühlen und Taten

KOGNITIVE FÄHIGKEITEN

– Selbstgespräch – Führen eines »inneren Dialogs«, um mit einem Thema oder einer Aufgabe fertig zu werden oder um das eigene Verhalten zu verstärken.

– Soziale Hinweise erkennen und deuten – zum Beispiel soziale Einflüsse auf das Verhalten erkennen und sich selbst aus der Sicht der größeren Gemeinschaft sehen.

– Beim Lösen von Problemen und beim Fällen von Entscheidungen schrittweise vorgehen, zum Beispiel Impulse kontrollieren, Ziele setzen, alternative Handlungsmöglichkeiten erkunden, Folgen vorhersehen.

– Die Sichtweise anderer verstehen.

– Verhaltensnormen verstehen (was akzeptiert und was nicht akzeptiert werden kann).

– Eine positive Einstellung zum Leben.

– Selbstwahrnehmung, zum Beispiel realistische Erwartungen an sich selbst entwickeln.

VERHALTENSFÄHIGKEITEN

– Nonverbal: Kommunizieren durch Blickkontakt, Gesichtsausdruck, Tonfall, Körperhaltung usw.

– Verbal: Klare Bitten äußern, auf Kritik eingehen, negativen Einflüssen widerstehen, anderen zuhören, anderen helfen, sich an positiven Peer-groups beteiligen.

QUELLE: W. T. Grant Consortium on the School-Based Promotion of Social Competence, »Drug and Alcohol Prevention Curricula«, in J. David Hawkins et al., Communities That Care, San Francisco: Jossey-Bass, 1992.

# E

## Das Self Science Curriculum

SELBSTWAHRNEHMUNG
sich selbst beobachten und die eigenen Gefühle erkennen; ein Vokabular für Gefühle entwickeln; den Zusammenhang zwischen Gedanken, Gefühlen und Reaktionen erkennen.

TREFFEN PERSÖNLICHER ENTSCHEIDUNGEN
das eigene Handeln durchdenken und seine Folgen erkennen; erkennen, ob eine Entscheidung vom Denken oder vom Gefühl bestimmt ist; diese Erkenntnisse auf Probleme wie Sex und Drogen anwenden.

UMGANG MIT GEFÜHLEN
das »Selbstgespräch« auf negative Botschaften wie etwa stumme Kränkungen überwachen; erkennen, was hinter einem Gefühl steckt (z. B. die Verletzung hinter dem Zorn); Wege finden, um mit Befürchtungen und Ängsten, Zorn und Traurigkeit fertig zu werden.

ABBAU VON STRESS
lernen, was mit körperlicher Bewegung, gelenkten Vorstellungen und Entspannungsmethoden zu erreichen ist.

EMPATHIE
die Gefühle und Sorgen anderer verstehen und sich in sie hineinversetzen; abweichende Ansichten anderer anerkennen.

KOMMUNIKATION
erfolgreich über Gefühle sprechen: ein guter Zuhörer und Fragesteller werden; unterscheiden zwischen dem, was einer sagt oder tut, und den eigenen Reaktionen oder Urteilen darüber; statt Vorwürfen »Ich«-Botschaften senden.

Sich offenbaren
Offenheit schätzen und Vertrauen in eine Beziehung entwickeln; wissen, wann man es wagen kann, von seinen persönlichen Empfindungen zu sprechen.

Einsicht
bestimmte Muster im eigenen Gefühlsleben und den eigenen Reaktionen und bei anderen erkennen.

Selbstakzeptanz
stolz sein und sich in einem positiven Licht sehen, seine Stärken und Schwächen anerkennen, über sich lachen können.

Persönliche Verantwortung
Verantwortung übernehmen; die Folgen der eigenen Entscheidungen und Handlungen anerkennen, seine Gefühle und Stimmungen akzeptieren, Verpflichtungen (z. B. zum Lernen) einhalten.

Selbstsicherheit
seine Anliegen und Gefühle ohne Zorn oder Passivität aussprechen.

Gruppendynamik
Kooperation; wissen, wann und wie man die Führung übernehmen und wann man sich unterordnen soll.

Konfliktlösung
sich mit anderen Kindern, mit Eltern und Lehrern fair auseinandersetzen können; beim Aushandeln eines Kompromisses sollen beide Seiten gewinnen.

Quelle: Karen F. Stone und Harold Q. Dillehunt, *Self Science: The Subject Is Me*, Santa Monica: Goodyear Publishing Co., 1978.

# F

# Soziales und emotionales Lernen: Resultate

## Child development project

Direktor: Eric Schaps, Development Studies Center, Oakland, California

Evaluation in Schulen Nordkaliforniens, Klassen K-6; Bewertung durch unabhängige Beobachter, Vergleich mit Kontroll-Schulen.

RESULTATE

- verantwortungsbewußter
- selbstsicherer
- beliebter und offener
- sozialer und hilfsbereiter
- besseres Verständnis für andere
- rücksichtsvoller, anteilnehmender
- sozialere Strategien für die Lösung interpersonaler Probleme
- harmonischer
- »demokratischer«
- bessere Konfliktlösungsfähigkeiten

QUELLEN: Schaps, E. und Battistich, V. (1991). Promoting Health Development Through School-Based Prevention: New Approaches. *OSAP Prevention Monograph – 8: Preventing Adolescent Drug Use: From Theory to Practice.* Solomon, D., Watson, M., Battistich, V., Schaps, E., und Delucchi, K. (1992). Creating a caring community: Educational practices that promote children's prosocial development. In F. K. Oser, A. Dick und J.-L. Patry, Hrsg., *Effective and Responsible Teaching: The New Synthesis*, San Francisco: Jossey-Bass.

## Paths

Mark Greenberg, Fast Track Project, University of Washington
Evaluation: Schulen in Seattle, Klassen: 15; Bewertung durch Lehrer, Vergleich entsprechender Kontrollgruppen mit 1) normalen Schülern, 2) gehörlosen Schülern, 3) Sonderschülern.

RESULTATE
- Verbesserung sozialer kognitiver Fähigkeiten
- Verbesserung bei Emotion, Erkennen und Verstehen
- bessere Selbstbeherrschung
- bessere Planung beim Lösen kognitiver Aufgaben
- häufiger Denken vor dem Handeln
- erfolgreichere Konfliktlösung
- positivere Unterrichtsatmosphäre

*Schüler mit speziellen Mängeln*
Verbessertes Verhalten im Unterricht im Hinblick auf
- Frustrationstoleranz
- selbstsicheres soziales Auftreten
- Aufgabenorientierung
- Geschicklichkeit im Umgang mit Kameraden
- Teilen
- Umgänglichkeit
- Selbstbeherrschung

*Verbessertes emotionales Verstehen*
- Erkennen
- Benennen
- Rückgang der Eigenmeldungen über Traurigkeit und Depression
- Rückgang bei Angst und Rückzug

QUELLEN: Conduct Problems Research Group (1992). A developmental and clinical model for the prevention of conduct disorder: the FAST Track Program. *Development and Psychopathology*, 4, 509-527. Referate vor der Society for Research on Child Development. Greenberg, M.T., und Kusche, C.A. (1993) *Promoting social and emotional development in deaf children: The PATHS Project*, Seattle: University of Washington Press. Greenberg, M.T., und Kusche, C.A., Cook, E.T., und Quamma, J.P. (in Vorber.). Promoting Emotional Competence in School-Aged Children: The Effects of the PATHS Curriculum. *Development and Psychopathology* (1995).

## Seattle social development project

J. David Hawkins, Social Development Research Group, University of Washington
Evaluiert in Grund- und Mittelschulen von Seattle durch unabhängige Tests und nach objektiven Standards, ergaben sich im Vergleich mit Schulen, die nicht am Programm teilnahmen, die folgenden

RESULTATE
- mehr positive Bindung an Familie und Schule
- Jungen weniger aggressiv, Mädchen weniger selbstzerstörerisch
- weniger Suspendierungen und Schulverweise bei Schülern mit schlechten Leistungen
- weniger Einstieg in den Drogenkonsum
- weniger Kriminalität
- bessere Ergebnisse bei standardisierten Leistungstests

QUELLEN: Schaps, E. und Battistich, V. (1991). Promoting Health Development Through School-Based Prevention: New Approaches. *OSAP Prevention Monograph-8: Preventing Adolescent Drug Use: From Theory to Practice*. Hawkins, D., et al. (1992). The Seattle Social Development Project, in McCord, J., und Tremblay, R., Hrsg., *The Prevention of Antisocial Behavior in Children*, New York: Guilford. Hawkins, J. D., Von Cleve, E., Catalano, R. F., Reducing early childhood aggression: Results of a primary prevention program, *Journal of the Academy of Child and Adolescent Psychiatry*, *30* (2), 208-217, 1991. O'Donnell, J. A., Hawkins, J. D., Catalano, R. F., Abbott, R. D., Day, L. E., »Preventing school failure, drug use, and delinquency among low-income children: Effects of a long-term prevention project in elementary schools«, *American Journal of Orthopsychiatry*, 1994.

## Yale - New Haven Social Competence Promotion Program

Roger Weissberg, Universität von Illinois in Chicago
Evaluiert in staatlichen Schulen von New Haven, Klassen 5-8, durch unabhängige Beobachtungen und Angaben von Schülern und Lehrern, verglichen mit Kontrollgruppe.

Resultate
- verbesserte Problemlösungsfähigkeit
- mehr Interesse an Peers
- bessere Impulskontrolle
- gebessertes Verhalten
- verbesserte interpersonale Durchsetzung und Beliebtheit
- gestiegene Bewältigungsfähigkeit
- mehr Geschick in der Handhabung interpersonaler Probleme
- werden besser mit Angst fertig
- weniger kriminelle Verhaltensweisen
- bessere Konfliktlösungsfähigkeit

Quellen: Elias, M. J., und Weissberg, R. P. (1990). School-Based Social Competence Promotion as a Primary Prevention Strategy: A Tale of Two Projects. *Prevention in Human Services*, 7 (1) 177-200. Caplan, M., Weissberg, R. P., Grober, J. S., Sivo, P. J., Grady, K., und Jacoby, C. (1992). Social Competence Promotion With Inner-City and Suburban Young Adolescents: Effects of Social Adjustment and Alcohol Use. *Journal of Consulting and Clinical Psychology*, 60 (1), 56-63.

## Resolving Conflict Creatively Program

Linda Lantieri, National Center, Resolving Conflict Creatively Program (Eine Initiative der Educators for Social Responsibility)
Evaluiert in Schulen der Stadt New York, Klassen K-12, durch Bewertungen seitens der Lehrer vor und nach Durchführung des Programms.

Resultate
- weniger Gewalt in der Klasse
- weniger verbale Demütigungen in der Klasse
- fürsorglichere Atmosphäre
- mehr Kooperationsbereitschaft
- mehr Empathie
- verbesserte Kommunikationsfähigkeit

Quelle: Metis Associates, Inc. (Mai 1990). *The Resolving Conflict Creatively Program: 1988-1989. Summary of Significant Findings of RCCP New York Site.*

## The Improving Social Awareness – Social Problem Solving Project

Evaluiert in Schulen von New Jersey, Klassen K-6, durch Bewertungen seitens der Lehrer, Einschätzungen von Kameraden und Schulzeugnisse, verglichen mit Nichtteilnehmern.

RESULTATE

- empfänglicher für Gefühle anderer
- besseres Verständnis für die Folgen des eigenen Verhaltens
- gesteigerte Fähigkeit, interpersonale Situationen »einzuschätzen« und angemessene Handlungen zu planen
- höhere Selbstachtung
- mehr soziales Verhalten
- von Kameraden um Hilfe ersucht
- schafften besser den Übergang zur Mittelschule
- weniger antisoziales, selbstzerstörerisches und sozial gestörtes Verhalten, sogar bis in die Highschool
- verbesserte Fähigkeiten des Lernens, wie man lernt
- bessere Selbstbeherrschung, soziale Wahrnehmung und soziale Entscheidungsfindung innerhalb und außerhalb des Klassenzimmers

QUELLEN: Elias, M. J, Gara, M. A., Schuyler, T. F., Branden-Muller, L. R., und Sayette, M. A. (1991). The promotion of social competence: Longitudinal study of a preventive school-based program. *American Journal of Orthopsychiatry*, *61*, 409-417. Elias, M. J., und Clabby, J. (1992). *Building social problem skills: Guidelines from a school-based program*. San Francisco: Jossey-Brass.

# Anmerkungen

## 1. Wozu sind Emotionen da?

1 AP-Meldung vom 15. September 1993.

2 Die Zeitlosigkeit dieses Themas der selbstlosen Liebe wird dadurch belegt, daß es in allen Mythen der Welt vorkommt: Die Jakata-Legenden, die man sich seit Jahrtausenden in weiten Teilen Asiens erzählt, handeln in vielfältigen Varianten von solchen Parabeln der Selbstaufopferung.

3 Altruistische Liebe und menschliches Überleben: Die Evolutionstheorien, welche die adaptiven Vorteile des Altruismus postulieren, werden gut dargestellt in Malcolm Slavin und Daniel Kriegman, *The Adaptive Design of the Human Psyche*, New York: Guilford Press, 1992.

4 Diese Diskussion stützt sich auf den wichtigen Essay von Paul Ekman, »An Argument for Basic Emotions«, *Cognition and Emotion*, 1992, 6, 169-200. Der zuletzt erwähnte Punkt ist entnommen aus dem Essay von P. N. Johnson-Laird und K. Oatley in derselben Ausgabe der Zeitschrift.

5 Der tödliche Schuß auf Matilda Crabtree: *New York Times*, 11. November 1994.

6 Nach einem Befund von Paul Ekman, University of California, San Francisco.

7 Körperliche Veränderungen bei Emotionen und ihre evolutionären Gründe: Einige der Veränderungen sind dokumentiert in Robert W. Levenson, Paul Ekman und Wallace V. Friesen, »Voluntary facial action generates emotion-specific autonomous nervous system activity«, *Psychophysiology*, 27, 1990. Diese Liste ist daraus und aus anderen Quellen zusammengestellt. Derzeit hat eine solche Liste noch etwas Spekulatives; unter Wissenschaftlern ist die genaue biologische Signatur der einzelnen Emotionen umstritten; einige Forscher sind der Ansicht, daß die Überschneidungen zwischen Emotionen sehr viel bedeutender sind als die Differenzen und daß unsere Möglichkeiten, die biologischen Korrelate der Emotion zu messen, noch zu unausgereift sind, um verläßlich zwischen ihnen zu unterscheiden. Siehe zu dieser Debatte Paul Ekman und Richard Davidson, Hrsg., *Fundamental Questions About Emotions*, New York: Oxford University Press, 1994.

8 Um Paul Ekman zu zitieren: »Zorn ist die gefährlichste Emotion; der ungebremste Zorn ist heute eines der großen Probleme, die die Gesellschaft zerstören. Diese Emotion ist mittlerweile nicht mehr adaptiv, weil sie uns zum Kampf mobilisiert. Unsere Emotionen haben sich in einer Zeit entwickelt, als wir noch nicht die Technik hatten, sie so wirkungsvoll umzusetzen. Wenn man

in vorgeschichtlichen Zeiten einen Wutanfall hatte und einen Moment lang Lust hatte, jemanden umzubringen, war das nicht so einfach – doch inzwischen ist es ganz einfach geworden.«

9 Erasmus von Rotterdam, *Das Lob der Torheit*, übersetzt von Anton J. Gail, Stuttgart: Reclam, 1980, S. 21.

10 Aus solchen elementaren Reaktionen bestand das, was man als »Gefühlsleben« oder treffender als »Triebleben« dieser Arten bezeichnen könnte. Dies sind – und das war evolutionär von größerer Bedeutung – die Entscheidungen, von denen das Überleben abhängt; jene Tiere, die sie beherrschten oder leidlich beherrschten, überlebten und gaben ihre Gene weiter. Das mentale Geschehen war in jenen Zeiten primitiv: Die Sinne und ein schlichtes Repertoire von Reaktionen auf die von ihnen empfangenen Reize brachten eine Eidechse, einen Frosch, einen Vogel oder Fisch – und, vielleicht, einen Brontosaurus – über den Tag. Dieses Zwerghirn erlaubte aber noch nicht das, was wir unter einer Emotion verstehen.

11 Das limbische System und die Emotionen: R. Joseph, »The Naked Neuron: Evolution and the Languages of the Brain and Body«, New York: Plenum Publishing, 1993; Paul D. McLean, *The Triune Brain in Evolution*, New York: Plenum, 1990.

12 Rhesusjunge und Anpassungsfähigkeit: »Aspects of Emotion Conserved Across Species«, Dr. Ned Kalin, Psychologie- und Psychiatrie-Departments der Universität von Wisconsin, Referat für das MacArthur Affective Neuroscience Meeting, November 1992.

## 2. Anatomie eines emotionalen Überfalls

1 Der Fall des Mannes ohne Gefühle wird beschrieben in R. Joseph, op. cit., S. 83. Es scheint jedoch gewisse Reste von Gefühl bei Menschen ohne Mandelkern zu geben (siehe Paul Ekman und Richard Davidson, Hrsg., *Questions about Emotion*, New York: Oxford University Press, 1994). Die unterschiedlichen Befunde könnten darauf beruhen, welche Teile des Mandelkerns und verwandter Schaltungen im Einzelfall fehlen; über die detaillierte Neurologie der Emotion ist das letzte Wort noch nicht gesprochen.

2 Siehe Joseph LeDoux, »Sensory Systems and Emotion«, *Integrative Psychiatry*, 4, 1986; ders., »Emotion and the Limbic System Concept«, *Concepts in Neuroscience*, 2, 1992.

3 Zerebrale Schaltungen verschiedener Grade der Furcht: Diese Darstellung stützt sich auf die ausgezeichnete Synthese von Jerome Kagan, *Galen's Prophecy*, New York: Basic Books, 1994.

4 Die Idee, daß das limbische System das emotionale Zentrum des Gehirns

sei, wurde vor über vierzig Jahren von dem Neurologen Paul McLean eingeführt. Entdeckungen wie die von LeDoux haben in den letzten Jahren das Konzept des limbischen Systems verfeinert und gezeigt, daß einige seiner zentralen Strukturen, etwa der Hippocampus, nicht so direkt an Emotionen beteiligt sind, während Schaltungen, die andere Teile des Gehirns, speziell die Präfrontallappen, mit dem Mandelkern verbinden, stärker beteiligt sind. Im übrigen wächst die Erkenntnis, daß verschiedene Emotionen sich auf je eigene Hirnareale stützen könnten. Nach der neuesten Auffassung gibt es kein klar umrissenes »emotionales Gehirn«, sondern mehrere Schaltungssysteme – viele oder die meisten mit starken Verbindungen zum Mandelkern –, die die Regulierung einer gegebenen Emotion auf weitentfernte, aber koordinierte Teile des Gehirns verteilen. Neurowissenschaftler spekulieren, daß nach Abschluß der zerebralen Kartierung der Emotionen jede wichtige Emotion ihre eigene Topographie haben wird, eine spezifische Karte der neuronalen Bahnen, von der ihre unverwechselbaren Qualitäten bestimmt werden, auch wenn viele oder die meisten dieser Bahnen vermutlich an wichtigen Knotenpunkten wie dem Mandelkern und dem präfrontalen Kortex untereinander verknüpft sein werden.

5 Ich schrieb über die Forschungen von Joseph LeDoux in der *New York Times* vom 15. August 1989. Die Diskussion in diesem Kapitel stützt sich auf Gespräche mit ihm und auf mehrere seiner Artikel, darunter: Joseph LeDoux, »Emotional Memory Systems in the Brain«, *Behavioural Brain Research*, 58, 1993; Joseph LeDoux, »Emotion, Memory, and the Brain«, *Scientific American*, Juni 1994.

6 Unbewußte Präferenzen: William Raft Kunst-Wilson und R.B. Zajonc, »Affective discrimination of stimuli that cannot be recognized«, *Science*, 1. Februar 1980. Unbewußte Meinung: John A. Bargh, »First Second: The Preconscious in Social Interactions«, Vortrag auf dem Kongreß der American Psychological Society, Washington, DC, Juni 1994.

7 Emotionale Erinnerung: Larry Cahill et al., »Beta-adrenergic activation and memory for emotional events«, *Nature*, 20. Oktober 1994.

8 Psychoanalytische Theorie und Hirnreifung: Die ausführlichste Diskussion der frühen Jahre und der emotionalen Folgen der Hirnentwicklung findet man in Allan Schore, *Affect Regulation and the Origin of Self*, Hillsdale, NJ: Lawrence Erlbaum Associates, 1994.

9 Gefährlich, auch wenn man nicht weiß, was es ist: LeDoux, zitiert in »How scary things get that way«, *Science*, 6. November 1992, S. 887.

10 Diese Spekulation über die Feinabstimmung von emotionalen Reaktionen durch den Neokortex stützt sich weitgehend auf Ned Kalin, op. cit.

11 Der orbitofrontale Kortex: Ned Kalin, op. cit.

12 Der limbische Kortex: siehe Allan N. Schore, *Affect Regulation and the*

*Origin of the Self*, Hillsdale, NJ: Lawrence Erlbaum Associates, 1994; Ned Kalin, op. cit.

13 Tiere, bei denen Teilbereiche der Präfrontallappen beschädigt sind, so daß sie emotionale Signale aus dem limbischen Bereich nicht mehr dämpfen, werden impulsiv und unberechenbar, platzen vor Wut oder ducken sich furchtsam. Der hervorragende russische Neuropsychologe A. R. Luria vertrat schon in den dreißiger Jahren die Ansicht, die Selbstbeherrschung und Eindämmung emotionaler Ausbrüche hänge vornehmlich vom präfrontalen Kortex ab; er beobachtete, daß Patienten, bei denen dieser Bereich beschädigt war, impulsiv waren und zu Ausbrüchen von Furcht und Zorn neigten. PET-Untersuchungen am Gehirn von zwei Dutzend Männern und Frauen, die wegen im Affekt begangenen Totschlags verurteilt waren, zeigten in diesen Bereichen des präfrontalen Kortex eine sehr viel geringere Aktivität als normal.

14 Läsionen der linken Hemisphäre und Fröhlichkeit: G. Giannotti, »Emotional behavior and hemispheric side of lesion«, *Cortex*, 8, 1972.

15 Von dem Fall des glücklicher gewordenen Schlaganfall-Patienten berichtete Dr. Mary K. Morris vom Department of Neurology der Universität von Florida auf dem Kongreß der International Neurophysiological Society, der vom 13.-16. Februar 1991 in San Antonio stattfand.

16 Zur Rolle der Emotionen im rationalen Denken: Antonio R. Damasio, *Descartes' Error: Emotion, Reason, and the Human Brain*, New York: G. P. Putnams' Sons, 1994.

## 3. Schlau kann dumm sein

1 Die Geschichte von Jason H. stand unter der Überschrift »Warning by a Valedictorian Who Faced Prison« in der *New York Times* vom 23. Juni 1992.

2 Ein Beobachter bemerkt: Howard Gardner, Rezension von *The Bell Curve* in *The American Prospect*, Winter 1994.

3 Richard Herrnstein und Charles Murray, *The Bell Curve: Intelligence and Class Structure in American Life*, New York: Free Press, 1994, S. 66.

4 George Vaillant, *Adaptation to Life*, Boston: Little, Brown, 1977. Auf einer bis 800 reichenden Skala erzielte die Harvard-Gruppe eine durchschnittliche SAT-Punktzahl von 584. Dr. Vaillant, heute am medizinischen Department der Dartmouth-Universität, sprach mit mir über den relativ geringen Vorhersagewert von Testergebnissen für den Lebenserfolg in dieser Gruppe von privilegierten Männern.

5 J. K. Felsman und G. E. Vaillant, »Resilient Children as Adults: A 40-Year Study«, in E. J. Anderson und B. J. Cohler, Hrsg., *The Invulnerable Child*, New York: Guilford Press, 1987.

6 Karen Arnold, die zusammen mit Terry Denny an der Universität von Illinois die Untersuchung über die Abschiedsredner durchführte, wurde in der *Chicago Tribune* vom 29. Mai 1992 zitiert.
7 »Project Spectrum«: Wichtige Kollegen, die zusammen mit Gardner das »Project Spectrum« entwickelten, waren Mara Krechevsky und David Feldman.
8 Das Gespräch mit Howard Gardner über seine Theorie der multiplen Intelligenzen ist abgedruckt in »Rethinking the Value of Intelligence Tests«, im Education Supplement der *New York Times* vom 3. November 1986.
9 Der Vergleich zwischen IQ-Tests und Spectrum-Fähigkeiten schildert ein zusammen mit Mara Krechevsky verfaßtes Kapitel in Howard Gardner, *Multiple Intelligences: The Theory in Practice*, New York: Basic Books, 1993.
10 Die kurze Zusammenfassung stammt aus Howard Gardner, *Multiple Intelligences: The Theory in Practice*, New York: Basic Books, 1993, S. 9.
11 Howard Gardner und Thomas Hatch, »Multiple Intelligences go to School«, *Educational Researcher*, 18, 8, 1989.
12 Das Modell der emotionalen Intelligenz wurde erstmals vorgetragen in Peter Salovey und John D. Mayer, »Emotional Intelligence«, *Imagination, Cognition and Personality*, 9, 185-211, 1990.
13 Praktische Intelligenz und Menschenkenntnis: Robert J. Sternberg, *Beyond I.Q.*, New York: Cambridge University Press, 1985.
14 Die grundlegende Definition von »emotionaler Intelligenz« findet man in Salovey und Mayer, 1990, S. 189.

## 4. Erkenne dich selbst

1 Für Ellen Langer von der Harvard-Universität bedeutet *»mindfulness«* (Achtsamkeit, Aufmerksamkeit) ein reflektiertes Bewußtsein von Situationen, das uns abverlangt, Ereignisse aktiv zu beobachten und in Frage zu stellen. Ich beziehe mich auf die selbstreflexive, introspektive Natur von Achtsamkeit.
2 Definition von Achtsamkeit in Jon Kabat-Zinn, *Whereever You Go, There you are*, New York: Hyperion, 1994.
3 Achtsamkeit und das beobachtende Ich: Einen aufschlußreichen Vergleich zwischen der Aufmerksamkeitshaltung des Psychoanalytikers und der Achtsamkeit zieht Mark Epstein, »Deconstruction of the Self«, *J. of Transpersonal Psychology*, 20, 1988. Diese Fähigkeit kann, schreibt Epstein, wenn sie hochentwickelt ist, die Selbstwahrnehmung des Beobachters ausschalten und zu einem »flexibleren und mutigeren ›entwickelten Ich‹ (werden), welches das gesamte Leben zu erfassen vermag«.

4 William Styron, *Darkness Visible*, New York: Random House, 1990, S. 64.
5 John D. Mayer and Alexander Stevens, »An emerging understanding of the reflective (Meta) Experience of Mood«, unveröff. Ms. 1993.
6 Mayer and Stevens, op. cit. Einige der von mir gewählten Bezeichnungen für diese Stile der emotionalen Selbst-Wahrnehmung lehnen sich an ihre Kategorien an.
7 Die Intensität von Emotionen: Die Untersuchungen wurden weitgehend von bzw. mit Randy Larsen durchgeführt, einem ehemaligen Studenten Dieners, der jetzt an der Universität von Michigan arbeitet.
8 Gary, der gefühlsstumpfe Chirurg, wird beschrieben in Hillel I. Swiller, »Alexithymia: Treatment utilizing combined individual and group psychotherapy«, *International Journal for Group Psychotherapy*, 38, 1, 47-61, 1988.
9 Von »emotionalen Analphabeten« sprachen M.B. Freedman und B.S. Sweet, »Some specific features of group psychotherapy«, *International Journal for Group Psychotherapy*, 4, 335-368, 1954.
10 Die klinischen Merkmale der Alexithymie werden beschrieben in »Alexithymia: History of the concept«, vorgetragen auf der Jahrestagung der Amerikanischen Psychiatrischen Vereinigung in Washington, D.C., Mai 1986, von Graeme J. Taylor, Psychiater an der Universität von Toronto.
11 Die Beschreibungen der Alexithymie stammen aus Peter Sifneos, »Affect, Emotional Conflict, and Deficit: An Overview«, *Psychother. Psychosom.* 56, 116-122, 1991.
12 Von der Frau, die nicht wußte, warum sie weinte, berichtet H. Warnes, »Alexithymia, clinical and therapeutic aspects«, *Psychother. Psychosom.*, 46, 96-104, 1986.
13 Rolle der Emotionen im logischen Denken: Antonio R. Damasio, *Descartes' Error: Emotion, Reason, and the Human Brain*, New York: G.P. Putnams' Sons, 1994.
14 Unbewußte Furcht: Die Schlangen-Studien werden beschrieben in Jerome Kagan, *Galen's Prophecy*, New York: Basic Books, 1994.

## 5. Sklaven der Leidenschaft

1 Für Einzelheiten über das Verhältnis zwischen positiven und negativen Gefühlen und das Wohlbefinden siehe Ed Diener und Randy J. Larsen, »The Experience of Emotional Well-Being«, in: Michael Lewis und Jeannette Haviland, *Handbook of Emotions*, New York: Guilford Press, 1993.
2 Ich sprach im Dezember 1992 mit Diane Tice über ihre Studie, in der es darum ging, wie erfolgreich Menschen ihre schlechten Stimmungen abschütteln. Ihre Ergebnisse, den Zorn betreffend, veröffentlichte sie in einem ge-

meinsam mit ihrem Mann, Roy Baumeister, verfaßten Kapitel in Daniel Wegner und James Pennebaker, Hrsg., *Handbook of Mental Control*, in Vorbereitung, 1993.

3 Schuldeneintreiber: auch beschrieben in Arlie Hothchild, *The Managed Heart*, New York: Free Press, 1980.

4 Was gegen die Wut und für Selbstkontrolle spricht, basiert weitgehend auf Diane Tice und Roy F. Baumeister, »Controlling Anger: Self-Induced Emotion Change«, in D. M. Wegner und J. Pennebaker, Hrsg., *Handbook of Mental Control.* New York: Guilford, 1993. Siehe aber auch Carol Tavris, *Anger: The Misunderstood Emotion*, New York: Touchstone, 1989.

5 Die Untersuchung über die Wut wird beschrieben in Dolf Zillmann, »Mental Control of Angry Aggression«, in Wegner und Pennebaker, op. cit.

6 Die besänftigende Wanderung: zitiert in Carol Tavris, *Anger: The Misunderstood Emotion*, New York: Touchstone, 1989, S. 135.

7 Redford Williams' Strategien zur Eindämmung einer feindseligen Haltung werden eingehend beschrieben in Redford Williams und Virginia Williams, *Anger Kills*, New York: Times Books, 1993.

8 Zorn wird durch Herauslassen nicht zerstreut: siehe z. B. S. K. Mallick und B. R. McCandless, »A study of catharsis aggression«, *Journal of Personality and Social Psychology*, 4, 1966. Für eine Zusammenfassung dieser Untersuchung siehe Carol Tavris, op. cit.

9 Wann es angebracht ist, im Zorn vom Leder zu ziehen: Carol Tavris, op. cit.

10 Die Arbeit über die Besorgtheit ist Lizabeth Roemer und Thomas Borkovec, »Worry: Unwanted cognitive activity that controls unwanted somatic experience«, in Daniel Wegner und James Pennebaker, Hrsg., *Handbook of Mental Control*, Englewood Cliffs, NJ: Prentice-Hall, 1993.

11 Furcht vor Keimen: David Riggs und Edna Foa, »Obsessive Compulsive Disorder«, in David Barlow, Hrsg., *Clinical Handbook of Psychological Disorders*, New York: Guilford Press, 1993.

12 Die besorgte Patientin wird zitiert in Roemer und Borkovec, S. 221.

13 Therapien für die Angststörung: siehe zum Beispiel David H. Barlow, Hrsg., *Clinical Handbook of Psychological Disorders*, New York: Guilford, 1993.

14 Styrons Depression: William Styron, *Darkness Visible: A Memoir of Madness*, New York: Random House, 1990.

15 Die Sorgen der Deprimierten werden geschildert in Susan Nolen-Hoeksma, »Sex Differences in Control of Depression«, in Wegner und Pennebaker, op. cit., S. 307.

16 Therapie für die Depression: K. S. Dobson, »A meta-analysis of the efficacy of cognitive therapy for depression«, *J. of Consulting and Clinical Psychology*, 57, 1989.

17 Die Untersuchung über die Denkgewohnheiten deprimierter Menschen

wird beschrieben in Richard Wenzlaff, »The Mental Control of Depression«, in Wegner und Pennebaker, op. cit.

18 Shelley Taylor et al., »Maintaining positive illusions in the face of negative information«, *Journal of Clinical and Social Psychology,* 8, 1989.

19 Der verdrängende Student wird beschrieben in Daniel A. Weinberger, »The construct validity of the repressive coping style«, in J. L. Singer, Hrsg., *Repression and Dissociation*, Chicago: University of Chicago Press, 1990. Weinberger, der in frühen Untersuchungen zusammen mit Gary F. Schwartz und Richard Davidson das Konzept der Verdränger entwickelte, ist zum führenden Forscher auf diesem Gebiet geworden.

## 6. Die übergeordnete Fähigkeit

1 Die Prüfungsangst: Daniel Goleman, *Vital Lies, Simple Truths: The Psychology of Self-Deception*, New York: Simon and Schuster, 1985.

2 Motivation und Eliteleistungen: Anders Ericsson, »Expert performance: Its structure and acquisition«, *American Psychologist*, August 1994.

3 IQ-Vorsprung der Asiaten: Richard Herrnstein und Charles Murray, *The Bell Curve*, New York: Free Press, 1994.

4 IQ und Berufe von Amerikanern asiatischer Herkunft: James Flynn, *Asian-American Achievement Beyond IQ*, New York: Lawrence Erlbaum, 1991.

5 Die Studie über den Gratifikationsaufschub bei Vierjährigen wird beschrieben in Yuichi Shoda, Walter Mischel und Philip K. Peake, »Predicting adolescent cognitive and self-regulatory competencies from preschool delay of gratification«, *Developmental Psychology*, 26, 6, 978-986, 1990.

6 SAT-Punktzahlen von impulsiven und selbstbeherrschten Kindern: Die Analyse der SAT-Daten machte Phil Peake, Psychologe am Smith College.

7 IQ bzw. Aufschub als Vorhersagemaßstab für SAT-Ergebnisse: persönliche Mitteilung von Phil Peake, Psychologe am Smith College, der die SAT-Daten in Walter Mischels Studie über den Gratifikationsaufschub auswertete.

8 Die Internisten, die ein Bonbongeschenk erhielten: Alice Isen et al., »The Influence of Positive Affect on Clinical Problem Solving«, *Medical Decision Making*, Juli-September 1991.

9 Kinder und Tassen: Alice M. Issen, »The Influence of Positive and Negative Affect on Cognitive Organization«, in N. Stein et al., Hrsg., *Psychological and Biological Approaches to Emotion*, Hillsdale, NJ: Erlbaum, 1990.

10 Die besorgte Mutter: Timothy A. Brown et al., »Generalized Anxiety Disorder«, in David H. Barlow, Hrsg., *Clinical Handbook of Psychological Disorders*, New York: Guilford Press, 1993.

11 Fluglotsen und Angst: W. E. Collins et al., »Relationships of anxiety scores to academy and field training performance of air traffic control specialists«, *FAA Office of Aviation Medicine Reports*, Mai 1989.

12 Angst und akademische Leistung: Bettina Seipp, »Anxiety and Academic Performance: A meta-analysis«, *Anxiety Research*, 4, 1, 1991.

13 Über die Besorgten: Richard Metzger et al., »Worry changes decision-making: the effects of negative thoughts on cognitive processing«, *Journal of Clinical Psychology*, Jan. 1990.

14 Ralph Haber und Richard Alpert, »Test anxiety«, *Journal of Abnormal and Social Psychology*, 1958.

15 Ängstliche Studenten: Theodore Chapin, »The relationship of trait anxiety and academic performance to achievement anxiety«, *Journal of College Student Development*, Mai 1989.

16 Negative Gedanken und Prüfungsergebnisse: John Hunsley, »Internal dialogue during academic examinations«, *Cognitive Therapy and Research*, Dez. 1987.

17 Hoffnung und eine schlechte Note: C. R. Snyder et al., »The will and the ways: development and validation of an individual-differences measure of hope«, *Journal of Personality and Social Psychology*, 60, 4, 1991, S. 579.

18 Mein Interview mit C. R. Snyder ist abgedruckt in der *New York Times* vom 24. Dezember 1991.

19 Optimistische Schwimmer: Martin Seligman, *Learned Optimism*, New York: Knopf, 1991.

20 Realistischer bzw. naiver Optimismus: siehe zum Beispiel Carol Whalen et al., »Optimism in children's judgments of health and environmental risks«, *Health Psychology*, 13, 1994.

21 Mein Gespräch mit Martin Seligman über den Optimismus ist abgedruckt in der *New York Times* vom 3. Februar 1987.

22 Mein Gespräch mit Albert Bandura über das Selbstvertrauen ist abgedruckt in der *New York Times* vom 5. Mai 1988.

23 Mihaly Csikszentmihalyi, »Play and Intrinsic Rewards«, *Journal of Humanistic Psychology*, 15, 3, 1975.

24 Mihaly Csikszentmihalyi, *Flow*.

25 »Wie ein Wasserfall«: *Newsweek*, 28. Februar 1994.

26 Das Gespräch mit Csikszentmihalyi ist abgedruckt in der *New York Times* vom 4. März 1986.

27 Das Gehirn im Zustand des Fließens: Jean Hamilton et al., »Intrinsic enjoyment and boredom coping scales: validation with personality evoked potential and attention measures«, *Personality and Individual Differences*, 5, 2, 1984.

28 Kortikale Aktivierung und Erschöpfung: Ernest Hartmann, *The Functions of Sleep*, New Haven: Yale, 1973.

29 Mein Gespräch mit Csikszentmihalyi ist abgedruckt in der *New York Times* vom 22. März 1992.
30 Die Untersuchung über Fließen und Mathematikschüler: Jeanne Nakamura, »Optimal experience and the uses of talent«, in Mihaly Csikszentmihalyi und Isabelle Csikszentmihalyi, *Optimal Experience: Psychological Studies of Flow in Consciousness*, Cambridge: Cambridge University Press, 1988.

## 7. Die Wurzeln der Empathie

1 Selbstwahrnehmung und Empathie: siehe zum Beispiel John Mayer und Melissa Kirkpatrick, »Hot information-processing becomes more accurate with open emotional experience«, Universität von New Hampshire, unveröffentlichtes Manuskript, Oktober 1994; Randy Larsen et al., »Cognitive operations associated with individual differences in affect intensity«, *Journal of Personality and Social Psychology*, 53, 1987.
2 Robert Rosenthal et al., »The PONS-Test: Measuring Sensitivity to Nonverbal Cues«, in P. McReynolds, Hrsg., *Advances in Psychological Assessment*, San Francisco: Jossey Bass, 1977.
3 Stephen Nowicki und Marshall Duke, »A measure of nonverbal social processing ability in children between the ages of 6 and 10«, Vortrag vor der American Psychological Society, 1989.
4 Die Mütter, die als Forscherinnen wirkten, wurden angeleitet von Marian Radke-Yarrow und Carolyn Zahn-Waxler am Laboratorium für Entwicklungspsychologie des National Institute of Mental Health.
5 Über die Empathie, ihre Anfänge in der individuellen Entwicklung und ihre Neurologie schrieb ich in der *New York Times* vom 28. März 1989.
6 Wie Kindern Empathie beigebracht wird: Marion Radke-Yarrow und Carolyn Zahn-Waxler, »Roots, Motives and Patterns in Children's Prosocial Behavior«, in Staub et al., Hrsg., *Development and Maintenance of Prosocial Behavior*, New York: Plenum, 1984.
7 Ich schrieb über Dr. Daniel Stern und seine Untersuchung in der *New York Times* vom 21. Oktober 1986.
8 Geschlechtsakt und Abstimmung: Daniel Stern, *The Interpersonal World of the Infant*, New York: Basic Books, 1987, S. 30.
9 Die traurigen Kinder werden beschrieben in Jeffrey Pickens und Tiffany Field, »Facial Expressivity in Infants of Depressed Mothers«, *Developmental Psychology*, 29, 6, 1993.
10 Es war der Psychologe Robert Prentky aus Philadelphia, der die Kindheit von gewalttätigen Vergewaltigern untersuchte.

11 Empathie bei Borderline-Patienten: berichtet von Lee Park und Mitarbeitern an der Johns Hopkins-Universität in *Psychiatric News*.
12 Leslie Brothers, »A Biological Perspective on Empathy«, *American Journal of Psychiatry*, 146, 1, 1989.
13 Brothers, op. cit., S. 16.
14 Physiologie der Empathie: Robert Levenson und Anna Ruef, »Empathy: A physiological substrate«, *Journal of Personality and Social Psychology*, 63, 2, 1992.
15 Martin L. Hoffman, »Empathy, Social Cognition, and Moral Action«, in W. Kurtines und J. Gerwitz, Hrsg., *Moral Behavior and Development: Advances in Theory, Research and Applications*, New York: John Wiley & Sons, 1984.
16 Die Untersuchungen zum Zusammenhang zwischen Empathie und Ethik findet man bei Hoffman, op. cit.
17 Über den emotionalen Zyklus, der in Sexualverbrechen mündet, schrieb ich in der *New York Times* vom 14. April 1992. Die Quelle ist William Pithers, Psychologe in der Verwaltung der Strafanstalten des Staates Vermont.
18 Das Wesen der Psychopathie wird ausführlicher beschrieben in einem Artikel, den ich in der *New York Times* vom 7. Juli 1987 veröffentlichte. Was ich hier schreibe, stützt sich weitgehend auf die Arbeit des Psychologen Robert Hare von der Universität von British Columbia, der als führender Fachmann für Psychopathie gilt.
19 Leon Bing, *Do or Die*, New York: Harper Collins, 1991.
20 Männer, die ihre Frauen mißhandeln: Neil S. Jacobson et al., »Affect, verbal content, and psychophysiology in the arguments of couples with a violent husband«, *Journal of Clinical and Consulting Psychology*, Juli 1994.
21 Psychopathen haben keine Angst: Man beobachtet den Effekt bei kriminellen Psychopathen, denen ein Elektroschock bevorsteht; neuerdings wurde der Effekt wieder beobachtet bei Christopher Patrick et al., »Emotion in the criminal psychopath: fear image processing«, *Journal of Abnormal Psychology*, 103, 1994.

## 8. Die sozialen Künste

1 Die Szene zwischen Jay und Len wird geschildert von Judy Dunn und Jane Brown in »Relationships, talk about feelings, and the development of Emotion Regulation and Dysregulation«, in *The Development of Emotion Regulation and Dysregulation*, hrsg. v. Judy Garber und Kenneth A. Dodge, Cambridge: Cambridge University Press, 1991. Die dramatischen Ausschmückungen stammen von mir.
2 Die Vorzeigeregeln findet man in Paul Ekman und Wallace Friessen, *Unmasking the Face*, Englewood Cliffs, NJ: Prentice Hall, 1975.

3 Die Mönche im Feuergefecht: Die Geschichte erzählt David Busch in »Culture Cul-De-Sac«, *Arizona State University Research*, Frühjahr/Sommer 1994.

4 Über die Untersuchung zur Stimmungsübertragung berichtete Ellen Sullins im *Personality and Social Psychology Bulletin* vom April 1991.

5 Die Untersuchungen über Stimmungsübertragung und Gleichklang machte Frank Bernieri von der Universität des Staates Oregon; ich schrieb darüber in der *New York Times*. Einen ausführlichen Bericht über seine Forschung findet man in Bernieri und Robert Rosenthal, »Interpersonal coordination, behavior matching and interpersonal synchrony«, in Robert Feldman und Bernard Rime, *Fundamental of Nonverbal Behavior*, Cambridge: Cambridge University Press, 1991.

6 Die Theorie des Mitziehens findet man bei Bernieri und Rosenthal, op. cit.

7 Thomas Hatch, »Social intelligence in young children«, Vortrag auf dem Jahreskongreß der American Psychological Association, Boston 1990.

8 Soziale Chamäleons: Mark Snyder, »Impression management: The self in social interaction«, in L. S. Wrightsman und K. Deaux, *Social Psychology in the 80s*, Monterey, CA: Brooks/Cole, 1981.

9 E. Lakin Phillips, *The Social Skills Basis of Psychopathology*, New York: Grune & Stratton, 1978, S. 140.

10 Nonverbale Lernstörungen: Stephen Nowicki und Marshall Duke, *Helping the Child Who Doesn't Fit In*, Atlanta: Peachtree Publishers, 1992. Siehe auch: Byron Rourke, *Nonverbal Learning Disabilities*, New York: Guilford Press, 1989.

11 Nowicki und Duke, op. cit.

12 Diese Szene und die Besprechung der Untersuchung über das Eindringen in eine Gruppe stammt aus Martha Putallaz und Aviva Wasserman, »Children's entry behavior«, in Steven Asher und John Coie, Hrsg., *Peer Rejection in Childhood*, New York: Cambridge University Press, 1990.

13 Putallaz und Wasserman, op. cit.

14 Hatch, op. cit.

15 Terry Dobsons Geschichte von dem betrunkenen Japaner und dem alten Mann wird nacherzählt in Ram Dass und Paul Gorman, *How Can I Help*, New York: Alfred Knopf, 1985, S. 167-171.

## 9. Intimfeinde

1 Die Scheidungsziffer kann auf unterschiedlicher Basis berechnet werden, und je nachdem, welchen statistischen Mittelwert man nimmt, wird sie verschieden ausfallen. Bei bestimmten Verfahren ergibt sich ein Spitzenwert von

etwa 50 Prozent, der dann etwas nachläßt. Nimmt man die Gesamtzahl der Scheidungen pro Jahr, so scheint in den achtziger Jahren ein Spitzenwert erreicht worden zu sein. Ich stütze mich hier aber nicht auf die Scheidungsziffern eines Jahres, sondern auf die Wahrscheinlichkeit, daß die in einem bestimmten Jahr geschlossene Ehe mit einer Scheidung endet, und dieser Wert ist in den letzten hundert Jahren ständig gestiegen. Weitere Einzelheiten siehe John Gottman, *What Predicts Divorce: The Relationship between marital processes and marital outcomes*, Hillsdale, N. J.: Lawrence Erlbaum, 1993.

2 Die getrennten Welten von Jungen und Mädchen: Eleanor Maccoby und C. N. Jacklin, »Gender segregation in childhood«, in H. Reese, Hrsg., *Advances in Child Development and Behavior*, New York: Academic Press, 1987.

3 Gleichgeschlechtliche Spielkameraden: John Gottman, »Same and cross sex friendship in young children«, in J. Gottman und J. Parker, Hrsg., *Conversation of Friends*, New York: Cambridge University Press, 1986.

4 Dies und die folgende Darstellung der Geschlechtsunterschiede in der Sozialisierung der Emotionen stützt sich auf die vorzügliche Zusammenfassung in R. Brody und Judith A. Hall, »Gender and Emotion«, in Michael Lewis und Jeannette Haviland, *Handbook of Emotions*, New York: Guilford 1993.

5 Brody und Hall, op. cit., S. 456.

6 Brody und Hall, S. 454.

7 Alle Feststellungen über Geschlechtsunterschiede bezüglich der Emotion werden besprochen in Brody und Hall, op. cit.

8 Von der Wichtigkeit des guten Verstehens für Frauen berichten Mark H. Davis und H. Alan Oathout, »Maintenance of satisfaction in romantic relationships: empathy and relational competence«, *Journal of Personality and Social Psychology*, 53, 2, 397-410, 1987.

9 Die Untersuchung über die Klagen der Ehepartner: Robert J. Sternberg, »Triangulating Love«, in Robert Sternberg und Michael Barnes, *The Psychology of Love*, New Haven: Yale University Press, 1987.

10 Der Wortwechsel zwischen Fred und Ingrid stammt aus Gottman, 1993, S. 84 f.

11 Die Eheforschungen von Gottman und Mitarbeitern an der Universität von Washington werden ausführlicher beschrieben in zwei Büchern von John Gottman: *Why Marriages Succeed or Fail*, New York: Simon and Schuster, 1994, und *What Predicts Divorce?*, Lawrence Erlbaum Associates, 1993.

12 Mauern: Gottman, 1993, op. cit.

13 Giftige Gedanken: Aaron Beck, *Love is Never Enough*, New York: Harper & Row, 1988, S. 145 f.

14 Gedanken in gestörten Ehen: Gottman, op. cit.

15 Die verzerrte Denkweise gewalttätiger Ehemänner wird beschrieben in Amy Holtzworth-Munroe und Glenn Hutchinson, »Attributing negative in-

tent to wife behavior: The attributions of maritally violent versus nonviolent men«, *Journal of Abnormal Psychology*, 102, 2, 206-211, 1993. Der Argwohn sexuell aggressiver Männer: Neil Malamuth und Lisa Brown, »Sexually aggressive men's perception of women's communications«, *Journal of Personality and Social Psychology*, 67, 1994.

16 Prügelnde Ehemänner: Die Ehemänner, die gewalttätig werden, zerfallen in drei Gruppen: solche, die es selten tun, solche, die es impulsiv tun, wenn sie wütend werden, und solche, die es auf kaltblütige, berechnende Weise tun. Therapie scheint nur bei den beiden ersten Gruppen anzuschlagen. Siehe Neil Jacobson et al., *Clinical Handbook of Marital Therapy*, New York: Guilford Press, 1994.

17 Überflutung: Gottman, 1993, op. cit.

18 Ehemänner sind Streitigkeiten abgeneigt: Robert Levenson et al., »The influence of age and gender on affect, physiology, and their interrelations: A study of longterm marriages«, *Journal of Personality and Social Psychology*, 67, 1994.

19 Überflutung bei Ehemännern: Gottman, 1993, op. cit.

20 Männer mauern, Frauen kritisieren: Gottman, 1993, op. cit.

21 »Wife Charged with Shooting Husband over Football on TV«, *New York Times* vom 3. Nov. 1993.

22 Produktive Ehestreitigkeiten: Gottman, 1993, op. cit.

23 Mangelnde Fähigkeit zum Kitten: Gottman, 1993, op. cit.

24 Die vier Schritte zu einem »wohltuenden Streit« findet man in Gottman, 1994, op. cit.

25 Überwachung des Pulsschlags: Gottman, op. cit.

26 Angehen der automatischen Gedanken: Beck, op. cit.

27 Spiegeln: Harville Hendrix, *Getting the Love You Want*, New York: Henry Holt, 1988.

## 10. Führung mit Herz

1 Der Absturz des tyrannischen Piloten: Carl Lavin, »When moods affect safety: communications in a cockpit means a lot a few miles up«, *New York Times* vom 26. Juni 1994.

2 Die Umfrage unter 250 leitenden Angestellten: Michael Maccoby, »The Corporate Climber Has to Find His Heart«, *Fortune*, Dezember 1976.

3 Zuboff: persönliche Mitteilung im Juni 1994. Zu den Folgen der Informationstechnologien siehe ihr Buch *In the Age of the Smart Machine*, New York: Basic Books, 1991.

4 Die Geschichte von dem sarkastischen Vizepräsidenten erzählte mir Hen-

drie Weisinger, Psychologe an der Graduate School of Business der Universität von Kalifornien in Los Angeles. Er hat zu dem Thema ein Buch geschrieben: *The Critical Edge: How to Criticize Up and Down the Organization and Make It Pay Off*, Boston: Little, Brown, 1989.
5 Die Befragung der Manager führte der Psychologe Robert Baron von der Rensselaer Polytechnic University durch; mein Gespräch mit ihm ist abgedruckt in der *New York Times* vom 11. September 1990.
6 Kritik als Konfliktursache: Robert Baron, »Countering the Effects of Destructive Criticism: The relative efficacy of four interventions«, in *Journal of Applied Psychology*, 75, 3, 1990. Ich schrieb über Kritik in der *New York Times* vom 28. Juli 1988 und vom 11. September 1990.
7 Präzise und unbestimmte Kritik: Harry Levinson, *Addendum to the Levinson Letter*, 1992.
8 Das sich wandelnde Bild der Belegschaft: Befragung von 645 bedeutenden Unternehmen durch die Unternehmensberatung Towers Perrin in Manhattan, siehe *New York Times* vom 26. August 1990.
9 Die Wurzeln des Hasses: Vamik Volkan, *The Need to Have Enemies and Allies*, Northvale, NJ: Jason Aronson, 1988.
10 Thomas Pettigrew: Mein Gespräch mit ihm ist abgedruckt in der *New York Times* vom 12. Mai 1987.
11 Stereotype und subtile Vorurteile: Samuel Gaertner und John Davidio, *Prejudice, Discrimination, and Racism*, New York: Academic Press, 1987.
12 Subtile Vorurteile: Samuel Gaertner und John Davidio, op. cit.
13 Relman, zitiert in Howard Kohn, op. cit.
14 IBM: »Responding to a diverse work force«, *New York Times* vom 26. August 1990.
15 Was man durch Einspruch erreichen kann: Fletcher Blanchard, *Psychological Science*, Juli 1991.
16 Stereotype lösen sich auf: Gaertner und Davidio, op. cit.
17 Teams: Peter Drucker, »The age of social transformation«, *The Atlantic Monthly*, November 1994.
18 Das Konzept der Gruppenintelligenz wird erläutert in Wendy Williams und Robert Sternberg, »Group Intelligence: Why Some Groups are Better Than Others«, *Intelligence*, 1988.
19 Von der Studie über die Stars bei Bell Labs berichteten Robert Kelley und Janet Caplan, »How Bell Labs Creates Star Performers«, *Harvard Business Review*, Juli-August 1993.
20 Über die Nützlichkeit informeller Netzwerke schreiben David Krackhardt und Jeffry Hanson, »Informal Networks: The Company Behind the Chart«, *Harvard Business Review*, Juli-August 1993, S. 104.

## 11. Seele und Medizin

1 Das Immunsystem als Gehirn des Körpers: Francisco Varela auf dem dritten »Mind and Life«-Kongreß in Dharamsala, Indien, Dezember 1990.

2 Chemische Botenstoffe zwischen Gehirn und Immunsystem: siehe Robert Ader et al., *Psychoneuroimmunology*, (2. Aufl.), San Diego: Academic Press, 1990.

3 Kontakt zwischen Nerven und Immunzellen: David Felten et al., »Noradrenergic sympathetic innervation of lymphoid tissue«, *Journal of Immunology*, 135, 1985.

4 Hormone und Immunfunktion: Rabin et al., *Critical Reviews in Immunology*, 9, 1989.

5 Verbindungen zwischen Gehirn und Immunsystem: siehe z. B. Steven B. Maier et al., »Psychoneuroimmunology«, *American Psychologist*, Dezember 1994.

6 Giftige Emotionen: Howard Friedman und S. Boothby-Kewley, »The Disease-Prone Personality; A Meta-Analytic View«, *American Psychologist*, 42, 1987. Ich schrieb über den negativen Zusammenhang zwischen Emotion und Krankheit in der *New York Times* vom 19. Januar 1988. Diese zusammenfassende Analyse verschiedener Untersuchungen war eine »Meta-Analyse«, die statistisch die Ergebnisse der kleineren Studien in einer großen Studie vereinte. Wegen der größeren Zahl der untersuchten Fälle lassen sich Effekte, die in den einzelnen Studien nicht deutlich werden, leichter entdecken.

7 Skeptiker behaupten, das emotionale Bild, das mit höheren Erkrankungsraten zusammenhängt, sei das Profil des typischen Neurotikers – ein ängstliches, deprimiertes und zorniges emotionales Wrack –; die gemeldete höhere Erkrankungsrate beruhe nicht so sehr auf einer medizinischen Tatsache als vielmehr auf einer Neigung, zu jammern und über Gesundheitsprobleme zu klagen, deren Ernsthaftigkeit übertrieben werde. Doch Friedman und andere halten dagegen, daß die Schwere der jeweiligen Erkrankung nicht von den Klagen der Patienten bestimmt werde, sondern von den Bewertungen beobachtbarer Krankheitsanzeichen durch die Ärzte und von medizinischen Tests – eine objektivere Grundlage. Natürlich besteht die Möglichkeit, daß der gesteigerte Kummer das Ergebnis eines körperlichen Leidens ist und daß er dieses Leiden beschleunigt herbeiführt. Die überzeugendsten Daten entstammen daher vorausschauenden Studien, in denen die emotionalen Zustände beurteilt werden, bevor die Krankheit ausbricht.

8 Gail Ironson et al., *The American Journal of Cardiology*, August 1992. Über Ironsons Untersuchung berichtete ich in der *New York Times* vom 2. September 1992. Die Pumpleistung, auch Ejektionsfraktion genannt, drückt die Fähigkeit des Herzens aus, Blut aus der linken Kammer in die Arterien zu

pumpen; gemessen wird die Blutmenge, die pro Herzschlag aus der linken Kammer ausgetrieben wird. Ein Absinken der Pumpleistung bei Herzkranken deutet darauf hin, daß der Herzmuskel geschwächt ist.

9 Von rund einem Dutzend Studien, die nach einem Zusammenhang zwischen Feindseligkeit und Tod durch Herzkrankheit fragten, konnten einige keinen finden. Das kann aber auch an methodischen Besonderheiten liegen, vielleicht einem ungeeigneten Maß für Feindseligkeit, oder daran, daß der Effekt nicht leicht aufzuspüren ist. Es hat den Anschein, als würde der Feindseligkeits-Effekt die meisten Opfer im mittleren Lebensalter fordern. Eine Studie, die nicht nach den Todesursachen in diesem Lebensabschnitt fragt, kann dem Effekt nicht auf die Spur kommen.

10 Feindseligkeit und Herzkrankheit: Redford Williams, *The Trusting Heart*, New York: Times Books/Random House, 1989.

11 Peter Kaufman: Das Gespräch mit ihm ist abgedruckt in der *New York Times* vom 1. September 1992.

12 Stanford-Studie über Zorn und zweiten Infarkt: Carl Thoreson, Vortrag auf dem internationalen Kongreß der Verhaltensmedizin, Uppsala, Schweden, Juli 1990.

13 Yale-Studie über Infarktüberlebende und emotionale Erregung: Lynda Powell, Vortrag auf dem Kongreß der American Heart Association in Dallas am 14. November 1990.

14 Zorn verdoppelt Infarktrisiko: Murray Mittleman et al., Vortrag auf dem Jahreskongreß der American Heart Association im Mai 1994.

15 Unterdrückung von Zorn steigert Blutdruck: Robert Levenson, »Can we control our emotions, and how does such control change an emotional episode?«, in Richard Davidson und Paul Ekman, *Fundamental Questions About Emotions*, New York: Oxford University Press, 1995.

16 Der zornige persönliche Stil: Über das, was Redford Williams über den Zorn herausgefunden hat, schrieb ich im *Good Health Magazine* der *New York Times* vom 16. April 1989.

17 Senkung der zweiten Infarkte um 44 Prozent: Thoreson, op. cit.

18 Programm gegen den Zorn: Williams, op. cit.

19 Die besorgte Frau: Timothy Brown et al., »Generalized Anxiety Disorder«, in David H. Barlow, Hrsg., *Clinical Handbook of Psychological Disorders*, New York: Guilford Press 1993, S. 167.

20 Stress und Metastase: Bruce McEwen und Eliot Stellar, »Stress and the Individual: Mechanisms leading to disease«, *Archives of Internal Medicine*, 153, 27. Sept. 1993, S. 2099. Die dort beschriebene Studie ist M. Robertson und J. Ritz, »Biology and clinical relevance of human natural killer cells«, *Blood*, 76, 1990.

21 Es kann, abgesehen von biologischen Bahnen, vielfältige Gründe haben,

wenn Menschen unter Stress krankheitsanfälliger werden. Dazu zählen auch die Mittel, mit denen die Menschen ihre Angst zu beschwichtigen suchen: Rauchen, Trinken oder das Sichvollstopfen mit fetter Nahrung; das allein ist schon ungesund. Auch kann ständige Sorge und Angst die Leute um ihren Schlaf bringen und sie die Einhaltung der ärztlichen Vorschriften – etwa über die Einnahme von Medikamenten – vergessen lassen, was dann die Krankheit, die man schon hat, verlängert. Höchstwahrscheinlich sind all diese Faktoren am Zusammenhang zwischen Stress und Krankheit beteiligt.

22 Stress schwächt das Immunsystem: Bei Medizinstudenten unter Examensstress war nicht nur die Immunabwehr des Herpesvirus geschwächt, sondern auch die Fähigkeit ihrer weißen Blutkörperchen, infizierte Zellen zu töten, und sie wiesen in erhöhten Mengen eine Substanz auf, die mit der Unterdrückung der Abwehrfähigkeit der Lymphozyten zusammenhängt, der vor allem für die Immunreaktion verantwortlichen weißen Blutkörperchen (siehe Ronald Glaser und Janice Kiecolt-Glaser, »Stress-associated depression in cellular immunity«, *Brain, Behavior and Immunity*, 1, 1987). Freilich wurde in den meisten Studien, die eine Schwächung der Immunabwehr bei Stress ergaben, nicht klar, ob die Schwächung ausreichte, um ein Gesundheitsrisiko zu begründen.

23 Stress und Erkältungen: Sheldon Cohen et al., »Psychological stress and susceptability to the common cold«, *New England Journal of Medicine*, 325, 1991.

24 Tägliche Aufregungen und Infektion: Stone et al., »Changes in daily event frequency precede episodes of physical symptoms«, *Journal of Human Stress*, 13, 1987. In einer anderen Studie führten 246 Ehemänner, Frauen und Kinder während der Grippesaison täglich Buch über Belastungen im Familienleben. Diejenigen mit den meisten Familienkrisen erkrankten auch am häufigsten an Grippe; letztere wurde anhand der Tage mit Fieber und der Häufigkeit der Grippe-Antikörper diagnostiziert. Siehe Clover et al., »Familiy functioning and stress as predictors of influenza B infection«, *Journal of Family Practice*, 28. 1989.

25 Aktivierung des Herpesvirus und Stress: verschiedene Untersuchungen von Ronald Glaser und Janice Kiecolt-Glaser, z.B. »Psychological influences on immunity«, *American Psychologist*, 43, 1988. Der Zusammenhang zwischen Stress und Herpesaktivität ist so stark, daß er in einer Studie mit nur zehn Patienten demonstriert wurde, wobei das Auftreten von Herpesbläschen als Indikator diente; je größer die Angst, die Streitigkeiten und der Stress, von denen die Patienten berichteten, desto anfälliger waren sie in den folgenden Wochen für Herpes; in friedlichen Zeiten ging der Herpes in den latenten Zustand über. Siehe Schmidt et al., »Stress as a precipitating factor in subjects with recurrent herpes labialis«, *Journal of Family Practice*, 20, 1985.

26 Angst bei Frauen und Herzerkrankung: Carl Thoreson, Vortrag auf dem internationalen Kongreß für Verhaltensmedizin, Uppsala, Schweden, Juli 1990. Angst könnte auch bei Männern eine größere Anfälligkeit für Herzerkrankungen bewirken. An der Universität von Alabama wurden 1123 Männer und Frauen im Alter von 45 bis 77 Jahren auf ihr emotionales Profil hin untersucht. Diejenigen Männer, die im mittleren Lebensalter am stärksten zu Angst und Sorge neigten, litten zwanzig Jahre später signifikant häufiger unter Bluthochdruck. Siehe Abraham Markowitz et al., *Journal of the American Medical Association*, 14. Nov. 1993.

27 Stress und kolorektales Karzinom: Joseph C. Courtney et al., *Epidemiology*, September 1993.

28 Depression und Krankheit: siehe z. B. Seymour Reichlin, »Neuroendocrine-Immune Interactions«, *New England Journal of Medicine*, 21. Oktober 1993.

29 Knochenmarktransplantationen: zitiert in James Strain, »Cost-offset from a psychiatric consultation-liaison intervention with elderly hip fracture patients«, *American Journal of Psychiatry*, 148, 1991.

30 Howard Burton et al., »The relationship of depression to survival in chronic renal failure«, *Psychosomatic Medicine*, März 1986.

31 Hoffnungslosigkeit und Tod durch Herzkrankheit: Robert Anda et al., *Epidemiology*, Juli 1993.

32 Depression und Herzinfarkt: Nancy Frasure-Smith et al., »Depression following myocardial infarction«, *Journal of the American Medical Association*, 20. Oktober 1993.

33 Depression bei mehrfachen Leiden: Dr. Michael von Korff, der Psychiater an der Universität von Washington, der die Studie durchführte, erklärte mir zu jenen Patienten, denen schon das bloße Leben von Tag zu Tag ungeheure Probleme bereitet: »Wenn man die Depression eines Patienten behandelt, kann man schon vor jeder Veränderung seines gesundheitlichen Zustands Verbesserungen beobachten. Wenn man deprimiert ist, kommen einem die Symptome schlimmer vor. Eine chronische körperliche Krankheit bedeutet eine gewaltige Anpassungsaufgabe. Wenn man eine Depression hat, lernt man nicht so leicht, sich auf seine Krankheit einzustellen. Auch bei körperlicher Beeinträchtigung kann man sich, wenn man motiviert ist und Energie und Selbstwertgefühl hat, was aber bei einer Depression in Gefahr ist, sogar an schwere Beeinträchtigungen bemerkenswert anpassen.«

34 Optimismus und Bypass-Operation: Chris Peterson et al., *Learned Helplessness: A Theory for the Age of Personal Control*, New York: Oxford University Press, 1993.

35 Rückgratverletzung und Hoffnung: Timothy Eliott et al., »Negotiating

reality after physical loss: hope, depression and disability«, *Journal of Personality and Social Psychology*, 61, 4, 1991.

36 Das gesundheitliche Risiko sozialer Isolation: James House et al., »Social relationships and health«, *Science*, 29. Juli 1988. Siehe aber auch ein weniger eindeutiges Resultat: Carol Smith et al., »Meta-analysis of the associations between social support and health outcomes«, *Journal of Behavioral Medicine*, 1994. Ich schrieb über soziale Isolation in der *New York Times* vom 7. Oktober 1987.

37 Isolation und Sterblichkeitsrisiko: Andere Studien lassen auf einen biologischen Mechanismus schließen. In der erwähnten Untersuchung von House zitiert, sind sie zu dem Ergebnis gelangt, daß bei Patienten auf Intensivstationen die bloße Anwesenheit einer anderen Person ausreicht, die Angst zu vermindern und die physiologische Belastung herabzusetzen. Die tröstliche Wirkung der Anwesenheit einer anderen Person setzt nicht bloß den Herzschlag und den Blutdruck herab, sondern auch die Sekretion von Fettsäuren, die Arterien verstopfen können. Einer Theorie zufolge ist bei der heilenden Wirkung sozialer Kontakte ein zerebraler Mechanismus beteiligt. Sie verweist auf Tierexperimente, aus denen sich eine beruhigende Wirkung auf den hinteren Hypothalamusbereich ergibt, einen Teil des limbischen Systems, der vielfältige Verbindungen zum Mandelkern hat. Die tröstliche Anwesenheit einer anderen Person hemmt dieser Theorie zufolge die limbische Aktivität, indem sie die Ausschüttung von Azetylcholin, Cortisol und Katecholaminen herabsetzt, allesamt Neurosubstanzen, die eine raschere Atmung, einen schnelleren Herzschlag und andere physiologische Anzeichen von Stress auslösen.

38 Strain, op. cit.

39 Überleben eines Infarkt und emotionale Unterstützung: Lisa Berkman et al., *Annals of Internal Medicine*, 15. Dez. 1992.

40 Die schwedische Studie: Annika Rosengren et al., »Stressful life events, social support, and mortality in men born in 1933«, *British Medical Journal*, 19. Oktober 1993.

41 Ehestreitigkeiten und Immunsystem: Janice Kiecolt-Glaser et al., »Marital quality, marital disruption, and immune function«, *Psychosomatic Medicine*, 49, 1987.

42 Das Gespräch mit John Cacioppo ist abgedruckt in der *New York Times* vom 15. Dezember 1992.

43 Reden über beunruhigende Gedanken: James Pennebaker, »Putting stress into words: Health, linguistic and therapeutic implications«, Vortrag vor der American Psychological Association, Washington, DC, 1992.

44 Psychotherapie und gesundheitliche Fortschritte: L. Luborsky et al., »Is psychotherapy good for your health?«, Vortrag vor der American Psychological Association, Washington, DC.

45 Krebs–Hilfegruppen: D. Spiegel et al., »Effect of psychosocial treatment on survival of patients with metastatic breast cancer«, *Lancet*, 2, 1989.
46 Die Fragen der Patienten: Dr. Steven Cohen-Cole, Psychiater an der Emory-Universität, zitierte dieses Ergebnis in einem Gespräch mit mir, das in der *New York Times* vom 13. November 1991 veröffentlicht wurde.
47 Vollständige Information: Das Planetree-Programm am Pacific Presbyterian Hospital in San Francisco liefert zum Beispiel für jeden, der es aufruft, fachliche und nichtfachliche Recherchen über jedes gewünschte medizinische Thema.
48 Selbstbewußtsein der Patienten: Ein Programm wurde von Dr. Mack Lipkin, Jr., an der medizinischen Fakultät der New Yorker Universität entwickelt.
49 Emotionale Operationsvorbereitung: Ich schrieb darüber in der *New York Times* vom 10. Dezember 1987.
50 Familienpflege im Krankenhaus: Vorbild ist auch hier Planetree, ebenso wie die Ronald McDonald-Häuser, die den Eltern eines Kindes, das im Krankenhaus nebenan behandelt wird, Aufnahme bieten.
51 Achtsamkeit und Medizin: Siehe Jon Kabat-Zinn, *Full Catastrophe Living*, New York: Delacorte, 1991.
52 Programm für die Rückbildung von Herzkrankheiten: Siehe Dean Ornish, *Dr. Dean Ornish's Program for Reversing Heart Disease*, New York: Ballantine, 1991.
53 Beziehungszentrierte Medizin: *Health Professions Education and Relationship-Centered Care*, Report der Pew-Fetzer-Task Force über Fortschritte der psychosozialen medizinischen Ausbildung.
54 Frühes Verlassen des Krankenhauses: Strain, op. cit.
55 Unethisch, die Depression bei Herzpatienten nicht zu behandeln: Redford Williams und Margaret Chesney, »Psychosocial factors and prognosis in established coronary heart disease«, *Journal of the American Medical Association*, 20. Oktober 1993.
56 Ein offener Brief an einen Chirurgen: A. Stanley Kramer, »A Prescription for Healing«, *Newsweek*, 7. Juni 1993.

## 12. Der Schmelztiegel Familie

1 Leslie und das Videospiel: Beverly Wilson und John Gottman, »Marital Conflict and Parenting: The role of negativity in families«, in M. H. Bornstein, Hrsg., *Handbook of Parenting, Bd. 4*, Hillsdale, NJ: Lawrence Erlbaum, 1994.
2 Die Untersuchung über Emotionen in der Familie war eine Fortsetzung der im zehnten Kapitel besprochenen Ehestudien von John Gottman. Siehe Carole Hooven, Lynn Katz und John Gottman, »The Family as a meta-emotion culture«, *Cognition and Emotion*, Frühjahr 1994.

3 Die Vorteile, die Kinder daraus ziehen, daß ihre Eltern sich in den Emotionen auskennen: Hooven, op. cit.
4 Optimistische Kinder: T. Barry Brazelton, Vorwort zu *Heart Start: The Emotional Foundations of School Readiness*, National Center for Clinical Infant Programs, 1992.
5 Emotionale Vorhersagemaßstäbe des Schulerfolgs: *Heart Start*, op. cit.
6 Elemente der Schulreife: *Heart Start*, S. 7.
7 Kleinkinder und Mütter: *Heart Start*, S. 9.
8 Schaden durch Vernachlässigung: M. Erickson et al., »The relationship between quality of attachment and behavior problems in preschool in a high risk sample«, in I. Betherton und E. Waters, Hrsg., *Monographs of the Society of Research in Child Development*, 50, 1-2, Reihe Nr. 209.
9 *Heart Start*, S. 13.
10 Die Langzeitbeobachtung aggressiver Kinder beschreibt Leonard Eron, *The Journal of Personality and Social Psychology*, Januar 1987. Ähnliche Befunde erhielten Alexander Thomas und Stella Chess (siehe *Child Development*, September 1988) in ihrer Studie an 75 Kindern, die seit 1956, als sie zwischen sieben und zwölf Jahre alt waren, in regelmäßigen Abständen untersucht wurden. Die Kinder, die nach Angaben von Eltern und Lehrern in der Grundschule am aggressivsten waren, hatten zehn Jahre später gegen Ende der Adoleszenz die größten emotionalen Probleme. Diese Kinder (darunter doppelt soviele Jungen wie Mädchen) brachen nicht nur ständig Streitigkeiten vom Zaun, sondern verhielten sich auch gegenüber anderen Kindern und sogar gegenüber ihren Eltern und Lehrern herabsetzend oder gar offen feindselig. Im Laufe der Jahre änderte sich nichts an ihrer Feindseligkeit; als Adoleszenten hatten sie Schwierigkeiten, mit Klassenkameraden und mit ihren Eltern auszukommen, und auch im Unterricht hatten sie ständig Probleme. Als Erwachsene reichten ihre Schwierigkeiten von Konflikten mit dem Gesetz bis zu Angstproblemen und Depressionen.
11 Mangel an Empathie bei mißhandelten Kindern: Die Beobachtungen und Feststellungen in der Tagesstätte werden geschildert in Mary Main und Carol George, »Responses of abused and disadvantaged toddlers to distress in agemates: A study in the day care setting«, *Developmental Psychology*, 21, 3, 1985. Auch bei Vorschulkindern haben die Beobachtungen sich bestätigt: Bonnie Klimes-Dougan und Janet Kistner, »Physically abused preschoolers' responses to peers' distress«, *Developmental Psychology*, 26, 1990.
12 Schwierigkeiten mißhandelter Kinder: Robert Emery, »Family Violence«, *American Psychologist*, Februar 1989.
13 Mißhandlung über mehrere Generationen: Ob mißhandelte Kinder später ihre eigenen Kinder mißhandeln, ist wissenschaftlich umstritten. Siehe zum Beispiel Cathy Spatz Widom, »Child Abuse, Neglect and Adult Behavior«, *American Journal of Orthopsychiatry*, Juli 1989.

## 13. Trauma und emotionales Umlernen

1 Ich schrieb über das bleibende Trauma des Massakers an der Cleveland School in der Erziehungsbeilage der *New York Times* vom 7. Januar 1990.
2 Die Beispiele von PTSD bei Opfern von Verbrechen steuerte Dr. Shelly Niederbach bei, eine Psychologin bei der Opferberatungsstelle in Brooklyn.
3 Die Vietnam-Erinnerung ist entnommen aus M. Davis, »Analysis of aversive memories using the fear potentiated startle paradigm«, in N. Butters und L. R. Squire, Hrsg., *The Neuropsychology of Memory*, New York: Guilford Press, 1992.
4 Den wissenschaftlichen Nachweis, daß diese Erinnerungen besonders dauerhaft sind, führt LeDoux in »Indelibility of subcortical emotional memories«, *Journal of Cognitive Neuroscience*, 1989, vol 1, S. 238-243.
5 Mein Gespräch mit Dr. Charney ist abgedruckt in der *New York Times* vom 12. Juni 1990.
6 Die Experimente mit jeweils zwei Versuchstieren, die Dr. John Krystal mir beschrieb, sind an mehreren anderen Forschungsstätten wiederholt worden. Die umfassendsten Studien macht Dr. Jay Weiss an der Duke-Universität.
7 Die beste Beschreibung der zerebralen Veränderungen, die PTSD zugrunde liegen, und der Rolle des Mandelkerns dabei findet man in Dennis Charney et al., »Psychobiological Mechanisms of Posttraumatic Stress Disorder«, *Archives of General Psychiatry*, 50, April 1993, S. 294-305.
8 Anhaltspunkte für traumainduzierte Veränderungen in diesem zerebralen Netzwerk fand man in Experimenten, bei denen Vietnamveteranen Yohimbin injiziert wurde, ein Pfeilgift, mit dem südamerikanische Indianer ihre Beute wehrlos machen. In winzigen Dosen blockiert Yohimbin einen bestimmten Rezeptor (die Stelle auf einem Neuron, die einen Neurotransmitter aufnimmt), der normalerweise als Bremse auf die Katecholamine wirkt. Yohimbin nimmt die Bremsen fort, was diese Rezeptoren daran hindert, die Ausschüttung von Katecholaminen zu erkennen; das Ergebnis ist eine Erhöhung des Katecholamin-Gehalts im Blut. Als durch die Injektionen die neuralen Bremsen für Angst außer Gefecht gesetzt wurden, löste das Yohimbin bei neun von fünfzehn PTSD-Patienten eine Panik und bei sechs lebensechte Flashbacks aus. Ein Veteran hatte eine Halluzination von einem Hubschrauer, der abgeschossen wurde und mit einer Rauchfahne und einer hellen Stichflamme abstürzte; ein anderer sah, wie ein Jeep, in dem seine Kumpels saßen, durch eine Landmine in die Luft gejagt wurde – dieselbe Szene hatte ihn seit zwanzig Jahren in seinen Alpträumen verfolgt und war als Flashback immer wiedergekehrt. Die Yohimbin-Studie leitete Dr. John Krystal, Direktor des Laboratoriums für klinische Psychopharmakologie am National Center für PTSD in dem Krankenhaus der Veterans Administration in West Haven, Conn.

9 Weniger Alpha-2-Rezeptoren bei Männern mit PTSD: siehe Charney, op. cit.

10 In dem Bemühen, die CRF-Sekretion zu senken, setzt das Gehirn zum Ausgleich die Zahl der entsprechenden Rezeptoren herab. Daß dies bei PTSD-Betroffenen geschieht, ist einer Studie zu entnehmen, bei der man acht Patienten, die deswegen in Behandlung waren, CRF injizierte. Gewöhnlich löst eine CRF-Injektion eine Flut von ACTH aus, jenes Hormons, das durch den Körper strömt, um Katecholamine auszulösen. Bei den PTSD-Patienten ergab sich jedoch, anders als bei einer Kontrollgruppe ohne PTSD, keine erkennbare Veränderung des ACTH-Spiegels – woraus man schließen kann, daß ihr Gehirn die Zahl der CRF-Rezeptoren verringert hatte, weil es bereits mit dem Streßhormon überfrachtet war. Die Untersuchung erläuterte mir Charles Nemeroff, Psychiater an der Duke-Universität.

11 Mein Gespräch mit Dr. Nemeroff ist abgedruckt in der *New York Times* vom 12. Juni 1990.

12 In einem Experiment sahen Vietnamveteranen einen speziellen viertelstündigen Ausschnitt mit krassen Kampfszenen aus dem Film *Platoon*. In einer Gruppe wurde den Veteranen Naloxon injiziert, eine Substanz, die Endorphine blockiert; nach dem Film zeigten diese Veteranen keine Veränderung ihrer Schmerzempfindlichkeit. In der Gruppe ohne den Endorphinblocker sank die Schmerzempfindlichkeit um 30 Prozent, ein Hinweis auf eine Steigerung der Endorphinausschüttung. Auf die Veteranen ohne PTSD hatte die Szene keine derartige Wirkung, was darauf schließen läßt, daß die Nervenbahnen, welche die Endorphine regulieren, überempfindlich oder überaktiv waren – ein Effekt, der nur auftrat, wenn sie erneut mit irgendetwas konfrontiert wurden, was an das ursprüngliche Trauma erinnerte. In diesem Ablauf prüft der Mandelkern zunächst die emotionale Bedeutung dessen, was wir sehen. Die Untersuchung wurde durchgeführt von dem Harvard-Psychiater Dr. Roger Pitman. Diese Gehirnveränderung wird, wie auch andere Symptome von PTSD, nicht nur in kritischen Situationen erlernt, sondern kann außerdem erneut ausgelöst werden, wenn irgendetwas an den ursprünglichen schrecklichen Vorfall erinnert. Pitman fand zum Beispiel heraus, daß Versuchsratten, die im Käfig mit Schocks behandelt wurden, dieselbe auf Endorphin beruhende Schmerzunempfindlichkeit entwickelten, die bei den Vietnamveteranen, die *Platoon* gesehen hatten, beobachtet wurde. Als die Ratten Wochen später in die Käfige gesetzt wurden, in denen sie die Schocks erhalten hatten, wurden sie, ohne daß Strom eingeschaltet wurde, erneut schmerzunempfindlich, wie sie es ursprünglich bei den Schocks geworden waren. Siehe Roger Pitman, »Naloxone-reversible analgesic response to combat-related stimuli in posttraumatic stress disorder«, *Archives of General Medicine*, Juni 1990. Siehe auch Hillel Glover, »Emotional numbing: A possible endorphin-mediated phenomenon

associated with post-traumatic stress disorders and other allied psychopathologic states«, *Journal of Traumatic Stress*, 5, 4, 1992.

13 Die in diesem Abschnitt besprochenen Ergebnisse der Hirnforschung basieren auf dem ausgezeichneten Artikel von Dennis Charney, op. cit.

14 Charneys Artikel, S. 300.

15 Rolle des Kortex beim Verlernen von Furcht: In Richard Davidsons Untersuchung wurde die Schweißproduktion (ein Barometer der Angst) der Teilnehmer gemessen, während ihnen ein Ton vorgespielt wurde, dem ein lautes, abscheuliches Geräusch folgte. Das laute Geräusch löste ein vermehrtes Schwitzen aus. Nach einiger Zeit genügte schon der Ton, um diese Reaktion auszulösen; die Teilnehmer hatten also eine Aversion gegen den Ton erlernt. Als man ihnen schließlich den Ton vorspielte, ohne das abscheuliche Geräusch folgen zu lassen, ließ die erlernte Aversion allmählich nach; wenn der Ton erklang, kam es nicht zu einem vermehrten Schwitzen. Je aktiver der linke präfrontale Kortex war, desto rascher verlor sich bei den Teilnehmern die erlernte Furcht. Bei einem anderen Experiment zur Rolle der Präfrontallappen bei der Überwindung der Furcht lernten Laborratten – wie so oft bei dieser Art von Untersuchungen –, einen Ton zu fürchten, der mit einem Elektroschock kombiniert war. Anschließend wurde an einigen Ratten eine Art Lobotomie durchgeführt, eine chirurgische Durchtrennung der Verbindung zwischen Präfrontallappen und Mandelkern. An den folgenden Tagen wurde den Ratten der Ton vorgespielt, ohne daß sie einen Elektroschock erhielten. Bei den Ratten, die gelernt hatten, einen Ton zu fürchten, verlor sich diese Furcht nach und nach im Laufe einiger Tage. Diejenigen, bei denen man die Verbindung der Präfrontallappen durchtrennt hatte, benötigten fast die doppelte Zeit, um die Furcht zu verlernen; demnach spielen die Präfrontallappen beim Umgang mit der Furcht und generell bei der Meisterung emotionaler Lektionen eine entscheidende Rolle. Das Experiment wurde durchgeführt von Maria Morgan, einer graduierten Mitarbeiterin von Joseph LeDoux am Center for Neural Science der New Yorker Universität.

16 Genesung vom PTSD: Diese Untersuchung beschrieb mir Rachel Yehuda, Neurochemikerin und Leiterin des Traumatic Stress Studies Program an der Mt. Sinai School of Medicine in Manhattan. Über die Ergebnisse berichtete ich in der *New York Times* vom 6. Oktober 1992.

17 Kindheitstrauma: Lenore Terr, *Too Scared to Cry*, New York: Harper Collins, 1990.

18 Der Weg zur Genesung vom Trauma: Judith Lewis Herman, *Trauma and Recovery*, New York: Basic Books, 1992.

19 »Dosierung« des Traumas: Mardi Horowitz, *Stress Response Syndromes*, Northvale, NJ: Jason Aronson, 1986.

20 Eine weitere Ebene, auf der ein Umlernen stattfindet, zumindest für Erwachsene, ist die philosophische. Die unausweichliche Frage des Opfers – warum ich? – verlangt nach Antwort. Wer Opfer eines Traumas ist, für den ist der Glaube, daß die Welt ein Ort sei, dem man vertrauen kann, und daß das, was uns im Leben widerfährt, gerecht sei, erschüttert, der Glaube also, wir könnten durch eine rechtschaffene Lebensweise unser Schicksal beeinflussen. Die Antworten auf die Frage des Opfers müssen natürlich keine philosophischen oder religiösen sein; es muß nur wieder ein System von Überzeugungen oder ein Glaubenssystem entstehen, das es uns erlaubt, wieder so zu leben, als könne man der Welt und den Menschen vertrauen.

21 Daß die ursprüngliche Furcht – wenn auch gedämpft – erhalten bleibt, zeigen Versuche mit Ratten, die konditioniert wurden, einen Ton, zum Beispiel den einer Glocke, zu fürchten, der in Verbindung mit einem Elektroschock ertönte. Als die Glocke dann ertönte, reagierten sie mit Furcht, obwohl kein Schock verabreicht wurde. Im Laufe eines Jahres (für eine Ratte eine sehr lange Zeit – etwa ein Drittel ihres Lebens) verloren die Ratten allmählich ihre Furcht vor der Glocke. Doch als zusammen mit dem Klang der Glocke erneut ein Schock verabreicht wurde, war die Furcht gleich wieder in voller Stärke da. Sie kam schlagartig wieder, doch dauerte es etliche Monate, bis sie sich wieder legte. Die menschliche Parallele dazu ist natürlich der Fall, daß irgendetwas an das ursprüngliche Trauma erinnert und dann die seit Jahren latente Furcht mit voller Kraft wieder aufsteigt.

22 Genaueres zu Luborskys Therapieforschung findet man in Lester Luborsky und Paul Crits-Christoph, *Understanding Transference: The CRT Method*, New York: Basic Books, 1990.

## 14. Temperament ist kein Schicksal

1 Siehe zum Beispiel Jerome Kagan et al., »Initial reactions to unfamiliarity«, *Current Directions in Psychological Science*, Dezember 1992. Die ausführlichste Beschreibung der Biologie des Temperaments findet man in Jerome Kagan, *Galen's Prophecy*, New York: Basic Books, 1994.

2 Tom und Ralph, die Archetypen des Schüchternen und des Kühnen, werden beschrieben in Kagan, op. cit., S. 155ff.

3 Lebenslängliche Probleme des schüchternen Kindes: Iris Bell, »Increased prevalence of stress-related symptoms in middle-aged women who report childhood shyness«, *Annals of Behavior Medicine*, 16, 1994.

4 Der beschleunigte Puls: Iris R. Bell et al., »Failure of heart rate habituation during cognitive and olfactory laboratory stressors in young adults with childhood shyness«, *Annals of Behavior Medicine*, 16, 1994.

5 Panik bei Teenagern: Chris Hayward et al., *American Journal of Psychiatry*, September 1992; Jerold Rosenbaum et al., »Behavioral inhibition in childhood: A risk factor for anxiety disorders«, *Harvard Review of Psychiatry*, Mai 1993.
6 Die Untersuchungen über Persönlichkeit und Unterschiede zwischen den Hemisphären wurden durchgeführt von Dr. Richard Davidson an der Universität von Wisconsin und Dr. Andrew Tomakarken, einem Psychologen an der Vanderbilt-Universität; siehe Andrew Tomakarken und Richard Davidson, »Frontal brain activation in repressors and nonrepressors«, *Journal of Abnormal Psychology*, 103, 1994.
7 Doreen Arcus machte Beobachtungen darüber, wie Mütter ihren schüchternen Kindern helfen können, mutiger zu werden. Näheres in Kagan, *Galen's Prophecy*.
8 Jerome Kagan, *Galen's Prophecy*, New York: Basic Books, 1994, S. 194 f.
9 Ablegen der Schüchternheit: Jens Asendorpf, »The malleability of behavioral inhibition: A study of individual developmental functions«, *Developmental Psychology*, 30, 6, 1994.
10 Hubel und Wiesel: David H. Wiesel, Thorsten Wiesel und S. Levay, »Plasticity of ocular columns in monkey striate cortex«, *Philosophical Transactions of the Royal Society of London*, 278, 1977.
11 Erfahrung und das Gehirn der Ratte: Die Untersuchung von Marian Diamond und anderen wird beschrieben in Richard Thompson, *The Brain*, San Francisco: WH Freeman, 1985.
12 Zerebrale Veränderungen bei der Behandlung von Zwangsneurosen: L. R. Baxter et al., »Caudate glucose metabolism rate changes with both drug and behavior therapy for obsessive-compulsive disorder«, *Archives of General Psychiatry*, 44, 1987.
13 Erhöhte Aktivität in den Präfrontallappen: Baxter et al., »Local cerebral glucose metabolic rates in obsessive compulsive disorder«, *Archives of General Psychiatry*, 44, 1987.
14 Reifung der Präfrontallappen: Bryan Kolb, »Brain development, plasticity and behavior«, *American Psychologist*, 44, 1989.
15 Kindheitserfahrung und präfrontale Auslese: Richard Davidson, »Asymmetric brain function and affective style: The role of early experience and plasticity«, *Development and Psychopathology*, 1994, im Druck.
16 Biologische Einstimmung und Gehirnwachstum: Schore, op. cit.

## 15. Die Kosten der emotionalen Unbildung

1 Emotionale Unbildung: Ich schrieb über die Notwendigkeit solcher Kurse in der *New York Times* vom 3. März 1992.
2 Die Zahlen über die Jugendkriminalität entstammen den vom Justizministerium veröffentlichten Uniform Crime Reports, »Crime in the U.S, 1991«.
3 Gewaltverbrechen von Jugendlichen: Die Zahl der Verurteilungen Jugendlicher wegen Gewaltverbrechen kletterte 1990 auf 430 pro 100 000, ein Anstieg um 27 Prozent gegenüber 1980. Die Verurteilungen Jugendlicher wegen Vergewaltigung stiegen von 10,9 pro 100 000 im Jahr 1965 auf 21,9 pro 100 000 im Jahr 1990. Die Zahl der von Jugendlichen begangenen Morde nahm von 1965 bis 1990 auf mehr als das Vierfache zu, von 2,8 pro 100 000 auf 12,1; drei von vier Mordtaten Jugendlicher wurden mit Schußwaffen begangen, ein Anstieg um 79 Prozent innerhalb eines Jahrzehnts. Schwerer Raub, begangen von Jugendlichen, nahm von 1980 bis 1990 um 64 Prozent zu. Siehe z. B. Ruby Takanashi, »The Opportunities of Adolescence«, *American Psychologist*, Februar 1993.
4 1950 betrug die Selbstmordrate der 15- bis 24jährigen 4,5 pro 100 000. 1989 war sie mit 13,3 dreimal so hoch. Die Selbstmordzahlen der 10- bis 14jährigen Kinder hat sich zwischen 1968 und 1985 fast verdreifacht. Die Zahlen über Selbstmord, Mordopfer und Schwangerschaften sind entnommen aus *Health, 1991*, U.S. Dept. of Health and Human Services, und Children's Safety Network, *A Data Book of Child and Adolescent Injury*, Washington, DC: National Center for Education in Maternal and Child Health, 1991.
5 Die Fälle von Gonorrhöe unter Kindern von 10 bis 14 haben sich in den dreißig Jahren seit 1960 vervierfacht, bei Jugendlichen von 15 bis 19 verdreifacht. 1990 waren 20 Prozent der AIDS-Patienten in den Zwanzigern, viele hatten sich schon als Teenager infiziert. Die Nötigung zu frühem Geschlechtsverkehr wird stärker. Nach einer Umfrage unter jüngeren Frauen in den neunziger Jahren erklärte mehr als ein Drittel, Druck von Gleichaltrigen habe sie zum ersten Geschlechtsverkehr bewogen; eine Generation zuvor gaben dies nur 13 Prozent der Befragten an. Siehe Ruby Takanashi, »The Opportunities of Adolescence«, *American Psychologist*, Februar 1993, und Children's Safety Network, *A Data Book of Child and Adolescent Injury*, Washington, DC: National Center for Education in Maternal and Child Health, 1991.
6 Heroin- und Kokainkonsum: Er stieg für Weiße von 18 pro 100 000 im Jahr 1970 auf 68 im Jahr 1990 – annähernd das Dreifache. Unter Schwarzen stieg er jedoch von 53 pro 100 000 im Jahr 1970 auf schwindelerregende 766 im Jahr 1990 – fast das *Dreizehnfache* der Zahl zwanzig Jahre zuvor. Die Zahlen über den Drogenmißbrauch stammen aus *Crime in the U.S., 1991*, US-Justizministerium.
7 Nach Erhebungen in den USA, Neuseeland, Kanada und Puerto Rico leidet

jedes fünfte Kind unter psychologischen Schwierigkeiten, die in der einen oder anderen Weise sein Leben beeinträchtigen. Angst ist das häufigste Problem bei Kindern unter elf; zehn Prozent haben Phobien, die so schwer sind, daß sie ein normales Leben unmöglich machen; fünf Prozent leiden unter generalisierter Angst und ständiger Besorgnis, und weitere vier Prozent leiden an einer starken Angst, von ihren Eltern getrennt zu werden. Saufereien breiten sich unter Jungen aus, und mit zwanzig Jahren nehmen etwa zwanzig Prozent daran teil. Die Daten über emotionale Störungen bei Kindern wurden von mir in der *New York Times* vom 10. Januar 1989 dargestellt.

8 Die landesweite Untersuchung über emotionale Probleme der Kinder und der Vergleich mit anderen Ländern: Thomas Achenbach und Catherine Howell, »Are America's Children's Problems Getting Worse? A 13-year Comparison«, *Journal of the American Academy of Child and Adolescent Psychiatry*, November 1989.

9 Den Ländervergleich machte Urie Bronfenbrenner in Michael Lamb und Kathleen Sternberg, *Child Care in Context: Cross Cultural Perspectives*, Englewood, NJ: Lawrence Erlbaum Associates, 1992.

10 Aus einem Vortrag Urie Bronfenbrenners auf einem Symposium an der Cornell-Universität, 24. September 1993.

11 Langzeitstudien über aggressive und straffällige Kinder: siehe zum Beispiel Alexander Thomas und Stella Chess, *Child Development*, September 1988.

12 John Lochman machte das Experiment mit den Schlägern und berichtete davon im *Journal of Clinical and Consulting Psychology*.

13 Die Untersuchung der aggressiven Jungen: Kenneth A. Dodge, »Emotion and social information processing«, in Garber und Dodge, *The Development of Emotion Regulation and Dysregulation*, New York: Cambridge University Press, 1991.

14 Abneigung gegen Schläger innerhalb von Stunden: J. D. Coie und J. B. Kupersmidt, »A behavioral analysis of emerging social status in boys' groups«, *Child Development*, 54, 1983.

15 Die Hälfte der unlenksamen Kinder: siehe zum Beispiel Dan Offord et al., »Outcome, prognosis, and risk in a longitudinal follow-up study«, *Journal of the American Academy of Child and Adolescent Psychiatry*, 31, 1992.

16 Aggressive Kinder und Kriminalität: Richard Tremblay et al., »Predicting early onset of male antisocial behavior from preschool behavior«, *Archives of General Psychiatry*, September 1994.

17 Eine Neigung zur Aggression hängt natürlich entscheidend davon ab, was in der Familie des Kindes passiert, bevor es zur Schule kommt. So ergab eine Untersuchung, daß Kinder, die als Einjährige von ihrer Mutter abgelehnt wurden und die eine kompliziertere Geburt hatten, eine viermal so große Neigung hatten, mit achtzehn ein Gewaltverbrechen zu begehen. Adriane Raines et al.,

»Birth complications combined with early maternal rejection at age one predispose to violent crime at age 18 years«, *Archives of General Psychiatry*, Dezember 1994.

18 »Ungezogene« Mädchen und Schwangerschaft: Marion Underwood und Melinda Albert, »Fourth grade peer status as a predictor of adolescent pregnancy«, Vortrag auf der Tagung der Society for Research on Child Development, Kansas City, Missouri, April 1989.

19 Der Weg in die Kriminalität: Gerald R. Patterson, »Orderly Change in a Stable World: The Antisocial Trait as a Chimera«, *Journal of Clinical and Consulting Psychology*, 62, 1993.

20 Aggressive Einstellung: Ronald Slaby und Nancy Guerra, »Cognitive mediators of aggression in adolescent offenders«, *Developmental Psychology*, 24, 1988.

21 Der Fall Danas: aus Laura Mufson et al., *Interpersonal Psychotherapy for Depressed Adolescents*, New York: Guilford Press, 1993.

22 Weltweit steigende Depressionszahlen: Cross-National Collaboration Group, »The changing rate of major depression: cross-national comparisons«, *Journal of the American Medical Association*, 2. Dezember 1992.

23 Zehnmal so große Wahrscheinlichkeit einer Depression: Peter Lewinsohn et al., »Age-cohort changes in the lifetime occurence of depression and other mental disorders«, *Journal of Abnormal Psychology*, 102, 1993.

24 Epidemiologie der Depression: Patricia Cohen et al., New York Psychiatric Institute, 1988; Peter Lewinsohn et al., »Adolescent psychopathology: I. Prevalence and incidence of depression in high school students«, *Journal of Abnormal Psychology*, 102, 1993. Siehe auch Mufson et al., op. cit. Für einen Überblick über niedrigere Schätzungen: E. Costello, »Developments in Child Psychiatric Epidemiology«, *Journal of the Academy of Child and Adolescent Psychiatry*, 1989.

25 Vorkommen der Depression bei jungen Menschen: Maria Kovacs und Leo Bastiaens, »The Psychotherapeutic Management of major depressive and Dysthymic disorders in Childhood and Adolescence: Issues and prospects«, in I. M. Goodyer, Hrsg., *Mood Disorders in Childhood and Adolescence*, New York: Cambridge University Press, 1994.

26 Depression bei Kindern: Kovacs, op. cit.

27 Das Interview mit Maria Kovacs ist abgedruckt in der *New York Times* vom 11. Januar 1994.

28 Soziales und emotionales Zurückbleiben von depressiven Kindern: Maria Kovacs und David Goldston, »Cognitive and social development of depressed children and adolescents«, *Journal of the Academy of Child and Adolescent Psychiatry*, Mai 1991.

29 Hilflosigkeit und Depression: John Weiss et al., »Control-related beliefs

and self-reported depressive symptoms in late childhood«, *Journal of Abnormal Psychology*, 102, 1993.

30 Pessimismus und Depression bei Kindern: Judy Garber, Vanderbilt-Universität. Siehe z. B. Ruth Hilsman und Judy Garber, »A test of the cognitive diathesis model of depression in children: Academic stressors, attributional style, perceived competence and control«, *Journal of Personality and Social Psychology*, 1994; Judith Garber, »Cognitions, depressive symptoms, and development in adolescents«, *Journal of Abnormal Psychology*, 102, 1993.

31 Garber, op. cit.

32 Garber, op. cit.

33 Susan Nolen-Hoekesma et al., »Predictors and consequences of childhood depressive symptoms: A five-year longitudinal study«, *Journal of Abnormal Psychology*, 101, 1992.

34 Depressionshäufigkeit halbiert: Gregory Clarke, Health Sciences Center der Universität von Oregon, »Prevention of depression in at-risk high school adolescents«, Vortrag vor der American Academy of Child and Adolescent Psychiatry, Oktober 1993.

35 Garber, op. cit.

36 Hilda Burch, »Hunger and Instinct«, *Journal of Nervous and Mental Disease*, 149, 1969, 91-114. Ihr wegweisendes Buch *The Golden Cage: The enigma of anorexia nervosa* (Harvard University Press) erschien erst 1978.

37 Die Untersuchung über Eßstörungen: Gloria R. Leon et al., »Personality and Behavioral Vulnerabilities Associated with Risk Status for Eating Disorders in Adolescent Girls«, *Journal of Abnormal Psychology*, 1993, 102, 3, 438-444.

38 Die Sechsjährige, die sich für dick hielt, war eine Patientin von Dr. William Feldman, Pädiater an der Universität Ottawa und Autor eines Berichts in *Pediatrics* über eine Untersuchung von Jugendlichen, die ähnlich besorgt sind, übergewichtig zu sein.

39 Hinweis bei Sifneos, op. cit.

40 Die kleine Geschichte von Bens Abweisung ist entnommen aus Steven Asher und Sonda Gabriel, »The Social World of Peer Rejected Children«, Vortrag auf dem Kongreß der American Educational Research Association, San Francisco, März 1989.

41 Die Abbruchquote bei sozial abgelehnten Kindern: Steven Asher und Sonda Gabriel, »The Social World of Peer Rejected Children«, Vortrag auf dem Kongreß der American Educational Research Association, San Francisco, März 1989.

42 Die Feststellungen über die schwache soziale Kompetenz unbeliebter Kinder stammen aus Kenneth Dodge und Esther Feldman, »Social Cognition and Sociometric status«, in Steven Asher und John Coie, *Peer Rejection in Childhood*, New York: Cambridge University Press, 1990.

43 Cowen et al., »Longterm follow-up of early detected vulnerable children«, *Journal of Clinical and Consulting Psychology*, 41, 1973.
44 Die Abgelehnten und die besten Freunde: Jeffrey Parker und Steven Asher, »Friendship adjustment, Group acceptance and social dissatisfaction in childhood«, Vortrag auf der Jahrestagung der American Educational Research Association, Boston 1990.
45 Die Anleitung für sozial abgelehnte Kinder: Steven Asher und Gladys Williams, »Helping Children without friends in home and school contexts«, in *Children's Social Development: Information for parents and teachers*, Urbana-Champaign: University of Illinois, 1987.
46 Ähnliche Resultate: Stephen Nowicki, Jr., »A remediation procedure for nonverbal processing deficits«, unveröffentlichtes Manuskript, Duke University, 1989.
47 Zwei Fünftel sind starke Trinker: Eine Umfrage des Project Pulse an der Universität von Massachusetts, dargestellt in der *Daily Hampshire Gazette* vom 13. November 1993.
48 Saufgelage: Die Zahlen stammen von Harvey Wechsler, Direktor der College Alcohol Studies an der Harvard School of Public Health, August 1994.
49 Mehr Frauen trinken, um betrunken zu werden; Vergewaltigungsrisiko: Bericht des Center Addiction and Substance Abuse an der Columbia-Universität, Mai 1993.
50 Haupttodesursache: Alan Marlatt, Bericht auf der Jahrestagung der American Psychological Association, August 1994.
51 Die Angaben über Alkoholismus und Kokainabhängigkeit stammen von Meyer Glantz, amtierender Leiter der Etiology Research Section des National Institute for Drug and Alcohol Abuse.
52 Probleme und Mißbrauch: Jeanne Tschann, »Initiation of substance abuse in early adolescence«, *Health Psychology*, 4, 1994.
53 Das Interview mit Ralph Tarter ist abgedruckt in der *New York Times* vom 26. April 1990.
54 Hohe Spannung bei Söhnen von Alkoholikern: Howard Moss et al., *Biological Psychiatry*, März 1990.
55 Kathleen Merikangas et al., »Familial Transmission of Depression and Alcoholism«, *Archives of General Psychiatry*, April 1985.
56 Der rastlose und impulsive Alkoholiker: Moss, op. cit.
57 Kokain und Depression: Edward Khantzian, »Psychiatric and psychodynamic factors in cocaine addiction«, in Arnold Washton und Mark Gold, Hrsg., *Cocaine: A Clinician's Handbook*, New York: Guilford Press, 1987.
58 Heroinsucht und Zorn: Edward Khantzian, Harvard Medical School, im Gespräch, basierend auf über 200 Patienten, die er wegen Heroinsucht behandelt hat.

59 Keine Kriege mehr: Die Anregung zu dieser Formel verdanke ich Tim Shriver von der Arbeitsgemeinschaft zur Förderung des sozialen und emotionalen Lernens am Yale Child Studies Center.

60 Emotionale Wirkungen der Armut: Greg Duncan und Patricia Garrett haben ihre jeweiligen Forschungsergebnisse in eigenen Artikeln in *Child Development*, April 1994, dargestellt.

61 Eigenschaften von unverwüstlichen Kindern: Norman Garmezy, *The Invulnerable Child*, New York: Guilford Press, 1987. Über Kinder, die sich trotz aller Not nicht unterkriegen lassen, in der *New York Times* vom 13. Oktober 1987.

62 Häufigkeit von seelischen Krankheiten: Ronald C. Kessler et al., »Lifetime and 12-month Prevalence of DSM-III-R Psychiatric Disorders in the U.S.«, *Archives of General Psychiatry*, Januar 1994.

63 Die Zahlen der Jungen und Mädchen, die in den USA Opfer sexuellen Mißbrauchs werden, stammen von Malcolm Brown vom Violence and Traumatic Stress Branch des National Institute of Mental Health; die Zahl der erhärteten Fälle stammt vom National Committee for the Prevention of Child Abuse and Neglect. Eine landesweite Befragung von Kindern ergab als jährliche Häufigkeit 3,2 Prozent bei Mädchen und 0,6 Prozent bei Jungen: David Finkelhor und Jennifer Dziuba-Leatherman, »Children as victims of violence: A national survey«, *Pediatrics*, Oktober 1984.

64 Die landesweite Befragung von Kindern über die Verhütung sexuellen Mißbrauchs führte der Soziologe David Finkelhor von der Universität von New Hampshire durch. Ich berichtete von seinen Resultaten in der *New York Times* vom 6. Oktober 1993.

65 Die Angaben über die Zahl der Opfer von Kindesbelästigern beruhen auf einem Gespräch mit Malcolm Gordon, einem Psychologen am Violence and Traumatic Stress Branch des National Institute of Mental Health.

66 W. T. Grant Consortium on the School-Based Promotion of Social Competence, »Drug and Alcohol Prevention Curricula«, in J. David Hawkins et al., *Communities That Care*, San Francisco: Jossey-Bass, 1992.

67 W. T. Grant Consortium, op. cit., S. 136.

## 16. Schulung der Gefühle

1 Das Interview mit Karen Stone McCown ist abgedruckt in der *New York Times* vom 7. November 1993.

2 Karen F. Stone und Harold Q. Dillehunt, *Self Science: The Subject Is Me*, Santa Monica: Goodyear Publishing Co., 1978.

3 Committee for Children, »Guide to Feelings«, *Second Step 4-5*, 1992, S. 84.

4 Das *Child Development Project:* Siehe z. B. Daniel Soloman et al., »Enhan-

cing Children's Prosocial Behavior in the Classroom«, *American Educational Research Journal*, Winter 1988.
5 Vorteile von Head Start: Bericht der High/Scope Educational Research Foundation, Ypsilanti, Michigan, April 1993.
6 Der emotionale Fahrplan: Carolyn Saarni, »Emotional competence: How emotions and relationships become integrated«, in R. A. Thompson, *Socioemotional Development / Nebraska Symposium on Motivation*, 36, 1990.
7 Der Übergang zur Grund- und zur Mittelschule: David Hamburg, *Today's Children: Creating a Future for a Generation in Crisis*, New York: Times Books, 1992.
8 Hamburg, op. cit., S. 171 f.
9 Hamburg, op. cit., S. 182.
10 Mein Gespräch mit Linda Lantieri ist abgedruckt in der *New York Times* vom 3. März 1992.
11 Programme zur emotionalen Erziehung als primäre Prävention: J. David Hawkins et al., *Communities That Care*, San Francisco: Jossey-Bass, 1992.
12 Schulen als fürsorgliche Gemeinschaften: David Hawkins, op. cit.
13 Die Geschichte von dem Mädchen, das nicht schwanger war: Roger P. Weisberg et al., »Promoting Positive Social Development and Health Practice in Young Urban Adolescents«, in M. J. Elias, Hrsg., *Social Decision-Making in the Middle School*, Gaithersburg, MD: Aspen Publishers, 1992.
14 Die Geschichte von dem Kampf, zu dem es nicht kam, wird erzählt in Roger S. Glass, »Keeping the Peace«, *American Teacher*, September 1993.
15 Charakterbildung und moralisches Verhalten: Amitai Etzioni, *The Spirit of Community*, New York: Crown Publishers, 1993.
16 Moralische Lektionen: Steven C. Rockefeller, *John Dewey: Religious Faith and Democratic Humanism*, New York: Columbia University Press, 1991.
17 An anderen recht handeln: Thomas Lickona, *Educating for Character*, New York: Bantam, 1991.
18 Die Künste der Demokratie: Francis Moore Lappe und Paul Martin DuBois, *The Quickening of America*, San Francisco: Jossey-Bass, 1994.
19 Charakterbildung: Amitai Etzioni et al., *Character Building for a Democratic, Civil Society*, Washington, DC: The Communitarian Network, 1994.
20 Drei Prozent mehr Mordfälle: »Murders across nation rise by 3 percent, but overall violent crime is down«, *New York Times* vom 2. Mai 1994.
21 Anstieg der Jugendkriminalität: »Serious Crimes by Juveniles Soar«, Associated Press, 25. Juli 1994.

# Dank

Den Ausdruck »emotionale Erziehung« hörte ich zum ersten Mal bei Eileen Rockefeller Growald, damals Gründerin und Präsidentin des Institute for the Advancement of Health. Dieses beiläufige Gespräch reizte meine Neugier und steckte die Untersuchungen ab, aus denen schließlich dieses Buch hervorging. Es war ein Vergnügen, in diesen Jahren mit Eileen zusammenzuarbeiten, die währenddessen weiter auf diesem Feld aktiv war.

Die Unterstützung des Fetzer Institute in Kalamazoo, Michigan, hat mir den großzügigen zeitlichen Rahmen verschafft, gründlicher zu erforschen, was »emotionale Erziehung« bedeuten könnte, und ich bin dankbar für die wichtige frühe Ermutigung durch Rob Lehman, den Präsidenten des Instituts, und die laufende Zusammenarbeit mit David Sluyter, dem dortigen Programmdirektor. Es war Rob Lehman, der mich in einem frühen Stadium meiner Recherchen gedrängt hat, ein Buch über emotionale Erziehung zu schreiben.

Zu tiefstem Dank bin ich den Hunderten von Forschern verpflichtet, die mich im Laufe der Jahre an ihren Erkenntnissen haben teilhaben lassen und deren Leistungen hier besprochen und zusammengefaßt wurden. Peter Salovey verdanke ich den Begriff »emotionale Intelligenz«. Viel habe ich außerdem davon profitiert, daß ich in die laufende Arbeit so vieler Erzieher und Praktiker der Kunst der primären Prävention eingeweiht wurde; sie stehen an der Spitze der entstehenden Bewegung für emotionale Erziehung. Ihre praktischen Bemühungen, Kindern bessere emotionale und soziale Fähigkeiten zu vermitteln und die Schule zu einer humaneren Umwelt umzugestalten, waren für mich sehr anregend. Zu ihnen gehören Mark Greenberg und David Hawkins an der Universität von Washington; David Schaps und Catherine Lewis am Developmental Studies Center in Oakland, Kalifornien; Tim Shriver am Yale Child Studies Center; Roger Weissberg an der Universität von Illinois in Chicago; Maurice Elias an der Rutgers-Universität; Shelly Kessler vom Goddard Institute on Teaching and Learning in Boulder, Colorado; Chevy Martin und Karen Stone McCown am Nueva Learning Center in Hillsborough, Kalifornien; und Linda Lantieri, Leiterin des National Center for Resolving Conflict Creatively in New York.

Besonders habe ich denen zu danken, die Teile dieses Manuskripts durchgesehen und kommentiert haben: Howard Gardner von der Graduate School of Education an der Harvard-Universität; Peter Salovey, Psychologie-Department an der Yale-Universität; Paul Ekman, Direktor des Human Interaction Laboratory an der Universität von Kalifornien in San Francisco; Michael Lerner, Direktor von Commonweal in Bolinas, Kalifornien; Colin Greer, Präsident der New World Foundation; Denis Prager, seinerzeit Direktor des Gesundheitsprogramms der John D. und Catherine C. MacArthur Foundation; Mark Gerzon, Direktor von Common Enterprise, Boulder, Colorado; Dr. Mary Schwab-Stone, Child Studies Center, Yale University School of Medicine; Dr.David Spiegel, Psychiatrie-Department der Stanford University Medical School; Mark Greenberg, Direktor des Fast Track Program der Universität von Washington; Shoshona Zubroff, Harvard School of Business; Joseph LeDoux, Center for Neural Science der Universität New York; Richard Davidson, Direktor des Psychophysiologischen Laboratoriums der Universität von Wisconsin; Paul Kaufman, Mind and Media, Pt. Reyes, Kalifornien; Naomi Wolf und besonders Fay Goleman.

Hilfreiche fachliche Beratung gewährten mir Page DuBois, Gräzist an der Universität von Südkalifornien; Matthew Kapstein, Ethik- und Religionsphilosoph an der Columbia-Universität und Steven Rockefeller vom Middlebury College, Verfasser der intellektuellen Biographie von John Dewey. Joy Nolan sammelte kurze Skizzen von emotionalen Episoden; Margaret Howe und Annette Spychalla verfaßten den Anhang über die Auswirkungen von emotionalen Erziehungsprogrammen.

Meine Redakteure bei der *New York Times* haben mich bei meinen zahlreichen Recherchen zu neuen Erkenntnissen über die Emotionen, die erstmals in diesem Blatt erschienen und einen erheblichen Teil dieses Buches ausmachen, phantastisch unterstützt.

Toni Burbank, mein Lektor bei Bantam Books, bewies bei der Redaktion jene Begeisterung und jenen Scharfsinn, die mich in meinem Entschluß und meinen Auffassungen bestärkten.

Und Tara Bennett-Goleman, meine Frau, schuf jene schützende Hülle aus Wärme, Liebe und Verständnis, die zum Gedeihen dieses Projekts beitrug.

# Namenregister

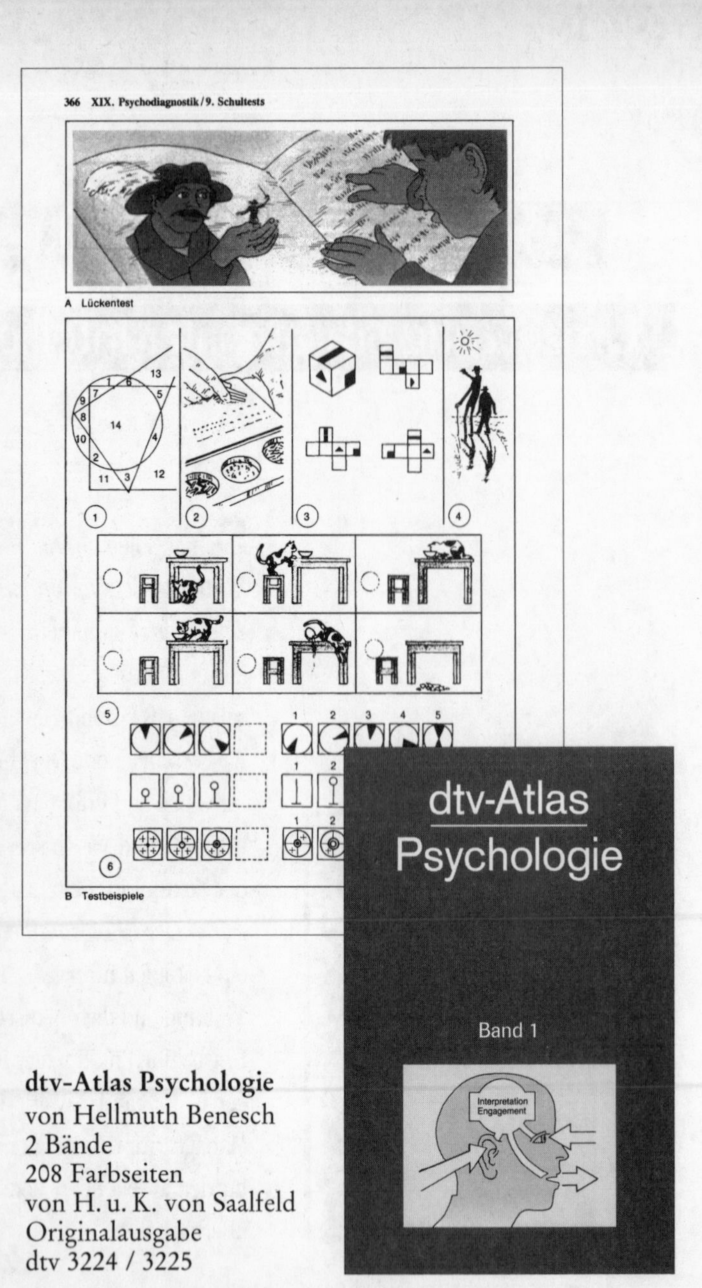
366 XIX. Psychodiagnostik / 9. Schultests
A Lückentest
B Testbeispiele
dtv-Atlas
Psychologie
Band 1
Interpretation
Engagement

# Psychologie – Analyse – Therapie

Kathrin Asper
**Verlassenheit und Selbstentfremdung**
Neue Zugänge zum therapeutischen Verständnis
dtv 35018

Hinrich van Deest
**Heilen mit Musik**
Musiktherapie in der Praxis · dtv 35117

Verena Kast
**Märchen als Therapie**
dtv 35021

Arnold Lazarus, Allen Fay
**Ich kann, wenn ich will**
Anleitung zur psychologischen Selbsthilfe
dtv 36109

Elisabeth Lukas
**Spannendes Leben**
In der Spannung zwischen Sein und Sollen
Ein Logotherapiebuch
dtv 35112

Frederick S. Perls, Ralph F. Hefferline, Paul Goodman
**Gestalttherapie**
Grundlagen · dtv 35010
Praxis · dtv 35029

Peter Schellenbaum
**Die Wunde der Ungeliebten**
Blockierung und Verlebendigung der Liebe
dtv 35015
**Nimm deine Couch und geh!**
Heilung mit Spontanritualen
dtv 35081

Christine Schmid-Fahrner
**Spielregeln der Liebe**
Integrativ systemische Paartherapie
dtv 35143

Jürgen Straub, Wilhelm Kempf, Hans Werbik (Hg.)
**Psychologie**
**Eine Einführung**
Grundlagen, Methoden, Perspektiven
dtv 32506

Polly Young-Eisendraht
**Die starke Persönlichkeit**
Quellen der Lebenskraft
dtv 35141

Edith und Rolf Zundel
**Leitfiguren der neueren Psychotherapie**
Leben und Werk
dtv 15093

# Arno Gruen im dtv

»Arno Gruen ist der erste Psychoanalytiker, der von Nietzsche geschätzt worden wäre.«
*Henry Miller*

**Der Verrat am Selbst**
Die Angst vor Autonomie bei Mann und Frau
dtv 35000

Heute aktueller denn je: der Begriff der Autonomie, der nicht Stärke und Überlegenheit meint, sondern die volle Übereinstimmung des Menschen mit seinen eigenen Gefühlen und Bedürfnissen. Ein Buch, das eine Grunddimension menschlichen Daseins erfaßt.

**Der Wahnsinn der Normalität**
Realismus als Krankheit: eine grundlegende Theorie zur menschlichen Destruktivität
dtv 35002

Arno Gruen legt die Wurzeln der Destruktivität frei, die sich nicht selten hinter vermeintlicher Menschenfreundlichkeit oder »vernünftigem« Handeln verbergen. Er führt vor Augen, daß dort, wo Innen- und Außenwelt auseinanderfallen, Verantwortung und Menschlichkeit ausbleiben.

**Der Verlust des Mitgefühls**
Über die Politik der Gleichgültigkeit
dtv 35140

Solange Schmerz und Leid zu empfinden als Schwäche gilt, ist unser Menschsein verarmt und unvollständig. Das Buch entwickelt Wege, wie wir uns der Politik der Gleichgültigkeit bewußt werden und einen Ausweg aus der Sackgasse zu immer mehr Gewalt und weniger Mitgefühl finden können.

dtv

# Konrad Lorenz im dtv

»Es gibt keinen erfolgreichen und guten Biologen, der nicht aus inniger Freude an den Schönheiten der lebendigen Kreatur zu seinem Lebensberufe gelangt wäre.«
*Konrad Lorenz*

## Das sogenannte Böse

Zur Naturgeschichte der Aggression
dtv 33017

Konrad Lorenz behandelt einen gefährlichen Grundantrieb menschlichen Verhaltens: die Aggression, das heißt den auf den Artgenossen gerichteten Kampftrieb bei Mensch und Tier. Das Buch hat eine fruchtbare und nützliche Diskussion über die natürlichen Grundlagen des menschlichen Daseins in Gang gesetzt, die so rasch nicht wieder verstummen wird. Ein Schlüsselwerk von epochalem Rang.

## Er redete mit dem Vieh, den Vögeln und den Fischen

dtv 20225

Das Haus von Konrad Lorenz in Altenberg bei Wien glich einer Arche Noah: Es war bevölkert von allen möglichen Tieren, die mit großer Liebe an ihrem Herrn und Meister hingen. Humorvoll und selbstironisch schildert Lorenz seine Erlebnisse mit den Tieren und berichtet dabei viel Wissenswertes über deren differenzierte Lebensgewohnheiten und Verhaltensweisen.

## So kam der Mensch auf den Hund

dtv 20113

Aus uralten Instinkten erklärt Lorenz das Verhalten unseres vierbeinigen Hausgenossen, das manchmal fast menschlich anmutet, dem Hundeliebhaber allerdings oft unverständlich und sogar unheimlich erscheint. Jede Hunderasse, aber auch jeder einzelne Hund hat einen eigenen (und oft eigensinnigen) Charakter, den nur entschlüsseln kann, wer die Entwicklungsgeschichte und Verhaltensformen dieser Tierart kennt.

## Frederic Vester im dtv

Ein großer Umweltforscher und Kybernetiker, der Neuland des Denkens erschließt.

**Neuland des Denkens**
dtv 33001
Frederic Vester fragt, warum menschliches Planen und Handeln so häufig in Sackgassen und Katastrophen führt. Das fesselnd und allgemeinverständlich geschriebene Hauptwerk von Frederic Vester.

**Phänomen Streß**
Wo liegt der Ursprung des Streß, warum ist er lebenswichtig, wodurch ist er entartet? · dtv 33044
Vester vermittelt in einer auch dem Laien verständlichen Sprache die Zusammenhänge des Streßgeschehens.

**Unsere Welt – ein vernetztes System**
dtv 33046
Anhand vieler anschaulicher Beispiele erläutert Vester die Steuerung von Systemen in der Natur und durch den Menschen und wie wir sie zur Lösung von Problemen einsetzen können.

**Crashtest Mobilität**
Die Zukunft des Verkehrs
Fakten–Strategien–Lösungen
dtv 33050

Frederic Vester
Gerhard Henschel
**Krebs – fehlgesteuertes Leben**
dtv 11181
Das vielschichtige Problem Krebs wird in grundlegenden biologischen und medizinischen Zusammenhängen diskutiert und dargestellt.

dtv